Piotr Adamczyk

DOM TĘSKNOT

Człowiek nie może być wszechwiedzący,
ale musi mieć coś, co naprawdę rozumie.

Gustav Freytag, pisarz niemiecki (1816-1895)

1.

Mała inkwizycja domowym sposobem

Powinienem przeczuć, że ogień strzeli wysoko – księgi były suche z upału i starości. Powietrze falowało. Fale szły z ziemi do nieba. Gorąca rzeka, przezroczysta, pełna spopielałych statków. Rozpadały się płonące karty ksiąg, a podmuchy żaru wyrzucały je ku górze. Płynęły, tliły się w powietrzu, zwęglone opadały jak czarny śnieg. Zaglądały w okna przerażonych mieszkańców kamienicy, cumowały na drewnianych parapetach. Kobiety rzuciły się z krzykiem, by ratować suszące się na balkonach pranie, ale było już za późno – białe prześcieradła, obrusy i poszwy kryły się pod warstwą popiołu. Nasze podwórkowe Pompeje. Mężczyźni, wsparci na łokciach, wychylali się z okien, pomstując.

Śmierć przychodzi wówczas, gdy czas staje w martwym punkcie. Dla mnie to mogła być ta chwila. Od dawna obawiałem się nieuchronnego – czegoś, co zrobię, czegoś złego, co się stanie, i nie będzie odwrotu. Nigdy jednak nie sądziłem, nie przypuszczałem nawet, że taka chwila, która wszystko zmienia, zdarzy się za moją pełną zgodą, co więcej, to ja ją wywołam za pomocą pudełka zapałek, butelki z naftą i niemieckich książek, z których każda ma blisko sto lat i na trzeciej stronie przylepiony ekslibris Richarda Freytaga z wizerunkiem jeźdźca wznoszącego kielich z wygrawerowaną różą.

To miało być moje prywatne *auto da fé* niczym stary ceremoniał inkwizycji kończący się spaleniem heretyków na stosie. Ja byłem głównym inkwizytorem ubranym w czarny płaszcz sędziego i kata w jednej osobie, chwilowym władcą płomieni, który dla swojej wiary zapragnął oczyszczenia.

Trudno to było wytłumaczyć policjantom, którzy przesłuchiwali mnie w szpitalnej separatce o ścianach wielokrotnie malowanych farbą olejną we wszystkich odcieniach zieleni. Zielony to kolor nadziei, o czym wiedzieli także ci, którzy byli tutaj przede mną i zostawili po sobie świadectwo wulgarnych napisów oraz ryty przedstawiające głównie męski narząd płciowy. Patrząc na nie, pomyślałem o wielkim wybuchu, który mógłby całe miasto pogrzebać pod gruzami, a po latach przyszliby archeologowie nowej ery i szukając śladów przeszłości, odkryliby te napisy, po czym udostępniliby je publiczności niczym freski z jaskini Lascaux odkryte w Akwitanii.

Trudno było mój inkwizytorski wybuch wytłumaczyć także sędziemu, który wprawdzie słuchał cierpliwie, ale bez cienia współczucia. Bardziej niż oratorski talent ratowała mnie jednak moja dotychczasowa opinia, może trochę też i zawód – w końcu nie codziennie stateczny publicysta oskarżony jest o spowodowanie zagrożenia życia wielu osób. Wyrok zapadł w zawieszeniu, co znaczyło, że uniknę kary, o ile w ciągu dwóch najbliższych lat nie popełnię niczego równie głupiego jak palenie księgozbiorów i strzelanie do pamiątek rodzinnych pewnego znanego pisarza, o których słuch być może powinien zaginąć. Oprócz wyroku sędzia orzekł grzywnę, mój adwokat zaś sam zaproponował cykl dobrowolnych wizyt u psychoterapeuty.

Lista polecona przez sędziego zawierała kilka adresów. Wybrałem ten na samym końcu miasta, tam, gdzie niemal kończy się Wrocław, a zaczynają Bielany. Piętrowy, poniemiecki budynek, na domofonie trzy przyciski. Parter – „Klub go-go". Piętro, jedynka – „Yeal Minge, dypl. dr psychologii, psychoterapie, leczenie natręctw". Piętro, dwójka – „Wróżbiarstwo i medycyna naturalna".

Pomyślałem, że to dziwne sąsiedztwo, i ogarnęły mnie wątpliwości. Czy ja jestem Woody Allen, żeby siedzieć na kozetce? Ale gdy nacisnąłem dzwonek i przed klubem ze striptizem zobaczyłem piętnastolatka błagającego ochroniarza o łaskę dopuszczenia do cudu widoków kobiecego ciała, gdy pomyślałem, że mogę tam pójść i w cudzie tym uczestniczyć z gorliwością pierwszych apostołów

– i mam tę możliwość jako alternatywę zielonej celi z rytami genitaliów – to doszedłem do wniosku, że życie jest jednak piękne i nie zepsuje mi tego żaden psycholog, choćby nie wiem jak analityczny.

Dyplomowany doktor (nie wiedziałem, że są niedyplomowani) nieoczekiwanie okazał się kobietą. Brunetka koło trzydziestki, bardziej koścista niż szczupła, o lekko kręconych włosach do ramion, ubrana w odcienie brązu. Jasne buciki, beżowa spódniczka do kolan, bardzo wąska, przez co opięta na biodrach tak, że z przodu widać zarys kości miednicy. Morelowa bluzka i orzechowa apaszka na szyi – bakaliowy zestaw, pomyślałem, zwłaszcza że oczy jak migdały. Do tego rogowe okulary na wysoko zadartym nosie. Usta wąskie, surowo ściśnięte, jakby dla zasady nie pozwolono im się uśmiechać.

Przyszło mi na myśl, że takie usta chyba nigdy nie całują, a przynajmniej nie rozchylają się przy tym lekko wilgotne. Być może zdolne są do zdawkowego cmoku na dzień dobry lub na do widzenia – tak, na do widzenia, najchętniej bym już stąd poszedł.

– Witam pana, proszę do środka – zaprosiła zaskakująco miłym głosem. – Pan z polecenia pana mecenasa?

– Tak. Dzień dobry. Z polecenia.

Spojrzała na mnie z uwagą. Przyglądam się sobie jej oczami. Brunet, prawie czterdziestoletni, średniego wzrostu, szczupły, ostrzyżony na milimetr, lekko siwiejący. Ubrany w ochronne odcienie granatu. Błękitny T-shirt, ciemnoniebieska marynarka ze sztruksu, dżinsy, dopiero co wyprane, więc nieco zbyt obcisłe w kroku (jutro się rozejdą), niepotrzebna w tej sytuacji manifestacja drugorzędowych cech płciowych. Klatka piersiowa płaska i chociaż jeszcze niezapadnięta, to widać, że sport sprowadzony do minimum, stąd pewnie deficyt endorfin. Usta wąskie, spierzchnięte z nerwów, oczy i dłonie w ciągłym ruchu, niespokojne, prawa noga lekko odstawiona do tyłu, w pozycji: „najchętniej to bym stąd natychmiast zwiał".

Wskazuje mi ręką kierunek. Przechodzę przez krótki, słabo oświetlony korytarzyk i jestem w jej gabinecie. Podłoga z zabejcowanych na brązowo desek, pod oknem ciężkie biurko z ciemnego drewna, puste, nie licząc białego laptopa. Zawalony książkami regał, przed-wojenna szafa trzydrzwiowa, w kącie duży zegar stojący. Na środku pokoju mały stolik o rzeźbionych nogach i dwa fotele obite ciemnoczerwonym aksamitem. Na stoliku opakowanie chusteczek higienicznych. Ostentacyjnie duże, jakby w założeniu wizyty był konieczny płacz lub przynajmniej wycieranie nosa.

Siadamy w miękkich fotelach, na ścianach dookoła portrety psy-chologów – na pewno znanych, ale ja rozpoznaję jednego, może dwóch. O pozostałych wiem tylko tyle, że z pewnością nie żyją, o czym świadczą zamieszczone pod każdą podobizną daty urodzin i śmierci. W momencie robienia zdjęć wszyscy patrzyli na fotografa, a w takich ujęciach wzrok portretowanego zawsze przenosi się potem na obserwatora lub widza i choćbym się teraz uchylał, przestawiał krzesło i robił uniki, i tak mnie obserwują. Kilkanaście par oczu z dalekich zaświatów. Z tego świata uważnie przygląda mi się psy-choterapeutka, poprawiając na zadartym nosie okulary z napisem „Dolce & Gabbana".

Kerstin, moja ciotka z Niemiec, miała takie okulary. Początkowo myślałem, że napis oznacza moc nabywczą środków płatniczych państwa o egzotycznej nazwie, a okulary stanowią ekwiwalent jed-nego dolara z Gabany. Teraz prześladuje mnie myśl, że okulary tej pani są ekwiwalentem kilku wizyt poprzednich pacjentów. Czy im pomogła? Czy są szczęśliwsi? Myśl ta staje się natrętna, chciałbym się skupić, ale chyba po prostu boję się tej wizyty. W mojej rodzinie nie było zwyczaju chodzenia do psychoterapeutów – dziadek nawet nie był u dentysty, za jego czasów na wsi dentysty jeszcze nie wyna-leziono. Ojciec był co najwyżej u laryngologa, a ja do psychotera-peuty się wybrałem – tak wielki awans społeczny dokonał się w naszej rodzinie.

Matka z pewnością by powiedziała, że przewróciło mi się w głowie. Tak zawsze mówiła na znak niezadowolenia z czyjegoś postępo-wania, a ja nigdy nie wiedziałem, co konkretnie mogło się w głowie przewrócić – może jakieś rusztowanie, słupek rozsądku albo stabi-lizator rozumu, który upadł i leży pozbawiony sensu.

Tak właśnie jak teraz, przez co znalazłem się w tym gabinecie i odpowiadam na pytania tak dziwne, że proszę o powtórzenie.

– Czy w dzieciństwie matka karmiła pana piersią?

Zerkam na nią zdumiony, myśląc, że może zażartowała, żeby wprowadzić swobodny nastrój, ale nie – jej twarz jest skupiona, poważna i surowa jak twarz Zygmunta Freuda, który przygląda mi się ze ściany.

Jezu, nie pamiętam.

Moja matka? Niestosowne mówić o jej piersiach. Zresztą ja mam prawie czterdzieści lat, to było tak dawno, że skąd mogę wiedzieć? Nawet jeśli miała wtedy trzydzieści lat, to i tak jakoś głupio mi myśleć o piersiach, które mnie wykarmiły. Pewnie leżałem z nosem przy jej cycach, jeszcze młodych wówczas i jak wodospady wezbranych – widziałem ten dekolt na fotografiach.

Dla dzieci rodzice są pod jednym względem jak anioły – o ich płci z zasady się nie rozmyśla. Członek ojca nie istnieje, jest tematem tabu, podobnie jak piersi matki, nie mówiąc już o jej podbrzuszu okrytym najgłębszą zmową milczenia.

– Nic panu mama nie mówiła na ten temat?

Nie mówiła. Nigdy nic nie wspominała o karmieniu piersią. Raz tylko powiedziała, że jak panna Julianna przyszła coś ugotować, to w zupie jarzynowej ojciec znalazł sznurek, którym była związana włoszczyzna. To wszystko, co wiem o karmieniu mnie w okresie dzieciństwa. Pamiętam jeszcze tylko takie, półlitrowe chyba, szklane butelki do przechowywania krwi lub glukozy.

Matka pracowała w szpitalu i przynosiła stamtąd różne przydatne rzeczy. Przez cały rok gromadziła na przykład te butelki – długie, wąskie, zatykane gumowym korkiem i zakręcane metalową tuleją. Jesienią wlewała w nie przecier pomidorowy, który robiła całymi dniami – ojciec uwielbiał pomidorową, więc nasza piwnica zastawiona była dziesiątkami pojemników po krwi lub glukozie. Co roku kuchnia wyglądała jak domowe laboratorium Frankensteina – czerwona pulpa bulgotała w aluminiowych garach, po czym przecedzana trafiała do wyparzonych butelek po transfuzjach.

To tyle o karmieniu, naprawę więcej nie pamiętam. Chociaż nie. Pamiętam jeszcze swój pierwszy szpinak. Nienawidziłem szpinaku *a priori*, jak każde normalne dziecko. Nigdy nawet nie spróbowałem. Zielona obrzydliwa pulpa. Kupa noworodka. Ale raz, kiedy matka podawała właśnie do stołu, ja pertraktowałem z ojcem. Chciałem, żeby pozwolił mi zapisać się do harcerstwa. Nie zgadzał się – w naszym domu dość było mundurów lub pamięci po nich, w dodatku nikt nigdy nie nosił polskiego. Ja się uparłem i on się uparł, w końcu, zmęczony, zobaczył misę ze szpinakiem i powiedział:

– Jak zjesz ten cholerny szpinak, to pozwolę ci zapisać się do harcerstwa.

To był najgorszy obiad w moim życiu. Ziemniaki, jajo sadzone, szpinak. Nie wiem, czy w latach sześćdziesiątych żył gdzieś w Polsce inny chłopiec, który dla swojej ojczyzny zdobył się na takie poświęcenie.

No dobra, już mi się przypomniało: moim ulubionym daniem była mortadela smażona, taki dwucentymetrowy plaster zdjęty z wrzącego oleju, czasami w panierce, i wtedy był do ziemniaków i marchewki z groszkiem, a czasami bez panierki, ale wówczas dostawałem go z makaronem polanym pomidorowo-śmietanowym sosem. Na kolację lubiłem chleb smażony na patelni, na słodko, posypany cukrem. Trzeszczał i chrzęścił pod zębami, aż nie było nic innego słychać. Lubiłem też parówki ze słoika. Dostawaliśmy je od wuja Kurta z Niemiec, zazwyczaj w przedświątecznych paczkach i w okolicy naszych imienin – w sumie całkiem często, sześć lub siedem razy w roku. Zawsze była tam też musztarda w tubkach, jasnożółta i tak łagodna, że niemal słodka. Taki zestaw złożony z parówki, musztardy i sałatki jarzynowej otwierał wszystkie uroczyste posiłki, ze śniadaniem pierwszego dnia świąt Bożego Narodzenia na czele.

Uwielbiałem szynkę z trzykilowej konserwy, którą ojciec przynosił raz w roku, też przed świętami. Otwierało się ją specjalnym kluczykiem przylutowanym do dna. Trzeba było ten kluczyk odłamać, jego dziurkę nasadzić na specjalnie nacięty fragment blachy i kręcić z całej siły w prawo, żeby puszka się otworzyła. Zazwyczaj się to nie udawało, bo ojciec kręcił w lewo, i w ruch szły kombinerki, na które blacha nawijała się centymetr po centymetrze, aż w końcu po całym domu rozchodził się przepyszny zapach konserwantów, na talerz wyślizgiwał się trzydziestocentymetrowy blok szynki oblany żelatyną, a z kombinerek ojciec dumnie odwijał wstęgę blachy twardej i tak sprężystej, jakby stworzono ją do mechanizmu nakręcanego zegara.

Szynka konserwowa była rzadko, żywiłem się głównie mortadelą i pewnie dlatego nie urosłem: mam sto siedemdziesiąt centymetrów, a i tak się cieszę, bo długo miałem sto sześćdziesiąt dziewięć i to był wstyd, bo to tak, jakbym miał tylko sto sześćdziesiąt – tych dziewięciu jakoś się nie dostrzega, podobnie jak w sklepie, gdy trzeba zapłacić cztery dziewięćdziesiąt dziewięć i nie myśląc, że to prawie pięć, kupuje się jak za cztery. Więc miałem metr sześćdziesiąt dziewięć i modliłem się o ten nieszczęsny centymetr. Chłopaki mówili, że trzeba wisieć na trzepaku głową w dół, więc wisiałem tak godzinami. Oni grali w piłkę, a ja wisiałem, włazili na dach garażu i palili papierosy, a ja wisiałem, zazdrośnie wciągając woń tytoniu i rozgrzanej słońcem papy, grali w kolarzy, pstrykając metalowymi kapslami od butelek, a ja wisiałem, podglądali sąsiadkę z parteru, która się przebierała, a ja wisiałem, organizowali konkurs w pluciu na odległość, a ja nadal wisiałem, aż któregoś dnia, nie wiadomo, dlaczego akurat tego, bo przecież mierzyłem swój wzrost codziennie (miałem w pokoju zdezelowaną wagę ze szpitala, ale ze sprawną miarą do mierzenia na metalowej rurze), któregoś dnia patrzę, a tu wyraźnie jak z żelaznego stempla: jest metr siedemdziesiąt! Od następnego dnia przestałem wisieć, plułem do celu razem z kolegami, podglądałem sąsiadkę i paliłem papierosy na dachu garażu, a nagrzana od słońca smoła spod papy lepiła się do trampek.

Nieoczekiwanie, mimo niewiszenia, po jakimś czasie urosłem jeszcze o centymetr, co było niezwykle ważnym argumentem w rozmowach z matką, która twierdziła, że jak będę palił, to przestanę rosnąć.

Ewidentnie nie miała racji, co z wyższością udowadniałem jej na wadze w swoim pokoju, dumnie wyciągając miarkę ze szpitalnej wagi; miałem sto siedemdziesiąt jeden centymetrów!

W końcu matka się rozeźliła i ostrzegła, że powie mi całą prawdę. Cała prawda była zdumiewająca. Otóż ojciec wstydził się przed sąsiadami poczynań syna, który wisiał całymi dniami głową w dół jak jakaś małpa w zoo albo na ten przykład dywan. Postanowił to zakończyć, korzystając z fortelu. Wziął moją wagę i tak zniekształcił wysuwaną metalową rurę, że wzrost mierzonej osoby wydłużała o centymetr. Taka to zdrada w domu rodzinnym mnie spotkała. Znów miałem metr siedemdziesiąt, rzuciłem więc palenie i może rósłbym dalej, ale zacząłem się onanizować i nie urosłem.

Kiedyś ojciec zobaczył mnie w łazience, zwymyślał i powiedział, że jak chłopak zaczyna się masturbować, to przestaje rosnąć – zwłaszcza jak robi to za często, dodał litościwie, zostawiając jakiś margines nadziei. Ale chłopaki mówili z kolei, że od onanizmu w sposób naturalny wydłuża się członek, a tylko mężczyzna z długim członkiem może mieć dzieci. Kobieta zbudowana jest bowiem pokrętnie, co przecież widać nawet na obrazkach w *Encyklopedii zdrowia* PWN, Wolański, 1958, rozdział: *Choroby kobiece i położnictwo*.

Nie jestem pewien, czy bardzo się bałem, że nie będę miał dzieci, ale intensywnie starałem się tej ułomności na wszelki wypadek zaradzić, wydłużając nieszczęsny organ po kilka razy dziennie. Teraz mam za swoje, bo jak gdzieś pytają mnie o wzrost, a ja odpowiadam: metr siedemdziesiąt, to mam wrażenie, że za każdym razem głośno wyznaję tamtą winę – równie dobrze mógłbym od razu przyznać się do masturbacji.

I to chyba wszystko, co mi się kojarzy z karmieniem piersią – dość odlegle, jak widać.

Psychoterapeutka coś notuje w zeszycie, który ma rozłożony na kolanach, noga na nodze, kształtna łydka zapleciona na kształtnej łydce, drobne stopy w beżowych bucikach.

– A jakie jest pana najsilniejsze wspomnienie z dzieciństwa? – Przekłada stronę w zeszycie. – Pana najodleglejsze wspomnienie, które pan pamięta – precyzuje pytanie, rezygnując z informacji o karmieniu piersią.

Zamykam oczy. Widzę ruch uliczny, schody do jej gabinetu, surową twarz Freuda, łydki tej kobiety, stopy, bardzo ładne, malutkie jak u Japonki. Wprawdzie nigdy nie widziałem żadnej Japonki z bliska, tylko na filmie, ale skądś wiem, że Japonki mają małe stopy, tak jak wiem, że płaczą podczas seksu, a ich piersi są jak alabaster, cokolwiek miałoby to znaczyć. Nie mam pojęcia, skąd to wiem – są pewne rzeczy, które tkwią w naszym umyśle. Pewnie jest tam też odpowiedź na pytanie, czy matka karmiła mnie piersią, ale przyznam, że nie rozumiem, dlaczego wiem akurat tyle o Japonkach, a tak mało o swojej matce.

Mam! Pierwsze wspomnienie z dzieciństwa. Piersi, rzeczywiście piersi. Dziewczyna miała na imię Liza i była chyba trochę nienormalna, tak mi się wydaje. Nie żeby mówiła jakieś głupoty, raczej nie, tylko zawsze się uśmiechała nie wiadomo dlaczego i do kogo, tak jakby w głąb siebie, do swoich myśli – zawsze była bardziej z nimi niż z nami. Nie chodziła do naszej szkoły, tylko do specjalnej, to znaczy jeździła do niej tramwajem na drugi koniec miasta, a nasza stała o trzy skrzyżowania dalej, tuż przy parku Południowym, gdzie był staw z kaczkami i zatopione poniemieckie działo. Jak przychodziła susza i woda w stawie obniżała się do połowy, to lufa wystawała nad powierzchnię, skierowana słusznie w kierunku szkoły. Siadaliśmy po lekcjach na brzegu w nadziei, że działo tak samo z siebie wypali.

Raz zabraliśmy ze sobą Lizę, gdy akurat wysiadała z tramwaju. Śmialiśmy się z niej przez całą drogę, bo była od nas o kilka lat starsza – myśmy wtedy chodzili do piątej, szóstej klasy podstawówki, a ona miała pomalowane usta, piersi zaś takie, jakby jej ktoś upchnął pod koszulką dwa jaśki. Siedliśmy potem jak zwykle na brzegu, Liza między nami. Trochę się z niej pośmialiśmy, w końcu nam się odechciało i opadło nas lenistwo, słońce grzało, kaczki kończyły jeść nasze drugie śniadania i już miało się robić nudno, gdy nagle Liza położyła się na trawie i rozpięła bluzkę.

To nie były dwa jaśki. Spod bluzki wyjrzały okazałe piersi ściśnięte ciasno stanikiem. Zrobiła się taka cisza, że słychać było tylko mlaskanie kaczek. Milczeliśmy jak zatopione obok działo, jak cała bateria zatopionych dział.

Nie pamiętam, który z nas pierwszy odważył się dotknąć. Robiliśmy to w powadze, skupieniu, świadomi faktu, że dzieje się coś niezwykłego. Że prawdopodobnie po raz pierwszy jesteśmy już trochę w świecie dorosłych, a przynajmniej w jakiś przemiły sposób się o ten świat ocieramy. Przy pierwszym dotyku Liza ledwo uchyliła powieki, przy drugim przymknęła je z powrotem, uśmiechając się jak zwykle w głąb siebie.

Wracaliśmy do domu odmienieni, ściskając w dłoniach to niezwykłe przeżycie, zamknięty w piąstkach dotyk kobiety, jaką Liza bez wątpienia już była.

Kiedy znaleźliśmy się na klatce schodowej, w półmroku zobaczyliśmy, że ktoś nie zamknął drzwi do piwnicy. Wiedzeni jakąś wspólną myślą, a może dopiero domysłem, instynktem nieuświadomionym i jeszcze ukrytym, zeszliśmy cicho po schodach, prowadząc ze sobą Lizę, ufną i uśmiechniętą.

Na samym końcu wilgotnego korytarzyka była niewielka wnęka z małym lufcikiem. Tam stanęliśmy świadomi doniosłości chwili i tego, że coś ważnego zaraz się stanie, chociaż żaden z nas nie wiedział, co go tutaj czeka. Staliśmy tak czas jakiś bez słowa, bo w piwnicy nie było tematu.

Liza podeszła do okna i odwróciła się do nas. Po raz pierwszy okazała się przy tym mądrzejsza, bo myśmy jeszcze nie wiedzieli, a ona już wiedziała. Rozpięła bluzkę i zsunęła stanik.

Nie miałem pojęcia, że tyle ciała może się zmieścić w staniku. Wcześniej widziałem tylko piersi Niemek w pozostawionych przez poprzednich lokatorów pismach, ale wszystkie były dobrane regulaminowo według jednego rozmiaru. Miałem też lusterko, które z jednej strony ozdobione było wizerunkiem panny z obnażonym biustem, ale zarówno panna z lusterka, jak i wszystkie inne z tygodników miały piersi w granicach wyobrażenia, takie, jakie można objąć jeśli jeszcze nie dłonią, to przynajmniej rozumem.

Piersi Lizy nie dałoby się natomiast objąć żadnym rozumem, nawet gdyby to był rozum największy z możliwych, rozum Freuda, Wittgensteina lub Einsteina. Były jak dwie wielkie opowieści na podobne tematy, opowieści w języku, którego jeszcze nie znaliśmy, jakby pochodziły z innego świata lub przynajmniej z zagranicy.

Liza stała z tymi powieściami pod piwnicznym oknem i wyciągała ku nam ramiona, tak jakby zapraszała każdego z nas, by spróbował je przeczytać lub by przynajmniej zaczął – może chociaż pierwsze litery.

Światło padało na jej rozwichrzone włosy, tworząc jasną aureolę – wyglądała jak Matka Boska od pomyleńców. My, podwórkowi pomyleńcy, podchodziliśmy po kolei i kładliśmy obie dłonie na znak jedności z jej ciałem, a ciemna piwnica stawała się naszym podziemnym kościołem. Staliśmy się fanatycznymi wyznawcami kultu piersi Money Lizy.

Nie wiem jak inne chłopaki, ale ja do wieczora nie myłem rąk, bojąc się utraty wrażenia, z którym chciałem zostać na noc. Nocami, tamtą i następnymi, marzyłem o tym, że znów dotykam Lizy, a ona się już nie do siebie, lecz także do mnie uśmiecha. Brakowało mi jej magicznego dotyku, tego obezwładniająco rozkosznego ciepła, przytulnej miękkości i podświadomie wyczuwanej wielkiej tajemnicy stworzenia, która – wiedziałem to z całą pewnością – gdzieś w tym wszystkim kryła się głęboko przede mną. Tęskniłem za tym dotykiem i za poczuciem dziwnego uniesienia, którego po raz pierwszy doznałem, tęskniłem za tą chwilą, w której wszystko przestawało istnieć, nie było piwnicy, nie było kamienicy, nie było nic z wyjątkiem nieokreślonego spełnienia, a może określonego niespełnienia, sam już nie wiem.

Być może to, co u mnie rodziło się tęsknotą, u innych było ciekawością, a może nawet stawało się pożądaniem. Nie wiem, co kierowało każdym z nas z osobna, ale co jakiś czas, co tydzień lub co parę dni, ni stąd, ni zowąd któryś z nas wstawał z otaczających piaskownicę ławek i pytał, czy idziemy do Lizy. Zazwyczaj zgadzaliśmy się ochoczo, szliśmy pod jej drzwi i dzwoniliśmy, by przyszła pogadać do piwnicy.

Schodziła po paru minutach ze swym nieodłącznym uśmiechem, szła przodem, wiedząc już, po co idzie, ale nigdy już więcej nie pozwalała nam dotknąć swych piersi za darmo – zdejmowała stanik, jedną ręką zasłaniała biust, a drugą wyciągała przed siebie. Zaczęliśmy więc na nią mówić Money Liza. Jak ktoś podszedł i dał monetę, to zasłaniająca ręka podnosiła się jak semafor, droga była wolna.

Bywało, że nie każdy z nas miał pieniążek, wtedy delikwent taki stał na uboczu i tylko patrzył. Money Liza była być może nierozgarnięta, ale nie na tyle, by nie rozumieć, że z jakiegoś powodu stanęła przed szansą nieoczekiwanego bogactwa. Z czasem żądała coraz więcej i bywało tak, że tylko jeden dotykał, a reszta patrzyła. Inwestowaliśmy w nią większą część naszych tygodniówek i babcinych datków wręczanych z okazji świąt, imienin oraz Dnia Dziecka.

Byliśmy grupą dwunastolatków szaleńczo zakochanych w biuście pomylonej dziewczyny. Pomylona. Tak mówili o niej wszyscy sąsiedzi. Jakby nie była sobą, jakby tę prawdziwą, normalną Lizę podmienili matce w szpitalu, jakby została z kimś innym pomylona i pod postacią obcej osoby mieszkała w naszej kamienicy.

Nigdy więcej nie śmialiśmy się już z Money Lizy, ale też nie rozmawialiśmy o niej. Była naszą tajemnicą, o której rozmyślało się w ciszy, bez wychodzących na powierzchnię słów.

Jej rodzice się rozwiedli, mieszkała z ojcem i jego drugą żoną. Nazywaliśmy go Smokiem, bo pił jak smok i ział jak smok. Myślę, że wiedział o wszystkim. I to on podpowiadał wysokość stawek. Dotykanie zawsze drożało przed końcem miesiąca, gdy we wszystkich domach zaczynało brakować pieniędzy z bieżących wypłat.

Takie jest moje najsilniejsze wspomnienie z dzieciństwa. Może to głupio, że właśnie takie, może powinno to być coś bardziej pasującego do wyobrażeń dorosłych na temat ich dzieci, na przykład pierwszy wyjazd z rodzicami nad morze, pierwszy kolorowy telewizor, prezent na Gwiazdkę, ewentualnie mecz podwórkowy, w najgorszym razie kopnięta w okno piłka, wszystko, tylko nie ciemna piwnica z Matką Boską od pomylonych.

Moja biedna matka na pewno byłaby załamana, gdyby wiedziała, że jej mały chłopczyk w wieku dwunastu lat dotykał za pieniądze biustu sąsiadki. Pani psycholog nie jest na szczęście tym faktem jakoś szczególnie przybita, wygląda nawet na rozbawioną, a może mi się tak tylko wydaje, może niesłusznie biorę za uśmiech drobny niepokój w kącikach jej ust.

– A obraz? – pyta, przewracając kolejną kartkę w zeszycie. – Pierwszy obraz. Albo plama, z której coś się wyłania. Może wrażenie? Znak, kolor, który z czymś się kojarzy. Jeszcze sprzed tego okresu, gdy miał pan dziesięć czy dwanaście lat. Wcześniej. Wcześniej, co pan pamięta?

Co pamiętam… Co pamiętam między piersiami matki, których nie pamiętam, a piersiami Money Lizy, które zapamiętałem pewnie do końca życia. Kolor, plama, obraz.

Mam! Obraz, oczywiście obraz! Panienka Freytag. Jej zdjęcie oprawione w złotą ramę wisiało w mojej sypialni. To była taka mała Niemka, córka Richarda Freytaga, który przed wojną był właścicielem naszej kamienicy. Zajęliśmy ich mieszkanie, to znaczy moi rodzice je zajęli. Wszędzie wisiały fotografie poprzednich właścicieli, a matka nie pozwalała ich ruszać.

Panienka Freytag wisiała w mojej sypialni na wprost łóżka, dlatego ją najbardziej pamiętam. Gdy zasypiałem, miałem wrażenie, że mnie czasami podgląda. Byliśmy w tym samym wieku, miałem wtedy pięć, może sześć lat. To nie była prawdziwa sypialnia, tylko nyża, takie pomieszczenie bez okna, gdzie przedtem biegł korytarz, ale kiedyś wprowadził się do naszego mieszkania przodownik pracy Pafawagu i nas zamurował. Postawił ścianę w poprzek przedpokoju. Przedtem stała tam komoda, na niej dwa wazony na kwiaty, a między nimi wisiał portret panienki, ale jak nas zamurowano, rodzice zabrali komodę do salonu, a pod ścianą wstawili dla mnie łóżko. Część przedpokoju, która nam pozostała, była bardzo niewielka. Mieściło się tam tylko moje łóżko, portret panienki, no i ja.

– Bardzo ciekawie pan opowiada – chwali psychoterapeutka. – Ale przede wszystkim otwiera się pan przed sobą, to dobrze. Dzięki temu stanie się przejrzyste to, co w pana zachowaniu wydaje się dziś niezrozumiałe. To pozwoli panu na analizę własnego zachowania w przeszłości i uniknięcie błędnych zachowań w przyszłości.

Rozumiem, że spalenie stuletnich książek w piaskownicy uważa za mój błąd, ale widzę, że mimo braku podstawowych danych na temat karmienia piersią jest zadowolona. Nawet się do mnie uśmiecha. Po raz pierwszy się uśmiecha.

– Co pan pamięta? – pyta mnie na następnej sesji. I na następnej. I na kolejnej także. – Co pan jeszcze pamięta? – drąży ze spotkania na spotkanie, tak jakby w mojej pamięci były schowane odpowiedzi na wszystkie pytania i teraz trzeba tylko zajrzeć do odpowiednich skrytek.

Zaglądam do nich tydzień po tygodniu, potem miesiąc po miesiącu i z uwagą im się przyglądam. Przypominam sobie wszystkie rodzinne opowieści – czasami jestem zdumiony, czasami poruszony, niekiedy rozbawiony lub przerażony albo pełen niedowierzania.

Potem nocami śnią mi się historie. Niektóre przypominają sceny z dzieciństwa. Otumaniony snem myślę, że są wspaniałe i każda zasługuje na osobną powieść. Historie te są pełne fantastycznych bohaterów. Ale nie zapisuję ich rozmów. Do rana przetrwają tylko ci, których zapamiętam.

2.

Moja matka poniemiecka

Nasza kamienica była poniemiecka – we Wrocławiu prawie wszystko było poniemieckie: mosty, parki, kostka brukowa, najpiękniejsze wille, nawet moja matka była poniemiecka. Jeszcze pół wieku po wojnie, płacąc w sklepie, odliczała szeptem po niemiecku: *sechs Mark zwanzig, zwei Mark sechzig*, zawsze w markach, nigdy nie przeszła na złotówki, nie mówiąc już o euro, w którego istnienie nie wierzyła, podobnie jak w obłęd Hitlera, cholesterol i Internet.

Często zdarzały jej się problemy z gramatyką. Pamiętam, jak stoi w oknie, podnosi firankę i mówi zdziwiona:

– O, widzę, że spadły dwa krople deszczu.

– Dlaczego mama tak beznadziejnie odmienia, jak Kali mówić, Kali jeść? – złości się moja siostra, słusznie zwana Tyranią.

– Bo dawno nie padało.

Matka była książką, którą mógłbym czytać. Opowieścią w twardych okładkach wojennych przeżyć – historią jej braci wcielonych do Wehrmachtu, ojca latami wracającego spod Stalingradu i narzeczonego, ukochanego Fritza, lotnika Luftwaffe zestrzelonego tuż po ich zaręczynach nad rozmiękłym jesiennie Londynem. Do dziś oglądam niekiedy ich zdjęcia: oboje w mundurach, on już w dorosłym, ona dopiero w Bund Deutscher Mädel, żeńskiej sekcji Hitlerjugend.

Podczas Bożego Narodzenia słuchałem, jak ze swoim starszym bratem wspominała pierwszą po wojnie wyprawę do polskiego sklepu. Mieszkali wtedy u rodziców, na wsi pod Opolem. Poszli kupić mu spodnie. On po polsku ni w ząb, matka trochę po śląsku. Pokazują na półkę, potem na swoje uda.

– Spodnie? – zgaduje ekspedientka.

– Nie – odpowiada matka i myśląc, że spodnie, jak wskazuje nazwa, nosi się pod spodem, tłumaczy, że chodzi jej o to, co się zakłada na kalesony.

– Spodnie! – wyjaśnia ekspedientka.

– *Nein, keine* spodnie – złości się matka. – Wierzchnie, my chcemy wierzchnie – dodaje w przebłysku lingwistycznej iluminacji.

Później do tego samego sklepu trafiła dostawa z przejętego pod Berlinem domu mody. Półki były pełne jedwabnych halek. Żadna z tamtejszych kobiet nigdy wcześniej czegoś takiego nie widziała, myślały, że to sukienki. Gdy więc kilka dni później lokalna władza ogłosiła uroczysty pochód z okazji rocznicy zwycięstwa, wszystkie kobiety wyszły tak samo elegancko ubrane – cała wieś w halkach powiewających w letnim wietrze.

W naszym rodzinnym albumie matka w halce to pierwsze zdjęcie w cywilu. Poprzednie są w mundurze. Wszystkie z wyjątkiem fotografii dzieci w wózkach – widocznie aż tak małych uniformów w Rzeszy nie było.

Na ostatniej stronie tego albumu są zdjęcia naszego mieszkania we Wrocławiu w secesyjnej kamienicy na pierwszym piętrze, którego właścicielem był przed wojną tajemniczy, jak się niebawem miało okazać, Richard Freytag, a po wojnie my. To znaczy najpierw moi rodzice – ja się pojawiłem dużo później jako żywy przykład istnienia stosunków polsko-niemieckich.

Babcia ze strony mojej mamy urodziła się pod Berlinem, ale przed wojną przyjechała w grupie osadników i zamieszkała wśród opolskich Ślązaków. Tu poznała dziadka, który był Ślązakiem od kilku pokoleń. Znała wszystkie ówczesne wynalazki, takie jak prąd elektryczny oraz bieżąca woda, w przeciwieństwie do matki mojego ojca, która mieszkała pod Kielcami, wodę czerpała ze strumienia, a światło dawały jej lampy naftowe.

Ojciec wojnę spędził w partyzantce. Strzelanie było jego podstawową kwalifikacją, gdy więc z grupą osadników przyjechał do Wrocławia, zatrudnili go od razu w straży przemysłowej zakładu energetycznego. Po roku miał już jakieś marne pojęcie o prądzie i chciał w przyszłości zostać elektrykiem, bo obiła mu się o uszy nieuchronność komunizmu jako władzy rad plus elektryfikacji, jak powiadał Lenin.

Wrocław, mimo zniszczeń, wydawał się ojcu cywilizacją pozaziemską. Nigdy wcześniej nie widział dworców kolejowych z rozkładami jazdy do Brukseli, Amsterdamu i Paryża, ulic tak równo wylanych asfaltem, sklepów z witrynami do drugiego piętra i kamienic o marmurowych schodach – takich jak ta, w której wkrótce miał zamieszkać.

Matka jeszcze przed wojną większość czasu spędzała we Wrocławiu. Mieszkała u ciotki tuż pod miastem, uczyła się i chodziła do Szpitala im. Cesarzowej Augusty, gdzie Patriotyczny Związek Kobiet, Vaterländischer Frauenverein, organizował szkolenia średniego personelu medycznego. Potem, jako siedemnastoletnia dziewczyna, skończyła w okopach praktyczny kurs chirurga polowego. Sporo umiała, dlatego po wojnie pozwolili jej zostać w Szpitalu Świętego Jerzego przy Pomorskiej – tam język niemiecki był o tyle naturalny, że szpital należał do autochtonek, sióstr boromeuszek. Z siostrami matkę łączył nie tylko język, lecz także pewność, że polskie panowanie we Wrocławiu, choć przykre, jest na pewno przejściowe. Początkowo mogły w to wierzyć, bo jeszcze kilka miesięcy po zakończeniu wojny mieszkało we Wrocławiu blisko dwieście tysięcy Niemców, a tylko niecałe dwadzieścia tysięcy Polaków, ale niebawem ruszyła akcja wysiedleńcza i te proporcje natychmiast się odwróciły.

Początkowo niemieccy mieszkańcy Wrocławia nie byli świadomi, co koniec wojny im niesie. Sądzili, że kapitulacja wszystko załatwiła i teraz życie w mieście zacznie wracać do normy, wystarczy tylko jakoś się ułożyć z Polakami. Niemieccy restauratorzy ściągali stare szyldy i wieszali nowe w języku polskim, podobnie jak sklepikarze i właściciele warsztatów – byli przekonani, że główna zmiana w ich życiu sprowadzi się teraz do zmiany waluty. Ale codziennie napływali polscy osadnicy wyrzuceni przez Rosjan z zajętych przez nich terenów na wschodzie i stukali do drzwi mieszkań w ocalałych kamienicach.

Zdumienie niemieckich właścicieli było tak wielkie, że początkowo pisali do władz miasta skargi i protesty przeciw dokwaterowywaniu im polskich sublokatorów, aż w końcu zrozumieli, że to nie są sublokatorzy, lecz nowi właściciele ich mieszkań – niekiedy dość ekscentryczni, zwłaszcza gdy wprowadzali się z kozą. Codziennie, tygodniami, odchodziły pociągi pełne systematycznie wysiedlanych Niemców. Mogli zostać tylko ci, którzy potrafili udokumentować polskie pochodzenie lub byli niezbędni do pracy. Matka po babci była wprawdzie Niemką, ale po dziadku Ślązaczką. To pewnie by nie wystarczyło, ale ordynator szpitala, w którym pracowała, wciąż miał za mało fachowej kadry.

Matka z ojcem poznali się na sali operacyjnej. Przywieźli go na jej dyżurze – był poturbowany i pocięty nożami przez szabrowników, ale poza jakimiś detalami niczego sobie: dwie ręce, dwie nogi, z zewnątrz wyglądał na całego. Miał tylko jedną wadę – skazę genetyczną polegającą na tym, że był Polakiem. Dziadek z babcią nie chcieli słyszeć o takim zięciu. Żeby to chociaż Ślązak był, ale Polak? Poczekaj, radzili, to przecież stan przejściowy, Niemiec zaraz do Wrocławia wróci. Ale mijały dni, potem tygodnie, a Niemiec nie wracał. Ludzie zaczęli się ze sobą mieszać, a stan przejściowy przechodził w stan stały. Wobec przeważającej siły nieprzyjaciela dziadek z babcią ogłosili kapitulację.

Ojciec chciał zająć parter opuszczonej willi na Krzykach, ale matka mówiła, że do takiego domu Niemiec prędzej czy później na pewno wróci – lepiej zamieszkać w kamienicy. Skromniej to, a i wśród ludzi bezpieczniej, zwłaszcza że nocami wciąż było słychać kobiece krzyki: „*Hilfe! Hilfe!*".

Matka sama wybrała kamienicę – secesyjny czteropiętrowy budynek z całymi oknami. Ze śmiechem wspominała zdumienie ojca, który nie znając niemieckiego, myślał początkowo, że kamienica była wielkim domem jednorodzinnym zamieszkanym przez liczną rodzinę Briefeundzeitungen, bo na każdych drzwiach nad skrzynką na listy widniała secesyjna tabliczka z napisem „Briefe und Zeitungen" wykonanym literami tak pokrętnie ozdobnymi, że wyglądały jak jeden wyraz.

Na drzwiach naszego mieszkania wisiała też tabliczka „Ing. Richard Freytag" odnosząca się do człowieka, który przed wojną był właścicielem całej kamienicy. Nie wiem, czy wcześniej matka gościła w tym mieszkaniu – wiele faktów trzymała przed nami w tajemnicy – ale, jak miałem się później dowiedzieć, dawnego lokatora spotkała przynajmniej raz, podczas uroczystości przekazania jej szkole rękopisu Gustava Freytaga, którego Richard był krewnym.

Gustav Freytag to jeden z najpopularniejszych pisarzy niemieckich dziewiętnastego wieku, autor wysokonakładowych powieści, w których udowadniał wyższość Niemców nad innymi narodami. Żydów przedstawiał jako pazernych oszustów, a Polaków jako pijany, niewykształcony, ale za to rozmodlony motłoch.

Jego książki przyniosły mu sławę, majątek i nadany przez cesarza Wilhelma II von Hohenzollerna tytuł szlachecki. Przetłumaczono je na wiele języków, a w Niemczech wznawiano niemal co roku, tak że liczba sprzedanych książek szła w miliony, przy czym najgłośniejsza z nich – *Soll und Haben*, którą uznawano tam za arcydzieło – miała grubo ponad sto wydań. Nigdy nie ukazała się po polsku.

Matka z rozrzewnieniem wspominała, że po tym, jak kilkanaście lat po wojnie urodziłem się na porodówce przy ulicy Dyrekcyjnej, podczas okołoszpitalnych spacerów znalazła jeszcze tabliczkę z napisem „Gustav-Freytag-Strasse", bo tak się ta ulica wcześniej nazywała. Zresztą w przedwojennym Wrocławiu pisarz był tak popularny, że na Wzgórzu Partyzantów była fontanna jego imienia, przy Joanitów – szkoła, a dom kupiecki słynnej rodziny Molinari przy Wita Stwosza nosił nazwę Gustav Freytag Haus dla upamiętnienia faktu, że to właśnie tam toczyła się akcja jego słynnej powieści.

Nasze mieszkanie po Richardzie Freytagu miało aż sześć pokoi i było wysokie jak katedra. Rodzice mieli w nim zamieszkać z dziadkami, bratem mamy Kurtem i jego ciężarną żoną – ciotką Kerstin. Ojciec nosił służbowy pistolet i biało-czerwoną opaskę, a zatem wyglądał na człowieka bardzo ważnego, matka zaś była oddziałową w szpitalu przy Rydygiera cenioną za fachowość przez ordynatora, który wszędzie miał koneksje, więc bez problemu zostali zameldowani w upatrzonym mieszkaniu. Nikt nie zdążył go splądrować. Być może coś zginęło, bo zamek wcześniej został przestrzelony, książki zrzucone z półek, a kilka wyrwanych z podłogi desek odsłaniało pustą skrytkę. Poza tym mieszkanie było jednak takie, jak je zostawili uciekający Niemcy. I przez następnych pięćdziesiąt lat takie miało pozostać. Mieszkaliśmy w obcych dekoracjach. Początkowo dlatego, że matka nie pozwalała niczego ruszać, a potem – z przyzwyczajenia.

W przedpokoju wisiał wielki drewniany wieszak, z którego wychodziło czternaście mosiężnych węży wijących się w oczekiwaniu – dawniej na oficerski płaszcz Freytaga, futro pani Freytag, kurteczki dwóch małych panienek i kurtkę panicza, potem na przenicowaną jesionkę mojej matki i waciak ojca, a jeszcze później na płaszczyk Tyranii i, jak już podrosłem, moje palto. W salonie pyszniło się rzeźbione pianino, obok przeszklona serwantka i stojący zegar, w którym poniemiecki czas chodził w kółko jak więzień po spacerniaku.

Pokoje pełne były mebli, dostojnych, ciężkich, biedermeierowskich i eklektycznych, z dębu, jesionu i orzecha kaukaskiego, a na każdym meblu, na wszystkich tylnych ściankach przyklejone były karteczki „Richard Freytag, aus Breslau nach Berlin" klejem tak trwałym, że tkwią tam do dziś, czekając na transport, który nie zdążył przyjechać.

Przez pięćdziesiąt następnych lat matka starała się żyć z byłymi lokatorami w zgodzie. Starannie układała pozostawione przez nich rzeczy w trzech wielkich kredensach zajmujących pół przedpokoju. Lubiłem tam zaglądać. W pierwszym szukałem skarbów wśród szklanych dagerotypów, szpulek jedwabnych nici, cynowych talerzyków sygnowanych orłem Rzeszy, wojskowych odznak, drewnianych pudełek po papierosach Juno i barwników do tkanin, które z biegiem lat coraz bardziej wysypywały się z papierowych torebek. W drugim znajdowałem ślady czyjegoś dzieciństwa: drewniane domki dla lalek, dyplomy szkoły tańca, akwarele z wypłowiałym widokiem gór, ołowiane rumaki i porcelanowe tancerki z ręcznie wymalowanym szczęściem na twarzy. Najbardziej zdumiewał mnie trzeci kredens, a w nim ebonitowy radiotelefon, wojskowa czapka ze srebrnym wężykiem, pusta kabura od pistoletu, bagnet w metalowej pochwie, wiklinowy koszyk zawierający kilkanaście przepalonych żarówek Osram i pięć niemieckich masek przeciwgazowych. Dwie dla dorosłych, trzy dla dzieci.

Matka niczego nie pozwalała wyrzucić.

– Zostawcie – mówiła, gdy co roku próbowaliśmy z ojcem robić przedświąteczne porządki. – Niemcy tutaj wrócą, niech widzą, że my nie jesteśmy złodzieje.

Ale i tak dwie maski ojciec od razu wyniósł do piwnicy, bo były dziurawe.

Większość tych przedmiotów mieszkała z nami aż do powrotu państwa Freytag. Część w mieszkaniu, reszta w piwnicy.

Ludzie, którzy przyjeżdżali wtedy do Wrocławia, musieli czuć się dziwnie i obco wśród przedmiotów należących do innego świata. Niemieckie książki, zdjęcia, mapy i portrety można było spalić lub wyrzucić, ale wielu rzeczy było szkoda, więc nowi mieszkańcy w końcu przyzwyczaili się do tego, że cukier trzyma się w pojemniku z napisem „Zucker", a sól wsypuje do pojemnika z napisem „Salz". Z czasem przestało im też przeszkadzać, że na krajalnicy do chleba widnieje napis „Breslau".

Ojciec urodził się i wychował na wsi Wierzbka pod Opatowem. Mieli tam dom z powałą, w którym część mieszkalna od gospodarczej przedzielona była ścianą z gliny i słomy. Jego łóżko stało z jednej strony ściany, a koryto dla świń z drugiej pod tym samym dachem. Oprócz łóżek w domu były stół, krzesła, szafa, piec, ława, miska, garnki, żelazko na duszę i trochę naczyń. To wszystko. Nie wyobrażam sobie, co musiał poczuć, tak jak tysiące innych osadników, którzy z podobnych wiosek przyjechali na ziemię odebraną Niemcom i zamieszkali w ich domach. W domu Freytaga ojciec zobaczył rzeczy, których nigdy wcześniej nie widział, dotykał przedmiotów, których przeznaczenia nawet się nie domyślał. Sztalugi panienek, odkurzacz elektryczny, suszarka do włosów o nazwie Cyclone, którą z odrazą i strachem wyrzucił, bo kojarzyła mu się z silną trucizną o nazwie cyklon B używaną przez hitlerowców w obozach koncentracyjnych. Przy okazji, bojąc się podstępu ukrytych gdzieś Niemców, wyrwał z sufitu wszystkie rurki, którymi tuż po wybudowaniu kamienicy, a jeszcze przed jej elektryfikacją, tłoczono gaz do żyrandoli i kinkietów.

Z rzeczy w czasie najodleglejszych pamiętam pierścień. Wielki, błyszczący i chyba niezwykle cenny. Stary, stu-, może nawet dwustuletni. Ojciec twierdził, że zrobiony jest ze złota, które z czasem zmatowiało. W środku pierścienia tkwił niezwykły kryształ – przezroczysty i załamujący światło w taki sposób, że widać je było na wewnętrznych ściankach, i nawet wtedy, gdy światło gasło, przez kilka chwil w pierścieniu jeszcze się świeciło, jakby promienie, które wpadły do środka, nie mogły się stamtąd wydostać. Ojciec znalazł go w jednej ze skrytek – poniemieckie domy były ich pełne. Wewnątrz obręczy pierścienia widniał napis: „Ein feste Burg ist unser Gott", co znaczyło, że „warownym grodem jest nasz Bóg". Z niczym mi się to nie kojarzyło, dopóki nie poprosiłem matki o przetłumaczenie słów z witrażu w drzwiach biblioteki:

> *Nehmen sie den Leib, Gut, Ehr', Kind und Weib:*
> *Laß fahren dahin, sie haben's kein' Gewinn,*
> *Das Reich muß uns doch bleiben.*

Wyjaśniła mi wówczas, że napis na pierścieniu jest początkiem hymnu protestantów, prawdopodobnie napisanego przez samego Lutra, a zdania na witrażu są ostatnią frazą:

> *Niech pozbawią nas źli – żony, dzieci, czci,*
> *Niech biorą, co chcą, ich zyski liche są,*
> *Królestwo nam zostanie.*

Matka była początkowo katoliczką, podobnie jak dziadkowie, dopiero po wojnie przeszła na luteranizm – pewnie z potrzeby poczucia narodowej wspólnoty, bo większość pozostałych we Wrocławiu Niemców spotykała się głównie w kościołach ewangelickich.

Nikt w domu nie miał pojęcia, dlaczego początek hymnu napisanego przez Lutra znajduje się na pierścieniu, a zakończenie na drzwiach biblioteki. Wiedzieliśmy, że była w tym tajemnica, którą znali tylko nasi poprzednicy. Poznawaliśmy ją powoli, latami, początkowo snując jedynie domysły.

Pierścień był jednym ze skarbów pozostawionych w ukryciu przez Freytagów. Matka dla niepoznaki schowała go wśród kryształów żyrandola, mówiąc, że pod latarnią zawsze najciemniej. Tylko raz pozwoliła go zdjąć. Rodzice, babcia i dziadek stali wokół pierścienia i podziwiali.

– Patrz, świeci, jakby w środku jakaś żarówka była – nie mógł się nadziwić dziadek.

– Świeci jak próchno w lesie – oceniła babcia.

– Może to fosfor? – zgadywał ojciec.

– Fosfor to silna trucizna – wtrąciła matka. – Robi się z niej trutkę na szczury.

– Esesmani nosili ze sobą truciznę na wszelki wypadek – ożywił się ojciec.

– Freytag nie był esesmanem – orzekła matka. – W szafie wisiał mundur oficera Abwehry.

– Szpieg i wywiad, to tym bardziej – nie dawał za wygraną ojciec.

– Mundek, daj spokój, jaki szpieg trułby fosforem? – zdziwiła się matka. – Oficerowie Abwehry mieli na wyposażeniu cyjanek.

– Jaki tam fosfor? – dodał dziadek. – Kto by ci oprawiał fosfor w złoto?

– Świeci jak próchno w lesie – powtórzyła babcia. – Albo jak oko wilka. Ono na nas patrzy.

Powiało chłodem jak z piwnicy.

– To oko zostawili Freytagowie, żeby pilnowało ich dobytku – orzekła babcia. – Ja wam to mówię, to oko Freytagów.

Wszyscy się żachnęli, ale niepokój został zasiany.

Ojciec niemal codziennie przynosił z pracy barwne opowieści o pozostawionych przez Niemców skarbach. Ukrytych w murach, podłogach, piwnicach domów. Co rusz ktoś je odkrywał przypadkiem – w czasie remontów lub poszukiwań. Nie tylko nowi lokatorzy, lecz także ich następcy przez dziesiątki lat będą później opukiwać ściany, odkręcać nogi w krzesłach, zaglądać pod podwójne blaty. Wtedy ciągle coś znajdowali, jakby mury tych poniemieckich kamienic były niewyczerpanym skarbcem.

Nie mogłem zrozumieć, dlaczego Niemcy tak wielu cennych rzeczy nie zabrali ze sobą. Może nie było już czasu, a może bali się napadów przydrożnych złodziei albo po prostu rewizji. Podczas niej mogliby wszystko stracić: biżuterię, złote zastawy, rodowe kosztowności. A tu, schowane w milczących murach kamienic, spokojnie na ich powrót czekały.

Byłem przekonany, że otaczają nas ukryte wszędzie skarby, których nie wolno szukać. Wiedziałem, że codziennie pilnuje mnie oko Freytagów. Tyrania, moja siostra, też to wiedziała: w ścianach naszego domu są oczy Freytagów i na nas patrzą.

Ojciec się nie bał. Czasami stawiał krzesło na stół, wyjmował pierścień z żyrandola i oglądał go pod lupą, ale robił to tylko wtedy, gdy matki nie było.

– To ich klejnot – mówiła. Nie pozwalała ruszać. Czasami wdrapywałem się na stół i patrzyłem, jak mieni się w nim światło.

– Nie rusz – zganiała mnie babcia. – To oko Freytagów, na pewno cię w nim widzą. Zostawili je tutaj, żeby wszystkiego pilnowało.

– Zostaw – wtórowała matka. – Freytagów pierścień, nie twój, trzeba będzie oddać, jak wrócą.

Zawsze mówiła, że Niemcy do Wrocławia wrócą. Z początku nie wiedziałem, czy to dobrze, czy źle.

Tak naprawdę mężczyzna jest psychicznie słabszy od kobiety, a cała siła fizyczna jest mu potrzebna po to, aby ten fakt ukryć. Wtedy, w czasie, który dla mojej pamięci jest początkiem, jeszcze się bałem. Ojciec też się bał. Bali się wszyscy z wyjątkiem mojej matki. Ona co najwyżej miała obawy. Trochę obawiała się ich powrotu ze względu na nas, swoją nową rodzinę, ale wciąż na ten powrót czekała. Wolała mieć już za sobą swój rachunek sumienia i przez całe życie była gotowa go zrobić. Nie wiem, przed kim. W myślach – może przed samym Adolfem Hitlerem, w którego przed wojną wierzyła jak w germańskiego bożka, co się objawił nad ich bezrobotną wsią, dał chłopom pracę przy budowie dróg i torów kolejowych i nie pozwolił, by bieda w domu piszczała.

– Jak przyszedł Hitler do władzy, to wszystkie chłopy znalazły robotę – mówiła.

– Do czasu – wtrącał dziadek. – Jak za Hitlerem przyszła wojna, to chłopy ze wsi straciły nogi, a wraz z nogami robotę.

Większość mężczyzn ze wsi została wysłana na front pierwszym pociągiem, który przyjechał po świeżo położonych torach. Nie zajechali daleko – po paru godzinach pociąg wjechał w pułapkę między dwa pola minowe. Partyzanci wysadzili tory i ostrzelali skład. Nie było dokąd uciec – najpierw ktoś pobiegł w lewo i trafił na minę, następny skoczył w prawo i też wyrzuciło go w powietrze. Miesiącami chłopi do wioski z tego transportu wracali. Prawie wszyscy o kulach lub na drewnianych wózkach. Po kilku latach, gdy przez wieś szedł mężczyzna niepozbawiony nogi, ręki lub fragmentu twarzy, to wszystkie panny się za nim oglądały. Matka się nie oglądała, bo miała swojego lotnika Fritza. Kochała go miłością nastolatki, a najbardziej kochała w nim to, jak chodził po domu w skórzanych oficerkach. Skrzypiały tak, że aż przebiegał ją dreszcz. Pewnego dnia pękła deska w szafie. Głośno, na pół. Tak szafa powiedziała mamie, że Fritza strącili.

Pierścień wisiał i gapił się na nas. Pewnie dlatego przez lata nikt nie odważył się ruszyć biblioteki, w której obok przepięknych książek w secesyjnych okuciach z miedzi leżały śmieci po zniszczonym świecie: terminarz obchodzenia świąt państwowych planowanych na 1945 rok w mieście Breslau, rozkład jazdy Deutsche Reichsbahn ważny do 1946 roku, miesięczny przegląd wydarzeń w luterańskiej parafii oraz spis szkół miejskich ze szczególnym uwzględnieniem tych, które udzielają lekcji baletu.

Przez lata nikt też nie wyrzucił żadnej z wiszących fotografii. Z czasem matka pozwoliła zgromadzić je na jednej ścianie. Codziennie patrzyłem na dumnego Richarda, właściciela całej kamienicy i biura architektonicznego, które prowadził na parterze sąsiedniego budynku przy Hohenzollernstrasse, dzisiejszej ulicy Sudeckiej. Patrzyłem na jego wyniosłe córki w falbaniastych sukienkach. Na dystyngowaną żonę, która zawsze miała uniesiony podbródek. Na syna w tyrolskim kapelusiku i komicznych pumpach. Początkowo spoglądali ze wszystkich ścian, przybierając dziwne pozy. Potem poprzesuwaliśmy trochę fotografie – ojciec je zagęszczał, bo pojawiły się nasze. I tak, po latach, na jednej ścianie tłoczyli się czarno-biali Freytagowie w niemodnych ubraniach, ale za to w ozdobnych ramach, a na pozostałych, w ramkach ze sklejki, rozpierała się nowocześnie moja rodzina – ojciec na czele pierwszomajowego pochodu, ja z psem bernardynem w Zakopanem, matka w czepku pielęgniarki przełożonej uwieczniona po raz pierwszy w kolorze. A potem syrenka. Cały rząd zdjęć naszego pierwszego samochodu, jeszcze z drewnianym dachem, w który matka, gdy przeczuwała, że coś złego może się zdarzyć, lubiła odpukać, chociaż malowany.

polknąć. I
cała ulica
O świ
nia z ty
ping o
gołąb
N
ojc
zw
je

Raz matka nie odpukała w drewniany dach syrenki i
szedł pech. Najpierw wyszedł głównie ku rodzicom. Po k
miał przyjść i do mnie, lecz na razie był nieszkodliwy –
powoli rósł, nie miał jeszcze nawet piersi i nosił śmieszne k
Mój pech miał na imię Laurka i był córką pecha rodziców. Po
o mniej urzekającej nazwie – „przodownik pracy z Pafawa
z małżonką".

Mieliśmy jechać nad Bałtyk. Ponad trzysta kilometrów! Po raz
pierwszy w życiu pokonać tak daleką trasę. I to w jeden dzień. Przez
dwa tygodnie szykowaliśmy się do tej wyprawy. Ja najmniej, bo
miałem siedem lat i piłkę do spakowania. Matka wekowała słoiki,
a ojciec naprawiał syrenkę. Syrenka nie była wprawdzie wówczas
zepsuta, ale to ojcu nie przeszkadzało. Wtedy, w połowie lat sześćdziesiątych, każdy właściciel samochodu spędzał większość czasu
przy jego pielęgnacji. To była taka forma adorowania pojazdu. Jak
ktoś się znał, otwierał maskę i grzebał w silniku, a jak się nie znał,
otwierał bagażnik i robił w nim porządek. W dni wolne od pracy
nasza ulica zawsze wyglądała tak samo – rząd samochodów
z pootwieranymi maskami lub bagażnikami i schowani do połowy
mężczyźni.

Ojciec był ambitny, więc otwierał maskę. Patrzyłem na niego z góry
i bałem się, że samochód go połknie. Przez lata śnił mi się ten sam
koszmar. Pędzi za mną samochód z otwartą maską i mnie także chce

ołknął tatę, połknął mamę, a teraz goni mnie. Czasami
była pełna samochodów połykających swoich właścicieli.
cie się spakowaliśmy. Mama z przodu obok ojca, ja i Tyra-
u w kokonie poduszek, jaśków i kołder, bo nadbałtycki kem-
strzegał, że ma na wyposażeniu tylko materace. Weki z zupą,
kami i mięsem wesoło pobrzękiwały w bagażniku.
inęło południe, byliśmy w połowie drogi. Szosa była pusta,
ec jechał sześćdziesiąt na godzinę, a matka cały czas prosiła, żeby
olnił. Na zakręcie wyprzedzał nas przedwojenny ford. Ojciec aż
knął z rozkoszy na widok wypucowanego chromu. Matka, która
erminowała u niemieckich czarownic, wiedziała już, co się za chwilę
zdarzy, więc jęknęła ze zgrozy.

Potem milicja ustaliła, że ford nie jechał zbyt szybko, strzałka licz-
nika nie przekroczyła osiemdziesięciu kilometrów. Hamulce były
sprawne, droga szeroka, prosta i sucha, żadna śmierć nie powinna
nadejść. Ale śmierć miała własne zdanie na ten temat, nie obcho-
dziły jej ani dobre hamulce, ani sucha droga. Siedziała w sennym
ciele kierowcy nadjeżdżającej z przeciwka ciężarówki i na łagodnym
zakręcie lekko przymknęła mu powieki. Stary ford zdążył nas wyprze-
dzić i zjechać na swój pas, po czym wbił się w ciężarówkę do połowy,
gdy nieoczekiwanie znalazła się tuż przed nim.

Na tylnym siedzeniu forda siedział mały chłopiec, obok był pies.
Nie wiadomo, czy dzieciak akurat bawił się z psem, czy między
przedni fotel a drobne ciało chłopca zwierzaka rzuciło uderzenie.
Moi rodzice, którzy wyciągali ich ze środka, roztrzęsieni mówili
później, że pies uratował chłopca. Osłonił go przed ciężarówką,
zamortyzował cios przedniego fotela, wziął na siebie jego śmierć.
Strzegł swojego małego pana do końca, nie pozwolił zbliżyć się
nikomu – psie ciało było zmiażdżone, psia dusza uchodziła, lecz łeb
nadal warczał instynktownie.

Matka przestraszyła się drogi. Kazała ojcu wracać do domu.
Ojciec, roztrzęsiony, nie mógł prowadzić. Nigdy wcześniej nie widział
wypadku. Przespaliśmy się w samochodzie, do Wrocławia wróciliśmy następnego dnia przed zmrokiem.

Drzwi naszego mieszkania były otwarte. Jacyś obcy ludzie wnosili cegły, mieszali zaprawę, przesuwali meble. Ojciec złapał leżącą przy taczce z cementem łopatę i od razu uderzył jednego w głowę. Tamten zdążył odskoczyć, metalowe ostrze ledwo go musnęło, ale i tak z czoła zaczęła mu kapać krew.

– Spokój! Spokój, bo wezwę milicję! – wrzasnął mężczyzna, który przybiegł tamtemu z pomocą. Stali we dwóch naprzeciw ojca, celując w niego łopatami.

W drzwiach stanął urzędnik z teczką i nie chciał nas wpuścić. Pokazał legitymację, na widok której ojciec odłożył łopatę. Potem długo legitymował rodziców. Ojca wypytywał o przynależność partyjną. (Brak przynależności partyjnej). Matkę o pochodzenie. (Niemieckie). Dwa do zera dla urzędnika.

– To są pracownicy z administracji – wyjaśnił z dumą, wskazując na robotników. – Likwidujemy nadmetraż. Zajmują państwo sześć pokoi, a należą się dwa, najwyżej trzy.

W końcu wpuścił nas do środka. W mieszkaniu dwóch murarzy stawiało mur. Powoli, spokojnie, paląc papierosy. Bez pośpiechu, z wyrazem sprawiedliwości społecznej na twarzy.

Mur przecinał mieszkanie w połowie długiego holu między salonem a gabinetem. Za czasów Freytagów w holu tym wisiały portrety przodków – duże, ciemne oleje w ciężkich ramach – tak jakby hol służyć miał nabraniu godności, refleksji i zadumy niezbędnej przed wkroczeniem do gabinetu. Teraz portretów w ciężkich ramach nie było. Zamiast nich na jednej z ogołoconych ścian wisiało zdjęcie panienki Freytag, kilkunastoletniej Gertrudy w balowej sukni. Wcześniej zdobiło ścianę po drugiej stronie muru, dokładnie na wprost ciężkiego biurka właściciela kamienicy, który widocznie lubił cieszyć oczy widokiem najstarszej córki. Przodownikowi nie spodobało się zapewne z powodu dedykacji złożonej po niemiecku, chociaż uwzględniała wszelkie reguły jak najstaranniejszej kaligrafii.

W gabinecie po drugiej stronie muru zostały półki biblioteki z kryształowymi szybami, lecz całą ich zawartość Przodownik przerzucił na naszą stronę. Nie chciał niemieckich książek, więc układano je w metrowe pryzmy w naszym salonie, przedpokoju, a nawet kuchni – przykryły całą podłogę.

Likwidacja nadmetrażu polegała na tym, że piękne mieszkanie Richarda Freytaga zostało podzielone na dwie części. Nam zostawiono kuchnię, łazienkę, służbówkę, salonik, sypialnię, pół przedpokoju oraz dużą wnękę, która powstała po przedzieleniu długiego holu między salonem a gabinetem. Resztę mieszkania, w tym duży salon i bibliotekę, otrzymała rodzina Przodownika Pracy z Państwowej Fabryki Wagonów. Przy noszeniu cegieł Przodownik dzielnie się uwijał – rzeczywiście robotny był z niego chłop.

Po pierwszym wybuchu emocji ojca zamurowało jak ten przedpokój i teraz matka próbowała bronić mieszkania.

– Zajęliśmy je legalnie w 1945 roku, mamy na to papiery.

– Pani jest Niemką? – retorycznie upewnił się urzędnik towarzyszący robotnikom z administracji. – To znaczy pytam, czy urodziła się pani w Niemczech. Nawet nie tutaj, nie we Wrocławiu, tylko w głębi Niemiec. W ówczesnej Rzeszy.

Obiektywnie, kilkanaście lat po wojnie, nie był to już argument pozwalający odebrać ludziom trzy pokoje. Raczej sugestia, że należy siedzieć cicho.

Ojciec znów się poderwał z zaciśniętymi pięściami, ale matka odpowiedziała hardo:

– Tak, urodziłam się w Niemczech i nie kryję tego. I Wrocław, proszę pana, też był wtedy niemiecki. To pan przyjechał do mnie, a nie ja do pana. A ta ściana, którą tu panowie wybudowali, to ciąg dalszy muru berlińskiego.

Ojciec był równie dumny, jak przerażony odpowiedzią matki.

– Hela, to się wyjaśni, to się wszystko wyjaśni – próbował ją uspokoić.

Wyjaśniło się tylko tyle, że bezpośrednią przyczyną powstania naszego muru berlińskiego było nie tyle to, iż matka urodziła się pod Berlinem, ile raczej rzeczywiście istotny nadmetraż. Jego sprawcami byli dziadkowie, którzy mieszkali z nami tylko kilka lat, a potem wrócili do swojej wsi, bo pewniej się czuli wśród Ślązaków pod Opolem. W odpowiedniej proporcji winny też był onkel Kurt, starszy brat matki. Miesiąc wcześniej na stałe wyjechał do Niemiec, zabierając ze sobą zameldowaną u nas rodzinę.

Początkowo nawet mu się we Wrocławiu podobało, bo chociaż nie znał języka polskiego, to i tak dużo zarabiał, a w pracy był wychwalany. Sporo umiał, zaskakiwał doświadczeniem z dużych fabryk, w których pod Berlinem terminował, bez porównania nowocześniejszych niż te, które budowano w Polsce. Do dziś wspomina, jak zatrudniony w Mostostalu nadzorował w Piotrkowie Trybunalskim budowę hali fabrycznej. Dali mu tam księgę budowy i kazali ją codziennie wypełniać. Nie mogło być po niemiecku, więc pokazali mu, jak się pisze wyraz „dźwigary", bo przez kilka dni tylko te dźwigary mieli montować. Więc pisał wuj słowo „dźwigary", przepisywał je dzień po dniu, aż miesiąc minął, postawili dach, kończyli już pracę, a fabryczni robotnicy zaczęli ustawiać na hali maszyny, gdy tymczasem wuj nadal codziennie wpisywał do zeszytu to jedno słowo: „dźwigary". Na odbiór techniczny przyjechali inżynierowie z Warszawy i ze zdumieniem przejrzeli księgę budowy przypominającą raczej zeszyt do słówek. Ale nowa hala robiła wrażenie, więc wuj dostał Brązowy Krzyż Zasługi.

Wręczali mu go uroczyście, przyjechał ważny sekretarz partii i pojawił się nawet pomysł, by wuj powiedział kilka zdań, ale ze względu na jego kompletną nieumiejętność wykucia ich na pamięć obwiązano mu szyję szalikiem, tłumacząc przedstawicielom warszawskiej delegacji, że choroba gardła odebrała mu chwilowo mowę.

Jego wyjazd sporo zmienił. Może niezbyt dużo w niemieckim przemyśle motoryzacyjnym, gdzie wuj na wiele lat został mistrzem na linii produkcyjnej Opla, ale na pewno bardzo wiele w naszym życiu codziennym. Regularnie przysyłał nam paczki z kawą, konserwami, czekoladą i gumą do żucia, ustawiając tym naszą konsumpcję na delikatesowym poziomie. Poprawił też trochę nasze poczucie bezpieczeństwa, bo odtąd mieliśmy świadomość, że można uciec. Najbardziej wyjazd wuja odmienił jednak moje życie intymne.

Od tej pory moim pokojem była bowiem wnęka – ta, która powstała po przedzieleniu murem holu Freytagów. Miałem w niej małe biurko i stojące pod nową ścianą łóżko. Po drugiej stronie tej ściany była taka sama wnęka z łóżkiem tak samo do niej przylegającym. Spała na nim córka przodownika pracy, który do Wrocławia przyjechał z Białegostoku. Miała na imię Laura, ale wołano na nią Laurka. Przez następnych kilkanaście lat dzieliło nas sześć centymetrów ustawionej na sztorc cegły. No i nieco tynku, zanim ze swojej strony go nie zdrapałem jakiś czas później, tęskniąc do Laurki przeokropnie.

4.

Mapa z demonem

Po podziale mieszkania matka najbardziej żałowała biblioteki. Z saloniku, którego wielkie okna wychodziły na południe i który zawsze pełen był skąpanych w słońcu kwiatów, mały korytarzyk prowadził do gabinetu pełniącego także funkcję biblioteki. Zajmowała cały wielki pokój i od podłogi aż po sam zdobny sufit wypełniono ją książkami. Regały były tak jakoś dziwnie zrośnięte ze ścianą, że nie stanowiły osobnych mebli, ale raczej potężny element konstrukcyjny z drewna, skóry i płócien, w które oprawione były książki. Część z nich ułożono za zasuwanymi szybami, inne miały specjalne podpórki, by można je było trzymać otwarte. Stały gotowe do natychmiastowego podzielenia się swą treścią – wydawało mi się, że wielkie, oprawione w skórę albumy otwierają ramiona, by mnie przygarnąć.

Bibliotekę zbudowano w kształcie litery „U". Przy dwóch przeciwległych ścianach stały szerokie drewniane stopnie, oparte u góry na mosiężnej prowadnicy, a u dołu zakończone grubą filcową podkładką. Dzięki temu dawało się je bezszelestnie przesuwać wzdłuż półek. Ten mechanizm pozwalał w każdej chwili sięgnąć po książki stojące najwyżej albo nawet dotknąć globusa, który umieszczono na samej górze obok zwiniętych w rulon map. Lubiłem wchodzić na te schody, siadać na najwyższym stopniu na wysokości trzech metrów i wstrzymując oddech, czekać, aż w domu rozpoczną się poszukiwania: „Piotrusiu, gdzie jesteś? Piotrek, Piotrek!". Wiedziałem, że mogę tak siedzieć pod sufitem aż do chwili, kiedy matka zacznie wołać: „*Wo bist du, jetzt?!*". To znaczyło, że żarty się skończyły – matka się denerwowała. Na niemiecki przechodziła głównie wtedy, gdy podliczała comiesięczne rachunki.

W salonie bibliotecznym stało wielkie biurko pokryte zielonym suknem. Kiedy patrzyłem na nie z góry, plama z atramentu na tym suknie wyglądała jak przeciągający się kot. Na biurku stał oprawiony w kamień kałamarz, obok – w specjalnych kamiennych przegródkach – leżały w idealnym porządku stalówki, obsadki, ołówki, owinięty bibułką walec do ściągania nadmiaru atramentu, nóż do kopert i wizytownik wciąż pełen wizytówek z napisem: „Architekt Ingenieur Richard Freytag".

Matka regularnie przecierała biurko z kurzu, układała ołówki i stalówki, a wszelkie moje próby zabrania choćby jednej kończyły się pogadanką o tym, że cudzych rzeczy nie wolno bez pytania ruszać.

– A kogo ja mam się spytać, skoro ci państwo już tu nie mieszkają? – Rozglądałem się dookoła, dając jej do zrozumienia, że poza nami nikogo nie ma.

– Jak wrócą, to ich zapytasz – powtarzała z naciskiem.

Od strony północnej bibliotekę połączono z drugim salonem drzwiami przesuwanymi na rolkach. Gdy drzwi zostawiało się otwarte, powstawała ogromna sala, w której zapewne panienki Freytag wyprawiały swoje pierwsze bale. Za salonem była zimna kuchnia, z której posiłki serwowano wprost do jadalni, nie niepokojąc smrodem kapusty delikatnych nosków panienek. Do zimnej kuchni gotowe jedzenie w wazach i półmiskach przynosiło się z kuchni prawdziwej, gdzie obok butli gazowej z palnikiem stał wielki, zrobiony z białych kafli węglowy piec, w którym paliliśmy wtedy, kiedy matka zabierała się do pieczenia.

Ojciec nie lubił tej części domu. Nie lubił poniemieckich książek, których z oczywistych powodów nie rozumiał. Czasami tylko przeglądaliśmy encyklopedie okrętów i podziwialiśmy żaglowce ustawione w porządku alfabetycznym. Trzeba przyznać, że ojciec znał się na tym nieźle i był dobrym przewodnikiem w czasie tych żeglarskich wypraw. Sięgaliśmy też po książki techniczne, których u pana Freytaga było mnóstwo. Ojciec śledził plany elektryfikacji i gazyfikacji dolnośląskich miast – dziesiątki pergaminowych rolek zgromadzonych na niższych półkach biblioteki – i kręcił z podziwem głową. Precyzja, dokładność i szczegółowe opisy techniczne robiły na nim wrażenie.

Nie lubił też całej części domu z wejściem dla służby wprost do zimnej kuchni.

– Hela, jak w ogóle kuchnia może być zimna? – pytał.

Nie lubił sali balowej, bo w części Polski, z której pochodził, mało kto i rzadko kiedy balował. Nie lubił nawet tych zmyślnie przesuwanych drzwi, chociaż podziwiał skomplikowany mechanizm pełen zapadek i zawiasów, dzięki którym udawało się je szczelnie domykać i błyskawicznie otwierać, wysuwając jedną część z drugiej.

Drzwi oddzielające bibliotekę od salonu były wypełnione ogromnymi witrażami wykonanymi tak sprytnie, że kiedy część drzwi najeżdżała na sąsiednią, obrazy się łączyły. Na jednym skrzydle z witrażowych szybek ułożono pełen ludzi plac ze straganami. Były tam kobiety w długich sukniach i mężczyźni na koniach. Kiedy na ten obraz najeżdżał kolejny element skrzydła, widoki łączyły się i wokół placu wyrastało miasto: kamienice, kościoły, zamkowa wieża – piękne budowle idealnego miasta z marzeń architekta. Nad wieżą zaś widniał niemiecki napis, który okazał się ostatnią frazą z hymnu Lutra.

Ojciec kręcił nosem także na te witrażowe cuda. Dla niego miejsce szklanych obrazów było w kościele.

– Co to za drzwi, przez które wszystko widać, a na dodatek słychać tak, że człowiek nie może w spokoju nawet puścić bąka – mówił do mnie, a ja powtarzałem: „Puścić bąka, puścić bąka w salonie…".

Kiedy Przodownik Pafawagu wprowadził się do tej lepszej części domu i wyrzucone przez niego książki zasłały nam całą podłogę, matka tygodniami układała je w tematycznych pryzmach, o które potykaliśmy się tak długo, dopóki nie przywykliśmy do nowej topografii mieszkania. Były wszędzie – dwa, może trzy tysiące woluminów, które szukały wolnego miejsca. Dzieła Gustava Freytaga znalazły się w etażerce i serwantce, a reszta trafiała gdzie popadło – pod stolik na radio, pod kredens i na szafę, gdzie skórzane grzbiety sięgały sufitu. Te, które już się nigdzie nie mieściły, ojciec zniósł do piwnicy i ustawił elegancko na półkach obok weków.

Książki, które zeszły na ziemię ze swych wysokości, nieustannie wpadały nam w ręce, a my wertowaliśmy je z ciekawością pierwszych odkrywców, tak jakby dawniej, kiedy stały na półkach, były niedostępne. Nawet ojciec, zafascynowany, oglądał cycate walkirie wiodące dzielnych rycerzy do krainy cienia. Wtedy też pierwszy raz zobaczyłem, że nazwisko Freytag widnieje na dziesiątkach tomów.

– Mamo, czy ten pan, który mieszkał tu przed wojną, napisał te wszystkie książki?

– Nie, głuptasie – powiedziała mama – te książki napisał Gustav Freytag, który umarł dawno temu, jeszcze w dziewiętnastym wieku. Ale rzeczywiście nazywał się tak samo jak właściciel tego mieszkania.

– To nie jest nasze mieszkanie?

– Nie, my tylko czasowo je zajmujemy. Kiedyś wróci tu rodzina państwa Freytag i upomni się o wszystkie te rzeczy, dlatego powinniśmy je szanować i trzymać w porządku.

Ojciec mówił, że nie przyjmuje takich słów do wiadomości. Nie po to jechał z biednej wioski pod Kielcami do Wrocławia, żeby czekać na powrót obcych ludzi i ich wariackich idei. Obca idea jest jak drzazga, która obrasta ropą – organizm broni się przed nią i chce ją z siebie wyrzucić.

Dom był pełen nie tylko książek, lecz także map. Kiedyś wszystkie stały uporządkowane na półkach w bibliotece, ale gdy przodownik pracy wrzucił bibliotekę do mojej nyży, rozpełzły się po domu. Znajdowałem je potem wszędzie, jakby same dla siebie próbowały znaleźć miejsce i ukryć się przed moimi wścibskimi dłońmi.

Uzupełnieniem map były pamiątki z podróży po górskich schroniskach w postaci kolekcji lasek wiszących na specjalnych hakach w przedpokoju obok wieszaka. Wszystkie miały metalowe zakończenia – groty pomocne w czasie wspinaczki po górach, jedną zaś wieńczyło ostrze czekana z wygrawerowaną szarotką na rączce. Te laski – a wisiało ich dziewięć – zdobiono żelaznymi, ołowianymi lub emaliowanymi emblematami przyczepianymi do drzewca. Laska z wieloma blaszkami świadczyła o tym, że jej właściciel jest wytrawnym górskim wędrowcem. Niektóre z tych wiszących w przedpokoju nosiły nawet pamięć wypraw alpejskich, większość blaszek pochodziła jednak z pobliskich Karkonoszy. Nie wszystkie odznaki przytwierdzone były do lasek. Część leżała w pudełkach po cygarach. Czasami wyjmowałem je i czyściłem pastą do zębów, a metalowe jelenie, szarotki i wizerunki schronisk z obowiązkową liczbą wysokości metrów nad poziomem morza odzyskiwały blask.

Matce spodobało się, że interesują mnie te blaszki, więc wyjęła polską mapę Dolnego Śląska i położyła na stole obok niemal identycznej poniemieckiej. Pokazywała palcem, że tajemne Zobten, z którego pochodziły odznaki „Blücherbaude", „Zobtenbergbaude" czy rogaty „Jägerbaude", to nasza poczciwa Sobótka i schroniska Na Śleży, Pod Wieżycą czy znany mi dobrze ośrodek harcerski. Czytała nazwy schronisk i pokazywała, że były to dokładnie te same ośrodki, które już poznałem na szkolnych wycieczkach. Godzinami ślęczałem potem nad mapą. Do dziś potrafię w porządku alfabetycznym wymieniać nazwy sudeckich schronisk, choć większość z nich po wojnie przestała istnieć. Bergbaude, Buchenbaude, Gebirgsbaude, Germaniabaude, Hasenbaude, Heufuderbaude, Hirts Iserkammbaude, Isermühle, Schihof Gross-Iser, Waldbaude… Ojciec chodzić po górach nie lubił i nawet wyprawy do leżącej nieopodal Sobótki urządzał jedynie po źródlaną wodę, która ponoć potrafiła w organizmie czynić cuda. Leżał potem na kocu i pilnował samochodu, a matka ubrana w pionierki dziarsko wchodziła na górę. Równe tempo, równy oddech, plecak, a w nim ciepła herbata w termosie i kanapki owinięte w woskowany papier śniadaniowy.

Dreptałem za nią raz na Ślężę, raz na Radunię i słuchałem opowieści o Duchu Gór, potężnym demonie – Rübezahlu. Polacy pewnie po to, by go oswoić, nazywają go Liczyrzepą i przedstawiają jako leśnego dziadka z długą brodą i kosturem. Ubrany w strój myśliwego błąka się po Sudetach, pokutując za grzech porwania młodej panny, księżniczki świdnickiej. Matka traktowała Rübezahla dużo poważniej. Mówiła, że nie wziął się z połączenia słów „*Rübe*" (rzepa) i „*zählen*" (liczyć), jak sobie naiwnie przetłumaczyli nowi gospodarze Sudetów. Dla niej Duch Gór łączył się ze słowami „*Rabe*" (kruk) i pradawnym słowem „*Zabeł*" (diabeł).

Na Rübezahla natknąłem się wielokrotnie. Najważniejsze jednak było spotkanie z nim na mapie, która sama weszła mi w ręce, kiedy węszyłem w okolicach sterty książek o zdrowiu i tajemnicach ciała kobiety.

Szukając tego, czego młody chłopak zawsze szuka, a jak znajdzie, to nigdy mu nie dość, obsesyjnie wertowałem atlasy anatomiczne. Wspaniałe, detaliczne, niepozostawiające wątpliwości, że kobieta fascynująco różni się od mężczyzny. Największy z atlasów był tak zbudowany, że pozwalał nakładać kolorowe kalki z warstwami ciała na szkielet: kolejne mięśnie, organy, skórę. Szkielet kobiety różnił się od męskiego, jej ciało różniło się od męskiego, nawet skóra, którą na koniec zakrywało się wnętrze, była w innym kolorze.

Gdy zdjąłem wszystkie kalki z kobiecego ciała, na samym spodzie zobaczyłem starą mapę Śląska. Matka wyjaśniła mi później, że jest to najstarsza mapa, na jakiej kiedykolwiek wyrysowano Śląsk. Wrocławski kartograf Martin Helwig, pierwszy raz rysując w całości ten region, przedstawił na niej Rübezahla jako groźnego stwora, ni to jelenia stojącego na tylnych nogach, ni to gryfa. Jest uzbrojony w potężne rogi, ogon diabła i takież kopyta. W łapach trzyma wysoki kij górskich wędrowców. Pysk gryfa narysowano z profilu, groźną paszczę kierując w prawo.

Zaskoczyła mnie ta mapa schowana w atlasie anatomicznym. Czułem się tak, jakby ktoś w domu wiedział o moim anatomicznym podglądactwie i specjalnie mi tę mapę podrzucił. Dlaczego zwróciłem uwagę na Rübezahla? Bo był to jedyny taki stwór na całej mapie, w dodatku dokładnie taki sam, jakiego widziałem na laskach pana Freytaga. Co miałem z tego wyczytać? Ta mapa miała jeszcze coś, co przykuło moją uwagę: naniesione atramentem, już dużo później, precyzyjne krzyżyki w kilku miejscach.

5.

Prześliczna dziewczynka
zza ściany

Skróty myślowe często wiodą rozum na manowce. Nie wiem, ilu chłopców w powojennej Polsce było przekonywanych przez swoje matki, że ich przodkowie mieszkali na Atlantydzie. Prawdopodobnie nikogo takiego poza mną nie było.

Odkąd pamiętam, w naszym domu unosiły się przed snem pradawne historie. Najpierw babcia Franziska opowiadała je Tyranii. Za mały byłem wtedy, by je zrozumieć, ale dziecięca wyobraźnia często przejmuje rolę rozumu i tak w mojej głowie powstawały obrazy, które nie łączyły się jeszcze z innymi – pojawiali się bohaterowie, których rozpoznawałem tylko po elementach błyszczącej zbroi, a strzępy zasłyszanych opowieści opadały w podświadomość jak na dno głębokiej studni, gdzie układały się archeologicznymi warstwami, czekając, aż będę na tyle duży, by po nie sięgnąć. Potem, gdy babcia Franziska wróciła na swoją wieś, historie o Atlantach opowiadała mi matka.

Po latach porównywaliśmy z Tyranią obie opowieści, wyciągając pierwsze wnioski dotyczące jakże niewinnych jeszcze różnic. Szok pojawił się potem, gdy dowiedzieliśmy się, że na opowieściach tych zbudowano całą teorię, machinę, mechanizm, który doprowadził do władzy Hitlera, wywołał wojnę światową i pozbawił życia miliony ludzi. Ale w dzieciństwie nie przejmowaliśmy się jeszcze tragicznymi skutkami tego, co na razie wydawało nam się romantyczne i tajemnicze.

Babcia opowiadała, że Atlanci to lud żyjący dawniej na królewskiej wyspie. Nie byli zwykłymi ludźmi, bo pochodzili w prostej linii od bogów. Część z nich to potomkowie samego Posejdona, władcy mórz. Stworzyli cywilizację, jakiej świat nie widział ani wcześniej, ani później. Potrafili czytać z gwiazd i ruchu planet. Hodowali rośliny dające niezwykle smakowite i obfite plony. Z ziemi, oprócz złota i diamentów, wydobywali kamień, który był skondensowaną energią. Babcia sugerowała, że fragment takiego kamienia jest w pierścieniu Freytagów. Wkładany do lampek świecił jak dzisiejsze żarówki. Niestety, mieszkańcy królewskiej wyspy sprzeciwili się Posejdonowi, który nakazał Atlantom, by przestrzegali czystości krwi, i zabronił im zakładania rodzin ze zwykłymi ludźmi. Mężczyźni zaczęli się żenić z kobietami mieszkającymi na pobliskim kontynencie. Wprawdzie kobiety te były piękne, ale ich potomstwo nie miało boskiej mocy. Rozzłoszczony Posejdon sprowadził więc na wyspę trzęsienie ziemi i Atlantyda zatonęła.

Część Atlantów uratowała się i najpierw zamieszkała w Tybecie, a później przeniosła się do Egiptu i na zachód Europy, dając początek ludom Arian, a potem Germanów. Germanie byli plemieniem wielkim i mocnym, ale obarczonym grzechem pierworodnym Atlantów. Oni też mieszali krew z innymi plemionami, a ich moc z tego powodu stawała się coraz słabsza. Wojna wybuchła więc po to, by Germanie mogli odzyskać czystość krwi.

Opowieść matki była w dużej mierze podobna, lecz nie istniał już w niej rozeźlony Posejdon, a jego gniew zastąpiły siły natury. Na pięknej wyspie mieszkali niebieskoocy blondyni, Ariowie, obdarzeni ponadnaturalnymi możliwościami, które wynikały z połączenia ich wiedzy, intelektu i umiejętności wykorzystania nieznanych nam minerałów. Tworzyli piękne budowle, rzeźby i dzieła sztuki. Ich cywilizacja rozwijała się błyskawicznie, lecz pewnego dnia spadł z kosmosu wielki księżyc lodowy, który zatopił Atlantydę.

Wtedy, gdy miałem pięć lub siedem lat, na dowód prawdziwości tych słów matka pokazywała mi wielkie księgi pozostawione przez Freytagów. Każda z nich ważyła po dziesięć kilogramów, miały okładki z tłoczonej skóry i miedziane okucia. Kartki z kredowego papieru, grube, błyszczące i porozdzielane szeleszczącym pergaminem, pełne były rycin. Na rycinach tych po wielokroć widziałem Atlantydę, nie było więc powodu, bym miał w nią wątpić.

Często się zastanawiałem nad mocami dawnych Atlantów, nad ich nadzwyczajną siłą i wiedzą, a także nad minerałami, których tajemnice wciąż pozostają w ukryciu. Byłem niemal pewien, że jakiś związek z nimi musi mieć strzeżony przez moją matkę kryształ Freytagów. Myślałem też nad ich długą wędrówką, gdy musieli szukać schronienia po zatopieniu wyspy. W tamtym dniu, w którym nieproszeni goście zajęli połowę naszego mieszkania, czułem się jak taki Atlanta wypędzony ze swojego królestwa. Nie miałem w sobie złości. Wiedziałem, że to wstęp do jakiejś przygody. Byłem jedynie ciekaw, co się teraz zdarzy.

Gdy po raz pierwszy zobaczyłem Laurkę, wszystko stało się dla mnie jasne. Od razu zrozumiałem, że jak będę duży, to się z nią ożenię. Wyglądała trochę tak jak panienka Freytag – miała jasne włosy z lekko rudawym odcieniem i lokami wijącymi się po obu stronach drobnej twarzy. Oczy miała ciemnozielone jak szkło butelki, przez które bez mrużenia powiek można patrzeć na słońce.

– Jestem Laurka.

Dygnęła lekko, uginając nóżki w białych rajstopach. Białą też miała sukienkę. I białe buciki. Na głowie biały kapelusik z ciemnozieloną kokardą. Na plecach krótki sweterek, też biały, ale z ciemnozielonymi guzikami. I wszystko dopasowane, ani za krótkie, jak moje jedyne spodnie, ani za długie, jak moje obie koszule. W życiu nikogo tak eleganckiego nie widziałem. I tak dobrze wychowanego. W ogóle nie widziałem, żeby ktoś tak pięknie dygał. I w dodatku nazywał się jak prezent na urodziny. Stałem ogłuszony pięknem jej imienia, tkwiłem w tych drzwiach nieruchomy jak sęk.

– Jestem Laurka. Przyjechaliśmy do Wrocławia z Białegostoku.

– Jestem Piotruś. Przyjechaliśmy z Atlantydy.

Na dziewczynce Atlantyda nie zrobiła żadnego wrażenia, podobnie jak na mnie Białystok.

– Jestem Laurka – powtórzyła z uporem, tak jakby każde zdanie zaczynała od podania swojego imienia.

– Ładne imię – przyznałem i chyba o to jej chodziło od początku, bo przestała się przedstawiać.

– Teraz mieszkamy koło siebie i jesteśmy sąsiadami, więc moja mama przesyła wam poczęstunek.

Stała w naszych drzwiach i trzymała srebrną tacę z ciastkami. Były z różnokolorowym kremem – białym, czekoladowym, pomarańczowym i żółtym – a na wierzchu leżały owoce! Jagody, poziomki i truskawki. W życiu takich ciastek nie widziałem! Doprawdy, to wszystko było jak obrazek z bajki.

Pognałem z tacą do salonu, oczywiście ani słowem się do Laurki nie odzywając, bo przecież mogłaby pomyśleć, że tak od razu mi na niej zależy. Matka bez słowa wzięła tacę, wyrzuciła ciastka do śmieci, tacę przetarła i odstawiła do kredensu.

– Tylko tacę Freytagów oddali – zwróciła się do ojca, który czytał gazetę.

Ojciec szybko pogodził się z podziałem mieszkania. W czasach, w których wszędzie wisiało hasło „Socjalizm to pokój" (niektórzy dopisywali, że kapitalizm to dwa pokoje z kuchnią), sześć dużych pokoi z dwiema łazienkami z pewnością nie przysługiwało czteroosobowej rodzinie.

– Oj, Hela, mało masz tych niemieckich klamotów? – Wzruszył ramionami, nie przerywając lektury. – Pół mojej szafy jest zawalone generalskimi mundurami.

Przesadzał. W jego szafie matka zostawiła tylko wojskową koszulę Freytaga, a mundur wyniosła do piwnicy, w dodatku nie generalski, tylko hauptmanna. Trzasnęła drzwiami. Nie znosiła, gdy ojciec wypominał, że nie wyrzuca poniemieckich rzeczy.

Szczególnie złościł go ten mundur. Widziałem, jak kiedyś wyciągnął go z piwnicznej szafy i powiesił na krześle, na którym następnie oparł nogę i rękawem mundurowej bluzy pucował buty, nucąc jedną ze swych partyzanckich pieśni:

O Aniu, Aniu, wyjdź przed sień,
Wojsko wróci lada dzień
I we dwoje znów pod ręce,
Pójdzie mundur przy sukience.
O Aniu, Aniu, wyjdź przed sień,
Wojsko wróci lada dzień,
Znów dziewczęta i żołnierze
Będą razem na kwaterze.

Mnie ten mundur fascynował. W piwnicznej szafie wisiała wojskowa bluza, spodnie i płaszcz. Wszystko wyprasowane, wyszczotkowane (zanim bluza dostała się w ręce ojca). Spodnie wciąż trzymały ostry kant, spięte na dole nogawek specjalnym wieszakiem, którego mechanizm był potwierdzony brązowymi literami wypalonymi w bukowym drewnie – „D.R.P.", Deutsche Reich Patent. Niemcy opatentowali konstrukcję wieszaka, dzięki której ich spodnie zawsze wisiały do góry nogawkami na baczność. W piwnicznej szafie mundurowe spodnie Freytaga prężyły się więc wyprostowane w oczekiwaniu na defiladę, która już nie przemaszeruje ulicami miasta. Obok pełno było drewnianych wieszaków, które matka wyniosła z mieszkania, by nie kłuły w oczy przychodzących gości. Na wszystkich wygrawerowano nazwy sklepów i ich adresy, w większości zaczynające się od „Breslau".

Bluza wisiała na wieszaku podpisanym nazwiskiem właściciela imponującego stylem i wielkością domu handlowego w centrum miasta: „Rudolf Petersdorff, Ohlauer Str.". Natomiast pod ciężkim płaszczem munduru widniał na drewnie stylizowany napis z nazwiskiem: „Echt Dyckhoff, Ohlauer Str.". Zdziwiło mnie, że ten sam adres, a dwa różne nazwiska. Okazało się, że historia tego miasta zapisana jest nawet na wieszakach w szafie – po latach dowiedziałem się, iż pierwotny właściciel wspaniałego gmachu, Petersdorff, ze względu na żydowskie koligacje musiał się zrzec majątku na korzyść aryjskiego Dyckhoffa tuż po tym, jak Hitler doszedł do władzy. Po wojnie Polacy wykazali się poczuciem humoru, nadając temu sklepowi nazwę Kameleon sugerującą niezwykłą zdolność przystosowywania się do potrzeb kolejnych nacji, które nim zarządzały.

Freytagowi nie przeszkadzało semickie pochodzenie wieszaka, skoro wieszał na nim swój galowy mundur. Obok kilku dyckhoffów i petersdorffów w szafie były też inne wieszaki, najwięcej ze sklepu z męską i chłopięcą modą „Herren – und Knaben – Moden, L. Prager, Breslau 1, Albrechtstr. 51". Wisiały na nich koszule do smokingu i smoking.

Płaszcz był z szarego, grubego, szorstkiego sukna, pod spodem wykończony nieoczekiwanie gładką i błyszczącą podszewką. Dotykałem palcami srebrzystych haftów na pagonach i żelaznych guzików z rozpostartymi skrzydłami wrony. Wisiał na tyle wysoko, że swobodnie do niego wchodziłem i mogłem stać w nim wyprostowany jak strażnik w budce. Miałem wrażenie, że mimo kulek naftaliny, które matka wetknęła w każdą kieszeń, płaszcz munduru wciąż pachniał tytoniem, wodą kolońską i pastą, którą ktoś polerował skórzany pas. Lubiłem te chwile, kiedy schowany w tym wielkim płaszczu przez uchylone drzwi szafy obserwowałem życie w naszej piwnicy. Widziałem Smoka, który zamiatał niedopałki, pana Henryczka z węglarką, który pod węglem miał schowaną butelkę wódki i pociągał z niej w tajemnicy przed żoną. Obserwowałem pannę Juliannę schodzącą po ziemniaki, która na piwnicznych schodach już nie dbała o to, że szlafrok mocno jej się rozchylał. Nawet Wieczne Potępienie w piwnicy pozwalało sobie na więcej poufałości wobec tych, którzy schodzili z nią, by pomóc w noszeniu węgla. W środku munduru byłem niewidzialny i bezpieczny. Bywało, że po awanturach w domu uciekałem do piwnicy, by się w nim schować.

Lubiłem też grzebać w kredensach pozostawionych przez Niemców. Nie wiem, czego szukałem. Babcia wiedziała i mawiała tak: mężczyźni zawsze czegoś szukają: jak są chłopcami, to szukają skarbów, a jak są więksi, to grzebią sobie w majtkach i całe życie się łudzą, że coś ciekawego znajdą. Chichrała się przy tym, a ja się wstydziłem.

Nazajutrz po wizycie Laurki rozglądałem się za czymś, co mógłbym jej podarować, gdy tylko ją przypadkowo spotkam (po dwóch godzinach czekania pod jej drzwiami). Znalazłem pudełko z igłami wbitymi w czerwoną poduszkę o kształcie serca przeciętego czarną, haftowaną swastyką. Skojarzyłem, że u babci wisiał obraz, na którym Jezus Chrystus trzymał w dłoni podobne serce, w dodatku swoje, i też były tam wbite igły albo gwoździe. Nie było tylko swastyki, lecz korona cierniowa w tym samym kolorze.

Bardzo mnie to zafascynowało, że znalazłem w przedpokoju serce takie jak u Chrystusa. Usiadłem na podłodze i zacząłem od nowa te igły wbijać, powtarzając całą Jezusową Golgotę. Chciałem zobaczyć serce gorejące, ale wtedy drzwi się otworzyły i nie nastąpił cud, lecz kilka przykrych zdarzeń – do przedpokoju weszła matka, zaklęła: „*verflucht*", a potem dostałem w dupę, gorejącą wskutek tego niemal do wieczora.

Nie wolno mi było zbliżać się do tego kredensu choćby nie wiem co, bo obok masek przeciwgazowych były tam schowane przez mamę listy – także listy miłosne – Freytagów oraz inne bardzo osobiste rzeczy, które trzeba będzie oddać, jak wrócą.

Tak naprawdę to dostałem w dupę, bo matka z przyzwyczajenia pilnowała dobytku poprzednich lokatorów, ale nazajutrz musiała mi coś rozsądniejszego powiedzieć, bo przecież trudno wytłumaczyć dziecku, że Niemcy wrócą do naszego mieszkania, rozbiją mur i wyrzucą Laurkę, a nam – za to, że pilnowaliśmy ich rzeczy – pozwolą zająć na przykład mieszkanie po pijanym Smoku, który zieje ogniem i gorzałą na parterze. Opowiedziała mi więc historię, którą przyniosła ze szpitala.

Była to historia o dziecku, bardzo kochanym przez rodziców, które znalazło na podłodze igłę i się nią bawiło. Igła wbiła mu się w ciało i trafiła do żyły, i popłynęła nią, ale nie tak jak przez Odrę, która przecinając Wrocław, widowiskowo się zakręca, lecz jak przez rzekę Styks, której woda niesie życie do śmierci. Tak do jej brzegu dotarła igła – niesiona nurtem krwi wbiła się w serce dziecka, które natychmiast umarło, i nie było dla niego ratunku, chociaż rodzice bardzo płakali.

Uwierzyłem w tę igłę i odtąd byłem pewien, że to mi się może zdarzyć, skoro matka przestrzegała. Do dziś się boję igieł porzuconych na stole lub zagubionych na podłodze i unikam z nimi kontaktu, a wtedy, kilka dni później, nagle jedną poczułem. Nie wiedziałem, gdzie i kiedy się wbiła ani którą tętnicą płynęła, wiedziałem tylko, że właśnie dotarła do serca. Zakłuło mnie boleśnie, gdy przez okno zobaczyłem, że Smok macha miotłą nad Laurką. Na chodniku narysowała sobie kredą kwadraty do gry w klasy i ślicznie przeskakiwała z jednej do drugiej, kopiąc zielone denko od butelki. Smok tak na niby złościł się o to szkło i chciał je zamieść, ale co zamachnął się miotłą, to Laurka popychała je do następnej klasy – szkiełko gładko przechodziło, w przeciwieństwie do Smoka, który – o czym wszyscy wiedzieli – nie przeszedł nawet do drugiej klasy i był analfabetą. Śmiali się przy tym oboje, ona głosem jak świergot ptaszka, a on jak ryk osła.

6.

Wieczne Potępienie
i inni sąsiedzi

Smok mieszkał dokładnie pod nami, na parterze naszej secesyjnej kamienicy, w mieszkaniu, które za czasów Freytaga też należało do dozorcy. Już z tego powodu bardzo nas nie lubił, uznając, że zajmowane piętra świadczą o statusie społecznym ich mieszkańców. Przy czym najważniejsze było pierwsze, potem drugie i trzecie (na równi), po nich czwarte, a na samym końcu dopiero parter.

Nie jestem pewien, czy miał rację, zwłaszcza w przypadku czwartego piętra, na którym wspólna toaleta przypadała na trzy mieszkania, a węgiel wnosiło się tak ciężko, że panna Julianna wolała czasem marznąć. Siostra Immakulata lubiła chłód i głosiła zasadę, że zimno sprzyja zdrowiu, zatem marzła profilaktycznie. Wieczne Potępienie była natomiast wybitnie ciepłolubna i wykorzystywała do noszenia węgla mężczyzn, jeśli nie swoich, to spotkanych przy schodach. Gdy akurat nie gościła kolejnego amanta, schodziła sama i stawiała dwie węglarki koło zejścia do piwnicy, cierpliwie czekając. W końcu pojawiał się któryś z mężczyzn z naszej kamienicy, a wtedy ona słodko się uśmiechała, prosząc o przysługę sąsiedzką. Nie mam pojęcia, czy chociaż raz spotkała się z odmową, wiem natomiast na pewno, że wielu z nas, młodych i słabych jeszcze chłopaków, marzyło o dniu, w którym będziemy już duzi i silni, by złapać za węglarki zdecydowanym chwytem i pójść za ich właścicielką, oddając się wzrokowej rozkoszy. Wieczne Potępienie potrafiła bowiem chodzić, a zwłaszcza stąpać po schodach przed niosącymi węglarki mężczyznami, tak jak żadna inna kobieta. Jeśli byt określa świadomość, to ta kobieta miała świadomość określoną przez byt wąskiej talii i pełnych pośladków. Idąc, wprawiała biodra w ruch na pół obrotowy, tak jakby chciała odkręcić pupę od talii, i raz odkręcała ją w lewą, a raz w prawą stronę, tak na przemian przez cztery piętra, aż noszącemu za nią węgiel mogło zakręcić się w głowie. Ruch bioder tej kobiety był jak bicie kołyszącego się dzwonu, który ogłaszał pożar w naszych sercach.

Bywało, że schodami ku górze dumnie kroczyła Wieczne Potępienie, metr za nią pan Teofil, pan Henryczek albo mój ojciec, a za nimi my, kilku chłopców z czerwonymi od wrażeń uszami, wszyscy jednakowo zahipnotyzowani. Potem każdy z nas o niej myślał. Kobiety po to mają nogi, by chodzić mężczyznom po głowach.

Największym beneficjentem był oczywiście Smok. Najczęściej nosił węglarki za Wiecznym Potępieniem. To obok jego mieszkania straszył czarną czeluścią zsyp na węgiel oraz ciemne wejście do piwnicy. Dwa puste oczodoły między schodami, których drewniana poręcz przypominała zakrzywiony dziób krogulca. Na religii mówiono nam, że diabeł ma nos zakrzywiony jak krogulec. Zły Smok, te oczodoły o wiejących chłodem czeluściach i krzywy dziób jak nos diabła – parter naprawdę był przerażający.

Smok mieszkał ze swoją żoną Rozalką oraz córką Lizą. Rozalka była kobietą tęgą i kłótliwą, a przy tym na pokaz bogobojną. Wyznawała absolutny kult obrazów maryjnych, co objawiało się u niej nadmiernym ich gromadzeniem. Przywoziła z każdego odpustu przynajmniej po jednym, wobec czego ściany mieszkania na parterze szybko straciły świecki charakter.

Smok, jako gad niewierzący, złościł się za każdym razem, robiąc Rozalce głośne awantury. Kłócili się wtedy godzinami już od samych drzwi, w których Rozalka stała z nowym obrazem, potem zamykała je z trzaskiem i dalej się kłócili, on rozzłoszczony sięgał po butelkę bimbru, wypijał szklankę, a ona w tym czasie wieszała obraz na ścianie, i wciąż się kłócili, aż w końcu Smok zasypiał pijany na stole, a Rozalka kłóciła się z nim już sama. Na Smoka nawet w tym wypadku nie mogła liczyć. Wszystko było wyłącznie na jej głowie. Zakupy, dom, wychowanie dziecka, a także awantura.

Nad nami, na drugim piętrze, mieszkało dwoje rzemieślników. Pod trójką pan Henryk, z powodu dobrotliwego wyglądu oraz jowialności zwany Henryczkiem, właściciel przejętego po Niemcu zakładu produkującego tablice emaliowane. Początkowo miał pyskatą żonę, hałaśliwego syna oraz psa, który cały dzień ujadał, ale żona, choć pyskata, to jednak popadła w pozamałżeński romans, wskutek czego jazgotliwa trójka wyprowadziła się pewnego razu, a na piętrze natychmiast zapanowała przyjemna cisza.

Regularnie wybierano pana Henryczka do Rady Narodowej, co wiązało się z tym, że nosił czarną teczkę i garnitur, zwany przez moją mamę ubraniem. Mój ojciec długo nie miał ubrania, chodził w szarych spodniach, swetrze i flanelowej koszuli, a matka cały czas namawiała go, żeby ubranie w końcu kupił, bo mężczyzna powinien być elegancki przynajmniej od święta.

Dzięki panu Henryczkowi wszyscy mieliśmy wizytówki na drzwiach zmieniane regularnie co parę lat zgodnie z trendami w modzie, która panowała w zawijasach zwanych stylem liternictwa. Henryczek był nowoczesny, a przy tym tak elegancki, że zawsze nosił płaszcz, latem przewieszony przez ramię. Należał do partii o nazwie Stronnictwo Demokratyczne chroniącej interesów małego kapitału, który w przypadku pana Henryczka rósł regularnie dzięki produkcji tabliczek z bezustannie zmieniającymi się nazwami ulic.

Obok pana Henryczka, pod czwórką, mieszkała pani Emanuela, kobieta chuda i wysoka jak tyczka do fasoli. Miała męża, ale krótko, bo uciekł z tancerzem rewiowym. Początkowo, aby wstyd był mniejszy, udawała, że uciekł z tancerką. Emanuela była nienowoczesna, a nawet staromodna – nosiła ponure w kolorze spódnice za kolana i równie zmartwione żakiety. Chodziła regularnie do kościoła z żoną Smoka i – podobnie jak pan Henryczek – latem nosiła płaszcz przewieszony przez ramię. Gdy razem schodzili po schodach, wyglądali jak dwoje gangsterów z ukrytymi pistoletami. W suterenie pani

Emanuela prowadziła hafciarnię, zajmując się najpierw cerowaniem i haftowaniem obrusów, a potem szyciem proporców i sztandarów.

Ojciec mawiał, że lokatorzy z pierwszego piętra to strażnicy historii, oboje byli bowiem na co dzień z nią związani – pan Henryczek produkcją tabliczek z dziejowo się zmieniającymi nazwami ulic, a pani Emanuela haftowaniem na sztandarach symboli religijnych bądź świeckich, a nawet partyjnych, w zależności od rodzaju zlecenia. Nie narzekali na brak pracy i byli chyba jednak bardziej beneficjentami historii niż jej strażnikami – pani Emanuela jako pierwsza w naszej kamienicy kupiła sobie telewizor, a pan Henryczek samochód. Początkowo pan Henryczek chodził do niej oglądać telewizję, a ona pozwalała się podwozić, w końcu zamieszkali razem i od razu byli urządzeni.

Nad nimi, na piętrze drugim, pod piątką mieszkał pan Teofil oraz, pod szóstką, doktor Szorstki. Pan Teofil był redaktorem we wrocławskim dzienniku „Słowo Polskie", prowadził też zajęcia z historii na uniwersytecie. Obaj byli bardzo ważni z powodu wykształcenia. Jako jedyni w naszej kamienicy mieli pełne wykształcenie wyższe, dlatego mówiło się, że piętro drugie zajmuje u nas inteligencja. Początkowo trochę mnie to oburzało, bo inni też byli inteligentni – w naszym mieszkaniu na ten przykład wszyscy z wyjątkiem mojej siostry – ale z czasem zrozumiałem, że w państwie, w którym rządzi partia robotnicza, słowo „inteligencja" ma charakter raczej pejoratywny. I nawet byłem gotów się z tym pogodzić – doktor Szorstki był na przykład tak ważny, że nikt mu nie mówił po imieniu. Wszyscy w kamienicy mieli jakieś imiona, nawet do Smoka mówiło się „panie Eustachy", tylko do doktora Szorstkiego zwracaliśmy się „doktorze Szorstki", tak jakby od chrztu był doktorem i nie miał imienia.

Nad nimi, na piętrze trzecim, mieszkały wspomniane już kobiety. Panna Julianna, osoba bardzo skromna i dobrze wychowana, pod siódemką. Siostra Immakulata, ponura i milcząca, pod ósemką. Obok, pod dziewiątką, kobieta ładna, zgrabna, pachnąca i długowłosa, z powodu głośnego i hulaszczego trybu życia zwana przez pannę Juliannę Wiecznym Potępieniem.

– Wieczne potępienie z tą kobietą! – pomstowała panna Julianna na sąsiadkę i wykrzykiwała to tak często, że przydomek się przyjął. Panna Julianna ukończyła szkołę muzyczną i pracowała jako nauczycielka muzyki, ale ze względu na wrodzoną delikatność, która objawiała się zemdleniami i migreną, zatrudniono ją w szkole tylko na pół etatu. Dorabiała w domu korepetycjami oraz ozdabianiem tortów. Nie piekła ich, tylko dekorowała. Jak ktoś miał w domu uroczystość ważną na tyle, że zasługiwała na tort, to piekł go we własnym piekarniku, po czym niósł do panny Julianny, która z lukru farbowanego na różne kolory wyczarowywała na torcie obrazy nie do uwierzenia piękne. Delikatną kreską płynnego cukru rysowała na przykład zamki dla księżniczek, tańczące nimfy lub komunijne anioły, które szły w prezencie z zapaloną świeczką.

Obok mieszkała siostra Immakulata będąca, podobnie jak moja matka, autochtonką, czyli osobą, która urodziła się na tych ziemiach w czasach, gdy były jeszcze niemieckie. Mówiliśmy do niej „siostro", bo wcześniej należała do zakonu. Nikt nic więcej o niej nie wiedział. Kiedy i z jakiego powodu odeszła, z czego żyła? – jej sekret, może nawet tajemnica. Była pierwszym lokatorem naszej kamienicy. Może nawet mieszkała tu jeszcze za czasów Freytagów. Ojciec nigdy jej nie ufał i mówił, że równie dobrze mogła być zakonnicą, jak i niemieckim szpiegiem. Bardzo powoli uczyła się mówić po polsku. Nasze słowa – szeleszczące i świszczące, brzęczące jak trzmiele i dźwięczne jak świerszcze – rosły jej w gardle. Mimo że wystąpiła z zakonu, nadal chodziła w habicie, tym samym, szarym, sięgającym ziemi, przepasanym sznurem. Przyzwyczailiśmy się do niej, ale musiała dziwnie wyglądać na naszej klatce schodowej, bo ilekroć ktoś przychodził do nas w gości, na jej widok przystawał z wrażenia. Zwłaszcza gdy nosiła sztandary z napisem „Socjalizm", ale o tym potem.

Smok mówił, że jest pomylona, bo normalna kobieta nie przebierałaby się w habit, skoro uciekła z zakonu. Ale pewnie tak mówił tylko po to, żeby nie było na Money Lizę, że jest pomylona – wolał dla pomylenia znaleźć inną ofiarę, na barki byłej zakonnicy podejrzenie

57

zrzucić. Skoro pomylenie musi mieć ofiarę, to lepiej niech nią będzie poniemiecka zakonnica niż jego własna córka, no a wiadomo, że w takiej dużej kamienicy, wśród tylu lokatorów ktoś przecież musi być pomylony. Doktor Szorstki tak powiedział. Jedna osoba na dziesięć jest pomylona. To się nazywa statystyka. Zgodnie ze statystyką w naszej kamienicy poza Money Lizą ktoś jeszcze musi być pomylony. Nie było jednak pewności kto.

Ze wszystkich lokatorów Smok wydawał mi się bezwzględnie najciekawszy. Był bowiem sześciopalczasty, a poza tym pokazywał karciane sztuczki. Zgrabnie mu to wychodziło, być może dlatego, że jego dłonie miały właśnie po sześć palców. Początkowo baliśmy się go trochę z tego powodu, a pani Emanuela mówiła nawet, że nie wolno podawać mu ręki, bo sześciopalczastość jest zaraźliwa, ale doktor Szorstki przyniósł ze szpitala księgę i przeczytał wszystkim na korytarzu, że to choroba zwana polidaktylią, zdarza się raz na pięćset urodzin i nie jest zaraźliwa, tylko genetyczna. Co więcej, w niektórych kulturach uznawana jest za dobrą wróżbę lub znak z nieba, a osoby obdarzone nadwyżką palców otrzymują specjalny status społeczny. Na przykład czarownika lub kapłana. Poza tym z przekazów historycznych wiadomo, że polidaktylię miał polski książę Henryk II Pobożny oraz królowa Anglii Anna Boleyn. To przekonało wszystkich, łącznie z panią Emanuelą, że palce Smoka nie są zaraźliwe, bo nikt nie słyszał, żeby ktoś przy okazji zaraził się pobożnością lub królestwem. Nam zaś, dzieciom z kamienicy, pozwoliło to odtąd patrzeć na niego z podziwem. Zastanawialiśmy się też, po kim Smok mógł te dodatkowe palce odziedziczyć. Po jakimś królu czy raczej po czarowniku? W ubraniu dozorcy Smok nie wyglądał na króla, uznaliśmy zatem, że jest potomkiem czarnoksiężnika.

7.

Szantaż Smoka

Z wyjątkiem siostry Immakulaty wszyscy lokatorzy dobrze się znali, a z większości był nawet społeczny pożytek. Smok, zanim został dozorcą, pracował jako malarz i tapeciarz – od czasu do czasu każdy z lokatorów dał mu zarobić na flaszkę. Poza tym Smok miał brata, który mieszkał za ścianą w sąsiedniej kamienicy, był kolejarzem i odsprzedawał nam węgiel po okazyjnej cenie. Nie wiem, czy jego brat kradł z wagonów, czy miał deputat, ale co roku przywoził tyle węgla z pracy, że początkowo myślałem, iż w Polsce węgiel wydobywa się na kolei.

Mój ojciec skończył zawodówkę i został elektrykiem, więc pomagał tym, którym prąd nagle gdzieś uciekł. W starych poniemieckich domach bywa on bowiem bardzo płochliwy. Przeprowadzał też elektryfikację kamienicy, bo początkowo w każdym pomieszczeniu było jedno lub dwa gniazdka, a potem przyszła cywilizacja i pojawiły się telewizory, magnetofony i pralki, a nawet elektryczne maszynki do golenia, a wtedy okazało się, że gniazdek jest za mało. Jako że bez prądu nic nie działało, ojciec zaczął pełnić funkcję niemal biblijną, a przynajmniej czynił cuda – w martwe przedmioty potrafił tchnąć życie.

Matka miała sporo umiejętności chirurgicznych, które zdobyła na froncie. Formalnie ukończyła tylko szkołę pielęgniarską, ale ze względu na sporą praktykę często asystowała podczas operacji. Poza tym potrafiła bezboleśnie robić zastrzyki, toteż wzywano ją po sąsiedzku w razie potrzeby. Jako jedyna z całej kamienicy rozmawiała o ważnych rzeczach z Immakulatą. Wiadomo, że o ważnych, bo podczas rozmowy obie były zawsze bardzo zasępione.

Przodownik Pracy, Daniel Zakościelny, cokolwiek by o nim powiedzieć, miał duszę działacza związkowego. Załatwiał nam dostawy ziemniaków i cebuli, które pomagał nawet wnosić do piwnicy. Jesienią wypożyczał z pracy autobus z kierowcą i organizował wyjazdy na grzyby.

Henryczek pożyczał wszystkim niewielkie kwoty i nie domagał się ich zwrotu przed wyznaczonym terminem.

Pani Emanuela wręczała z okazji urodzin ręcznie haftowane serwety.

Doktor Szorstki wypisywał jednodniowe zwolnienia z pracy. Pracował w szpitalu jako internista, ale powiadał o sobie, że z pasji jest farmaceutą. Miał w piwnicy małe laboratorium wyposażone w dziesiątki kolb i menzurek oraz palnik gazowy, dzięki którym wytwarzał maści i eliksiry na niedomagania, bóle i lepszą urodę.

Pan Teofil, jako najbardziej elokwentny w całej kamienicy, interweniował u władz w sprawach wagi najwyższej, jak na przykład wtedy, gdy nikt z administracji przez miesiąc nie reagował na monity, że na czwartym piętrze zepsuła się spłuczka w toalecie.

Panna Julianna pomagała niektórym w lekcjach, nie tylko muzyki. Smoka przygotowywała na przykład do powtórzenia drugiej klasy, bo był analfabetą i chociaż miał po sześć palców, to nie potrafił ich policzyć.

Podobnie jak siostra Immakulata, Wieczne Potępienie nie udzielała się społecznie. Balowała głównie poza domem, nocą sprowadzając mężczyzn, z którymi chichotała do samego świtu. Czasami interweniowała milicja. Nazajutrz Potępienie ze spuszczonym wzrokiem schodziła po schodach, dokładnie je licząc za każdym razem, chociaż niezmiennie na każdym półpiętrze stopni było jedenaście. Mężczyźni w naszej kamienicy bardzo ją lubili. Mówiąc ściślej, lubili się na nią patrzeć przez okna, gdy siedziała pod domem na ławce i podciągała sukienkę, żeby opalić nogi. Dokładnie z tego samego powodu kobiety jej nienawidziły. Nie musiały do tego w ogóle wyglądać przez okna.

Poza byłą zakonnicą niejasnego przeznaczenia oraz Potępieniem niejasnego prowadzenia lokatorzy raczej ufali sobie wzajemnie. Może jeszcze z wyjątkiem Smoka, który prawdopodobnie był donosicielem. W dodatku, jako pierwszy z całej kamienicy, zapisał się do Polskiej Zjednoczonej Partii Robotniczej, przez co wchodził niekiedy w głośne spory ideowe z należącym do Stronnictwa Demokratycznego i powszechnie lubianym panem Henryczkiem, chociaż obowiązująca linia rządu nakazywała obu partiom przyjazne sojusze. Przyjazne sojusze Smok zawierał jedynie z Wiecznym Potępieniem, osobliwie wówczas, gdy jego żona Rozalka wychodziła do kościoła lub sklepu. Wyraźną, acz niemal bezinteresowną sympatię Smok czuł tylko do Laurki. Pewnie dlatego, że była ładna jak z obrazka i zawsze mu dygała, a w domu Smoka nie dygał nikt – dyganie jako forma wyrazu było zupełnie mu nieznane. Poza tym Smok czuł podziw do jej ojca, Przodownika Pracy, który do PZPR zapisał się wprawdzie jako drugi w naszej kamienicy, ale po miesiącu został sekretarzem zakładowej organizacji partyjnej. Często na schodach zagadywał Przodownika, rozmawiali długo o linii programowej partii i nigdy się nie kłócili.

Spory, kłótnie, awantury zdarzały się w naszej kamienicy obowiązkowo jak burze w lecie, ale – podobnie jak one – mijały szybko i pojednanie pojawiało się niczym tęcza.

Coś trwale złego panowało jedynie między moim ojcem a Smokiem. To było ciągłe zło, nieprzemijające, nie tylko jakaś od niechcenia niechęć, ale coś permanentnie nienawistnego, siedzącego na ich karkach okrakiem, ściskającego im gardła, duszącego tak, że na swój widok dyszeli.

Smok musiał coś u nas znaleźć albo się czegoś dowiedzieć. Czegoś, co było skrywane przed światem; czegoś, co w każdej chwili mógł wyciągnąć jak szczura z nory, ale z jakiegoś powodu zwlekał, może czekając na lepszy moment, a może po to, żeby szczur urósł. Niewykluczone też, że ojca już szantażował, grożąc, że rzuci mu szczura do gardła.

To się zaczęło kilka dni po tym, jak Smok zaczął robić u nas remont. Miał odnowić całe mieszkanie. Bardzo ciekawą rzecz mi wtedy pokazał. W ościeżnicy kuchennego okna była zatkana pakułami dziura. Taka dziwna, jakby wywiercona skośnie od dołu ku górze. Usunął te pakuły i fachowo zatkał dziurę kitem, po czym podniósł wzrok na sufit. Zmrużył oczy, patrząc w jedno miejsce, tak jak mój ojciec, kiedy chciał lepiej widzieć, i chwilę podłubał śrubokrętem. Posypało się trochę zaprawy, a Smok wyłuskał z sufitu mały metalowy przedmiot.

– Wiesz, co to?

Nie wiedziałem.

– Pocisk. Z karabinu albo pistoletu. Ktoś kiedyś strzelał do szkopa, który stał w tym oknie.

Podrzucił przedmiot na dłoni.

– Łap, weź sobie na pamiątkę.

– Na pamiątkę czego?

– No, tak w ogóle. Wojny.

Złapałem. Owalny kawałek metalu wielkości mojego małego palca. Od razu wyobraziłem sobie Freytaga. Stał w oknie, może nawet w tym swoim mundurze kapitana Abwehry, a ktoś do niego strzelił. Nie trafił i teraz przeznaczony dla niego pocisk trzymam w ręce. Ależ to dziwne.

Smok najpierw sufity, potem ramy okienne pomalował ładnie na biało i zabrał się do kładzenia tapet. Przyniósł w tym celu stare gazety, które przyklejał do ścian. Rodzice byli w pracy, a ja nie wiedziałem, jak interweniować, bo nie bardzo mi się podobał pomysł, żeby mieć na ścianie gazety. W końcu nieśmiało go o to zapytałem, a on się roześmiał i wyjaśnił, że kładzie się je pod tapety, żeby zniwelować nierówności ścian. Po czym gwiżdżąc (mimo papierosa w ustach), spokojnie obklejał ścianę salonu „Słowem Polskim" oraz starymi egzemplarzami dolnośląskiego „Pioniera". Po kwadransie zabrakło mu gazet i zaczął szukać nowych. W całym domu nigdzie żadnych nie znalazł, więc wysłał mnie, żebym poszukał w piwnicy.

W naszej piwnicy było oczywiście wszystko, gazety też. Wprawdzie stare, poniemieckie, po Freytagach, ale tapetom wszystko jedno. Wziąłem plik i biegiem wróciłem na górę. Smok fuknął tylko, że szwabskie i zakurzone, po czym zabrał się do roboty. Naklejał gazety, a ja patrzyłem, jak przy „Pionierze" i „Słowie Polskim" pojawiają się tytuły pisane niemieckim gotykiem ze „Schlesische Zeitung" oraz „Das Reich". Smok, nie zważając na nic, przyklejał gazety do ścian, a ja w pewnym momencie poczułem się głupio, gdy na wprost mnie przykleił rozłożoną płachtę z dużym zdjęciem, na którym żołnierz niemiecki wychyla się z okopu i tak spokojnie obserwuje mnie przez lornetkę, że widać, iż ma na to bardzo dużo czasu.

Matka niekiedy mówiła, że Smok ma nie po kolei w głowie i to po nim ten brak kolejności przeszedł na Money Lizę. Przekonałem się, że miała rację, bo nagle rzucił pędzel z klejem na podłogę i wpatrując się w jedno ze świeżono nalepionych zdjęć, wybuchnął dziwnie nerwowym śmiechem. Mocno się przestraszyłem, bo Money Liza była wariatką bezpieczną, co najwyżej pokazywała za pieniądze swoje piersi chłopakom w piwnicy, a Smok w tym nerwowym śmiechu wydawał mi się bardziej nieobliczalny i czułem, że słusznie boję się tego, co mógłby mi pokazać.

Smok na razie nie zamierzał nic pokazywać i śmiał się gdzieś w głąb siebie, jak wszyscy wariaci, sądząc, że ktoś jeszcze w nim mieszka. Potem nagle umilkł i zrobił się ponury. Twarz miał zaciętą, gdy z kieszeni wyciągnął ołówek kopiowy i coś nim na jednej z gazet zakreślił. Nie odezwał się już do mnie ani słowem, tylko nanosił zrobiony z mąki klej na gazety, a potem przykładał do nich rolki tapet, patrząc tylko, czy jest równo i czy wzorek się ze wzorkiem pokrywa.

Ostatniego dnia, gdy skończył, pili z ojcem wódkę, zagryzali ciemnym chlebem, czosnkową kiełbasą i konserwowymi ogórkami. Mówili mało, siedzieli niemal w milczeniu i patrzyli w telewizor. W Dzienniku pokazywano jakichś ludzi, którzy wieszali na płocie transparent z napisem „Żydzi na Madagaskar". Ojciec się złościł i mówił, że to prawdziwe i całkiem serio hasło sprzed wojny, bo Polska miała uzyskać od Francji jej kolonię po to właśnie, by wysłać tam swoich Żydów, a inne kraje dołączyłyby się potem ze swoimi Żydami. Smok rzucił tylko tyle, że szkoda, iż tak się nie stało, bo miałaby Polska swoją kolonię zamorską, a tak ma gówna po kolana.

Coś zacząłem kojarzyć, bo akurat w szkole przerabialiśmy Arkadego Fiedlera – co prawda *Dywizjon 303*, ale spodobał mi się i z rozpędu przeczytałem też *Jutro na Madagaskar*. Słuchałem zatem zachwycony, bo chciałbym, żeby Polska miała kolonię zamorską, i w ogóle by mi nie przeszkadzało, jakby żyli sobie na niej jacyś Żydzi.

Potem nagle zaczęli się o tych Żydów kłócić – Smok mówił o nich źle, a ojciec ich bronił. Ni stąd, ni zowąd skoczyli do siebie, a wtedy Smok coś ojcu powiedział, a wyglądało to, jakby ział ogniem, bo ojciec zasłonił twarz rękami i cofał się krok po kroku. Smok jeszcze zasyczał na odchodne, po czym trzasnął za sobą drzwiami, a ojciec siadł ciężko na krześle i zrobił się na twarzy biały jak nasze świeżo pomalowane sufity.

Zanim poszedłem spać, widziałem, że gdzieś wychodzi. Wrócił dopiero nad ranem. Gdy wstałem, żeby zrobić siku, widziałem, że szuka czegoś w kredensie Freytagów, a potem obraca w ręku małe zawiniątko.

Kredens składał się z dwóch części: masywnej podstawy z szufladami i nadstawki z witryną z kryształowych szybek. Pod nadstawką miał marmurowy blat. Wsunięty był do środka, między gruby na dziesięć centymetrów panel podstawy a dno nadstawki. Wysuwało się go okazjonalnie, by na przykład postawić na nim kieliszki i napełnić je alkoholem.

W tych starych, ciężkich meblach często można było znaleźć zmyślnie umieszczone przez stolarzy skrytki. Kredens ją miał. Wtajemniczeni wiedzieli, że blat wyciągnięty tylko do połowy zwalnia metalowe zapadki, które pozwalają wówczas na otwarcie szuflady skrytej w grubej płycie podstawy. Odkryłem to przypadkiem, z nudów suwając marmurowym blatem tam i z powrotem. Szuflada w blacie była wówczas pusta.

Nie mam natomiast pojęcia, jakim cudem skrytkę otworzył mój ojciec. Przecież nie suwał z nudów marmurowym blatem tam i z powrotem. A jakoś ją odkrył, skoro po tym, jak poszedł w końcu spać, zakradłem się do przedpokoju i w skrytce znalazłem niewielki, ale ciężki przedmiot, owinięty lnianym kuchennym ręcznikiem. Wyhaftowano na nim napis: „Kto rano wstaje, temu Pan Bóg daje”. Ostrożnie, powoli odwinąłem ręcznik. To, co zobaczyłem, wprawiło mnie w osłupienie. Nie mogłem uwierzyć.

„Kto rano wstaje, kto rano wstaje” – migotało mi przed oczami.

Patrzyłem przerażony. Na rozwiniętym ręczniku leżał świeżo naoliwiony pistolet.

Było jasne, że Pan Bóg dał go mojemu ojcu z samego rana.

8.

Dzień, w którym dwa razy dostałem w dupę, w tym raz na gołą

Laurka siedziała na półpiętrze i grała ze Smokiem w bierki. Co chwilę klaskała w dłonie, bo Smok był na kacu i trzęsły mu się ręce. Bierki w starej komodzie znalazła żona Przodownika, Adela Zakościelna. Z punktu były więc w domu Laurki niechętnie widziane, bo nie dość, że wcześniej należały do Freytagów, to w dodatku z karteczki o zasadach gry Przodownik wyczytał, że jest to gra, którą wymyślili Germanie. Wprawdzie dość dawno, bo dwa tysiące lat temu, ale nie po to Przodownik tyle lat walczył we Wrocławiu o odniemczenie Pafawagu, gdzie w czynie społecznym zeszlifowywał oryginalne napisy z maszyn, żeby teraz jego córka trzymała w domu germańską grę. Typowo polskie gry powinny dzieci mieć w domu, takie jak warcaby, pchełki albo chińczyk.

Wyniosła zatem Laurka bierki na klatkę i spotkała na schodach Smoka. Akurat kończyli grać, gdy wyszedłem. Szło mu fatalnie, zebrał tylko kilka patyczków, jedno wiosło i dwa oszczepy.

– Zagramy? – zwróciła się do mnie Laurka, wskutek czego krew napłynęła mi do policzków, które z miejsca się zrobiły czerwone.

– Jasne, bardzo chętnie – wydukałem i tak rozmowa zapoznawcza była już za nami.

Smok kazał nam zbierać się ze schodów, bo nadchodziły święta i trzeba było porządnie posprzątać klatkę. Sięgnął po miotłę, a ja odważyłem się zaprosić Laurkę do domu. Dygnęła Smokowi i wzięła mnie za rękę. Po raz pierwszy w życiu trzymałem za rękę dziewczynę. (Trzymanie Tyranii się nie liczy, siostra to nie dziewczyna). Zrozumiałem, że Laurka jest odważna, odważniejsza niż ja, i to do niej w przyszłości należeć będą wszystkie pierwsze kroki. Mając tę błogą świadomość, mogłem już tylko czekać na rozwój wydarzeń. Ciągnięty za rękę, posłusznie wkroczyłem za nią do swojego domu, a ona powiedziała, że jestem dobrze wychowany, skoro wiem, że w drzwiach przepuszcza się kobietę.

Nikogo nie było, więc oprowadziłem Laurkę po mieszkaniu, pokazując jej różne ciekawostki, na przykład barometr z Lourdes, poniemieckie pismo dla dziewcząt z wycinanymi sukienkami dla lalek oraz maski przeciwgazowe z zakazanego kredensu Freytagów. Dwie dla dorosłych, jedna dla dziecka.

– Możesz przymierzyć – pozwoliłem.

Barometr oraz maski nie interesowały jej w ogóle, natomiast niemieckie czasopismo wyraźnie ją zafrapowało.

– Ojej, można wycinać nożyczkami! – zachwycała się, jakby wycinanie nożyczkami mogło komuś sprawiać przyjemność.

– Weź sobie, moja siostra ma tego pełno.

Istotnie, pod łóżkiem Tyranii leżała cała sterta pism do cięcia ich nożyczkami. Widocznie moja siostra też lubiła grzebać w zakazanym kredensie.

Laurka wzięła czasopismo i chciwie spoglądała na kredens w przedpokoju.

– A co masz tam jeszcze?

– Nic takiego, jakieś szpargały.

Poszła sprawdzić.

– A po co wam te maski przeciwgazowe?

– Nie wiem, może jak Niemcy wrócą. Oni często chodzą w maskach.

– Mój tata mówi, że nie wrócą.

– A moja mama mówi, że wrócą.

– I gdzie będą wtedy mieszkać?

– Nie wiem. Chyba będziemy musieli się z nimi jakoś pomieścić.

– Ale macie tylko trzy maski.

– Inne były dziurawe, więc ojciec wyniósł je do piwnicy. Zostały tylko dla mnie i dla rodziców.

– A twoja siostra?

– Będzie oddychać przez ligninę.

Potem Laurka zapytała, co jeszcze mam ciekawego, bo jak nic, to sobie już pójdzie. Nie chciałem, żeby sobie już poszła, więc pokazałem jej żyrandol i opowiedziałem historię o ukrytym w nim pierścieniu Freytagów. To magiczny pierścień, on wszystko obserwuje i potem jak jego właściciel wróci i założy go na palec, to się dowie, co działo się w tym domu, i jak będzie niezadowolony, bo może jakieś niegrzeczne dzieci były i coś mu zabrały albo wyniosły na dwór i zgubiły, na przykład małą lunetę, która kiedyś stała na etażerce, a od kilku dni nigdzie jej nie ma, to jak on to wszystko zobaczy, to będzie wtedy zły i dzieci mogą popamiętać.

Laurka słuchała z zachwytem, ale i z pewnym niedowierzaniem:

– Pierścień nie może widzieć, nie ma oka.

– Luneta też nie ma, a widzi.

– No dobra, a co widzi ten pierścień?

– Wszystko, co dzieje się w tym domu.

– A w moim mieszkaniu?

– Też.

– To jest niemożliwe, bo nasze mieszkanie jest za murem.

– Ale kiedyś nie było tego muru, dopiero twój tato postawił ten mur, jak ja pierwszy raz miałem pojechać nad morze. Więc pierścień też widzi za murem, bo już tam był.

– Naprawdę byłeś nad morzem?

– Nie, bo nie dojechaliśmy.

– Dlaczego?

– Nie wiem, może za późno pojechaliśmy i było już po wakacjach.

Uparła się, żeby na jeden dzień, tylko na jeden dzień, ten pierścień jej pożyczyć. Zobaczy, czy coś w nim widać, bo jak widać, to na pewno można to zobaczyć tylko w nocy, tak jak robaczki świętojańskie albo gwiazdy, a jutro rano mi odda. Odmówiłem, robiąc bardzo stanowczą minę, potem ona poprosiła jeszcze raz, a ja znowu stanowczo odmówiłem, na co ona wygięła usta w podkówkę, jakby się miała rozpłakać, więc w ostateczności się zgodziłem, ale niech to pozostanie w tajemnicy.

Nie zdążyłem jeszcze zamknąć za nią drzwi, a już widziałem, jak od razu po wyjściu z mieszkania Laurka pokazuje pierścień Smokowi. Zaczęła mu opowiadać o jego nadzwyczajnych właściwościach, a tu akurat na schodach pojawił się mój ojciec. Laurka ślicznie dygnęła, ale on i tak bez słowa odebrał klejnot, wchodząc do domu, trzasnął mocno drzwiami i wydarł się na mnie okropnie.

– Jak matka czegoś zabrania dotykać, to dotykać tego nie wolno! Jak mówi, że ktoś po to wróci, to znaczy, że ktoś po to wróci, i bez względu na to, czy jest zrobione ze złota, uranu do bomb atomowych czy innej tajemnicy, wara ci od tego raz na zawsze! A teraz przynieś pas, bo dostaniesz w dupę.

Oczywiście nie przyniosłem pasa, w końcu to nie samoobsługa, tylko od razu uciekłem, ale ojciec był naprawdę rozzłoszczony i gonił mnie dookoła stołu, sam skądś po drodze ten pas wyciągając, i biegaliśmy tak, aż obaj byliśmy czerwoni, ja z płaczu, a on ze złości i zmęczenia, które złościło go na mnie jeszcze bardziej, i wykrzykiwał coraz gorsze groźby, aż w końcu przerażony zatrzymałem się, chcąc już po prostu dostać i mieć to wszystko z głowy.

Złapał mnie i kazał ściągać spodnie, krzycząc, że zleje mnie na gołą dupę. To była jakaś nowa praktyka w naszym domu, do tej pory nigdy na gołą nie dostawałem, więc omal nie zemdlałem z grozy, wstydu i przerażenia. Trzymałem więc spodnie z całych sił, a on próbował je ze mnie ściągnąć, lejąc już jednak na wszelki wypadek, gdyby na przykład przyszła zaraz matka i nie zdążyłoby dojść do ściągnięcia spodni. I rzeczywiście, matka przyszła, ale się nie wtrącała, weszła do kuchni i usiadła zmartwiona. Ojciec mnie lał, ja się darłem, a matka ze współczucia chlipała, aż w końcu pękło jej serce i przyszła mi z odsieczą.

Ojciec otarł pot z czoła, tak się przy biciu narobił, i kazał mi iść rysować albo odrabiać lekcje. Uciekłem do piwnicy i schowałem się w mundurze Freytaga.

Miałem w sobie cały ocean buntu i niezgody. Jak tu odrabiać lekcje z chlipaniem i piekącą dupą? Ktoś próbował? I dlaczego dzieci bije się akurat w dupę? To przecież zupełnie bez sensu, takie pobite w dupę dziecko nie może potem siedzieć i odrabiać lekcji ani nawet rysować. Byłem na ojca tak wściekły, że najchętniej pobiegłbym do kredensu i wyjął jego pistolet. Potem goniłbym go dookoła stołu i strzelał mu pod nogi, a jakbym go nawet drasnął z powodu niecelności, to też nie szkodzi. Wiedziałem jednak, że życie nie jest aż tak piękne i nie mogę tego zrobić. Na pocieszenie postanowiłem, że zemszczę się na ojcu przynajmniej w ten sposób, że o jego pistolecie wszystko opowiem matce. Matka była przeciwna przemocy domowej i mówiła, że bicie mnie w dupę to przejaw złych nawyków, takich jak bałaganiarstwo, spanie z otwartymi oczami i jedzenie łyżką drugiego dania – przyzwyczajeń, których ojciec nabrał w partyzantce. Wiedziałem, że wojna to trudny okres w życiu każdego człowieka, ale to nie powód, by z powodu złych nawyków bić po dupie w czasie pokoju.

Po godzinie opuściłem mundur Freytaga i wróciłem do domu. Gdy ojciec wyszedł na dwór, tradycyjnie grzebać pod maską syreny z laminatu, wziąłem głęboki oddech i ruszyłem do kuchni, aby w końcu opowiedzieć matce o pistolecie, ale akurat rozległ się dzwonek do drzwi i w progu stanęła siostra Immakulata z kordonkiem.

Siostra Immakulata czasami do nas przychodziła. Siadała z matką w kącie salonu i na zlecenie pani Emanueli haftowały kuchenne makatki, szprechając po cichu. Otrzymywały od niej kordonki oraz półfabrykaty – lniane ręczniki, na których kredkami delikatnie zaznaczono rysunek. Wzdłuż niebieskiej kredki szedł granatowy kordonek, a wzdłuż różowej – czerwony. Na płótnie naszkicowany był zazwyczaj wizerunek gospodyni w różnych pozach domowych, niekiedy w towarzystwie wiadra, mężczyzny lub gęsi. Wykonywała go osobiście pani Emanuela, co moją matkę doprowadzało do rozpaczy, bo nogi gęsi były długie jak u bociana, mężczyzna miał widoczną dyskopatię i rozbieżnego zeza, a gospodyni łokcie nienaturalnie wygięte, co zdaniem matki wyglądało jak otwarte złamanie z przemieszczeniem.

Pod tym sielskim obrazkiem kobiety miały wyhaftować także jakieś słuszne hasło z zestawu mądrości ludowych typu „Gdzie kucharek sześć, tam nie ma co jeść" lub „Każda żona tym się chlubi, że gotuje, co mąż lubi", w zależności od popytu i upodobań, o których na bieżąco informowali handlarze z pobliskich wiosek. Zarys literek nie był jednak naniesiony na makatce – kobiety wybierały hasła dowolnie z dostarczonej karteczki, co prowadziło niekiedy do drobnych nieporozumień. Raz na przykład przyszło zlecenie przed Bożym Narodzeniem: kościółki, choinki i scenki rodzajowe, a wśród nich ksiądz z kropidłem. Pod księdzem należało wyhaftować „Serdecznie witamy Kapłana naszego", bo makatkę – a na niej krzyż z kopertą – kładło się na stole podczas wizyt noworocznych, gdy ksiądz odwiedzał wszystkie domy, by na ich drzwiach napisać kredą „K+M+B".

Immakulata, która z powodu nieznajomości języka popełniała do tej pory głównie literówki, tym razem pomyliła zdanie z tradycyjnego zestawu haseł i pod księdzem, święcącym dom kropidłem, wyhaftowała: „Zimna woda zdrowia doda". Na szczęście gdzieś po dwudziestej makatce matka tę niestosowność zauważyła i poleciła wypruć „zimna", a na jej miejsce wyhaftować „święta". Brzmiało podobnie, ale wymowę miało zdecydowanie inną. Poza tym cieszyło się sporym wzięciem, w związku z czym hasło „Święta woda zdrowia doda" pani Emanuela poleciła haftować także w następnym roku.

Siostra Immakulata siedziała niemal do wieczora, a gdy w końcu poszła, wrócił mój ojciec umorusany smarami do samochodu. Może czekał, aż Immakulata wyjdzie – nie lubił jej chyba dlatego, że był ateistą i ledwo tolerował nienachalną wiarę matki. Tłumaczył mi, że między wierzącym a ateistą jest taka różnica, że zdaniem tego pierwszego Pan Bóg stworzył człowieka, natomiast ten drugi uważa, że to ludzie stworzyli Pana Boga.

Chwilę później zrobiło się piekło, bo do drzwi zadzwonił pełen patriotycznego wzburzenia Przodownik, rzucając ojcu pod nogi egzemplarz pisma dla dziewcząt, który rano podarowałem Laurce. Okazało się, że w wykrojach dla lalek nie było mundurków szkolnych, lecz paramilitarne uniformy dla dziesięcioletnich dziewcząt z organizacji Jungmädel, wchodzącej w skład Hitlerjugend, co Przodownik potraktował jako prowokację oraz rewizjonizm i zapowiedział, że następnym razem uda się na milicję.

Ojciec się rozzłościł – najpierw na sąsiada, że straszy nas milicją, a potem na mnie, że łamię zasady i pozwalam na wynoszenie rzeczy po Freytagach. Tak w wieku siedmiu lat zostałem posądzony jednocześnie o zdradę ojczyzny i łamanie zasad, po czym po raz drugi w jednym dniu dostałem od ojca w dupę, ale na szczęście już nie gołą, tylko w spodniach. Znów zbiegłem do piwnicy, by schować się w mundurze Freytaga. Na wszelki wypadek pozapinałem za sobą wszystkie guziki.

Nic między ludźmi nie wywołuje tyle kwasów, co zasady.

9.

Zemsta raczej nieudana

Nazajutrz była niedziela. Czekałem, aż ojciec zje śniadanie i tradycyjnie pójdzie grzebać pod syrenką. Wtedy miałem się w końcu zemścić i opowiedzieć mamie o jego pistolecie, bo wcześniej nie było okazji.

Po śniadaniu się rozpadało. Ojciec stał w oknie i patrzył, kiedy przestanie padać, ale od tego patrzenia nie przestawało. Mama usiadła przy stole i poprawiała na makatkach literówki po siostrze Immakulacie, która tym razem wyhaftowała hasło „Kot rano wstaje, temu Pan Bóg daje".

Ojciec chwilowo zrezygnował z grzebania pod syrenką, wziął gazetę i położył się na kanapie, nucąc:

Deszcz, jesienny deszcz smutne pieśni gra.
Mokną na nim karabiny, hełmy kryje rdza.
Nieś po błocie w dal, w zapłakany świat,
Przemoczone pod plecakiem osiemnaście lat.

Tyrania zmywała naczynia. Poszedłem do swojego pokoju i zamknąłem drzwi.

Położyłem się na łóżku i patrzyłem w sufit. Sufit był bardzo daleko. Cztery metry nade mną. Mój pokój – pół korytarza Freytaga – był wyższy, niż wynosiła jego długość: miał dwa metry szerokości i dwa i pół metra długości. Wyobrażałem sobie, że jest klockiem ustawionym w pionie, a ja powoli przewracam ten klocek na dłuższy bok. Wtedy mój pokój miałby cztery metry długości i dwa i pół wysokości. Bardzo by mi to odpowiadało.

Łóżko stało wzdłuż ściany, wypełniając całą szerokość pokoju. Ścianę przeciwległą niesymetrycznie wypełniały drzwi z szeroką futryną, tak że po jednej ich stronie zostawało dziesięć centymetrów, a po drugiej czterdzieści. Do tej szerszej części ściany dostawiona była szafka na moje ubrania, która zajmowała przestrzeń po lewej stronie od wejścia. Z prawej stał wąski stolik, na którym odrabiałem lekcje.

Pokój nie miał żadnego okna, ale nie było całkiem ciemno. Światło wpadało przez przeszklone drzwi z salonu, mocno oświetlonego przez dwa wielkie okna od południowej strony. Poza tym mogłem zaświecić dwie lampki, jedną przy łóżku, drugą na stoliku, i dwa kinkiety. Kinkiety były tu od zawsze, to znaczy od czasu, w którym się wprowadziliśmy. Od zawsze też wisiał między nimi portret panienki Freytag, którego mama nie pozwalała zdjąć. (Tyrania miała jeszcze gorzej, bo w jej pokoju długo wisiały wycinanki z czarnego papieru przedstawiające szwarcwaldzkich górali). Na portrecie panienka Freytag stała z rozłożoną parasolką. Nie padał deszcz, a ona miała rozłożoną parasolkę. Trochę przypominała w tym pannę Juliannę, która też nie wychodziła nigdy bez parasola, ale nie rozkładała go, gdy nie padało.

Ściana z portretem nie należała do mnie. Tak mówiła mama. Wcale mi to nie przeszkadzało, bo wisiał na ścianie z szafą przesłaniającą portret tak, że od wejścia nie było go widać. A jak któryś z kolegów przychodził po mnie, żebym wyszedł na dwór, to stawał tylko w drzwiach, bo w środku i tak nie wystarczało miejsca dla dwóch chłopców.

Do mnie należały wszystkie pozostałe ściany. Na tym wąskim fragmencie koło drzwi wieszałem pudełka po zagranicznych papierosach. Wszystkie chłopaki zbierały wtedy pudełka po zagranicznych papierosach. Polskich się nie zbierało, bo były brzydkie i z miękkiego papieru, a poza tym nie było sensu wieszać na ścianie czegoś, co leżało na każdym chodniku. Zagraniczne to co innego – kolorowe, tekturowe pudełka, deficytowe kolekcjonerskie rarytasy przychodzące w paczkach od wuja Kurta. Wprawdzie rodzice sporo palili, ale markowe papierosy ojciec chował na specjalne okazje, bo na co dzień, podobnie jak czekolada, były szeroko rozpowszechnionym środkiem płatniczym, za który w urzędach lub w sklepach z deficytowym towarem kupowało się przychylność.

Na ścianie nad stolikiem wisiała wielka słomiana mata. Przyczepiałem do niej kolorowe widokówki, które dostawaliśmy regularnie od wuja Franka. Wuj Frank początkowo mieszkał pod Opolem, ale – za przykładem swego brata Kurta – szybko wyjechał do Niemiec, zabierając ze sobą dwie córki, syna i grubą żonę Hildę. W Polsce był kowalem, klepał na kowadle biedę. Chudy był od tego klepania bardzo, ale ciotka jakoś wręcz przeciwnie. Z roku na rok, z dziecka na dziecko tyła i tyła. Wuj był z tego bardzo zadowolony, bo uważał, że tycie jest oznaką bogactwa. Kilka miesięcy po wyjeździe przysłał nam zdjęcia, na których cała rodzina jest modnie ubrana: wuj (chudy jak zwykle) miał na sobie ciemny garnitur, białą koszulę i muszkę; mama mówiła, że wygląda jak James Bond grany wtedy przez Seana Connery'ego. Ciotka nałożyła garsonkę i była jeszcze grubsza niż przed wyjazdem, co wydawało się niemożliwe. Natomiast wszystkie dzieci miały na sobie dżinsy. Trzy pary dżinsów! To musiał być majątek. U nas para prawdziwych dżinsów kosztowała tyle, ile wynosiła średnia miesięczna pensja.

Pocztówki przychodziły najpierw z Herten, małego górniczego miasteczka w powiecie Recklinghausen. Mieszkali tam w pięciopokojowym mieszkaniu przydzielonym w ramach pomocy społecznej. Oglądałem na pocztówkach warowny zamek, schludne domki, pełne volkswagenów i mercedesów ulice. Potem widokówki zaczęły przychodzić z różnych miast Niemiec, dokąd wuj z rodziną udawał się na weekendy: Berlin, Kolonia, Monachium, Hamburg, Stuttgart. Po paru latach przychodziły już z Hiszpanii, Majorki, Grecji i Włoch, dokąd jeździli na wakacje. Dla mnie było to niepojęte – w Polsce większość wyjeżdżała nad Bałtyk, a tylko niektórzy fundowali sobie wakacje co najwyżej na Węgrzech lub w Bułgarii.

Czasami brałem którąś z tych pocztówek i przewieszałem na ścianę obok – tę, pod którą stało moje łóżko. Miałem tam Mapę Marzeń: zdjęcia wszystkich rzeczy, które bardzo bym chciał mieć, oraz fotografie miejsc, do których chciałbym kiedyś pojechać. Niekoniecznie teraz, wystarczy, że pojadę, jak już będę duży. Na zdjęciach były wrotki, narty, wyścigowy rower Jaguar, metalowe miniatury samochodzików Matchbox, którym otwierały się drzwi, a czasami nawet bagażnik lub maska. Były tam ośnieżone góry, zamek w Książu, pod którym rozciągał się ponoć labirynt pełen skarbów, była egzotyczna plaża na Dominikanie, w której istnienie nie mogłem uwierzyć, w końcu – był wzburzony Bałtyk, nad który przez lata matka nie chciała pojechać, przesądna z powodu niefortunnego pierwszego wyjazdu.

Leżąc na łóżku i zastanawiając się nad tym, jak by to było, gdyby mój pokój ustawiono w pionie, patrzyłem też na małą chusteczkę do nosa, którą przyczepiłem do Mapy Marzeń. To była chusteczka Laurki. Wystawała jej wczoraj z kieszonki, więc wyciągnąłem. Tak dla żartu, żeby się podroczyć, ale jak już miałem ją w ręku, to przyszło mi do głowy, żeby sobie schować, w pewnym sensie wziąć na pamiątkę, chociaż Laurka nigdzie nie wyjeżdżała.

Laurka. Po drugiej stronie ściany. Cienkiej, sześciocentymetrowej, z cegły oszczędnie stawianej na długim boku. Laurka w swojej połowie tego samego korytarza. Kiedyś pan Freytag przechodził nim z salonu do gabinetu. Dziś w tym korytarzu, przedzielonym murem na dwie części, mieszka dwoje polskich dzieci. Z tej strony ja, a z tamtej Laurka. Łóżko też ma pod ścianą, bo czasami słyszę, jak mama opowiada jej bajki na dobranoc. Przykładam wtedy ucho do cienkiej ściany i docierają do mnie tylko pojedyncze słowa, ale i tak zasypiam, uśpiony strzępami opowiadania z tamtej strony korytarza.

Podnoszę prawą rękę do góry, zaciskam dłoń w piąstkę i delikatnie stukam. Po chwili ponownie, tym razem dwa razy. Nic, cisza.

Może to i lepiej, bo mogłaby sobie pomyśleć, że tym stukaniem chcę jej coś powiedzieć.

Nagle zza drugiej strony muru dobiega mnie odgłos jakby echa. Jedno uderzenie, potem chwila przerwy, i dwa, jedno po drugim. Siadam na łóżku. Stukam – trzy razy z rzędu, chwila przerwy, i dwa razy. Parę sekund później słyszę miękkie, ścianą stłumione uderzenia. Trzy, przerwa, dwa. Czuję, jak mocno wali mi serce. Nie ma wątpliwości: kontakt przez ścianę został nawiązany.

Gdy wyszedłem z pokoju, ojca na kanapie nie było, leżała tylko gazeta. Przestało padać, więc pewnie grzebał pod samochodem. Matka prasowała. Podszedłem do niej w poczuciu zbliżającej się ulgi, jaką niesie zemsta.

– Mamo, w tym niemieckim kredensie...

– Chwilę, syneczku – powiedziała spokojnie, ale z każdym następnym zdaniem w jej głosie słychać było rosnącą irytację. – To nie jest kredens niemiecki. To jest kredens konkretnych ludzi. Takich jak my. Na nazwisko mieli Freytag. Tak jak ja mam z domu König, a nasi sąsiedzi zza ściany – Zakościelni. Tamci ludzie nazywali się Freytag. Państwo Freytag. Tak jak ten wielki pisarz. I chciałabym, żebyście to zapamiętali. Wszyscy. Twój ojciec, twoja siostra i ty też. To nie jest kredens niemiecki. Rzeczy w naszym domu nie są niemieckie. Przepalone żarówki w tym kredensie nie były niemieckie. Zdjęcia na naszych ścianach nie są niemieckie. Książki, garnki i talerze nie są niemieckie. Cukier i sól, kasza i mąka, koniak, który od razu wypił twój ojciec, to były dobra, które znaleźliśmy w spiżarni tuż po tym, jak się tu wprowadziliśmy. To nie była niemiecka sól, to nie był niemiecki cukier i nie niemieckim koniakiem upił się twój ojciec. To był cukier państwa Freytag. Sól państwa Freytag. Zbyt mocny jak na twojego ojca koniak państwa Freytag. I sobie to zapamiętaj. Musisz to sobie zapamiętać. Ty, twój ojciec i twoja siostra. To nie są rzeczy niemieckie, to są rzeczy będące własnością państwa Freytag. Dlatego nie wolno wam ruszać tych przedmiotów z kredensu. Wyrzucać tych przepalonych żarówek. To nie są wasze przepalone żarówki, to nie są przepalone żarówki niemieckie, to są przepalone żarówki państwa Freytag. Rozumiesz?

– Tak, mamo – przytaknąłem ogłuszony nadmiarem informacji.

– Ja nie ruszałem tych żarówek, naprawdę! Ale w tym kredensie…

– W czyim kredensie, syneczku? – Spojrzała na mnie z ukosa.

– W tym kredensie w przedpokoju.

– Proszę? – Zrobiła groźną minę.

– No, w tym kredensie państwa Freytag – poprawiłem się pospiesznie.

– Dobrze. Co w tym kredensie państwa Freytag, syneczku?

– Mamo, w tym kredensie, znaczy w kredensie państwa Freytag, coś znalazłem okropnego.

– Co tam znalazłeś, kochanie?

– Znalazłem tam pistolet taty! Jak się zezłości i nie znajdzie pasa na mnie, to mnie tym pistoletem zabije! – wyrzuciłem z siebie jednym tchem straszną tajemnicę.

Matka przerwała prasowanie i odłożyła żelazko. Westchnęła i ze zmęczeniem ciężko opadła na taboret.

– To nie jest pistolet taty – powiedziała z rezygnacją.

– A czyj?

Zapadła cisza. Czułem, że znowu coś źle powiedziałem.

10.

Straszne w pojęciach zamieszanie

W nocy męczyły mnie koszmary, widziałem matkę z pistoletem – miała na sobie niemiecki mundurek Jungmädel, ale taki z tektury, jak ten do wycinania w czasopiśmie, które nieopatrznie podarowałem Laurce. Gonił ją Smok z parteru i ział ogniem, a mama uciekała po schodach i chciała się schronić w naszym mieszkaniu, jednak tych schodów wciąż przybywało i ciągle była w tym samym miejscu, odwracała się i strzelała do Smoka, ale z pistoletu nie wylatywała żadna kula. Potem śnił mi się Przodownik zza ściany, który stał pod naszymi drzwiami i z lupą przy oku zaglądał przez dziurkę od klucza. Z naszej strony drzwi obserwował go czujnie pierścień Freytagów.

Obudził mnie dzwonek. Potem usłyszałem głośny śmiech mamy, jej kroki w salonie, a za nimi kroki jakiegoś gościa. Powiedzieli coś ojcu, a on się roześmiał. Wyjrzałem z pokoju, ciekaw tej porannej wesołości i pełen ulgi, że dzień zapowiada się miło – żadnych sąsiedzkich skarg i awantur od rana, radosny brak perspektywy bicia pasem.

Przy stole siedział sąsiad spod trójki, pan Henryczek. Czarne półbuty, białe skarpetki, noga na nogę, spodnie w kratę, beżowa koszula, brązowa kamizelka – elegancki jak zawsze, chociaż bez parasola. Matka wyszła zaparzyć herbatę, a pan Henryczek opowiadał.

– No i widzi pan, panie Edmundzie – zwrócił się do mojego ojca – przyszedł do mnie wczoraj pan Zakościelny i pyta, czy mu mogę nową tabliczkę na drzwi wejściowe zrobić. Trochę się zdziwiłem, bo nie dalej jak rok temu nowe tabliczki wszystkim lokatorom wyszykowałem, więc pytam, co i jak, po co mu mianowicie nowa tabliczka, skoro poprzednia jeszcze nie jest stara.

– Nie jest, absolutnie nie jest – przytaknął ojciec. – Pana tabliczki zawsze wyglądają jak nowe.

– Wiadomo, panie Mundku, Henryczek lipy nie wstawia – zgodził się pan Henryczek. – Ale niech pan słucha dalej. Chrząka ten Zakościelny, chrząka, jakby się pieprzu nawdychał, po czym mówi, że nazwisko będzie zmieniać.

– Ty sobie wyobrażasz, Edmund? – zapytała matka wchodząca ze świeżo zaparzoną herbatą. – Takie ładne nazwisko. Zakościelny. A będzie zmieniać!

– A dlaczego to? – zdziwił się ojciec.

– A bo widzi pan, drogi panie sąsiedzie, z takim nazwiskiem Zakościelny nie mógł ponoć awansować – wyjaśnił pan Henryczek.

– A niby dlaczego? – tym razem zdziwiła się matka.

– No bo jak by to brzmiało, szanowna pani? – zachichotał sąsiad. – Jest zebranie, dookoła aktyw partyjny siedzi, sami bezbożni komuniści, siorbią herbatę, a przewodniczący mówi, że teraz głos zabierze kierownik odcinka, towarzysz Zakościelny. Jak był pionkiem, młotkiem stukał, to nikomu nie przeszkadzało, że Zakościelny. Ale kierownik towarzysz Zakościelny? Od razu by się zaczęły pytania. A co to za nazwisko? Kim byli rodzice? I dlaczego za Kościołem, a nie przeciw, jak nowoczesność nakazuje.

– Nie znam nikogo, kto by się nazywał Przeciwkościelny – zauważył ojciec.

– Na pewno jacyś się znajdą, ateiści też muszą mieć przecież jakieś stosowne nazwiska – powiedział pan Henryczek.

– To jakiś absurd – orzekła mama.

– Możliwe – zgodził się pan Henryczek. – Ale od wczoraj państwo Zakościelni nie nazywają się Zakościelni.

– A jak? – zgodnie zapytali rodzice.

– Fundament. Państwo Daniel i Adela Fundament. Takiej treści będą mieli na drzwiach tabliczkę.

– Fundament? – uniosła brwi matka. – Dlaczego Fundament?

– Też o to zapytałem – przyznał pan Henryczek. – I usłyszałem, że to dobre, proletariackie nazwisko. Żadne tam takie lub owakie, Pipciński lub Cipciński, tylko konkretne. Fundament.

– To mógł się nazwać Zaprawa – powiedział ojciec z ironią.

– Albo Cegła – dodała mama.

– Albo od razu Dziurawka – zachichotał pan Henryczek.

Zmroziło mnie. Jak by to brzmiało? Laura Dziurawka… Moja Laura Zakościelna nazywać by się miała Laura Dziurawka? Wszyscy by się z niej śmiali!

– Tylko nie Dziurawka! – krzyknąłem, stając w drzwiach swej nyży. – Tylko nie Dziurawka!

Zamilkli.

– A ty, srajtku, czemu podsłuchujesz? – zmarszczył brwi ojciec.

Przymknąłem drzwi i udawałem, że nie podsłuchuję. Tymczasem pan Henryczek rozgadał się na dobre i zaczął opowiadać, ile to ma roboty, bo jak tylko zmienia się przewodniczący Rady Narodowej albo sekretarz w jakimś wydziale, to od razu stara się wyjść z jakąś inicjatywą społeczną i nazwy ulic chce zmieniać. Nadzwyczaj często im się to udaje, a to akurat panu Henryczkowi jest bardzo na rękę, bo dzięki temu wciąż nowe tabliczki z nazwami ulic może produkować.

Na początku, po wojnie, to z samym Stalinem ileż było roboty, bo ulicę Świętego Macieja przemianowano najpierw na Marszałka Stalina, ale jak tylko pan Henryczek tabliczki zrobił, to przyszła dyrektywa, że trzeba jednak powiesić nowe z nazwą „generalissimus", bo Stalin awansował. A chwilę potem ktoś zwrócił uwagę, że „generalissimus" brzmi zbyt groźnie, a przecież powinno brzmieć dobrotliwie, bo Stalin jest jak ojciec, więc znów trzeba było wszystkie tabliczki zmieniać, tym razem po prostu na Józefa Stalina. Na samym Stalinie pan Henryczek zarobił tyle, że wyremontował mieszkanie i do każdego pokoju kupił tapety, które Smok bardzo ładnie położył.

Na motocykl Henryczek zarobił dzięki świętym, bo wszystkich świętych trzeba było zdetronizować i zastąpić ich zwykłymi śmiertelnikami, jak chociażby świętego Wojciecha, którego zastąpił działacz partyjny Józef Wieczorek. Święci lecieli jeden po drugim, puchł portfel zleceń pana Henryczka, dostało się nawet Świętemu Mikołajowi, którego zastąpiono zwykłym, świeckim Mikołajem. Potem los świętych podzielili wrocławscy książęta, no bo kto to widział, żeby w kraju budującym socjalizm ulicom patronowała arystokracja, a wśród niej Henryk Prawy, Henryk Brodaty i na dodatek jeszcze Henryk Pobożny, o zgrozo – syn Jadwigi świętej! Z Henryków ostał się tylko jeden, nieoczekiwanie Pobożny, ten, co miał sześć palców, podobnie jak Smok. Może ateiści zostawili go złośliwie, bo na tabliczkach było napisane „H. Pobożnego", co podczas odczytywania na głos budziło powszechną wesołość.

Teraz pan Henryk zbiera na samochód i ma różowe perspektywy, bo ostatnio przeglądał obywatelskie wnioski w sprawie zmian ulic i wygląda na to, że nowej roboty będzie miał zatrzęsienie. Na ten przykład, państwo sobie wyobrażą, że mamy już połowę lat sześćdziesiątych, a od 1954 roku leży bez pozytywnego rozpatrzenia wniosek doktora Sobola z Instytutu Badań Literackich PAN, który bezskutecznie, a przecież słusznie, domaga się zmiany patrona ulicy Andrzeja Potiebni, nie licuje bowiem z godnością tego rosyjskiego bohatera fakt, że ludzie mówią o ulicy „pojebnej", co zdaniem doktora Sobola wywołuje odruch zażenowania i wstydu, zwłaszcza u młodych dziewcząt. Natomiast Cyganie, mający swój stały obóz pod adresem Na Ostatnim Groszu, też domagają się zmiany, bo twierdzą, że Cygan i ostatni grosz do siebie nie pasują. Do protestu Cyganów dołączyli się również działacze lokalnej organizacji partyjnej, twierdząc, że „jest ujmą dla miasta istnienie takiej ulicy", i z tezą tą interweniowali najpierw u wojewody, a potem u posłów na Sejm.

Pan Henryczek opowiadał jeszcze długo, ale to nie były moje problemy. Myślałem tylko o Laurce, Laurce Zakościelnej, która teraz nazywać się będzie Fundament. Boże, jak to dobrze, że jednak nie Dziurawka.

Poza oglądaniem piersi Money Lizy nie miałem doświadczenia z dziewczynami, więc pomyślałem, że może uda mi się jakieś dobre rady uzyskać od Tyranii. Stała w przedpokoju i rozczesywała splątane snem włosy.

– Mogę cię o coś zapytać? – zacząłem nieśmiało.

– Pytaj.

– Co zrobić, żeby dziewczyna mnie polubiła?

– A czemu cię nie lubi?

– Nie, no lubi, ale chodzi o to, żeby polubiła bardziej niż takie zwykłe lubienie na co dzień.

– Bardziej?

– No wiesz…

– Żartujesz? Za mały jesteś na takie sprawy.

– Wcale nie jestem!

– Daj spokój, jak zacznie rosnąć ci zarost, to pogadamy. A jak chcesz myśleć o dziewczynach, to natychmiast umyj się pod pachami, bo coś tu czuć.

Kłamała. Sprawdziłem i nie znalazłem niczego, co wymagałoby nagłego umycia.

– Przez te pryszcze to nikt się ze mną nie ożeni – powiedziała Tyrania, patrząc w lustro.

Zerknąłem na nią i z satysfakcją pomyślałem, że wyjątkowo ma rację.

Ja w lustro wolałem za często nie spoglądać. Kiedyś się sobie przyglądałem i babcia powiedziała, że jak tak będę w lustro patrzył, to w końcu zobaczę diabła.

11.

Ekslibris z kielichem Lutra

Z czasem matka wprowadziła porządek wśród rzeczy należących do byłych właścicieli kamienicy. Część zdjęć wyniosła do piwnicy, zostawiając w domu tylko dostojne portrety zgromadzone na jednej ścianie. Pozwoliła też ojcu wynieść kilkadziesiąt kilogramów pisanych szwabachą książek, wszystkie informatory Trzeciej Rzeszy, sztalugę panienki, teczkę z jej rysunkami (głównie porośnięte drzewami góry), komplet pędzli i zaschnięte akwarele, dom dla lalek, małe mebelki i mały wózek, lalkę bez oka, która przerażała Tyranię, żeliwnego pieska do zdejmowania butów, metalowe puszki po herbacie i kakao z namalowanymi Murzynami, trzy laski do zamaszystego wymachiwania, szpicrutę, pudełko z niemieckimi odznakami, baretkami i wstęgami do medali, słoik z monetami, na których był głównie Hindenburg, Marcin Luter i swastyki, klaser ze znaczkami, na których był przede wszystkim Marcin Luter i Hitler, pochodzącą z 1939 roku instrukcję obsługi z napisem „Mercedes-Benz 260 D Limousine" oraz kompletem kluczyków. Wszystko to ojciec porządnie poukładał na półkach piwnicy w specjalnie przygotowanych pudłach. Matka przywiozła je ze szpitala, który przed laty zaopatrywany był przez Amerykanów w środki czystości – na każdym pudle widniał skrót „UNRRA", a poniżej napis: „Laundry Soap". Było ich ze trzydzieści, może nawet więcej, więc nasza piwnica przypominała magazyn miejskiej pralni.

Z przedpokoju zabroniła ruszać ozdobnych lasek Freytaga, wisiały więc równym rządkiem w specjalnych mosiężnych uchwytach, ale to akurat nikomu nie przeszkadzało, bo laski nie dość, że były ładne, z kościanymi i srebrnymi rękojeściami, to w dodatku sprawdzały się podczas niejednej zabawy.

Do dziś jednak nie wiem, dlaczego z jakiegoś niepojętego powodu nie pozwalała nikomu ruszyć zawartości stojącego w przedpokoju kredensu i przez dziesięciolecia leżały tam te nieszczęsne maski przeciwgazowe, telefon polowy Feldfernsprecher 33 w drewnianej skrzynce z zamykanym wieczkiem, pudełko z listami, sterta niemieckich gazet i plik przeróżnych szpargałów.

Nie pozwoliła też wynieść sporej części biblioteki. Temu akurat nikt się jednak nie dziwił, bo poza jej ulubionym Freytagiem były to księgi niezwykłe – niemal wszystkie obleczone w prawdziwą skórę z tłoczonymi złotem grzbietami. Albumy o sztuce, encyklopedie, wielotomowe historie świata, nauki, medycyny i techniki w większości wydane pod koniec dziewiętnastego wieku. Każda księga miała grube, bogato zdobione oprawy, na przykład wielotomowa historia naturalna *Weltall und Menschheit* Hansa Kraemera wyróżniała się wklejoną na froncie każdej okładki płaskorzeźbą torsu mężczyzny wytłoczoną w miedzi. Po wewnętrznej stronie każdej okładki był przyklejony ekslibris Freytaga. Przedstawiał jeźdźca w zbroi, który w ręce wyciągniętej ku górze trzymał kielich z wygrawerowaną różą. Matka mówiła, że jest to kielich Lutra, i te dwa słowa wypowiadała nieco ciszej, jakby stanowiły jakąś tajemnicę, do której dopiero nabiorę prawa i wtedy mi powie o niej pełnym głosem. Na różne sposoby próbowałem się tajemnicy tej domyślać, łącząc w jakąś historię pierścień Freytagów, kielich Lutra i witraż z drzwi do biblioteki, na których zapisano hymn wielkiego reformatora, ale z przypuszczeń tych nie wynikało nic poza niejasnym przeczuciem.

Przeglądałem różne księgi: albumy z mapami nieba, historią motoryzacji, anatomią kobiet. Wtedy, gdy miałem siedem lat, najbardziej podobała mi się przeogromna księga *Bildersaal Deutscher Geschichte* Adolfa Bära wydana w 1890 roku. Ważyła równo pięć kilo (sprawdzałem na wadze, którą mama przyniosła ze szpitala) i składała się w przeważającej mierze z obrazków, to znaczy drzeworytów, miedziorytów i litografii, przedstawiających pradawne sceny z historii Niemców, przy czym najbardziej zachwycały mnie bitwy morskie, konne pościgi oraz walki zamkniętych w pełnych zbrojach rycerzy. Na jednej z rycin byli jacyś żołnierze w salonie bardzo podobnym do naszego. Strzeliste okna, podobne pianino, taki sam kominek. Poleciałem z tym odkryciem do mamy.

– Nie, synek, to nie nasze mieszkanie, chociaż podobne – przyznała. – To Paryż we Francji.

– A co tam robi tylu żołnierzy?

– To wojsko, właśnie zajęło ten dom.

– A dlaczego ci panowie są tacy brudni w tym ładnym domu?

– Bo walczyli o Paryż, wygrali, ale nie zdążyli się jeszcze umyć.

– A dlaczego, skoro to żołnierze, to jeden gra na pianinie, a drugi śpiewa i nie są ranni?

– Bo to dobrzy żołnierze. Wojsko pruskie, Bismarcka.

– A co to znaczy, że pruskie?

– Tak jakby niemieckie.

I od tej pory, zanim rozpoczęły się lekcje historii w szkole, sądziłem, że wojsko niemieckie to takie, które przede wszystkim gra na pianinie i śpiewa, a za to w nagrodę nie musi się myć po każdym przyjściu z podwórka.

Z tamtych lat zapamiętałem tylko kilka tytułów i obrazki z książek. Pamiętam też, jak matka starannie je odkurzała, z jakim skupieniem wyjmowała poszczególne tomy i dotykała złoconych brzegów. Niektóre z tych ksiąg otwierała i widziałem, jak znika w innym, opowiedzianym po niemiecku świecie.

O to, co stoi na półkach i jaką treść noszą w sobie te setki tomów, zacząłem pytać znacznie później. Wtedy, na początku, były moim naturalnym środowiskiem, ich obecność wydawała mi się oczywista, nie dziwiłem się jej, tak jak człowiek, który wychowuje się w lesie, nie dziwi się istnieniu drzew. Zewsząd otaczały mnie atlasy geograficzne, albumy o egzotycznych krajach i architekturze całego świata, a w nich zdumiewające domy, kościoły, klasztory, zamki, pałace. Słowniki, encyklopedie i leksykony.

Jeśli każda książka jest osobnym istnieniem, to biblioteka jest rodzajem arki, w której istnienia te chowa się, by przetrwały na zawsze. Czasami taka arka musi odbić od brzegu i szukać dla nich nowego bezpiecznego lądu. Bywa, że za długo płynie i ląduje w miejscu, gdzie już nikt nie potrafi – albo nie chce – przeczytać ich treści, i tak książki stają się nieme. Przez jakiś czas próbują powiedzieć coś w niezrozumiałym dla swoich odkrywców języku, ale zniechęcone ich obojętnością zatrzaskują się w sobie. Żyją od tej pory same dla siebie, strzegąc swoich bohaterów. Skąpią urody słów, lekkości metafor, urody opisów. Nie wypuszczają w świat cytatów, nie uczą znaczenia i wagi słów. Stoją całkowicie obojętne, obrażone na historię, która odebrała im moc panowania nad człowiekiem.

Tak też było z biblioteką państwa Freytag. Dla mnie, dla ojca, dla wielu sąsiadów zgromadzone tomy, setki tomów, miały wartość tylko o tyle, o ile można było zobaczyć coś na obrazkach. Dla nas były zupełnie milczące, choć do matki przemawiały w jej ojczystym języku.

Nawet litery, którymi je wydrukowano, wyglądały inaczej niż te z polskich książek.

– To *Schwabacher* – wyjaśniła matka – niemiecki gotyk, nasze pismo narodowe. Powstało, kiedy Niemcy odkryli piękno i moc swojego języka. Wtedy właśnie Luter przetłumaczył Biblię z łaciny i już mogliśmy się modlić wprost do Boga po niemiecku bez rzymskich pośredników.

Wstała, zerknęła, czy okna w salonie są zamknięte, przeżegnała się i zaczęła śpiewać:

Ein feste Burg ist unser Gott, ein gute Wehr und Waffen.
Er hilft uns frei aus aller Not, die uns jetzt hat betroffen.
Der altböse Feind, mit Ernst er's jetzt meint;
groß Macht und viel List sein grausam Rüstung ist,
auf Erd ist nicht seinsgleichen.

– O, wiem, co śpiewasz – ucieszyłem się – to hymn tych, którzy odrzucili Rzym.

Matka rzadko śpiewała w domu hymn reformacji. Znacznie częściej słychać było w naszym domu jej donośny, dźwięczny głos, odrobinę chrapliwy od nadmiaru papierosów, którym naśladowała Édith Piaf:

Non, rien de rien,
Non, je ne regrette rien.
Ni le bien qu'on m'a fait,
Ni le mal tout ça m'est bien égal.

Równie bliska jej sercu, a może nawet bliższa, była Zarah Leander, ale ojciec wściekał się, kiedy śpiewała po niemiecku, zwłaszcza latem, gdy jej mocny głos niósł się na podwórko przez otwarte okna. Francuski mu tak nie przeszkadzał. „Język", „naród", „Kościół", „ojczyzna" to były pojęcia bardzo kłótliwe. Jak się któreś pojawiało pod naszym dachem, to zazwyczaj między ojcem a matką wybuchała awantura. Dlatego nawet gdy w telewizji puszczali *Czterech pancernych*, matka zawsze wychodziła do kuchni. Tylko na *Stawkę większą niż życie* zerkała chętnie, i choć bardzo się starała, nie potrafiła ukryć przyjemności, jaką jej sprawiał widok młodego kapitana w niemieckim mundurze.

– Piotrusiu, dlaczego mówisz, że odrzucili Rzym? – zdziwiła się matka, przerywając śpiew. – Przecież to Luter został z Kościoła wyrzucony.

– Tak nam powiedział ksiądz na religii, jak pytał nas o różne religie, a ja powiedziałem, że jesteś luteranką.

– Bzdura. To papież obłożył Lutra ekskomuniką. Czego oni was uczą… – mruknęła niechętnie pod adresem onych.

Zaczęła tłumaczyć:

– Gdybym cię zapytała, czym jest Kościół, to pewnie rozmaitymi sposobami odpowiedziałbyś mi, że pośrednikiem między Bogiem a człowiekiem. I temu właśnie zaprzeczył Luter. Jedynie Pismo Święte jest w stanie nauczać. Chrześcijanin powinien je czytać i czerpać z niego prawdę o Bogu, a księża nie są do kontaktu z nim potrzebni. To Chrystus, a nie święci, jest źródłem wiary i prawdy, dlatego powinniśmy bezpośrednio rozmawiać z Chrystusem, a nie szukać wstawiennictwa innych. Zobacz: ksiądz katolicki nie może mieć rodziny, a pastor może. Dlaczego? Bo w Piśmie nie było nic na temat małżeństw księży, a protestanci ufają tylko Pismu, nie zaś kaznodziejom. Dla nich wyłącznie Pismo się nie myli, natomiast duchowni są tylko ludźmi i mogą być w błędzie. Dotyczy to też spowiedzi, a zwłaszcza odpustów. Kościół mówił wiernym, że ma pewną nadwyżkę łaski zgromadzonej na własny użytek. Kiedy Chrystus chodził po ziemi, a jego uczniowie wraz z nim, pozostawił po sobie tyle łaski, że można nią swobodnie dla dobra Kościoła rozporządzać. Papież w czasie, kiedy Luter żył na świecie, budował bazylikę Świętego Piotra, a na dodatek miał wielkie długi bankowe. Stąd zrodził się pomysł upłynnienia za pieniądze odrobiny tej łaski. I zaczął się handel – odpuszczano grzechy za pieniądze. To właśnie za takie myślenie i nauczanie Luter został wyklęty z Kościoła. Poszły za nim całe miasta, później państwa, i do dzisiaj ten rozłam trwa. Komunia też jest inna. Luter zdecydował, że skoro Chrystus na ostatniej wieczerzy łamał chleb i pił wino, to wierni powinni przystępować do komunii pod dwiema postaciami. Przywrócił kielichowi jego pierwotną rolę – naczynia na krew Chrystusa, z którego mogą pić wszyscy. Dlatego dla ewangelików tak ważny jest kielich. Kiedyś, jak będziesz trochę większy, opowiem ci o kielichu Lutra. Zrozumiesz wtedy, dlaczego mieszkamy akurat tutaj, dlaczego po wojnie wybrałam ten dom.

12.

Miłosna misja dziadka i jego nieudane zniknięcie na wietrze

Pewnego dnia dziadek pojechał do sklepu Moda Polska, gdzie sprzedawano bardzo drogie rzeczy, głównie z zagranicy, i kupił garnitur w prążki.

– Chryste Panie! – załamała ręce babcia. – Helmut, czy ty będziesz umierać?

– To na wyjazd – spokojnie odpowiedział dziadek.

Obudził się któregoś ranka i zaczął wyliczać.

– Sąsiady wszystkie wyjechały. Te z lewa, te z prawa i te z naprzeciwka. A z naszej rodziny to tak: Kurt z rodziną wyjechał. Frank wyjechał. Mój brat Berni wyjechał. Za nim brat Reinhard wyjechał. Kuzynka Gabi wyjechała. Szwagry wszystkie wyjechały. Tylko my siedzimy w tej Polsce jak grzyby we słoiku.

Grzyby w słoiku, czyli dziadek z babcią, moi rodzice, Tyrania i ja. Pozostali krewni z rodziny matki – ci, którzy mieszkali we Wrocławiu – zostali wypędzeni od razu po wojnie, podobnie jak kilka milionów innych mieszkańców przedwojennych Niemiec zaskoczonych przesunięciem granicy Polski na zachód, albo – ci, którzy jako mniejszość niemiecka mieszkali na Śląsku Opolskim – wyjechali później w ramach akcji łączenia rodzin.

– Zostaliśmy sami, trzeba i nam wyjechać – orzekł w pewnym momencie dziadek Helmut.

Miał rację. We Wrocławiu byliśmy osamotnieni do tego stopnia, że został nam tylko jeden nagrobek. Większość bliskich leżała na cmentarzach, które w ramach akcji odniemczania zostały zaorane. Na niektórych stanęły wieżowce, inne przerobiono na parki, w których między korzeniami drzew do dziś można znaleźć fragmenty płyt nagrobnych. Reszta naszych grobów rodzinnych była za Odrą, w Niemczech, dokąd raz w roku matka udawała się w odwiedziny. Czasami towarzyszył jej dziadek lub babcia, ale nigdy nie udało nam się pojechać razem – urząd paszportowy pilnował, by całe rodziny nie znalazły się za granicą w tym samym czasie, bo mogłyby przecież nie wrócić.

Z czasem wszyscy zaczęliśmy myśleć o wyjeździe. Myśl ta wisiała nad nami jak zbawienna chmura nad wyschniętym jeziorem i było już pewne, że będzie padać, ale jeszcze nie wiadomo kiedy.

– Może następnej wiosny – mówiła każdego roku matka, gdy niecierpliwie dopytywali się najpierw dziadek z babcią, potem ojciec, a na końcu Tyrania i ja. Pytanie o to, kiedy wyjedziemy, było najczęstszym pytaniem naszego dzieciństwa, oczywiście po pytaniu o to, co będzie na obiad.

Nie wyjeżdżaliśmy jednak. Początkowo dlatego, że matka nie widziała sensu w przeprowadzaniu się tam i z powrotem – tak bardzo wierzyła, że Niemcy w końcu do Wrocławia wrócą. Nie wiem, jak sobie wyobrażała ich powrót, bo na pewno nie myślała o nowej wojnie. Sądziła raczej, że to wszystko jest jakąś historyczną pomyłką, która się zaraz wyjaśni. Wciąż słychać też było plotki, że Polska odsprzeda kiedyś Niemcom ziemie po wojnie przejęte, co zdawał się potwierdzać fakt, że nawet polskie władze nie wierzyły w trwałość zdobyczy, skoro po wojnie z poniemieckich miast masowo wywożono cegły pod pretekstem odbudowy Warszawy. Z samego Wrocławia wywieziono ich kilkaset milionów, rozbierając w tym celu nawet nieznacznie uszkodzone kamienice, mury obronne, a także niektóre zabytki, w tym basztę, która stała przy placu Nowy Targ – na odbudowę warszawskiej Starówki pojechało dwieście wagonów gotyckiej cegły, specjalnie powołane ekipy szukały zaś dla stolicy piaskowców, marmurów i granitów.

Nie wiem, kto wtedy wierzył, że Wrocław, a wraz z nim Dolny Śląsk, został na stałe przyłączony do Polski, skoro od razu po wojnie polski rząd zgodził się nie tylko na wywożenie cegieł, ale nawet dworców, podpisując ze Związkiem Radzieckim porozumienie, na mocy którego Armia Czerwona mogła zdemontować i wywieźć do siebie całą trakcję elektrycznej kolei Dolnego Śląska, pozostawiając tu jedynie parowozy. Zabrano nie tylko tabor i wszystkie urządzenia techniczne, lecz także druty oraz linie wysokiego napięcia. To, co zostawili Rosjanie, jak na przykład trakcja między Jelenią Górą a Jakuszycami, zostało zdemontowane już przez Polaków i wywiezione do odbudowy elektrycznej kolei Warszawy.

Wiara powojennych władz w utrzymanie polskości Wrocławia była tak nikła, że zlikwidowano powołaną na fali początkowego entuzjazmu Wrocławską Dyrekcję Odbudowy, a utworzono Miejskie Przedsiębiorstwo Rozbiórkowe – wówczas jeden z największych zakładów miasta, zatrudniający blisko dwa tysiące osób. Przez lata ziemie poniemieckie były omijane przez państwowe inwestycje – mieszkańcy mówili, że to „na wszelki wypadek", i wciąż żyli w poczuciu tymczasowości, do której tak się przyzwyczaili, że nawet nie remontowali swoich domów, bo to przecież nie ich, tylko jakiegoś Niemca.

Trudno było się dziwić matce, że w tej sytuacji też spodziewała się powrotu Niemców. Po latach jej wiara zaczęła słabnąć, a na jej miejscu pojawiła się mieszanina lęku, obaw i wygody, jaką dawała mała stabilizacja w mieszkaniu z pralką i telewizorem. Pojawił się też strach przed podjęciem decyzji i nadzieja, że kiedyś ta decyzja zapadnie sama, bez naszego udziału, a my otrzymamy ją gotową wraz ze spakowanymi walizkami.

Wizja wyjazdu była naszą nadzieją pozostawioną na czarną godzinę. Wiedzieliśmy, że zawsze zdążymy uciec i zrobimy to na pewno, gdy przyjdą takie czasy, że w Polsce nie będzie dało się żyć.

– W tym kraju nie da się już żyć – mówiła co rusz matka, a ojciec bez przekonania potakiwał głową. Nigdy nie był za granicą, przyjazd z Kielecczyzny do poniemieckiego Wrocławia stanowił dla niego cywilizacyjny awans, który w zupełności go satysfakcjonował. Czasami wspominał o wyjeździe, ale raczej z poczucia rodzinnej solidarności albo obowiązku, bo jednocześnie bał się obcego kraju, języka, innej kultury. Kiedyś, pijąc ze Smokiem, pochwalił się, że w partyzantce zabił czterech Niemców.

– Słyszałem, jak na jednego wołali Kurt, jak na brata mojej żony. Równie dobrze to jego mogłem wtedy zastrzelić – powiedział i aż się uśmiechnął do tej myśli. Nie lubił wuja Kurta, jego pewności siebie i poczucia wyższości. Tak jak nie lubił babci Franziski, która uważała, że rolą prawdziwego mężczyzny jest zginąć na wojnie, a przynajmniej dostać się do niewoli.

– Mundek, w tym kraju nie da się żyć – powtarzała matka, ale na przekór jej słowom jednak się żyło. Z rozpędu, z przyzwyczajenia lub dla świętego spokoju.

– Hela, mamy mieszkanie, pracę, samochód, może jakoś się urządzimy. – Ojciec z czasem zaczął podważać konieczność wyjazdu.

– Kieleckie cię za nogi trzyma – prychała matka.

Aż przyszedł czas buntu babci i dziadka.

– Nie chcecie z nami jechać, to pojedziemy sami. Może za rok do nas dojedziecie – orzekli, po czym złożyli odpowiednie wnioski i zaczęli się pakować.

Podczas pożegnalnej kolacji dziadek wypił zdecydowanie za dużo i rozochocony zaczął opowiadać o czasach, w których był ordynansem młodego kapitana Wehrmachtu.

Kapitan miał potajemny romans z niejaką Klarą, żoną generała Walthera von Brauchitscha, głównodowodzącego Wehrmachtu podczas najazdu na Polskę. Rzadko się widząc, uczucie swoje karmili głównie miłosnymi liścikami, a posłańcem był dziadek. Tajna korespondencja trwała pół roku, do maja 1940, kiedy to zdrada niewiernej Klary wyszła jakimś sposobem na jaw. Dziadek uciekający z ostatnim listem Klary został postrzelony przez generała, ale zdołał się ukryć i wkrótce trafił do szpitala jako ofiara napadu partyzantów. Po miesiącu otrzymał Srebrną Odznakę za Rany, a że akurat weszło zarządzenie Hitlera, iż do odznaki tej automatycznie przyznawane jest odznaczenie za męstwo na polu walki, dziadkowi wręczono również Krzyż Żelazny Drugiej Klasy. Za udział w wymianie listów miłosnych wrócił więc pełen chwały.

Na miejscu nie zastał już swojego kapitana – wysłano go z Wehrmachtem na ofensywę do Francji. Zginął tam na przedmieściach Paryża przypadkiem – miasto poddawało się bez walki, a kapitan, bardziej niż lekko pijany, wpadł pod niemiecką ciężarówkę wywożącą obrazy z Luwru.

Ojciec nie wierzył w tę historię (do czasu, który niebawem miał nadejść) – sądził, że dziadek wymyślił ją po to, by ukryć prawdziwe powody przyznania mu odznaczeń, które oglądaliśmy na rodzinnych fotografiach. Chciał, żeby te wszystkie zdjęcia spalić, ale dziadek nie pozwalał.

– To moja młodość – mawiał. – Innej nie miałem i już nie będę miał.

Zabrał swoje zdjęcia i pojechali. Garnitur w prążki podróżował złożony starannie na dnie walizy – dziadek nie chciał go włożyć, bojąc się, że się poplami w podróży. A w Niemczech taki idealnie nowy garnitur na pewno się przyda.

Po przyjeździe przez trzy miesiące mieszkali z babcią w obozie dla przesiedleńców, skąd przysyłali nam zdjęcia, na których głównie siedzieli przy stole w otoczeniu dziesiątek produktów spożywczych, takich jak banany, pomarańcze, mandarynki oraz czekolady, co wywoływało w nas zachwyt, widać było bowiem, że codzienne życie kulinarne jest u nich takie jak u nas na święta.

Po pół roku dostali dwupokojowe mieszkanie komunalne oraz stały zasiłek, który stanowił wówczas równowartość dziesięciu pensji mojego ojca. Mieliśmy wtedy przeświadczenie, że w Niemczech żyje się jak w raju, który z nieznanych powodów został nam odroczony w czasie.

Po dwóch latach dziadek się rozchorował. Jadł zdecydowanie za dużo, przytył ponad dwadzieścia kilogramów i zaczęło mu dokuczać serce. Mimo to nadal bezustannie jadł – na wszystkich zdjęciach trzymał w rękach talerzyk, a na nim jak nie ciasta, to kiełbasy, a gdy babcia talerzyk zabierała, to zajadał się orzeszkami, popijając piwem, aż w końcu dostał skrętu kiszek i zmarł, zanim trafił na stół chirurgiczny, co było dla nas nie tylko bolesne, lecz także zdumiewające, bo nikt z nas wcześniej nie słyszał, że można umrzeć na skutek przejedzenia.

Pojechałem na pogrzeb z mamą, ale nie zapamiętałem z tego wyjazdu swojego żalu, lecz jedynie swój zachwyt krajem, który zobaczyłem po raz pierwszy, chociaż w domu słyszałem o nim bezustannie.

Godzinami potrafiłem siedzieć w oknie, patrzeć na samochody i odczytywać marki, o których istnieniu nie miałem wcześniej pojęcia. Na ulicach zdumiewał mnie idealny porządek, równo przystrzyżone trawniki, klomby pełne kolorowych kwiatów, obfitość dóbr wszelakich wylewających się ze sklepów, czystość domów i grzeczność ludzi. W Polsce wszyscy byli z niewiadomych powodów nadąsani, nawet obcy byli od razu na siebie obrażeni, jakby stanowili utrwaloną w zapiekłej krzywdzie rodzinę. A tam na każdym kroku spotykałem ludzi miłych i uśmiechniętych. Ludzie ci pachnieli proszkiem Persil i płynem do płukania Lenor, mieszkali w ładnie pomalowanych domach, w których nikt nie szczał na klatki schodowe, a ich mieszkania miały błyszczące podłogi i jasne sypialnie. W każdym grał duży telewizor, a przed nim sofa i wygodne fotele zapraszały, by zapaść się w nie miękko z coca-colą w ręku.

Chłonąłem ten dostatek z zachwytem i nie dziwiłem się dziadkowi, że umarł z przejedzenia, bo rozumiałem, że tak jak moje oczy nie mogą się napatrzeć, tak jego usta nie mogły się najeść.

Jeszcze za życia dziadek wyraził wolę, by pochowano go w granatowym garniturze w prążki – tym, który w Modzie Polskiej kupił kilka lat temu i którego nigdy nie włożył, czekając na specjalną okazję, ale przez te wszystkie lata lepszej okazji niż śmierć nie znalazł.

Miał całą szafę szykownych rzeczy, których nie nosił – kiedyś w przypływie szczerości przyznał, że od lat gromadzi ubrania na specjalną okazję. Miał białą koszulę ze stójką i delikatną koronką wzdłuż guzików, bo może pójdzie kiedyś z babcią do opery, ale jak już szli do tej opery, to znów odkładał koszulę na potem, może przyda się na jakąś premierę w teatrze albo na ślub Tyranii. Do tej koszuli miał srebrne zapinki w kształcie głowy węża, kupione u najlepszego jubilera w Krakowie, ale ani razu ich nie założył, bo szkoda byłoby je zgubić, podobnie jak spinkę do krawata z wielkim rubinem. Nigdy nie miał też na sobie kapelusza panama, angielskich sztybletów, płaszcza z wielbłądziej wełny, kamizelki z czerwonego jedwabiu i tuzina innych rzeczy gromadzonych na czas nadejścia tych ważnych dni i świąt, o których istnieniu tylko on wiedział.

Pamiętam, jak stoimy przed szafą pełną pięknych, odkładanych na potem ubrań i żałujemy, że po śmierci nie ma już żadnego „potem", nie ma „później" albo „kiedy indziej", nie ma nawet „za jakiś czas" albo chociażby „może kiedyś".

Wyciągamy granatowy garnitur w prążki i białą koszulę, która nie doczekała ani opery, ani ważnego przedstawienia w teatrze, ani też wesela Tyranii, która jest przecież pryszczata i nikt się z nią nie ożeni.

W wewnętrznej kieszeni marynarki, którą odłożył sobie dziadek do grobu, matka znajduje list. Z niedowierzaniem odczytuje nazwisko nadawcy: Klara Brauchitsch, Berlin. List jest wciąż zaklejony, w dodatku przewiązany czerwoną wstążką, tak jakby dziadek nadal miał zamiar wręczyć go odbiorcy i po to przezornie trzymał go w garniturze, w którym wybierał się na tamten świat.

Nikt tego listu nigdy nie otworzył, zresztą nie było to potrzebne, bo listy, płonąc, same się otwierają dla tych odbiorców, których między żywymi już nie ma. Dziadek życzył sobie, by ciało jego zostało po śmierci spalone, a prochy rozsypane w górach Szwarcwaldu, gdzie był z babcią w podróży poślubnej i całe życie marzył o tym, by kiedyś tam wrócić.

Spłonął więc z listem poddany kremacji w piecu pod Dortmundem. Sala była jak w kinie, tyle że zamiast ekranu widzieliśmy płomienie za przeciwogniową szybą, potem rozdzieliła nas kurtyna opadająca ciężko jak powieki do wiecznego snu.

W zamian za ciało dziadka, ubrane w garnitur i zupełnie nowe buty, dostaliśmy stalowy walec z wieczkiem odkręcanym na trzy gwinty. Pojechaliśmy, tak jak chciał, w góry Szwarcwaldu, gdzie ciotka Kerstin miała odziedziczony po rodzicach dom na zimowe wycieczki. W podróży wszyscy opadli z sił, więc siedliśmy w milczeniu na stoku, a wuj Kurt stanął nad urwiskiem i z poważną miną odkręcił stalowy walec.

Wykrzyknął coś po niemiecku i powoli wysypał jego zawartość, a wtedy wiatr zmienił kierunek i wziął prochy do tańca. Unosiły się beztrosko i lekko jak zwykły popiół z kominka, zawirowały nad urwiskiem, po czym wróciły na stok i chwilę zawisły nad żałobnikami. Wtedy wiatr ustał, popioły na nich opadły, a oni skonsternowani wytrzepywali je z włosów, strzepywali z odzieży i wycierali z załzawionych dziadkiem oczu.

Babcia dostała histerii – łkała, że jak to teraz będzie, każdy w domu wejdzie pod prysznic i jej mąż trafi w ten sposób do miejskiej kanalizacji. Wuj Kurt zaproponował więc, żebyśmy wykąpali się w pobliskiej rzece, to woda dziadka poniesie tam, gdzie chciał, w doliny Szwarcwaldu. Mimo że było gorąco i każdy chętnie by się ochłodził, pomysł wuja wydawał się absurdalny. Jednak po piętnastu minutach lamentowania babci zgodnie ruszyliśmy nad Kinzigtal, gdzie każdy zastosował się do rady wuja na swój sposób: starsze kobiety podwinęły spódnice i brodziły wzdłuż płycizn, trzepiąc dokładnie ubrania, dzieci baraszkowały przy nich w majteczkach, a grono młodych kuzynów poszło w bardziej ustronne miejsce, które na kilkanaście minut zamieniło się w plażę dla żałobnych naturystów. Tam, płynąc pod wodą, poczułem dotyk nagiego ciała jednej z dziewcząt, czyjejś przyjaciółki lub kuzynki, i od tego dotyku żałoba ustąpiła ciekawości, której smak był równie niestosowny, jak intensywny. Doznanie to całkowicie oczyściło mnie z żalu i smutku. Pomyślałem, że rzeczy ostateczne można odłożyć na koniec. Nie ma co przejmować się śmiercią, większość ludzi nie żyje.

13.

Chłopcy nie znają się na tęsknocie

Zwinąłem dłoń w piąstkę i stuknąłem w ścianę. Raz, dwa, trzy, przerwa, raz, dwa. W naszym ustalonym wczoraj alfabecie było to pytanie: „Jesteś tam?".

Odpowiedź – trzy stuknięcia – „Jestem".

Znowu ja – dwa, przerwa, dwa: „Wyjdziesz?".

Odpowiedź – stuknięcie – „Tak".

Ja: „OK", stuknięcie.

Ona: „OK" na moje „OK", stuknięcie.

Ja: stuknięcie, bo miło się rozmawia.

Ale wchodzi mój ojciec i marudzi:

– Zwariowałeś? Przestań tak stukać w tę ścianę, bo się zawali, słaba pewnie, skoro to ten fałszywy Fundament ją stawiał.

I tak łączność z Laurką została zerwana.

Ma dwa warkocze, tak jak najbardziej lubię. Przyniosła słonecznik, siadamy na trzepaku i dłubiemy. Ja jakoś tak nieumiejętnie – palcami między przednie zęby i przygryzam, żeby łupinka pękła, a potem naciskam, żeby oddała nasionko, ale zawsze idzie mi to jakoś topornie, gdy tymczasem Laurka wrzuca sobie pestkę do ust, językiem stawia ją między trzonowcami na sztorc i lekko naciska, potem dwa ruchy językiem, nasionko do środka, łupinka na zewnątrz – Laurka pełna gracji, wdzięku i umiejętności, której pewnie nigdy nie pozyskam, chociaż cierpliwie próbuję, przez co całą koszulkę mam zafajdaną i spodenki też.

– Pan Henryczek robi wam nową tabliczkę na drzwi? – zagajam ostrożnie.

– Tak, a czemu pytasz?

– E, nic, tak sobie.

– Ludzie się nieraz dziwnie nazywają, co nie?

– No, czasami dziwnie.

– Na przykład ta sąsiadka nasza spod dziewiątki. Immakulata. Co to za nazwisko?

– To nie nazwisko, to imię – wyjaśniam, bo wiem na ten temat wszystko, odkąd kuzynka mamy postanowiła zostać zakonnicą.

– Imię? Kłamiesz mnie. Nie ma takiego imienia. W naszej szkole nikt się nie nazywa Immakulata. Ani jedna osoba.

– Bo w zakonach jest inaczej. Jak wstępujesz, to musisz przybrać imię jakiejś świętej albo błogosławionej, ale zazwyczaj wszystkie są już zarezerwowane, bo nie możesz nazywać się tak jak inna siostra w tym klasztorze, i jak jedna nazywa się już Brygida, to ty szukasz innego imienia, które jeszcze nie jest zajęte. Pewnie stąd ta Immakulata.

– To tam musiało być dużo sióstr w tych zakonach, skoro wszystkie inne imiona są już zajęte.

– Pewnie tak.

– A jak się nazwała ta kuzynka twojej mamy?

– Piotra.

– To prawie tak jak ty. A czemu tak dziwnie?

– Bo skoro w jednym klasztorze dwie siostry nie mogą nazywać się tak samo, a już zaczyna brakować imion żeńskich, to zaczynają nazywać się tak jak mężczyźni, tylko po kobiecemu.

– Naprawdę?

– Pewnie. Są też takie: Ryszarda, Tadeusza, Kazimiera, Romana, Andrzeja, Józefa.

– A Bogdana?

– Chyba tak.

– A Adolfa?

– Brzmi trochę głupio, nie wiem.

– Nie chciałabym się nazywać Adolfa. To tak jak Hitler.

Tak, to ten moment, żeby zapytać.

– Nie jesteś już Zakościelna.

– E tam, nigdy nie byłam. – Wypluwa pestkę na dwa metry, wspaniale!

– Jak to nie byłaś?

– Mój ojciec nazywa się Perec i dziadek też się nazywał Perec, ale jak w czasie wojny zaczęli łapać Żydów, to zmienili nazwisko, by nie wyjeżdżać.

– Na Madagaskar?

– Co „na Madagaskar"?

– By nie wyjeżdżać na Madagaskar? Do kolonii zamorskich.

– Zwariowałeś? Do Treblinki, a nie na Madagaskar. W czasie wojny Żydów mordowano, a nie wysyłano na kolonie.

Milczymy. Straszna rzecz ta wojna.

– A dlaczego nazwaliście się Zakościelni?

– To nazwisko mojej mamy, po dziadku, więc nie było problemu. Nazwaliśmy się Zakościelni, żeby nie było podejrzenia.

– Jakiego podejrzenia?

– No, że jesteśmy Żydami.

– A jesteście?

– Mama nie, ale rodzice ojca byli Żydami. Nie wiem, czy to na niego przeszło. To znaczy nie wiem, czy żydostwo przechodzi na dzieci, bo przecież religia nie przechodzi, tylko trzeba się dopiero ochrzcić.

– To tak jak ze mną. Mój ojciec jest Polakiem, ale rodzice matki są Niemcami. Też nie wiem, jak to przechodzi.

– Ja chyba nie jestem Żydówką.

– A ja nie jestem Niemcem.

– A jak się nazywała twoja mama?

– König. Helga König, ale jak ją meldowali w polskim urzędzie, to zapisali Hela Konik i tak już zostało.

– Konik to ładne nazwisko.

– Ale *König* to znaczy król.

Faktycznie, matka z domu nazywała się König. Ale kiedy do śląskiej wsi przyszła polska władza i trzeba było dokonać meldunku w polskim urzędzie, okazało się, że na maszynie do pisania nie ma niemieckiej litery „ö". Przy pierwszej próbie rejestracji matki z jej nazwiska wyszedł Konig, a ktoś zza sąsiedniego biurka powiedział, że „konik" pisze się przecież przez „k" na końcu, a nie przez „g". I tak matka z króla została konikiem.

– Ja jestem dziewczyną bez prawdziwego nazwiska. Chociaż czasami tęsknię za nim.

– Za czym tęsknisz?

– Za prawdziwym nazwiskiem.

– Chciałabyś się znowu nazywać Perec?

– Nie, bo jak wyjdę za mąż, to i tak będę musiała zmienić.

– To za czym tęsknisz?

– Chyba za tym, żeby już nic się nie zmieniało. Lubiłam być Zakościelną, ale dziadek nakrzyczał na mamę, że mu nie powiedziała o tym, że tata jest Żydem, a dziadek nie lubi Żydów i sobie nie życzy, żeby jeden z nich nosił bezprawnie jego nazwisko. Ojciec się obraził i postanowił znów zmienić. A ja chciałabym mieć już nazwisko, które będzie moje na zawsze.

– Jak twoja poduszka?

– Jak moja poduszka.

– Ale przecież nie możesz za tym tęsknić.

– Niby dlaczego?

– Bo tęskni się za czymś, co już było, a nie za tym, co będzie.

– A ja tęsknię za tym, co będzie.

– Nie rozumiesz? Tęskni się do tyłu, a nie do przodu.

– Co ty tam wiesz. Jesteś tylko chłopakiem. Chłopcy nie znają się na tęsknocie.

Milczymy przez chwilę.

Laurka, wypluwając dwie łupinki jednocześnie:

– Ale nie powiesz nikomu o tych nazwiskach, co? Bo to jest tajemnica.

– No coś ty. Ja? W życiu! – Biję się w pierś tak mocno, że zaczynam kaszleć.

– Słowo?

– Słowo! I jak chcesz, to w zamian też ci powiem tajemnicę.

– Fajnie! Masz tajemnicę? To powiedz!

– Mamy w domu pistolet. Ale nie mów nikomu.

– Coś ty, nie powiem. Duży?

Trudne pytanie. Nie wiedziałem, co odpowiedzieć. Duża to jest armata, a ten pistolet nie był jak armata.

– Nie, nie jest duży – przyznałem pokornie, mając w porównaniu armatę.

– Phi, to nie masz się czym chwalić – parsknęła Laurka i na zawsze zapamiętałem, że jak już czymś chcę się chwalić, to mam mówić, że jest jak armata.

14.

Tęsknota panny Julianny

Gdy wracałem do domu, panna Julianna stała w bramie i kogoś wypatrywała. Potem podeszła do brzegu chodnika i raz patrzyła w prawo, raz w lewo, zupełnie tak, jakby chciała przejść przez ulicę. Ulica była pusta, a ona w ogóle nie miała zamiaru przechodzić, tylko patrzyła. Raz w lewo, raz w prawo. Popatrzyłem i ja, ale nic się nie działo. Powiedziałem „dzień dobry", ale nawet nie odpowiedziała, tak zajęta była tym patrzeniem, w wyniku którego i tak nie było nic widać.

Od razu rzuciło mi się w oczy, że na piersi ma medalion ze złota, na którym jest twarz kobiety w hełmie z pióropuszem. To Bellona, rzymska bogini wojny, widziałem ją na grzbietach skórzanych ksiąg Freytagów. Matka je często przeglądała, a ja podziwiałem wspaniałe ryciny przedstawiające walki bóstw, potworów i herosów, zaglądając jej przez ramię. Obejmowała mnie wówczas i tłumaczyła, że ci dzielni wojownicy to moi germańscy przodkowie, odlegli tak bardzo, że nawet ich grobów nigdzie nie widać. Na Bellonę patrzyłem więc tak, jak każdy inny dzieciak patrzy na swoją praprababkę, i zastanawiałem się, czy miała cukierki w szufladzie. Zdziwiło mnie tylko to, że z panną Julianną mamy tę samą praprababkę, jakbyśmy należeli do jednej rodziny.

Zazwyczaj panna Julianna ubierała się bardzo skromnie, w granatową lub szarą spódnicę i białą bluzkę ze stójką, a dziś była bardzo elegancka – miała na sobie ciemnozieloną sukienkę z aksamitu i czarne buty na wysokim obcasie. Zupełnie jakby się wybierała na randkę lub inny egzamin.

Mama mówiła, że panna Julianna często jest jakby nieobecna, myślami przebywa gdzieś daleko, za siedmioma górami, a może i dalej. Panna Julianna bowiem tęskni. Przed wojną jej rodzina mieszkała we wsi pod Wrocławiem, a ona służyła we dworze w miejscowości Sponsberg nieopodal Trzebnicy. Ta służba polegała głównie na towarzyszeniu córce właściciela, chodzeniu z nią na spacery i wspólnych zabawach. Córka właściciela była prawdziwym elfem i wielką miłośniczką poezji oraz muzyki, więc zawsze gościli u nich poeci, śpiewacy i wirtuozi rozmaitych instrumentów, nawet tak niezwyczajnych jak harfa. Julianna razem ze swoją panią rosła w tej romantycznej i czarodziejskiej atmosferze, i czuła, że również jest wychowywana na efemerycznego elfa. Ale jak wojna skończyła się z nieoczekiwanym dla elfów rezultatem, Sponsberg przemianowano na mało wdzięczne Ozorowice, a wszystkie elfy musiały pójść precz. Przyszła bowiem nowa rzeczywistość, „wolność, pokój i socjalizm" – matki elfów wysiedlono siłą i odtąd ich przyjaciółki nie mogły już mieszkać w pałacach nad łąkami i stawami pełnych ryb pląsających, lecz w oficynach oraz na poddaszach, panna Julianna zaś tęskni za tamtą muzyką, poezją i codziennym tańcem.

Wydawało mi się to nieco dziwne, bo od końca wojny minęło dwadzieścia lat i tęsknota powinna się już wypalić, zwłaszcza że poezje są teraz ogólnodostępne – można je znaleźć nawet w szkolnej bibliotece. Poza tym, jakby ktoś naprawdę chciał tańczyć, to mógłby się zapisać na balet.

Panna Julianna obdarzała tęsknotą również wiele innych wspomnień, była bowiem osobą niezwykle w tęsknotach hojną. Siostra Immakulata w tajemnicy opowiadała o tym mojej matce, matka opowiadała w tajemnicy ojcu, a ja podsłuchałem pod drzwiami niezwiązany żadną tajemnicą.

Panna Julianna w wieku szesnastu lat zakochała się bez pamięci we Fryderyku, potomku barona Karla von Dyhrna-Brinckena, który miał majątek w pobliskim Hünern i mimo młodego wieku był prezesem Stowarzyszenia Pługów Parowych. Podczas wojny Fryderyk został wcielony do wojska. Parę razy przyjechał na przepustkę

– ostatni raz w marcu 1945 roku, kiedy to panna Julianna oddała mu swoje dziewictwo, a on dał jej w zamian oficerskie słowo honoru, że się z nią ożeni natychmiast po powrocie z wojny. Obiecali sobie miłość sięgającą dalej niż do grobowej deski, w głąb ziemi, gdzie jest piekło, albo w głąb nieba, zależy, co się komu w życiu trafi. Panna Julianna miała na Fryderyka czekać w majątku opiekującego się nią stryja, który był w Hünern pastorem. Ale gdy przyszedł koniec wojny, z majątków trzeba było uciekać, bo najpierw przyszli żołnierze, którzy gwałcili i kradli, a po nich nadeszli szabrownicy, którzy robili to samo, chociaż w odwrotnej kolejności. Pastor wywiózł więc siostrzenicę do klasztoru i oddał ją pod opiekę siostry Immakulaty.

Po wojnie zmieniło się niemal wszystko. Siostra Immakulata ogłosiła separację od Kościoła i na stałe zamieszkała w kamienicy Freytagów. Dwór barona rozgrabiono, a dom pastora zmienił właściciela. Trzystuletni kościół został zburzony, bo katolicy nie chcieli ewangelickiego. Przez cmentarz puszczono spychacz, bo na nagrobkach widniały niemieckie nazwiska. Na miejscu kościoła postawiono sklep, a na cmentarzu urządzono parking.

W majątku barona archeolodzy znaleźli garnek z epoki brązu potwierdzający obecność kultury łużyckiej, dzięki czemu Hünern nieco na wyrost otrzymało nazwę Piastów. Jakiś czas później zrezygnowano z tej dumnej nazwy, przywracając pierwotną – Psary (Hünern było od *der Hund*) – na cześć historycznej okoliczności polegającej na tym, że kilkaset lat temu chłopi hodowali tu psy swojemu możnowładcy.

Jedno się tylko nie zmieniło – czekanie panny Julianny. Panna Julianna nadal czekała na Fryderyka. Czekała tak, jak to kobiety potrafią. W wolnych chwilach kładła poduszkę na parapecie okna, opierała się o nią łokciami i patrzyła w siną dal. Z drugiej strony sina dal patrzyła na Juliannę. Mężczyźni, na których latami się czeka, zazwyczaj przychodzą z dali, która od łokci na parapecie zdążyła posinieć.

W szafie miała Julianna odświętną sukienkę, której nigdy nie wkładała – nawet do kościoła. To była sukienka dla Fryderyka. Na łóżku zawsze leżała druga poduszka. Nawet jeśli człowiek śpi sam, a obok z nadzieją kładzie drugą poduszkę, to nie śni mu się sen o samotności, lecz o tęsknocie. Tęsknota lepsza jest od samotności, bo w tęsknocie jest się we dwoje, choć tej drugiej osoby w tej chwili nie ma. Tęsknota za czymś, co się na pewno stanie, za kimś, kto na pewno przyjdzie, jest radosną tęsknotą. Tak więc panna Julianna tęskniła radośnie.

Pomyślałem, że skoro dziś jest tak ładnie ubrana, to pewnie dlatego, że wyszła swojej tęsknocie naprzeciw. Na wszelki wypadek raz jeszcze jej się ukłoniłem, a ona raz jeszcze mnie nie dostrzegła.

Przeskakując po dwa schodki, znalazłem się na piętrze i wtedy zobaczyłem przed naszymi drzwiami dwóch mężczyzn. Obaj nosili kapelusze, złote okulary i czarne płaszcze z miękkiego materiału. Byli przez to do siebie bardzo podobni, tyle że jeden miał laskę ze srebrną gałką, a drugi nie.

Z uwagą oglądali nasze drzwi. Miałem wrażenie, że podziwiają tabliczkę z nazwiskiem, którą zrobił pan Henryczek, więc grzecznie powiedziałem:

– Dzień dobry, to pan Henryczek spod trójki nam zrobił, on wszystkim na klatce robi takie tabliczki.

Mężczyźni wyglądali na zaskoczonych, tak jakby nigdy nie słyszeli o panu Henryczku.

– *Sprichst du Deutsch?* – zapytał ten z laską. Ze zdumieniem zobaczyłem wtedy, że gałka laski przypomina głowę Bellony. Pomyślałem, że to niezwykle popularna w pewnych kręgach postać. Tak jak Lenin w Związku Radzieckim, a u nas Władysław Gomułka.

– Ja… – chciałem wytłumaczyć, że nie rozumiem, ale tak byłem zdumiony tą głową Bellony i obcym językiem, że głos uwiązł mi w gardle.

– *Ja, ja* – pochwalił mnie nieznajomy. – *Wunderbar.*

Drugi wziął go pod ramię, coś mu szepnął do ucha i ruszyli w kierunku schodów.

Na chwilę przystanęli i się odwrócili, a ten z laską uśmiechnął się i podniósł dłoń w przyjaznym geście.

Gdy wróciłem do domu, na stole stała pusta butelka po wódce, a ojciec spał na siedząco, podpierając głowę na dłoni, jakby nadal słuchał i tylko na chwilę zamknął oczy. Pan Henryczek kiwał się na krześle i patrzył smutno na dno butelki, a matka zbierała naczynia.

– Mamo, co złego jest w nazwisku Perec? – wypaliłem od progu. Mama uniosła brwi:

– Nic nie ma, nazwisko jak każde inne.

Pan Henryczek oderwał wzrok od dna butelki:

– Nic, z wyjątkiem tego, że to nazwisko żydowskie.

– A co złego jest w żydowskich nazwiskach? – drążyłem temat, bo chciałem w końcu zrozumieć, dlaczego krewni Laurki tak często muszą zmieniać nazwiska.

– Nic – twardo oświadczyła matka. – Nie ma niczego złego w żydowskich nazwiskach.

– Nic, z wyjątkiem tego, że noszą je Żydzi – rozwinął pan Henryczek.

15.

Przyjechał Niemiec naszczać do piwnicy

W pokoju pełno było dymu papierosowego, pan Henryczek palił cuchnące papierosy Sport – jednego za drugim, wyczynowo, bo nazwa zobowiązuje. Ojciec ćmił marlboro, które dostawał w paczkach od wujów z Niemiec. Odrywał ustniki i powiadał, że tak są bardziej męskie. Męskość polegała na tym, że co rusz wypluwał na dywan drobiny tytoniu. Matka pykała delikatnie pachnące r6, które wkładała do szklanej lufki. W oczy piekło tak, jakbyśmy mieszkali na wylocie komina. Otworzyłem okno.

Od razu zobaczyłem tych dwóch mężczyzn, których spotkałem na klatce schodowej. Rozmawiali z panną Julianną. Bardzo czymś się zdenerwowała. Wtedy jeden z mężczyzn wyciągnął z kieszeni i podał jej niebieską kopertę. Otworzyła i wyjęła jakieś zdjęcie, zerknęła, wzruszyła ramionami i chciała je oddać, ale mężczyzna powstrzymał ją ruchem ręki, po czym wskazał kopertę. Zajrzała do niej jeszcze raz i wyciągnęła drugie zdjęcie. Spojrzała i wyraźnie uradowana przycisnęła fotografię do piersi. Zza rogu wyszedł Smok. Panna Julianna wskazała go palcem i jednemu z mężczyzn szepnęła coś na ucho. Obaj natychmiast się jej ukłonili i weszli za Smokiem do bramy. Nic z tego nie zrozumiałem.

Po chwili wyszła z domu Money Liza i usiadła na ławce. Miała na sobie kapcie oraz szlafrok, co znaczyło, że trzech mężczyzn chciało w mieszkaniu Smoka porozmawiać na osobności. Patrzyłem z góry na Money Lizę i nie mogłem oderwać od niej wzroku. Od razu było widać, że jest bez stanika, zwłaszcza kiedy się kiwała. Może w głowie czegoś jej brakowało, ale nie w piersiach. Po chwili pojawiło się koło niej dwóch chłopaków z sąsiedniej kamienicy. Byli starsi ode mnie, mogli mieć nawet piętnaście lat. Coś zagadali, a Money Liza się roześmiała. Jeden z nich skinął ręką, a ona poszła za nimi.

Postanowiłem o tych Niemcach opowiedzieć mamie. Robiła akurat *rote Grütze*, deser przypominający kisiel, ale bez porównania smaczniejszy. Brała do niego maliny i porzeczki, czasem dodawała też jagód, zasypywała je cukrem i gotowała z niewielką ilością wody. Zawsze się przy tym dziwiła, że to już tyle lat po wojnie, a w sklepach nadal nie można dostać zwykłej mączki z palmy sagowej, chociaż za czasów Hitlera była. Pełna pretensji sięgała do fajansowego pojemnika z napisem „Sago", w którym z powodu braku towarów kolonialnych trzymała mąkę ziemniaczaną.

Brak sago stanowił dla matki wieczny powód do narzekań. Mogła się obejść bez wszystkiego, ale nie bez sago. Mówiła, że nic poza nim tak świetnie nie zagęszcza zup i sosów, nic tak wybornie nie podnosi smaku kisieli i z niczego innego nie powstają tak smakowite podpłomyki. Poza tym, gdy przychodziła bieda, sago zawsze było ostatnią deską ratunku – wystarczało zagotować je z wodą i zapiec, a potem dolać wrzącego mleka, i tak powstawała przepyszna zupa.

Przed wojną sago było w Niemczech niezwykle popularne, zalecane przez lekarzy ze względu na wyjątkową lekkostrawność. W każdym domu stał pojemnik z napisem „Sago". Trzymano w nim drobno zmieloną mączkę lub kaszę, która po namoczeniu zmieniała się w przezroczyste kuleczki. Sago jedli wszyscy, od niemowląt po starców, popyt zaś był taki, że dziadek, który dorabiał roznoszeniem towarów kolonialnych po domach, za każdym razem przynosił też i mączkę, przez co z czasem zyskał przydomek „Pan Sago". Traktowała więc mama tę mączkę niemal symbolicznie – sago było wyrazem tęsknoty za jej rodzinnym domem, beztroskim dzieciństwem i czasem, w którym nikt jeszcze nie przewidywał wojny, wszyscy jej bracia żyli, siedzieli przy stole i siorbali *rote Grütze*, zachwalając, że dobre jak nigdy dotąd.

– Mamo, przed naszymi drzwiami widziałem dzisiaj dwóch Niemców – powiedziałem, wkładając palec do deseru.

– Obcych?

– Obcych.

Niemcy w naszym domu dzieli się na obcych i swoich. Swoi raz do roku przyjeżdżali do nas lub do siostry Immakulaty. Nas odwiedzał głównie wuj Kurt, a Immakulatę jakieś dwie kuzynki. Były to wydarzenia bardzo ważne dla całej kamienicy. W formie sąsiedzkich poczęstunków pojawiała się prawdziwa czekolada, kawa i cytrusy. O wizycie wiedziała od razu cała ulica, przed domem, między syreną mojego ojca a czarną wołgą doktora Szorstkiego, stał bowiem samochód z białą tablicą rejestracyjną – mercedes mojego wuja lub volkswagen kuzynek Immakulaty. Mężczyźni zaglądali do środka i podziwiali rozwój cywilizacyjny, natomiast chłopcy opierali się o przód maski i mocno ją uciskając, sprawdzali resory. Z nieznanych bowiem przyczyn tylko samochody z krajów kapitalistycznych były wyraźnie resorowane.

Poza swoimi zdarzali się także Niemcy obcy. Podjeżdżali pod dom, stawali na chodniku w kilkuosobowych grupkach i zadzierali głowy. Czasami pokazywali palcami jakieś okno, cicho przy tym szwargocząc. Rzadko jednak wchodzili na klatkę schodową, tak jakby fakt, że śmierdzi uryną, jakoś ich onieśmielał. Tylko raz zdarzyło się Smokowi, że natknął się w piwnicy na Niemca. Zdzielił go od razu miotłą, podejrzewając, że tamten chciał się załatwić. O incydencie Smok od razu wszystkim opowiedział. Stał z miotłą przed wejściem na schody i do każdego lokatora zwracał się z następującą inwokacją:

– Sąsiedzie drogi, lokatorze łaskawy. Czy wie pan, kogo dziś z naszego domu pogoniłem? Niemca! Niemiec przyjechał naszczać nam do piwnicy!

Po czym detalicznie opowiadał zdarzenie, a większość lokatorów przyjmowała z ulgą fakt, że Niemcy też są niewychowani. Jedynie moja matka nie uwierzyła w przedstawioną wersję. Poczuła się wyraźnie zaniepokojona i przez następny miesiąc kilka razy dziennie wysyłała ojca, by sprawdził, czy nikt nie szwenda się po piwnicy. Zupełnie jakby się bała, że obcy Niemiec przyjedzie ukraść jej przecier pomidorowy. Tak wtedy myślałem, nic jeszcze nie wiedząc o kielichu Lutra.

Kiedy tym razem dowiedziała się, że obcy Niemiec oglądał nasze drzwi, natychmiast odłożyła gotowanie i pobiegła do siostry Immakulaty. Ojciec chrapał na kanapie, więc zastukałem po Laurkę. Przyszła po dwóch minutach.

Spytała, co dziś robiłem, więc wszystko jej opowiedziałem. Wizytą Niemców bardzo się przejęła i powiedziała, że na pewno szukali w naszym domu skarbów. Niemcy byli bowiem niesłychanie bogaci, mieli mnóstwo zrabowanego złota i gdy musieli w pośpiechu uciekać, to pochowali je w różnych skrytkach. Teraz bezpiecznie wracają, by je po latach opróżnić.

Wiedziałem, że Laurka może mieć rację. Ojciec opowiadał, że gdy był w partyzantce, ostrzelali raz niemiecką ciężarówkę. W środku miała być amunicja, tymczasem okazało się, że ciężarówka pełna jest dzieł sztuki, głównie rzeźb i obrazów. Partyzanci postanowili zabrać do obozu w lesie marmurowy posąg kobiety, bo była naga i miło się na nią patrzyło. Nie wiedzieli, co zrobić z resztą, więc podjechali ciężarówką do szybu nieczynnej kopalni i zrzucili wszystko w głąb ziemi. Może ktoś już to znalazł, a może dopiero znajdzie. Ojciec opowiadał też, że wiele lat po wojnie ekipy budowlane co rusz odkrywały w murach lub pod podłogami kosztowności ukryte przez Niemców, którzy chowali je tam z nadzieją, że ich wyprowadzka to stan tymczasowy i za parę miesięcy wrócą. Nigdy jednak nie pomyślałem, że coś ukrytego jest także w naszym domu. Laurka zapewniała, że w każdej ścianie może być zamurowana skrytka, a ja powoli zaczynałem w to wierzyć, rozglądając się dookoła niczym przyszły poszukiwacz skarbów.

Siedzieliśmy na stole i wyjadaliśmy palcami stygnący deser z czerwonych owoców, Laurka pytała, jak jest zrobiony, a ja wszystko jej opowiedziałem, łącznie z historią sago, którego nie ma w pojemniku, mimo widocznego napisu. Dopiero wtedy rozejrzała się po naszej kuchni i powiedziała, że czuje się jak za granicą, bo jej ojciec nie toleruje w domu żadnych poniemieckich napisów. Na młynku po Freytagach, który znalazł w swojej części mieszkania, był napis „Kaffee", ale go usunął w ramach akcji odniemczania.

Po kwadransie garnuszek był pusty i Laurka wróciła do domu, ja zaś przyjrzałem się z uwagą naszej kuchni, zastanawiając się, jak tak naprawdę jest za granicą. Na pewno musi tam być dużo obcych napisów, które nikomu nie przeszkadzają. Pojemnik z napisem „Sago" stał w naszej kuchni w tym samym miejscu od czasów Freytagów, na półce między dwoma oknami, a obok niego w równym rzędzie siedem pozostałych: „Zucker", „Puderzucker", „Mehl", „Salz", „Grütze", „Reis" i wreszcie „Nudel", wszystkie na baczność, i tylko jak ojciec czasami coś gotował, to na półkę wkradał się nieporządek i pojemniki rozpierzchały się po całej kuchni, zupełnie jakby dawał im komendę „spocznij", a nawet „rozejść się".

Zdaniem matki ojciec miał zwyczaje partyzanckie. Odkąd pamiętam, rodzice głównie właśnie o to się kłócili. Matka musiała wszędzie mieć porządek, wszystko czyste i równo poukładane – nawet gdy mieszała łyżką w garnku, odkładała ją na specjalnie przygotowany spodeczek albo od razu myła i wycierała lnianym ręcznikiem, który potem równiutko wieszała przy piecu. Nigdzie nie stał brudny garnek albo talerz, wszystko zawsze było umyte i powycierane, ale niech tylko do kuchni wszedł ojciec, uosobienie domowego bałaganu, od razu na jego widok z trwogą jęczały szuflady, a sztućce w ich kątach chowały się ze strachu i nikt nie mógł ich potem znaleźć.

Matka miała porządek we krwi. Potrzeba układania, ustawiania i nadawania chaosowi świata okiełznanej formy była w jej naturze. Silniejsza niekiedy niż zmęczenie, sen czy choroba. Była pedantyczna nawet jak na Niemkę.

Ja zupełnie tego nie widziałem, przez lata byłem pewien, że wszystkie matki świata są właśnie takie. Że bycie matką to ciągłe, nieustające przywracanie ładu we wszechświecie. Cecha ta musiała być silna i zwracająca uwagę, skoro matka tak szybko pięła się w szpitalnej hierarchii. Zaczynała tam pod okiem niemieckich sióstr zakonnych, a kiedy niemieckie siostry okazały się nie dość dobre na polskie choroby i zastąpiono je polskimi sanitariuszkami, to okazało się, że tylko matka potrafi zapanować nad salą operacyjną. Jej zamiłowanie do porządku, które nieżyczliwi nazywali obsesją, uratowało być może niejedno życie. Tak pewnego razu powiedział sam ordynator, dodając, że jej pedanteria pozwoliła odkryć brak chusty operacyjnej, a kilka miesięcy później szczypców chirurgicznych, które zaszyto w jamach brzusznych pacjentów, co – jak przy okazji przyznał – wcale tak rzadko się nie zdarza.

Matka nie tylko wszystko trzymała w sterylnej czystości, lecz także potrafiła błyskawicznie zorientować się, ile narzędzi weszło na salę operacyjną, a ile z niej wyszło. Liczyła w okamgnieniu wszystkie przybory, opatrunki, chusty operacyjne. Robiła to precyzyjnie, półgłosem i – rzecz jasna – po niemiecku. Żaden chirurg nie uznał, że robota jest skończona, póki matka nie skończyła swej litanii za zdrowie pozszywanego: *zwei Skalpelle, drei Nadeln, ein Betriebssystem*…

Nawyk liczenia narzędzi pozostawał jej nawet wtedy, gdy wracała do domu. Zawsze po skończonym obiedzie przeliczała sztućce, które zbierała ze stołu, a później wszystkie serwetki, tak jakby się bała, że któryś ze stołowników mógł jedną z nich połknąć.

Gdy ojciec kupił pierwszą zmywarkę, matka do wyjmowania naczyń zakładała gumowe rękawiczki.

– Jak narzędzia wychodzą z autoklawu, to nie wolno ich dotykać gołą ręką – tłumaczyła Tyranii, która zdecydowanie nie odziedziczyła matczynej miłości do porządku.

Początkowo tylko wówczas wybuchały w naszym domu kłótnie o charakterze historycznym i narodowym, matka zarzucała ojcu, że jest flejtuchem ze wschodu, a ojciec odwarkiwał jej: *„ja, ja, Ordnung muss sein, Arbeit macht frei*”. Matka wtedy zamykała się w sobie i sprzątała w milczeniu, a ojciec chodził po domu, nucił partyzanckie piosenki i pytał, kiedy w końcu pozwoli mu wyrzucić zdjęcia hitlerowców.

W tym czasie hitlerowców w domu już nie było, niemal wszystkie portrety zostały dawno wyniesione do piwnicy. Stały równiutko pod ścianą, ale ojciec narzekał, że pałętają mu się pod nogami, więc wziął młotek, powbijał gwoździe w ściany i pozawieszał na nich obrazy. Matka przyjęła to z zadowoleniem, chociaż mieliśmy od tego czasu najdziwaczniejszą piwnicę nie tylko na ulicy, lecz także z pewnością w całym Wrocławiu.

Piwnica była wielka, miała ze czterdzieści metrów kwadratowych. Przy jednej ze ścian stały półki z przetworami, a przy drugiej – z rzeczami byłych właścicieli kamienicy. Przez te wszystkie lata rodzice wynosili ich przedmioty systematycznie, lecz niespiesznie, przeprowadzali Freytagów z mieszkania do piwnicy nie w ramach wielkiej akcji wywłaszczeniowej i przesiedleńczej, lecz powoli, dyskretnie i ostrożnie, tak żeby w niczym się nie zorientował pierścień wiszący w żyrandolu.

Czasami przyprowadzałem tam chłopaków, żeby krztusić się papierosami albo zrobić składkę na wizytę Money Lizy. Za każdym razem cmokali pełni uznania, bo piwnicę naprawdę mieliśmy elegancką – pośrodku stała sofa, która pierwotnie znajdowała się w mojej nyży, za nią dębowy regał pełen niemieckich książek, a obok kilka skrzyń z drobiazgami po byłych właścicielach i szafa pełna ich ubrań. Najbardziej lubiliśmy przymierzać oficerski mundur i maski przeciwgazowe, które ojciec wreszcie wyniósł z kredensu. Dookoła na wszystkich ścianach wisiały zaś portrety w pięknie rzeźbionych ramach.

Wilgoć z kurzem zatkała chyba filtry w maskach, bo oddychało się przez nie z najwyższym trudem. Wydawały przy tym odgłos przypominający rzężenie duszonego człowieka. Straszyliśmy w ten sposób lokatorów schodzących po węgiel do piwnicy. Najbardziej lubiliśmy się czaić na siostrę Immakulatę lub pannę Juliannę, które chodziły do piwnicy same, bo przecież nie miały w domu nikogo do towarzystwa. Na odgłos naszych jęków Immakulata robiła zawsze znak krzyża i szwargotała po niemiecku. To było z jej strony nieuczciwe, bo najpierw robiła nam frajdę i pozwalała wierzyć, że boi się diabła, a potem i tak szła do mojej matki ze skargą.

Kiedy mieliśmy wystarczająco dużo pieniędzy, wówczas schodziła Money Liza. Siadaliśmy z chłopakami na sofie i w założonych dla fasonu maskach przeciwgazowych dyszeliśmy ciężko, patrząc, jak zdejmuje stanik.

Jeśli nie było nas stać na oglądanie Money Lizy, grzebaliśmy w szafkach pozostawionych przez Freytagów. Byli w nich drewniani królowie bez głów i rąk, blaszane karoce z powyginanymi od katastrof szprychami, złamane kredki, fragmenty modeli parowozów i zeppelinów, kabriolety na kołach z popękanymi szprychami. Były zdekompletowane talie kart i pożółkłe karty pocztowe. Znaczki ze stemplami, puszki pełne żołnierskich guzików. Dwa drewniane modele U-Bootów i torpedowiec. Moja piwnica była pełna skarbów czyjegoś dzieciństwa.

Latem, gdy szkoda było słońca na siedzenie w piwnicy, urządzaliśmy wyprawy do starych schronów albo na cmentarz, gdzie pośród otwartych grobowców mieliśmy swoje place zabaw. Spotykaliśmy się najpierw albo na podwórku koło śmietnika, gdzie starsi chłopcy palili papierosy, albo pod pobliską wieżą ciśnień przy ulicy Wiśniowej. Wieża jest najpiękniejszą budowlą w okolicy – wygląda jak fragment średniowiecznego zamku i idealnie wpasowywała się w klimat naszych wypraw. Pochodzi z 1904 roku, a zaprojektował ją Karl Klimm, niemiecki architekt magistratu nadzorujący najważniejsze inwestycje miasta. W dwukondygnacyjnej podstawie mieściły się biuro oraz mieszkania dozorcy i latarnika. Przy niej szły ku górze przypory ozdobione płaskorzeźbami baśniowych stworów z piaskowca, przechodzące w osiem masywnych filarów. Podtrzymywały one ośmiokątną kopułę, w której umieszczono wielki jak basen zbiornik ze stali, dzięki któremu mieliśmy w kranach wodę.

Wieżę o wysokości sześćdziesięciu dwóch metrów zbudowano z czerwonej cegły klinkierowej, a zwieńczono kopułą przypominającą gigantyczny hełm ze szpicem jak na pruskiej pikielhaubie Bismarcka. Identyczny hełm widziałem w naszym albumie ze zdjęciami – dziadek tłumaczył mi, że ten szpic po ściągnięciu z hełmu czasami mu się przydawał, na przykład do zatkania przestrzelonej chłodnicy cekaemu w bitwie pod Verdun. Nie sądzę jednak, by projektując hełm dla wieży, Karl Klimm zakładał, że szpicem będzie można zatkać dziurę w stalowym zbiorniku na wodę, który umieszczono poniżej. W każdym razie nigdy tego nie zrobiono, chociaż zdarzało się, że ogromny zbiornik przeciekał i kapało latarnikowi na głowę.

Przed wojną mieścił się w wieży punkt widokowy, z którego przy dobrej pogodzie można było za dziesięć fenigów oglądać odległe o sto kilometrów Karkonosze. W czasie oblężenia Festung Breslau Niemcy kierowali stąd ogniem artylerii – wieża została więc ostrzelana przez Rosjan, ale głównie z broni ręcznej, toteż kule nie wyrządziły jej większej szkody. Siedząc na trawie, patrzyliśmy w kierunku okien błyszczących pięćdziesiąt metrów nad ziemią i zastanawialiśmy się, czy któryś z tych strzałów był na tyle celny, że szkop oberwał i spadł na ziemię.

Wieża od początku była naszym głównym miejscem spotkań. Tam też umawialiśmy się na pierwsze randki, zawsze z nadzieją, że dziewczyny pójdą z nami do poniemieckiego schronu, który był w pobliżu, i po ciemku pozwolą się całować. Czasami Rozala, patrząc, jak biegniemy na Wiśniową, krzyczała za nami ze śmiechem, że wieżę ciśnień każdy z nas ma w spodniach, ale to było tak głupie, że nawet nie chciało nam się odwracać, żeby pokazać jej język.

16.

Trzy pytania o kielich i żadnej odpowiedzi

Wieczorem przyszła żona pana Henryczka, Emanuela. Nie przyniosła tym razem serwet do ozdabiania, lecz czerwony sztandar. Prawdziwy sztandar, taki do defilowania, tyle że bez drzewca. Na sztandarze widniał wyhaftowany srebrną nicią napis: „Związek Młodzieży Robotniczej". Emanuela poinformowała, że to jest stary napis, sprzed dziesięciu lat, i teraz chodzi o to, żeby go ładnie wypruć i wyhaftować aktualną nazwę organizacji, czyli Związek Młodzieży Socjalistycznej. Wprawdzie można by zrobić nowy sztandar, ale jego produkcja to rzecz kosztowna i skomplikowana, bo potrzebny jest adamaszek, płótno i złote nici, a w sklepach można kupić jedynie flanelę – resztę trzeba cudem jakimś wykombinować, po znajomości albo dając upominki, a jak się pojawi gdzieś kamelówka, to tylko po trzy metry na osobę sprzedają, więc Emanuela idzie po nią z panem Henryczkiem, Rozalią i Smokiem, a czasami jeszcze da się uprosić panna Julianna. Stylonowych nici metalizowanych nie ma na rynku ani centymetra, trzeba je więc sprowadzać z drugiego obszaru walutowego i płacić w markach niemieckich, a nawet w dolarach. Generalnie, aby napisać na sztandarze, że mamy socjalizm, trzy czwarte niezbędnych materiałów trzeba kupić u kapitalistów.

Pomysł na sztandary podsunął pan Teofil, który zna się na wszystkim, a na sztandarach najlepiej. Przed wojną jego ojciec prowadził pod Lwowem fabryczkę odzieżową i żyli jak pączki w maśle, w dodatku takie z grubą warstwą lukru. Mieli też mały zakład haftu, do którego często przychodziły zamówienia z kościołów na chorągwie procesyjne i szaty liturgiczne. Po wojnie w polskim Lwowie nastał Związek Radziecki (niejako w zamian za Wrocław, który z niemieckiego stał się polski) i szaty liturgiczne wyszły ze względów politycznych z mody. Fabryczkę znacjonalizowano, a zakładzik przejęła matka pana Teofila i zaczęła haftować sztandary z napisami zawierającymi słowa „pokój", „wolność", „dobrobyt" i „socjalizm", bez których nie mogła się obyć produkcja w żadnym zakładzie pracy. Pan Teofil był ostatnio z wizytą w domu matki i wrócił pełen wrażeń. Matka zatrudnia trzy hafciarki, które siedzą wprawdzie na poddaszu w pokoju dość ciasnym, ale za to dysponują osobną garderobą, ubikacją oraz działającym radiem, które co jakiś czas matka pana Teofila przełącza na inny program w poszukiwaniu nierozpraszających audycji muzycznych.

Emanuela postanowiła więc zająć się teraz produkcją sztandarów, bo makatki kuchenne przestały się cieszyć zainteresowaniem, a i na obrusach zarobek jest coraz mniejszy, głównie ze względu na pojawienie się w sklepach ceraty. Większość gospodyń ozdabia swe stoły ceratą, która – podobnie jak ortalion i syntetyczne koszule non-iron – świadczy o nowoczesności. Zatem przyszedł czas na zmianę i zamiast głupich haseł o zimnej wodzie, która doda zdrowia nawet nieprzegotowana, siostra Immakulata i moja matka będą nowocześnie haftować sztandary.

Matka z siostrą Immakulatą słuchały Emanueli z lekkim niedowierzaniem. Obracały w dłoniach przyniesiony przez nią sztandar, dotykały palcami frędzli, sprawdzały wytrzymałość złotych nici.

– Ale dlaczego ta młodzież nie jest już robotnicza, tylko socjalistyczna? – zapytała matka.

– Jest taka i taka, to na jedno wychodzi – wyjaśniła Emanuela. – Każda młodzież robotnicza jest teraz socjalistyczna.

– To po co zmieniać, skoro na jedno wychodzi? – matka nie dawała za wygraną.

– Nie wiem – przyznała Emanuela – może to brzmi bardziej postępowo.

Po czym roztoczyła perspektywę niekończących się zamówień. Wszystkie zakłady pracy oraz organizacje potrzebują sztandarów – najpierw do uroczystego wręczania, potem do ślubowania, następnie do defilowania, a jak przyjdzie czas, to i do odznaczania. W międzyczasie do uhonorowywania i uświetniania. Słowem, sztandary w życiu społecznym są niezbędne. I wszyscy na tym dobrze zarobią. Emanuela, moja matka i siostra Immakulata. W dodatku nie trzeba już będzie wymyślać haseł jak do makatek kuchennych, bo na wszystkich sztandarach będą mniej więcej takie same.

Po wyjściu Emanueli mama wzięła krzesło i przystawiwszy je do szafy, sięgnęła po sztandar. Zarzuciła jego górną część na uchylone drzwi, po czym ostrożnie je docisnęła. Zawisł w całości rozłożony.

– Jakoś się muszę z nim oswoić – powiedziała matka, po czym wyjęła makatki, które pan Henryczek przyniósł rano do wyhaftowania.

Zaczęła nanosić ołówkiem napis „Dobra żona tym się chlubi, że gotuje, co mąż lubi", a siostra Immakulata usiadła obok na kanapie i zaczęła haftować. Jak zwykle rozmawiały po niemiecku.

Kwadrans później ktoś zadzwonił do drzwi – panna Julianna. Weszła do pokoju i spojrzała na wiszący sztandar.

– Założyły panie Związek Młodzieży Robotniczej? – Z osłupieniem spoglądała to na matkę, to na pochyloną nad haftem siostrę Immakulatę.

– A, tak się oswajamy – wyjaśniła matka, ale chyba nie dość dokładnie.

– Siostra też? – z niedowierzaniem dopytywała panna Julianna.

– Ona przede wszystkim – odparła matka.

Panna Julianna przez chwilę milczała.

– No tak, czasy mamy trudne – powiedziała w końcu. – Ale że siostra i młodzież robotnicza, to tego bym nie pomyślała.

– Wyprujemy „robotniczą" i wyszyjemy „socjalistyczną" – uściśliła matka.

Panna Julianna chrząknęła, po czym nie mogąc oderwać oczu od czerwonego sztandaru, zapytała, czy może pożyczyć trochę cukru i kawy, bo ma gości z Niemiec, którzy wypili już wszystkie zapasy.

Matka i siostra Immakulata spojrzały po sobie porozumiewawczo.

– A co to za goście? – zapytała moja mama, starając się zachować obojętny ton.

– Ach, to krewni Fryderyka! – zawołała panna Julianna, czerwieniejąc z emocji.

– Fryderyka? – z niedowierzaniem powtórzyła matka.

– Tak, miesiąc temu do mnie napisał, uprzedził o wizycie swoich krewnych. Miał nawet z nimi przyjechać, ale nie zdążył załatwić formalności. Przesłał mi dwa zdjęcia. Swoje i tego kielicha…

Matka wstała, wypuszczając makatkę z rąk. Pobladła.

– Jakiego kielicha? – zapytała chrapliwym głosem, a dłonie zaczęły jej drżeć tak jak wtedy, gdy wróciliśmy z wakacji i zastaliśmy w naszym mieszkaniu Daniela Zakościelnego, przodownika pracy z Pafawagu, który dzielił na pół nasze mieszkanie. Tylko wtedy widziałem ją równie zdenerwowaną.

Co dziwniejsze, siostra Immakulata również wstała i widocznie doznała nagle daru języków, bo powtórzyła za moją matką:

– Jakiego kielicha?

Po polsku. Z twardym, szorstkim akcentem, ale po polsku. Po raz pierwszy w naszym domu powiedziała coś po polsku.

Panna Julianna była wyraźnie zmieszana.

– Kielicha? Jakiego kielicha?

Przez chwilę stały w milczeniu i wyglądały jak trzy ptaki, na które nie ma miejsca w jednym karmniku. Matka i siostra Immakulata to ptaki wielkie i drapieżne, groźne i nastroszone. Matka z rękami wspartymi na biodrach jak zawsze wtedy, gdy coś przeskrobałem. Immakulata z kciukami wetkniętymi za sznur habitu wyglądająca jak rewolwerowiec zamierzający dobyć pistoletu z olster. Panna Julianna mała i skulona, bezbronna jak perliczka, którą dwa ptaszory za chwilę zadziobią.

– Ojej, woda mi się zagotowała – powiedziała słabym głosem, spoglądając na zegarek, jakby miała w nim minutnik do gotowania, po czym natychmiast opuściła nasze mieszkanie bez kawy, cukru i pożegnania.

Matka i siostra Immakulata długo patrzyły na siebie bez słów, słowa zostały już powiedziane, a teraz potwierdzało je milczenie, które ciężko na ślad po nich opadło.

Wiedziałem, a może tylko przeczuwałem, że przed chwilą stało się coś ważnego, powiedziane zostało coś, czego nie powinienem usłyszeć, jakaś tajemnica uchyliła swego rąbka i czyjś sekret otarł się o moje uszy – być może nie zatruł jeszcze serca, ale już dotknął wyobraźni.

17.

Magiczna powieść
pana Teofila

Nad ranem obudził mnie huk. Po chwili drugi. I trzeci. Nigdy takiego huku nie słyszałem, ale przyszło mi do głowy, że tak właśnie mógłby brzmieć wystrzał z pistoletu. Chcę naciągnąć kołdrę na głowę, ale w ścianę puka Laurka. Pięć razy, więc jest przestraszona. Pukam dwa razy na uspokojenie. Teraz ona puka trzy razy, prosząco. Zastanawiam się, czy między naszymi łóżkami nie powinniśmy sobie wydłubać dziury w ścianie. O ileż prościej byłoby się porozumieć.

Przykładam ucho do ściany i słyszę głos Adeli oraz odległe pokrzykiwania Przodownika. Coś złego się dzieje. Może Niemcy wrócili. Zaraz wejdzie do mojej nyży Richard Freytag i zobaczy, że mam pidżamę w kolorowe baloniki. Starsza siostra to koszmar, zwłaszcza jak trzeba nosić po niej pidżamę. On będzie miał wysokie buty do końskiej jazdy i być może szpicrutę, tak jak na zdjęciach. Wystarczy, że się na mnie zamachnie, a wszystkie baloniki popękają.

Chcę wyjść z łóżka, ale do pokoju zagląda ojciec i przestrzega:

– Nie wychodź z łóżka!

Jest w płaszczu, jakby dopiero przyszedł.

Z tyłu słyszę przejęty głos mamy.

– Mundek, kto to mógł być? Kto strzelał?

– Nie wiem.

– Może to ci Niemcy, którzy od dwóch dni się w pobliżu pałętają?

A więc jednak Niemcy. Mama miała rację, że Niemcy tutaj kiedyś wrócą. Ciekawe, gdzie teraz będziemy mieszkać. I czy pójdę dzisiaj do szkoły. Przewracam się z boku na bok, chciałbym jeszcze zasnąć, wyobrażam sobie barany, ustawiam je w rządek i zaczynam liczyć, ale po stu rachunek mi się plącze i niepoliczone stado skubie dywan pod moim łóżkiem. Liczę je więc od nowa, a tymczasem dziura w dywanie robi się taka, że wpadam w nią, lecę i czuję, że zaraz przepadnę bez wieści.

Na szczęście budzi mnie jakiś głos. Mężczyzna, wprawdzie mówiący po polsku, ale chyba nietutejszy, bo zwraca się do mojego ojca per obywatelu. W końcu słyszę wyraźnie.

– Obywatel weźmie dokumenty i stawi się na przesłuchanie wraz z małżonką.

Milicja? W naszym domu milicja! Jestem jeszcze bardziej przejęty, niż gdyby to byli Niemcy.

Do pokoju wchodzi blada z przerażenia matka.

– Ktoś strzelał do Smoka, to znaczy do pana Eustachego – mówi drżącym głosem. – W piwnicy. Co on robił z samego rana w piwnicy? Chyba go postrzelili. Milicja chce wszystkich przesłuchać. Ubierz się, idź do pana Teofila i czekaj tam na nas.

– A nie mogę w domu?

– Nie możesz. Nie wiemy, ile to potrwa. Powiedzieli, że pan Teofil jako jedyny z naszej kamienicy nie będzie przesłuchiwany, bo noc spędził w komisariacie i jest poza podejrzeniem.

Przełknąłem ślinę. Opór nie miał sensu. Wiedziałem, że i tak wszystko w naszym życiu może się zmienić. Jeśli zrobią u nas rewizję, to znajdą pistolet. Jeśli Smok przeżyje, to wskaże ojca. Kłócili się, sam przecież widziałem. Wtedy, gdy pili wódkę po remoncie naszego mieszkania. Ojciec mu groził. A teraz, nad ranem, widziałem go w płaszczu. Gdzie był, gdy na klatce oddano dwa strzały? To straszne. Żaden z moich kolegów nie ma ojca, który może być podejrzany o morderstwo.

Pół godziny później siedziałem przy stole u pana Teofila i piłem herbatę z sokiem malinowym. Pierwszy raz byłem w jego mieszkaniu, bardzo mi się spodobało. W gabinecie pełno było porozrzucanych przedmiotów – książek, map i przedwojennych pocztówek. Na środku pokoju stało wielkie biurko, a na nim maszyna do pisania marki Mercedes. Obok mosiężna luneta oraz wielki globus, ale nie Ziemi, tylko nieba, na ścianie zaś wisiała mapa z konstelacjami gwiazd, a pod nią stał spakowany plecak, tak jakby pan Teofil miał zamiar wybrać się gdzieś Drogą Mleczną.

– Właśnie wróciłem – wyjaśnił pan Teofil. – Wróciłem z komisariatu. Całą noc mnie trzymali. Podejrzewali, wyobraź sobie, chłopcze, że prowadzę nielegalny handel. Ja, nauczyciel akademicki z dwudziestoletnim stażem! A wiesz, chłopcze, dlaczego? Bo przyniosłem na uczelnię kabanosy, które dostałem w paczce od kolegi z Heidelbergu. Co za ludzie z tych dzisiejszych nauczycieli akademickich, człowiek pracuje z nimi biurko w biurko, a oni składają takie donosy!

Zrozumiałem, dlaczego ojciec przyprowadził mnie do pana Teofila. Nie będzie przesłuchiwany, bo właśnie z przesłuchania wrócił. Wypuścili go o siódmej rano, a strzały na naszej klatce padły o szóstej trzydzieści. Ze wszystkich lokatorów tylko on był poza podejrzeniem. Wyobraziłem sobie moich rodziców w komisariacie i poczułem przerażenie. A jeśli ich nie wypuszczą? Co się ze mną stanie? Zamieszkam u pana Teofila? Czy trafię do domu dziecka? Zapiekły mnie oczy, zakręciło w nosie.

– Tylko nie becz! – surowo upomniał pan Teofil. – Jesteś dużym chłopcem. Ile ty właściwie masz lat?

– Jedenaście.

– No widzisz. Jak ja miałem jedenaście lat, to już mnie ojciec wysyłał samego, żebym ryb na obiad nałowił. W rzece Pełtwi niedaleko naszego domu we Lwowie łowiłem. Wiosną i jesienią wody szeroko rozlewały, na płyciznach ryby można było rękami łapać. Och, mówię ci, chłopcze, co to były za miejsca magiczne.

I zaczął pan Teofil opowiadać o swoim rodzinnym Lwowie. Jakie tam jego ojciec miał włości, ziemię pod miastem, a w mieście piękny i bogaty dom po dziadku, wielki, czteropiętrowy, jak ten po

Freytagach, ale jak przyszła wojna, to Niemcy z Ruskami się dogadali i Lwów nagle znalazł się po stronie radzieckiej. Jego ojciec trafił do więzienia, bo ktoś złożył donos, że jest kolaborantem kapitalistów. Matka przeprowadziła się do wsi o nazwie Sroki Lwowskie, gdzie mieli mały domek z warsztatem, ale i tam trafili za nimi czerwonoarmiści i jak sroki wszystko rozkradli. Pan Teofil wyjechał do Wrocławia i dostał przydział na mieszkanie w domu po Freytagach w zamian za mienie ojca pozostawione na wschodzie. Małe mieszkanie za całą fabryczkę. Matka została we wsi pod Lwowem, czekała, aż męża wypuszczą. W końcu związała się z jakimś Ukraińcem, ważnym w okręgu urzędnikiem, i ponoć załatwiła z nim tak, że ojca wypuścili, co może jest prawdą, chociaż ojciec pana Teofila do domu już nie wrócił i mówi się, że słuch po nim zaginął.

Raz w roku pan Teofil odwiedza matkę, która ma na Ukrainie nową rodzinę. Teoretycznie jest to także jego nowa rodzina, ale teoria ta nie sprawdza się w praktyce. Czuje się on wśród nich obco, chociaż ma tam nawet przyrodniego brata o imieniu Pantełejmon. Za każdym razem, gdy pan Teofil do nich przyjeżdża, jego brat Pantełejmon wyciąga wódkę i piją w milczeniu, bo nic nie mają sobie do powiedzenia. Ani o ojcu pogadać, ani o kamienicy we Lwowie, ani o rybach z szeroko rozlanej rzeki Pełtewi.

Pan Teofil tęskni za tamtym domem z dzieciństwa i za szeroko rozlaną rzeką. Wzdycha ciężko i nalewa mi drugą herbatę. Pijemy jak prawdziwi mężczyźni i rozmawiamy na trudne tematy. Pytam, czy w tych tęsknotach największa jest za ojcem, a on robi minę nieobecną i przez dłuższy czas oczy ma nic niewidzące. Siorbię więc herbatę sam i czuję, jak tym razem to mnie ogarnia tęsknota – za mamą i tatą, za moim ciepłym łóżkiem z Laurką za ścianą, i nagle jedno wiem już na pewno i zapamiętam to na całe życie – że tęsknić można nie tylko za czymś, co zdarzyło się dawno, lecz także za tym, co było przed chwilą, jak moje jeszcze niemal ciepłe łóżko.

Pan Teofil wstaje i przynosi wielkie pudło starych pocztówek.

– Muszę wracać do pracy, pooglądaj sobie, żebyś się nie nudził.

Przeglądam te pocztówki, czasami czytam ich treść, a wtedy czuję się tak, jakbym podglądał czyjeś życie, i to jest całkiem ciekawe. W końcu znajduję taką, na której młody mężczyzna pozuje do zdjęcia w plażowym koszu: „Szanowna Pani, przesyłam tymczasem siebie w wiklinowym koszu, tusząc, że już wkrótce otrzyma mnie Pani osobiście. Wiernie Pani oddany Wacław Rzepczyński". To ojciec pana Teofila. Kartka wysłana 15 lipca 1927 roku. Odbiorca: „Wielmożna Pani E. Dembińska, Zajezdnia Wozów Służbowych, Miasto Lwów". To chyba mama pana Teofila.

Tuż obok tej pocztówki jest druga, identyczna, ale inaczej zaadresowana: „Wielmożna Pani E. Spiszewska, Zajezdnia Wozów Służbowych, Miasto Lwów".

Na tej drugiej pocztówce – „Gruss aus Zoppot" – wysłanej 28 sierpnia 1927 roku pan Rzepczyński pisze tym razem do innej przecież kobiety: „Szanowna Pani, przyjeżdżam do Lwowa w ostatni dzień miesiąca o godzinie 11 minut 15 w nocy. To tylko kilka dni czekania. Dziękuję za słowa, które w dzisiejszej karcie od Pani w darze otrzymałem".

To dziwne. W lipcu pana Rzepczyńskiego otrzymać miała „osobiście" pani Dembińska, jego przyszła żona. A miesiąc później to już nie czekanie pani Dembińskiej, lecz pani Spiszewskiej miało się skończyć „o godzinie 11 minut 15 w nocy". Skąd taka precyzja w terminie? Czy miała wyjść po niego na stację? Czy tylko wiedzieć, że zapuka do niej wkrótce po północy?

Kilkadziesiąt lat temu pewien pan pisał do dwóch panien. Czy miał romans z obiema równocześnie, czy raczej gdy się rozstał z pierwszą, trafił w ramiona drugiej? A potem do tej pierwszej jednak powrócił? Czy obie te kartki są dowodem miłosnej zdrady, czy tylko zmienności uczuć i ich naturalnego, chociaż w tym przypadku dosyć pospiesznego biegu?

Pocztówki łączy adres nadawcy i częściowo adres, na który zostały wysłane – stara zajezdnia tramwajowa, wspólne miejsce pracy dwóch różnych panien. Ale jak to się stało, że obie trafiły do domu pana Teofila? Może na samym początku obie znalazły się w rękach

jednej z pań? Druga nie doczekała słów, które zostały przechwy-
cone przez rywalkę pracującą przy sąsiednim biurku. Potem obie
pocztówki, może i związane wraz z innymi wstążką, przetrzymywano jako dowód niewierności narzeczonego, a teraz, po kilkudziesięciu latach, ja ten dowód przypadkowo znajduję? Ale po co
on dzisiaj komukolwiek? Łzy, które miały się wylać pół wieku temu,
już się wylały. A może nawet nie było łez, bo dzięki przejęciu
pocztówki nie doszło do spotkania „o godzinie 11 minut 15 w nocy"?
Może pan Rzepczyński nie znalazł się wtedy w ramionach pani Spiszewskiej, daremnie na jakiś znak czekającej, a znak ten spoczął
w sekretarzyku pani Dembińskiej, której jako pierwszej pan Rzepczyński obiecywał siebie przecież „osobiście".

Dziwne, co po człowieku niekiedy zostaje. Cień romansu, przeczucie krzywdy, podejrzenie zdrady. A przecież każdy chciałby żyć
pięknie, a po śmierci zostawić jakiś dobry ślad.

Do tej pory wydawało mi się, że tylko w naszym domu są rzeczy,
które nie przynoszą nikomu chluby, a przynajmniej nie należy się
nimi chwalić. Odkrywając mały sekret pana Teofila, pomyślałem,
że być może każdy ma w domu pudło, w którym kryją się drobne
lub wielkie tajemnice.

Po śniadaniu pan Teofil usiadł za biurkiem i pracował przez dwie
godziny. Pisał powieść. Z lewej strony miał termos z herbatą, z prawej popielniczkę. Palił wawele, niesłychanie eleganckie papierosy
w tekturowym pudełku. Ich elegancja polegała na tym, że otwierało
się pudełko, podnosząc górną część jak pokrywę szkatułki. Był na
niej Wawel na starej grafice i można było sobie popatrzeć. Potem
odsłaniało się ochronny papier, pod którą leżała pierwsza warstwa
papierosów, a pod nimi był znowu ochronny papier, który można
było wyciągnąć i sobie powąchać. Między popielniczką a termo-
sem z herbatą stała maszyna do pisania.

Pan Teofil jako jedyny w całej kamienicy miał maszynę do pisania. Latem jej głośny, wyrazisty stukot odbijał się echem od sąsiednich budynków nawet po północy. Nikt się jednak nie skarżył, bo
trudno się przecież skarżyć na kogoś, kto po prostu pisze. Pisanie

nie podlega zaskarżeniu z paragrafu o zakłócanie ciszy nocnej. Poza tym stukot maszyny podnosił prestiż naszej kamienicy. Na całej ulicy tylko w trzech domach stukały maszyny. Co prawda w jednej aż dwie, ale tam było biuro pisania podań, więc to się nie liczy. Pisanie podań nie podnosi prestiżu kamienic. Pisanie książek to co innego. Wszyscy wiedzieli, że pan Teofil pisze powieść.

Będzie to powieść złożona z samych pierwszych zdań. Pan Teofil zapisuje wszystkie zdania, które przychodzą mu do głowy i wydają się piękne. Takie, od których powinien zacząć się wiersz albo przynajmniej przemówienie. Nigdy tych zdań nie przestawia, nie poprawia, nie dopisuje kolejnych wyrazów. Każde jest w jego powieści równie ważne. Na razie każde zdanie pierwsze chce być ważniejsze niż inne, żadne nie chce być drugie. Kiedyś same się poukładają. Ustalą między sobą hierarchię i nadadzą sobie ciąg znaczeń. Powstanie wtedy powieść magiczna, w której każde zdanie będzie początkiem innej opowieści. I chociaż wszystkie razem stworzą jedną księgę, to nigdy nie będzie można przeczytać jej do końca, bo nie ma w niej nie tylko ostatniego zdania, ale nawet drugiego czy trzeciego, skoro wszystkie są pierwsze.

Na pewno trudno napisać taką powieść, ale pan Teofil jest niezwykle zdolny. Kiedyś w „Słowie Polskim" wydrukowano jego wiersz. Podobał mi się tytuł: *Przepis na wiersz z pomidorów*.

Przepis na wiersz z pomidorów jest bardzo prosty
wziąć trzy pomidory czerwone
pokroić w ósemki
np. 88 lub 888
mozzarellę w plastry
kropel kilka oliwy z oliwek
dziewczynę spotkać wśród bazylii

Nie znam się na wierszach, nie wiedziałem wtedy, co to jest mozzarella, ale poczułem apetyt na coś nieokreślonego. Może na tym polega poezja.

Pan Teofil został debiutantem i bardzo się z tego cieszył. W swoim mieszkaniu zorganizował spotkanie autorskie, na które zaprosił wszystkich sąsiadów, ale przyszła tylko moja mama oraz Wieczne Potępienie, która od razu przyznała się do słabości, jaką ma do poetów. Matka nie była tam więc długo, bo słabość Wiecznego Potępienia zaczęła być widoczna.

18.

Dwie kule koło głowy

Kiedy pan Teofil pisał swoją powieść, siedziałem w kuchni i patrzyłem przez okno. Za oknem była taka sama nuda jak w domu. Zawsze jest tak, że gdy człowiekowi nudzi się w domu, to za oknem też nie ma nic ciekawego. Ciekawy jedynie jest fakt, że nawet jak się nic nie dzieje, to można to obserwować. Człowiek czeka, aż coś się stanie, i to jest wystarczająco interesujące, by się temu przyglądać.

Rozalka potrafi godzinami opierać się o parapet i patrzeć, chociaż najczęściej widać tylko starą czereśnię, krzak jaśminu, kilka ławek, trzepak oraz pustą piaskownicę. Przed południem nie ma szans, żeby cokolwiek innego zobaczyć, ale Rozalka i tak wypatruje. Po południu to co innego. Zawsze może się zdarzyć, że ktoś zejdzie wypić piwo na ławce albo wytrzepać dywan. Tak więc Rozalka od rana wypatruje przez okno nadejścia popołudnia.

W ciągu kwadransa zobaczyłem tylko czarnego kota. Wskoczył przez okno do piwnicy. Ciekawe, czy to prawda, co Laurka mówiła o kotach. Smok jej powiedział, że one nie zdychają w domach, tylko wychodzą i szukają odludnego miejsca, w którym mogą spokojnie odejść z tego świata. Ponoć są takie miejsca ostateczne wybrane przez odchodzące koty. Smok twierdzi, że jedno z nich jest w naszej piwnicy. Co jakiś czas dzwoni do niego doktor Szorstki z prośbą, żeby zabrał sprzed drzwi jego piwnicy kolejnego kota. Nie wiem, dlaczego akurat jego piwnicę sobie upodobały, ale wydaje mi się, że koty w naturalny sposób pasują do alchemików, tak jak czarne ptaki do wiedźm i czarownic. Być może umierające przychodzą do niego z nadzieją, że je uratuje.

Kot, który tego dnia wszedł do naszej kamienicy, nie miał zamiaru zdechnąć pod piwnicą doktora Szorstkiego. Parę minut później zobaczyłem, jak wychodzi z sąsiedniej kamienicy. Nie mam pojęcia, jak się tam znalazł. Koty mają zapewne swoje tajne przejścia niezbędne do tego, by gonić się z myszami.

Po południu zaczęli wracać z przesłuchań pierwsi lokatorzy. Pan Henryczek i Emanuela, wciąż bardzo przejęci. Potem Wieczne Potępienie i panna Julianna. Doktor Szorstki pewnie pojechał od razu do pracy, bo go do końca dnia nie widziałem. Dopiero po szesnastej przyjechali rodzice. Oboje! Ojciec udawał spokój, matka była wyraźnie poruszona. Słyszałem, jak pod oknem rozmawiają z panem Henryczkiem i Emanuelą.

– Jedno mnie tylko dziwi – zastanawiała się moja mama. – Kto miałby interes w tym, żeby zabijać naszego dozorcę?

– Ja bym go wiele razy zabił za ten bałagan, którego nie sprząta – powiedział pan Henryczek.

– Ależ Henryczku! – oburzyła się Emanuela. – To nie jest temat do żartów! Przecież ktoś chciał tego człowieka zabić!

– Może tylko postraszyć. Dwie kule przeleciały mu koło głowy, a jedna ledwo go drasnęła, pewnie przez przypadek – wtrącił ojciec, jakby uspokajająco. – Jestem pewien, że chodziło tylko o to, aby go nastraszyć.

– Skąd ty znasz takie szczegóły? – zdziwiła się matka. – Mnie nic takiego nie mówili.

– Mnie też – powiedział pan Henryczek.

– I mnie też nie – przyznała Emanuela.

– A tak jakoś obiło mi się o uszy. Poza tym, jakby ktoś chciał trafić, toby trafił z takiej małej odległości…

– Skąd wiesz, że odległość była mała?

– No bo gdzie w piwnicy masz duże odległości? A przecież tam go postrzelili! – zirytował się ojciec.

– Dziwne to wszystko – uznał pan Henryczek.

– Dziwne – zgodziła się mama.

– A słyszeli państwo, że strzelano z poniemieckiej broni? – wtrąciła Emanuela.

– Skąd pani wie? – z wyraźnym niepokojem zapytała matka.

– Słyszałam rozmowę tych milicjantów. Mówili, że to pistolet Walther, taki mały, jakich używali niemieccy oficerowie do samoobrony.

Matka spojrzała na ojca z przerażeniem, po czym odruchowo zwróciła wzrok w stronę przedpokoju, jakby chciała sprawdzić, czy broń Freytaga leży na swoim miejscu.

– No ale nie mówmy, że pistolet był poniemiecki – zaprotestował ojciec. – Ten model nadal jest produkowany.

– Edmundzie, chce pan powiedzieć, że to mogli być ci Niemcy, którzy ostatnio kręcili się wokół domu? – zaniepokoiła się pani Emanuela.

– Ja nic takiego nie chcę powiedzieć! Chodzi mi tylko o to, że nawet jeśli mamy pewność, jaki to był typ pistoletu, to i tak nie wiemy, czy był wyprodukowany przed wojną, czy może już po.

Z uporem podkreślał brak granicy czasowej, jakby to mogło mieć jakieś znaczenie. Jakby chciał zmylić trop wiodący do pistoletu leżącego w naszym kredensie i skierować podejrzenie na kogoś, kto przychodzi spoza wspólnego czasu naszej kamienicy.

Po odkryciu, którego dokonałem w pudle z pocztówkami pana Teofila, czułem się jak detektyw. Domyślałem się, że to ojciec postraszył tymi strzałami Smoka, by przestał mu grozić, a może nawet szantażować, teraz zaś stara się zrzucić winę na tamtych Niemców. Nie znałem tylko powodów, dla których Smok go szantażuje, chociaż przez myśl mi przeszło, że mogą być pod tapetą – na zdjęciach, które Smok zakreślił ołówkiem.

Byłem dumny ze swojego ojca. Może i miał swoje wady, zwłaszcza gdy bił mnie w dupę. Ale każdy ojciec bije w dupę, zwłaszcza jak był w partyzantce i wyniósł stamtąd złe nawyki, a tylko mój potrafi przegonić z domu Smoka. Naprawdę, ojciec wcale nie był taki zły.

Zza rogu wyłonił się Fundament z Adelą. Na ich widok cała czwórka zamilkła. Ojciec wyciągnął marlboro i długo odrywał ustnik. Matka otrzepywała jakiś pyłek z sukienki. Emanuela otworzyła torebkę i zaczęła czegoś w niej szukać. Tylko pan Henryczek nie udawał, że znajduje się w innym miejscu. Spojrzał Fundamentowi prosto w oczy i powiedział:

– Jeśli jeszcze raz przy ludziach powie mi pan per towarzyszu, to normalnie palnę pana w zęby.

– Daj spokój, Henryczku – fuknęła Emanuela. – Jeszcze cię posadzą.

Fundament na chwilę przystanął.

– Co wy, ludzie, o życiu wiecie, co wy wiecie – powiedział i wyglądało na to, że chce coś jeszcze dodać, ale Adela zdecydowanym ruchem wzięła go pod ramię i poprowadziła w głąb bramy.

– Coś go trapi – zauważyła pani Emanuela.

– Chyba nawet wiem co – powiedział pan Henryczek. – Widziałem, że ktoś mu namalował na drzwiach gwiazdę Dawida. Jak państwo widzą, nie zawsze człowiek może uciec przed swoim nazwiskiem. Kluczy, stara się zmylić tropy, ale i tak to nie pomaga.

Kwadrans później byłem już w swoim pokoju. Przyłożyłem ucho do ściany, ale Laurki nie było. Położyłem się na łóżku i zamknąłem oczy. Widziałem pana Teofila, jak stuka czterema palcami w klawisze swojej maszyny, potem pistolet w kredensie Freytagów, ojca odrywającego ustnik od marlboro, zafrasowanego Fundamenta zmazującego gwiazdę ze swoich drzwi, w końcu pocztówki pana Rzepczyńskiego.

Wieczorem, gdy wynosiłem śmieci, zobaczyłem siostrę Immakulatę, która w habicie szła po schodach, odnosząc Emanueli sztandar z napisem „Pokój, wolność, socjalizm". Z pozoru wyglądało na to, że wszystko w naszej kamienicy powoli wraca do normy.

Matka stała przy kuchennym stole i czyściła przedwojenną krajalnicę do chleba, szczególnie starannie polerując napis „Breslau". Postanowiłem nadal być detektywem, więc usiadłem obok i zapytałem, dlaczego po naszej kamienicy kręciło się tych dwóch Niemców i czy to może mieć coś wspólnego ze Smokiem.

Zupełnie jakby mnie nie słyszała. Zaczęła opowiadać nie na temat, że tuż po wojnie nasza kamienica była jedną z najpiękniejszych w okolicy. Secesyjna, bogato zdobiona. Nad ręcznie rzeźbioną bramą siedziały dwa kamienne ptaki uzbrojone w lance przeciw nieproszonym gościom. Pod balkonami płaskorzeźby Atlasa, niezmordowanie podtrzymującego stawiane mu na barkach ciężary. Wewnątrz wyłożony marmurami korytarz, ściany zdobione stiukami. Granitowe schody z fantazyjnie wygiętą poręczą zakończoną głową Bellony.

Najpierw ktoś ukradł dębową bramę. Po paru miesiącach zastąpiły ją drzwi zbite z desek i pomalowane brązową farbą olejną. Przez pierwszy miesiąc można je było zamknąć na klucz, potem jednak ktoś wyłamał zamek i zostały na zawsze otwarte mimo rozpaczliwych prób Smoka, który od czasu do czasu próbował ten zamek naprawić. Szybko na swej dostojności stracił też marmur na korytarzu, regularnie podlewany moczem przechodniów, głównie robotników, którzy wracając z pracy, wstępowali do pobliskiego sklepiku na jedno lub dwa piwa. Smok co parę dni wysypywał korytarz chlorem i tak dwa fetory miały się mieszać, podobnie jak w większości wrocławskich kamienic, aż do czasu wynalezienia domofonu, czyli mniej więcej przez pół wieku.

Kiedy do naszej kamienicy wprowadził się Daniel Perec vel Zakościelny, obecnie Fundament, i zajął połowę mieszkania po Freytagach, szybko przepłoszono też kamienne ptaki. Zakościelny złożył donos, że nad bramą wiszą hitlerowskie wrony, i zrobiła się afera. Wmieszał się w nią pan Henryczek, który – ze względu na produkcję tabliczek z nazwami ulic – uchodził za znawcę historii. Wprawdzie dość przekonująco próbował udowodnić, że rzeźby bardziej przypominają piętnastowiecznego orła śląskiego, na dowód czego okazał herb księcia Baltazara, ale to tylko pogorszyło sprawę. Dla administracji budynku wiernie reprezentującej władzę robotniczą książęcy herb był równie nie do przyjęcia jak niemieckie wrony, więc ptaki musiały odlecieć.

Do naszej wielkiej piwnicy, gdzie wisiały dostojne portrety Freytagów i gościnnie występowała Money Liza, szło się proletariacko zaszczanymi schodami, a potem korytarzem o ceglanej podłodze, na której gniły szczury i „Trybuna Ludu". Smok sprzątał tam raz na pół roku. Na co dzień swoje obowiązki ograniczał do zamiatania korytarza i schodów. Zimą odgarniał śnieg sprzed bramy. Jego żona Rozalka dwa razy w roku myła okna na klatce schodowej – na Boże Narodzenie oraz na Wielkanoc.

Matka mówiła, że całe dzieciństwo spędzam w piwnicy, ale była to przesada wynikająca z typowo matczynego niepokoju – zupełnie nieuzasadnionego, albowiem zazwyczaj bawiliśmy się na cmentarzach.

19.

Cmentarz, mój piękny plac zabaw

Tyrania skończyła szesnaście lat i postanowiła być dorosła. W tym celu wręczyła mi swoje zabawki i pozwoliła podarować je Laurce. Była tam skakanka, hula-hoop, grube kredy do rysowania gry w klasy, wypłowiały miś po Freytagach, szmaciana lalka o twarzy Murzynki, którą amerykańska UNRRA przysłała razem z mydłem, a także radziecka lalka przewracająca oczami. Tyrania dostała ją na Gwiazdkę parę lat temu – lalka kładziona do łóżka potrafiła wówczas sama zamykać oczy, które otwierała, gdy trzeba było wstawać, ale moja siostra, jak to ona, tak długo palcem robiła mechanizmowi na przekór, że w końcu go zepsuła i odtąd kładziona lalka otwierała oczy, a wyciągana z łóżeczka je zamykała, zupełnie jak jakiś lunatyk. Ale jej urodzie to nie przeszkadzało, więc wszystkie te skarby z radością przekazałem Laurce, za co była mi tak wdzięczna, że dostałem całusa. W usta. To był pierwszy taki całus w moim życiu.

Pocałowany przez Laurkę poczułem się jak książę nagle wyczarowany z żaby. Teraz byłem pewien, że Laurka zostanie moją żoną, pobierzemy się, gdy będziemy tacy duzi jak Tyrania, która do tej pory na pewno się wyprowadzi, a my, książęca para młoda, zamieszkamy w odziedziczonym po niej królestwie. Z tego przepełniającego mnie szczęścia wziąłem Laurkę za rękę i poprowadziłem na cmentarz.

Całe dzieciństwo spędziliśmy na cmentarzach. Nasza kamienica stała na obrzeżach miasta. W pobliżu, przy ulicy Wiśniowej, był poniemiecki schron i nasza wieża ciśnień, obok Szpital Kolejowy, co już samo w sobie brzmiało dla mnie ciekawie, bo nie wiedziałem, że pociągi chorują, a za szpitalem, wzdłuż ulicy Ślężnej, rozciągały się tereny cmentarne: najpierw żydowski kirkut, a dalej olbrzymi wojskowy cmentarz niemiecki z rozstrzelaną tablicą „Militärfriedhof". Leżał na nim w kącie, jak to zwykły żołnierz, mój pradziadek Wilhelm zastrzelony w 1914 roku przez żołnierzy ententy. Chodziliśmy tam z mamą, ale tylko raz w roku, przed dniem Wszystkich Świętych, uważając, żeby tata nie widział. Pokazywała mi wtedy również inne groby, na przykład grób generała Carla von Clausewitza z wielkim kamiennym krzyżem. Mówiła, że to jeden z najwybitniejszych w historii teoretyków wojny – to on powiedział, że wojna jest jedynie kontynuacją polityki innymi środkami. Gdy to usłyszałem, pomyślałem, że polityka to rzecz okropnie szkodliwa dla ludzi i powinno się jej zabronić.

Nieopodal naszej kamienicy cmentarze były wszędzie: dwa między ulicami Sztabową a Kamienną – właśnie zaczęto wywozić z nich nagrobki, by przygotować teren pod budowę osiedla wielopiętrowych bloków – i cztery kolejne wzdłuż ulicy Ślężnej.

Codziennie umawialiśmy się z chłopakami z sąsiedztwa pod wieżą ciśnień na Wiśniowej i uzbrojeni w kanapki znikaliśmy za cmentarnymi murami, by buszować tam do późnego wieczora. Cmentarze były naszymi placami zabaw. Nikt ich nie pilnował, bo w ramach odniemczania od lat przeznaczone były do likwidacji – mogliśmy na nich palić ogniska i piec ziemniaki.

Wszyscy należeliśmy do zuchów, a starsi z nas już do harcerstwa. Mieliśmy przytroczone do pasków finki i małe toporki ze Składnicy Harcerskiej – ścinaliśmy nimi cisy, z których co roku budowaliśmy monstrualne wigwamy. Z cisów stawialiśmy też obronne palisady, na wypadek gdyby zjawili się na naszym cmentarzu chłopcy z pobliskiego Grabiszynka, którzy mieli tam swój cmentarz, ale czasami dla draki zapuszczali się też na nasz.

Najgorsza była jednak banda chłopaków z Karłowic. Mieli swoją bazę na cmentarzu Parafii Jedenastu Tysięcy Dziewic, skąd udawali się na wyprawy po całym mieście w poszukiwaniu kolorowego złomu. Na cmentarzach było go pod dostatkiem. Przeczesywali cmentarz po cmentarzu – jedni zrywali mosiężne i miedziane ozdoby z nagrobków, inni, odważniejsi, włamywali się do grobowców, szukając obrączek, biżuterii i złotych zębów. Baliśmy się ich okropnie, bo pozostawiali po sobie makabryczne widoki: wyciągnięte trumny, porozsypywane kości, rozbite czaszki. Kiedy szli hałaśliwą watahą, uzbrojeni w kilofy i łomy, chowaliśmy się w swoim wigwamie za palisadą, milcząc i pocąc się ze strachu. Potem wychodziliśmy ostrożnie, by z przerażeniem, ale i fascynacją oglądać dzieło zniszczenia.

Tamtych było zazwyczaj sześciu albo siedmiu, a nas od ośmiu do dwunastu, ale my byliśmy dziećmi z Krzyków, spokojnej dzielnicy, w której raczej nikt się nie bił. Poza tym często przychodziły z nami dziewczyny, głównie siostry niektórych chłopaków. Raz nawet przyszła Tyrania, ale nie chciała z nami pracować, nie odpowiadało jej ani obcinanie gałęzi, ani noszenie kamieni z nagrobków, ani nawet zamiatanie wigwamu, więc chłopaki powiedzieli jej, żeby już więcej na nasz cmentarz nie przychodziła.

Laurce na cmentarzu bardzo się spodobało. Za murami oddzielającymi nas od świata żywych panowało takie dostojeństwo, bogactwo, wręcz przepych, jakiego nie było w żadnym innym miejscu miasta.

– Jezu, jak tu jest pięknie – zachwycała się, klaszcząc w dłonie.

Kaplice z marmuru wielkie niczym domy, granitowe rzeźby orłów z rozłożonymi skrzydłami, rumaki z piaskowca, dziesiątki, setki kamiennych aniołów – stojących, klęczących, wznoszących ręce ku niebu lub czule przytulających się do nagrobków. Posągi rzymskich bogów wojny uzbrojonych w tarcze i wzniesione włócznie. Zastępy rycerzy z najdroższych materiałów – najbardziej jej się spodobał taki chyba trzymetrowy z egzotycznego drewna. Było tak twarde, że Laurka w żaden sposób nie mogła scyzorykiem odciąć mu ostrogi. Rycerz jedną ręką prowadził za uzdę rumaka, a w drugiej trzymał kielich podobny do tego, jaki widziałem na ekslibrisach w bibliotece

Freytaga. Nie był to przypadek, bo na płycie nagrobnej widniał napis zaczynający się od słów: *„Hier ruhen die Gebeine des Obersten Freytag"*. Dalszą część inskrypcji na cześć pułkownika zarastał bluszcz, a moje zainteresowanie nią było wówczas umiarkowane.

Mnie znacznie bardziej niż rycerze fascynowały cudowne walkirie, o których w domu opowiadała mi matka, mitologiczne dziewice Odyna. Ich misją było sprowadzanie dusz poległych w boju rycerzy do Walhalli, pałacu boga wszystkich wikingów. Setkami wzlatywały na skrzydlatych koniach i unosiły się nad nagrobnymi płytami jak nad ostatnimi polami bitew zastygłe w geście, którym święty Jerzy zamierzał się na smoka – każda z uniesioną włócznią oraz tarczą nastawioną do obrony przed ciosem.

Nie zważałem wówczas na ich znaczenie w nordyckiej mitologii. Nikt z nas nie zważał. Dla nas, chłopaków z początkowych klas podstawówki, były to kobiety, które pokazały piersi – wielkie, idealnie okrągłe, wspaniale symetryczne. Boginie zachwycały swoją wojowniczą nagością, bo walczyły albo w rozchełstanych koszulach, albo wręcz całkiem ich pozbawione, jakby ich wielkie piersi miały być bojowym atutem, dodatkowym orężem w walce o dusze zmarłych bądź ostatnim miłym widokiem dla poległych. Gapiliśmy się urzeczeni cudownością tego zjawiska i dotykaliśmy je swoimi chłopięcymi dłońmi, mając zaledwie nikłe i bardzo odległe przeświadczenie jakiejś niestosowności.

Co parę dni z naszych cmentarnych placów zabaw znikał marmurowy rycerz, odlatywał czarny skrzydlaty koń, a kolejna walkiria ginęła – chociaż nie w walce, lecz po prostu zabrana nocą. Znikały alabastrowe kolumny korynckie i w nadprzyrodzony sposób odnajdywały się za płotami pobliskich willi. Podobnie jak marmurowe balustrady, które wybierały świat żywych, trafiając na ich balkony, schody i tarasy. Do dziś tam stoją, wystarczy przejść się ulicami między Sudecką a Ślężną, aby zobaczyć ten pośmiertny szaber, ale przecież nie tylko tam – całe miasto pełne jest nagrobnych inskrypcji. Przez lata dziesiątki ton płyt cmentarnych wykorzystywano do miejskich budowli. Umacniano nimi na przykład brzegi fosy, a matka pokazywała mi je nawet we wrocławskim zoo, gdzie służyły za budulec wybiegów dla zwierząt.

Mówiło się wtedy, że Wrocław to miasto Ziem Odzyskanych, więc każdy odzyskiwał, co się dało – taki historyczny recykling. Jak ten, podczas którego wywożono z Wrocławia gotyckie cegły na odbudowę Warszawy.

My też odzyskiwaliśmy, wydłubując z nagrobków miedziane i mosiężne krzyże, swastyki i litery. Odrywaliśmy małe figurki dzieci, aniołów i żołnierzy, kolekcjonowaliśmy metalowe wizytówki niemieckich kamieniarzy przyczepione z tyłu każdego nagrobka. Przypominaliśmy w tym bandę chłopaków z Karłowic, ale nigdy nie rozbijaliśmy zamkniętych kwater, nie schodziliśmy też do otwartych grobów ani nie zaglądaliśmy do porozsuwanych trumien, w których grzebali poszukiwacze złota. Baliśmy się. Tej ciemności i dziwnego zapachu – bez wątpienia był to zapach śmierci, która mogła tam przyczajona czekać, by złapać któregoś z nas za nogę. Świeciliśmy latarkami po rozsypanych szczątkach w nadziei, że w końcu coś znajdziemy. Nikt z nas nie wiedział, co to ma być. Wśród kości leżały różne przedmioty przysypane ludzkim prochem, butwiejącym suknem i spróchniałym drewnem: wciśnięte w dłonie różańce, złożone w kieszeniach listy, tomiki wierszy, ulubione za życia drobiazgi, a nawet szpicruty, których podczas skoków przez chmury mogłoby zabraknąć na tamtym świecie. Ale my w grobowcach nie szukaliśmy przedmiotów. Szukaliśmy prawdopodobnie powodu, dla którego tam chodzimy, wyjaśnienia, dlaczego to cmentarz jest naszym placem zabaw, miejscem, które tak mocno przyciąga.

Ze swojej pierwszej wyprawy na cmentarz Laurka przyniosła całe kieszenie miedzianych literek. Kamieniarze mocowali je zazwyczaj na wcisk – nawiercali w płytach nagrobnych kilka rzędów maleńkich dziurek, wbijali w te dziurki metalowe pręciki i nabijali na nie poszczególne cyfry i litery. Wystarczyło pod literkę włożyć ostrze scyzoryka i lekko podważyć, Laurka nauczyła się tego od razu.

W domu ułożyła z nich abecadło. Tata Laurki był zadowolony, pochwalił nawet, że taka sprytna. Niestety, na drugi dzień z samego rana pochwalił też mnie przed moją mamą.

Matka pozwalała mi chodzić z chłopakami na cmentarze pod warunkiem, że będziemy omijać cmentarz dziadka. Myślała pewnie, że spacerujemy, rozmyślamy, a co najwyżej zbyt głośno ganiamy się po alejach. Poczerwieniała, gdy tata Laurki powiedział jej o literkach.

W domu kazała mi usiąść na krześle i słuchać.

Opowiedziała o grobowcu, który przez ponad sto lat stał blisko centrum miasta. Matka przyjechała, żeby go zobaczyć, ze szkolną wycieczką. Leżał w nim bardzo ważny generał pruski. Nazywał się Friedrich von Tauentzien i był dowódcą obrony Wrocławia przez wiele, wiele lat, także w czasie wojny siedmioletniej. Dzielny, potężny i niezwyciężony. Tak sławny i podziwiany w Europie, że brat Napoleona Hieronim Bonaparte po pokonaniu wojsk pruskich i zdobyciu Wrocławia nie tylko nie pozwolił na zburzenie grobowca będącego dumą nieprzyjaciół, ale z szacunku dla historycznego przeciwnika nakazał monument generała ogrodzić, a rozciągający się dookoła plac nazwać jego imieniem.

Przez ponad sto pięćdziesiąt lat prochy walecznego generała spoczywały w tym miejscu. Ale skończyła się druga wojna światowa, Niemców z miasta przegnano, przyjechali Polacy, a wraz z nimi chemik Bolesław Drobner – żaden waleczny mąż, zaledwie działacz partyjny, który został pierwszym polskim prezydentem miasta.

Zobaczył dziesiątki pomników, które budziły w nim nie tylko niezrozumienie, lecz także grozę. Spostrzegł monumentalny obelisk generała. Wielotonowy kamienny cokół, na dole ogromny prostokąt z płaskorzeźbą, potem odwrócony trapez z portretem nagrobnym, na szczycie zaś – rzymską boginię wojny Bellonę w hełmie z pióropuszem, siedzącą, jakby odpoczywającą lub ranną. Nie miała wzniesionej włóczni ani tarczy, może straciła czujność – i to był jej błąd, bo Drobner pokonał ją, a wraz z nią zwłoki generała Tauentziena. Polecił przysłać robotników, którzy najpierw odkuli z monumentu brąz – było go tyle, że wypełniono nim czterotonową ciężarówkę – a później zaczęli rozbijać kamienie i dotarli do marmurowego sarkofagu. W środku znaleźli szkielet w generalskim mundurze, który prezydent Drobner rozbroił, zabierając na pamiątkę szablę i kapelusz. Odznaczeniami podzielili się miejscowi notable.

Matka potrafiła przejmująco opowiadać. Lubiłem jej słuchać – gdy snuła opowieść, widziałem poszczególne obrazy, tak jakby czytała mi książkę i pokazywała ilustracje.

Tamtego dnia zobaczyłem konie, bitwę, rannych żołnierzy, ogień. Potem wielką boginię wojny na szczycie monumentu – aby na nią spojrzeć, musiałbym zadrzeć głowę i patrzeć w niebo. A ona z nieba patrzyła na mnie. Później widziałem ludzi z kilofami podobnymi do tych, z jakimi na nasz cmentarz przychodziła banda chłopców z Karłowic. Kto wie, może to były nawet te same kilofy, a ci ludzie byli ich ojcami. A potem zobaczyłem tego drobnego człowieczka z ukradzioną szablą. Czy zabrał ją z pochwą? Czy na głowę założył kapelusz? A może dał go do zabawy synowi któregoś z partyjnych notabli?

Gdy matka skończyła opowieść, przytuliła mnie i poprosiła, abym obiecał, że już nigdy nic nie ukradnę, ani żywym, ani martwym.

Rozejrzała się po pokoju i z westchnieniem powiedziała:

– Zabraliśmy nie tylko ich domy, lecz także ich groby.

Zrobiło mi się dziwnie. Smutno i obco. Gdybym miał o kilka lat więcej, to na pewno zapaliłbym papierosa. Zauważyłem, że w trudnych sytuacjach dorośli zawsze zapalają papierosa. To taki gest, którym dają do zrozumienia, że muszą pomyśleć na jakiś temat. Dzieci muszą radzić sobie inaczej. Ja zazwyczaj wychodziłem na klatkę schodową.

Laurka siedziała na schodach, więc przysiadłem obok i poczułem się na właściwym miejscu. Na dworze było zimno, więc istniało duże prawdopodobieństwo, że Smok będzie ziać ogniem.

20.

Wyprowadzenie świętych na klatkę schodową

Smok ział ogniem od czasu do czasu, głównie z powodu problemów finansowych.

Rozalka tęskniła za trzeźwością, a Smok przeciwnie – jak każdy przeciętny obywatel dążył do tego, żeby się napić. Gdy przynosił do domu butelkę wódki, Rozalka ciężko siadała koło niego i patrząc z wyrzutem na święte obrazy, stawiała na stole dwa kieliszki. Święte obrazy nie pomagały w utrzymaniu trzeźwości, chociaż powinny, i Rozalka musiała się poświęcać dla zdrowia męża, pijąc razem z nim, bo jedynie dzięki temu mniej zostawało dla niego.

Pijaństwo było naturalnym stanem jego organizmu: urodził się pijany, z pijanej matki i pijanego ojca, poczęty poza pamięcią obojga między jedną flaszką a następną. Rozalka mówiła, że nawet jeśli nie pił w przedszkolu, to wieczorem dostawał na kolację piwo z cukrem, bo miał spać, a czasem było z tym trudno – drzwi do meliny trzaskały jak po pyskach. W szkole pił już na całego, co znaczy, że całego litra obalali we czworo, on i troje Cyganów z sąsiedztwa.

Nie trzeźwiał nigdy, trzeźwość była dla niego stanem nienaturalnym, a jednocześnie wrogim, odsłaniającym zupełnie inne oblicze świata, który coś od niego chciał, czegoś się domagał, o coś bezustannie molestował. Trzeźwość miała podkrążone oczy i ból głowy, a na imię Rozalka. Awanturowała się o codzienność, pytała, co będzie jutro, a dzisiaj – co do garnka włożyć. Potem, z tego pijaństwa, nie rodziły mu się zdrowe dzieci i Rozalka żałowała wszystkich utraconych po drodze szans, a zwłaszcza tej, że trzeba było go zostawić, gdy zasnął w wannie, z której już się przelewała woda.

Tego Rozalka nie mogła sobie darować najbardziej. Gdyby nie wyciągnęła wtedy korka, nie byłoby zaszczanego losu na śmierdzącej klatce, nie byłoby parteru do końca jej życia. Byłoby może drugie piętro z panem Henryczkiem, wówczas jeszcze wolnym od zainteresowania pani Emanueli i kłaniającym się Rozalce na schodach szarmancko, albo byłaby przynajmniej sąsiednia klatka, gdzie za ścianą na parterze mieszkał brat Smoka, porządny kolejarz, starszy o dziesięć lat kawaler, upijający się solidnie, ale po cichu i na tydzień tylko raz, co jest zrozumiałe i przyjęte jak zwyczaj chodzenia do kościoła.

Rozalka w specyficzny sposób wierzyła w silne więzy rodzinne, albowiem bywało, że zasypiała w łóżku kolejarza, całowana po całym ciele jak święty obrazek, z pobożnym wyznaniem kawalerskiej wiary w cud otwierającego się przed nim łona. Za każdym razem gorliwiej niż dotąd biegła do kościoła, chociaż i w tej poprzedniej gorliwości była już niedościgła. Trudno przy tym powiedzieć, czy się spowiadała, czy tylko klepała pacierze, samej sobie dając rozgrzeszenie okupione najczęściej kolejnym obrazem przynoszonym w formie odpustu. Im więcej piła, tym więcej świętych obrazów w jej domu przybywało.

Niekiedy zasypiała w mieszkaniach sąsiednich kamienic, w zależności od tego, czyjej żony akurat nie było w domu i gdzie w związku z tym trwała niepodległościowa impreza. Przejęte od Smoka pijaństwo wznosiło ją jak anioła ku górze, a kac sprowadzał do parteru często posiniaczoną upadkiem na schodach. Rankiem o siniaki te obwiniała budzącego się do wypicia Smoka, który na kolanach błagał ją o wybaczenie i chrypiącym głosem zapewniał, że sam nie wie, jak to się stało, i że nigdy by ręki na nikogo nie podniósł, co akurat było zgodne z prawdą, bo mimo niewyparzonej gęby Smok był nadzwyczaj łagodnego usposobienia.

Przyznać przy tym trzeba, że niemal cała nasza ulica upijała się szlachetnie, niemal dostojnie, bez krzyków i awantur, prawie bezgłośnie, ze spokojem mężowskich ciał zasypiających miękko nad stołem i lekkim chrapaniem żon śniących w znudzonych łóżkach. Jedynie Rozalka niekiedy urządzała awantury, po których wyrzucała Smoka za drzwi, uprzedzając, by nie wracał do domu bez chociażby paru złotych.

– Na żebry idź lub nawet na rabunek, a bez pieniędzy nie masz mi co tu wracać – grzmiało na korytarzu i lokatorzy wiedzieli, że zaraz będą pokazy, że Smok zionie ogniem, że wszyscy muszą zejść na dół – dzieci, żeby się gapić, dorośli zaś po to, by w razie czego zadzwonić po straż pożarną, bo przecież schody są drewniane.

Stawał wtedy Smok pośrodku klatki, podpalał zrolowaną i nasączoną czymś gazetę, wlewał łyk spirytusu do gardła, po czym wypluwał go, zapalając od płonącej gazety, i ział tak ogniem raz za razem w kierunku pierwszego piętra, my zaś uciekaliśmy z wrzaskiem, a nasi rodzice rzucali mu drobniaki, byleby tylko przestał, nie podpalał schodów i nie sprowadzał na nas nieszczęścia. Smok zbierał rozsypane drobniaki, dopijał resztkę spirytusu i zadowolony wracał do domu z poczuciem wypełnionego zadania.

Za każdym razem, gdy Smok zaczynał ziać ogniem, wszyscy mówili, że jego dni są policzone. Nie było tylko wiadomo – do ilu. Tymczasem jego pokazy trwały przez kilka lat i były to te lata, w których składaliśmy się z kolegami po parę złotych i wręczaliśmy je Money Lizie, za co schodziła z nami do piwnicy. Wygląd jej piersi nie miał wówczas żadnego znaczenia, były zbudowane naszą bujną wyobraźnią i takie już w niej pozostaną, pewnie w naszych oczach piękniejsze niż na jawie realnych kochanków. Smok miał swoje pokazy, Money Liza swoje – taka była w naszej kamienicy oferta kulturalna, korzystaliśmy z niej chętnie i z wdzięcznością, wiedząc, że w pobliskich blokach takich atrakcji nie ma, nie licząc możliwości łapania kotów i wrzucania ich na ósmym piętrze do otworu zsypu.

Po powrocie z przesłuchania Smok nie był w humorze do ziania ogniem. Stanął w bramie i bacznie przyglądał się każdemu wchodzącemu, jakby usiłował rozpoznać swego niedoszłego zabójcę. Patrzył też na mnie i chociaż wiadomo, że małe dzieci nie strzelają do dozorców, to mi od tego wzroku zrobiło się tak zimno, jakby się skończył węgiel w piwnicy.

Za mną do kamienicy wszedł pan Henryczek i poczęstował Smoka papierosem. Dziesięć minut później zszedł do sklepiku doktor Szorstki, który również poczęstował Smoka papierosem. A potem, wracając, wręczył mu jeszcze setkę wódki w małej buteleczce z czerwoną nalepką. Na nalepce było napisane „Czysta", co wydawało mi się oczywiste, bo przecież nikt by nie kupił wódki, gdyby napisali, że brudna. Potem zjawił się mój ojciec i też poczęstował Smoka papierosem. Nawet siostra Immakulata dała mu małą buteleczkę spirytusu, na którym robiła zimowe nalewki. Wyglądało to trochę tak, jakby wszyscy poczuli winę i starali się Smoka w jakiś sposób przeprosić. Pomyślałem, że spędzi cały wieczór w bramie, paląc cudze papierosy i pijąc czystą wódkę. I pewnie by tak było, gdyby nie żona Smoka Rozala.

Pojawiła się na tle ciemnej czeluści bramy jak wielki kwadrat narysowany kredą na tablicy. Spod tego kwadratu wystawały spuchnięte nogi Rozalki. Smok na jej widok zaklął.

– Mówiłem ci, kobieto, że jeszcze jeden obraz ze świętymi w domu, a na pysk wyrzucę!

– Przestań bluźnić, upiorze! – zawołała Rozalka, stawiając kwadrat z boku. Oparła dłonie na biodrach i ruszyła w kierunku Smoka. Nie wyglądała na taką, która by się dała z domu wyrzucić. Wyższa od Smoka, gruba, na twarzy ze złości czerwona. A Smok przy niej jak tląca szczapa, patyk, z którego się dymi papieros.

– Dla ciebie, bluźnierco, w intencji twojego ozdrowienia cudownego kupiłam! – wrzasnęła tak głośno, że Smok się cofnął odepchnięty falą uderzeniową.

– Jakiego tam cudownego ozdrowienia?! – zaprotestował. – Po prostu jakiś gamoń chciał mnie nastraszyć. I tyle.

– A niby czemu akurat ciebie miał straszyć? Co ty, prezydent jesteś jakiś czy inna głowa państwa, jak chociażby przewodniczący Miejskiej Rady Narodowej?

– A co ty myślisz, babo głupia, ciemna, zabobonna? Że taki gospodarz domu to się w życiu społecznym nie liczy? A niby dlaczego to do mnie tych dwóch Niemców od razu przyszło?

– Boś ich na kielicha zaprosił! Wszyscyście jednacy! Ochlapusy jedne!

– Pytali o kielich, to żem ich źle zrozumiał… Myślałem, że chcą się kieliszek wódki napić, a nie wiedziałem nic, że szukają Lutra.

– I po to do piwnicy trzeba było łazić? Na niebezpieczeństwo się wystawiać?

– Zamilcz, Rozala. O niczym nie masz pojęcia.

Pomyślałem, że jestem zupełnie jak Smocza żona Rozala. Też o niczym nie miałem pojęcia.

Wtedy na klatce pojawiła się moja mama. Rozalka do niej od razu podbiegła.

– Sąsiadko droga, obraz święty na odpuście dla męża kupiłam, ale ten bezbożnik go nie chce, grozi, że z domu wyrzuci. Pani go podaruję, pani jest dobra kobieta.

Matka była tak zaskoczona, że nie protestowała. Parę minut później ściągaliśmy w domu szary papier, którym obraz był owinięty. Na jego widok ojciec jęknął.

Przed nami stał półtorametrowej wysokości obraz, na którym Jezus Chrystus trzymał w dłoni swoje wyciągnięte serce. Wyglądało to przerażająco. Serce owinięte było cierniami, które przypominały drut kolczasty. Krople krwi kapały na dolną ramę, na której artysta, dla utrwalenia wrażeń, namalował małą kałużę. Podobny obraz widziałem na wsi u dziadka i babci. Nigdy nie mogłem zrozumieć, dlaczego wisiał nad ich łóżkiem – wydawało mi się, że są lepsze miejsca dla świętych obrazów niż sypialnia. Gdy Jezus patrzył mi prosto w oczy, czułem taki strach, że nawet nie miałem ochoty grzebać w przepastnych szufladach bieliźniarki, gdzie babcia chowała przede mną cukierki.

Matka bezradnie rozejrzała się po mieszkaniu, ojciec wzruszył ramionami. Nie mieli pojęcia, co zrobić, bo co można zrobić z wielkim obrazem, na którym Zbawiciel prezentuje swoje poświęcenie w sposób tak dosadnie anatomiczny.

Przez dwa dni obraz stał u nas w przedpokoju między szafką na buty a kredensem Freytagów, ale siostra Immakulata orzekła, że choć w odróżnieniu od moich dziadków jest luteranką i nie uznaje kultu obrazów, to jednak tak się nie godzi i obraz należy oddać w dobre ręce. Wziął go ojciec pod pachę i poszli z matką do pobliskiego kościoła. Proboszcz się zezłościł, że święty obraz z domu wyprowadzają, jakby się wiary przodków wstydzili. Na to zezłościła się matka, mówiąc, że to sprawa katolików, a nie jej, bo jest nawróconą luteranką i modli się do Pana Boga, a nie do odpustowych obrazów. Wciąż rozzłoszczona kazała ojcu zabrać obraz z powrotem i z podziękowaniem oddać go Rozalce.

Jak matka kazała, tak ojciec zrobił, a przynajmniej miał taki zamiar, albowiem jej woli w sprawach codziennych się nie przeciwstawiał. Zadzwonił pod jedynkę i natknął się od razu na Smoka. Ten zobaczył ojca z obrazem i dostał szału. Krzyczał, że wszyscy się na niego uwzięli i prześladują go świętymi obrazami, jakby egzorcyzmy chcieli na nim robić. Najpierw żona, a potem sąsiedzi. Ojciec zerknął do środka i zrozumiał. Wszystkie ściany Rozalka obwiesiła obrazami. Było ich kilkadziesiąt, a może ponad sto. Przeprosił więc Smoka za najście i już chciał się wycofać, gdy Smok udobruchany zaprosił ojca na kieliszek wódki. Rozalka wyjechała akurat do rodziny na żniwa i nie było komu Smoka przed piciem pilnować.

Ojciec taktownie opróżnił kieliszek, następnie poprosił o młotek i gwóźdź, po czym wbił go między drzwiami do mieszkania Smoka a zejściem do piwnicy i zawiesił na nim obraz otrzymany od Rozalki. Smok spojrzał osłupiały, ale z dwojga złego wolał mieć obraz na zewnątrz niż wewnątrz mieszkania, więc nic nie powiedział i wrócił z ojcem do picia.

Mniej więcej po godzinie doszedł Smok do wniosku, że koncepcja jest generalnie słuszna, i korzystając z nieobecności żony, zaczął wynosić z domu zgromadzone przez nią obrazy, a ojciec mu pomagał, nucąc swym tubalnym głosem jedną ze swych partyzanckich pieśni.

Już terkocą cekaemy,
Już granatów słychać huk!
Wszak za wolność w bój idziemy!
Z nami prawda! Z nami Bóg!

Potem przynieśli słoik z gwoździami i po kolei wieszali obrazy na ścianach klatki schodowej. Kilku lokatorów wyjrzało, żeby sprawdzić, co się dzieje, ale widząc, że pijany Smok trzyma w ręku młotek, a mój ojciec śpiewa o terkocących cekaemach, szybko schowało się we wnętrzach swych spokojnych domów.

Kiedy nazajutrz schodziłem do szkoły, powitał mnie rząd świętych. Obrazy wisiały wszędzie. Zajmowały nie tylko ściany parteru naszej klatki schodowej, ale pięły się wraz ze schodami ku górze, aż do pierwszego piętra, przybite wzdłuż lamperii. Obok kilku wizerunków Matki Boskiej, Chrystusa i Świętej Rodziny byli tam święty Antoni, apostoł Jakub, apostoł Piotr i apostoł Tadeusz, archanioł Michał i archanioł Gabriel walczący z szatanem, Cyryl i Metody, a obok ewangelista Łukasz, za nim ewangelista Mateusz, Jan Chrzciciel i Jan Ewangelista, a za nimi męczeństwa, głównie świętego Nepomucena pod górą kamieni oraz Sebastiana przebitego strzałą. Byli tam też aniołowie stróżujący, głównie ci, którzy przeprowadzają dzieci przez zawieszoną nad urwiskiem kładkę. Paradoksalnie tuż przy swoich drzwiach Smok powiesił obraz, na którym święty Jerzy zabija smoka, co wyglądało jak zły omen.

Po paru godzinach, gdy wróciłem ze szkoły, zobaczyłem w naszej bramie tłum ludzi. Wierni z całego osiedla przychodzili oglądać niezwykłe wydarzenie, jakim – ich zdaniem – była manifestacja naszej wiary, a zwłaszcza odwagi Smoka. Kilku wiernych uklęknęło na naszej klatce i zaczęło się modlić.

Wieczorem przyjechała milicja. Funkcjonariusze kazali Smokowi zdjąć powieszone na ścianach obrazy, ale wierni zaczęli mruczeć i pomstować. Wprawdzie pod nosem, ale wystarczająco wyraźnie. Ktoś pobiegł po proboszcza. Ksiądz przyszedł po kwadransie i wyjaśnił milicjantom, że parafianie urządzili tymczasową wystawę, po czym wyciągnął kropidło. Od tej pory o naszej kamienicy mówiło się, że to ta z poświęconą klatką schodową. Miało to tę wyraźną zaletę, że żaden menel już na niej nie szczał.

21.

Śmierć człowieka
zwanego Smokiem

W nocy o naszej kamienicy mówiło Radio Wolna Europa. To takie radio, które było finansowane przez CIA, nadawało z Monachium, a informowało o tym, co się dzieje na naszych ulicach. Zagłuszano je już w Polsce, na miejscu, specjalnym sprzętem powodującym buczenie, ale i tak było słychać. Ojciec mówił, że koszty zagłuszania są trzy razy większe niż koszty nadawania. To wszystko było tak skomplikowane, że nigdy nie potrafiłem zrozumieć, dlaczego Amerykanie płacili za nadawanie w Niemczech informacji o tym, co dzieje się w Polsce, skoro mieliśmy codziennie *Dziennik Telewizyjny*. Najbardziej zaś nie rozumiałem powodów, dla których wydawano tyle pieniędzy, by bez powodzenia buczeć.

W Radiu Wolna Europa powiedzieli, że we Wrocławiu grupa wiernych zorganizowała podziemną strukturę, która na znak protestu przeciw państwu komunistycznemu wywiesza publicznie religijne obrazy. Domyśliłem się, że podziemna struktura to mój ojciec ze Smokiem, a miejsca publiczne to klatka schodowa, a ściśle mówiąc – jej ciemny korytarz na parterze z drzwiami do mieszkania Smoka, zejściem do piwnicy i schodami wiodącymi na piętra.

Nazajutrz z całego miasta ruszyły w kierunku naszej kamienicy ukryte pielgrzymki. Religijność źle była przez władze widziana, więc parafianie organizowali się w cywilne grupy i jak partyzanci w lesie skokami zbliżali się w naszym kierunku. Przez kilka dni władze miasta robiły, co mogły, aby im to utrudnić – a to jedną ulicę zamknęły, a to linię tramwajową na kilka godzin unieruchomiły, to znów zaimprowizowały w pobliżu ćwiczebny przemarsz wojsk, żeby Pana Boga, co szedł w ludzkich sercach, odstraszyć. Na nic to się jednak zdało, bo duch raz obudzony nie chciał już zasnąć.

W końcu na naszej klatce było już tylu ludzi, że nie mogłem wyrzucić śmieci. Trudno się było przecisnąć, a poza tym nie wypadało między modlącymi paradować z kubłem pełnym odpadków. Przyjechała nawet telewizja.

Wieczorem pokazali reportaż. Redaktor mówił, że grupa ciemnych ludzi modli się na śmierdzącym moczem korytarzu, co było oczywistą nieprawdą, albowiem na klatce paliło się tyle świeczek, tak gęstą dając woń stearyny, że moczu nie było czuć w ogóle.

I wtedy Smok postanowił przemówić po smoczemu. Wyszedł do pielgrzymów z butelką spirytusu i czapką na pieniądze. Wziął pierwszy łyk i zionął ogniem.

Pamiętam ten wieczór tuż przed świętami, gdy wszyscy mieli już założone lampki na choinkach, a my staliśmy z chłopakami na dole i ocenialiśmy przez okna, która najpiękniejsza.

Tamtego roku lampki nie chciały ojca słuchać i co rusz kolejna się przepalała, bo coś było nie tak z natężeniem lub napięciem. Czułem wściekłość i chciało mi się płakać – wszyscy mieli normalne światełka z kiosku, tylko my zrobione własnoręcznie przez ojca z żarówek samochodowych, które cierpliwie znosił przez cały rok z państwowego warsztatu, gromadząc je niczym zapasy na zimę.

Nasza choinka stała więc ciemna, nie licząc krótkich blasków kolejnych zwarć, przebić lub spięć, i chyba tylko dlatego mój ojciec uszedł przed lampkami z życiem, że nagle jego naprawy zakłóciły wrzaski i krzyki, którym wtórował ryk nieludzki, a obok niego wołanie o pomoc, ratunek, straż pożarną oraz Pana Boga, zupełnie jakby Pan Bóg miał w zwyczaju jeździć ze strażą w komplecie.

Zafrapowani tym zbiorowym wyciem wbiegliśmy na klatkę, a tam miotał się Smok cały w płomieniach, które ten jeden jedyny raz przestały mu być posłuszne i zamiast lecieć jak zwykle ku górze, ścigając schodami dziecięcy strach, wybrały drogę odwrotną i poszły nie z wydechem, lecz z wdechem do Smoczych płuc i Smoczej krwi, w której było więcej spirytusu niż patriotycznych krwinek białych i czerwonych, i na nic się zdały próby zagaszenia Smoka, polewania wodą i tłuczenia kocami oraz futrem Rozali – Smok spłonął. Wprawdzie jego gorąca krew paliła się zawsze, ale nigdy aż tak dosłownie.

Stanęliśmy z Laurką na półpiętrze, przerażenie trzymało nas za nogi. W życiu największe wrażenie robi śmierć. Darliśmy się, płakaliśmy, ale nie potrafiliśmy się ruszyć z miejsca. Natomiast pielgrzymi od razu rozpierzchli się w popłochu.

Wieczorem Radio Wolna Europa podało informację o samospaleniu się Smoka. Trudno było się jednak dowiedzieć, czy był to zdaniem radia nieszczęśliwy wypadek, czy czyn bohaterski. Tak czy owak, przez cały następny dzień mieszkańcy dzielnicy przynosili na naszą klatkę wiązanki kwiatów. Ich słodki zapach mieszał się z mdłym smrodem spalonego ciała. Przypadkowi przechodnie zaglądali do środka i widząc znicze, pytali, co tu się takiego stało, ale nie mogli zrozumieć, gdy odpowiadaliśmy, że to ziejący ogniem Smok z parteru zapalił się od środka.

Wieczorem przyjechały służby sanitarne miasta. Zdjęto obrazy i pod pretekstem dezynfekcji zaczęto czyścić korytarz jakimś środkiem chemicznym i sprężoną parą wodną. Rano na ścianach widać było tylko wystające gwoździe. W ciągu dnia ludzie z miasta zdążyli powiesić na nich kilka przywiezionych obrazów. Nazajutrz wkroczyła jednak do naszej kamienicy ekipa remontowa. W tydzień odmalowali całą klatkę schodową i założyli nową bramę wyposażoną w patentowy zamek. Każdy z lokatorów dostał klucz i dzięki temu, ćwierć wieku po zakończeniu wojny, nasza brama została przed szczającymi menelami zamknięta.

Pan Teofil przez ponad dwadzieścia lat pisał wnioski o wymianę bramy na taką, która by się zamykała. Po śmierci Smoka zebrał swoje podania, oświadczenia, zażalenia i pozostałe pisma, które wysyłał do wszystkich urzędów – najpierw dzielnicowych, potem miejskich, a w końcu centralnych. Niemal do każdego miał podczepioną oficjalną odpowiedź, która opatrzona była podpisem i przynajmniej dwiema pieczęciami. Każda zapewniała, że sprawa zostanie w najbliższym czasie przekazana kompetentnym służbom odpowiedniego szczebla. Szczeblami tymi pisma pana Teofila wędrowały jak po drabinie, z dołu do góry i z powrotem. Teraz pan Teofil włożył całą dokumentację do pudła po telewizorze i wyniósł na śmietnik.

Przez kilka dni po mieszkaniach chodzili funkcjonariusze Służby Bezpieczeństwa, wypytując, kto z mieszkańców mógł o historii z obrazami poinformować Radio Wolna Europa. Być może ktoś coś wiedział lub złożył kłamliwy donos – podejrzenie padło na ojca Laurki.

To był koniec 1968 roku. W Polsce do głosu doszli partyjni nacjonaliści, którzy ludność pochodzenia żydowskiego zaczęli oskarżać o sprzyjanie kapitalistom, szpiegostwo i działalność wywrotową. Panu Fundamentowi nie pomogły zmagania z nazwiskiem. Zwolniono go z pracy i przez kilka miesięcy przetrzymywano w areszcie pod zarzutem współpracy z RWE. Wypuścili go dopiero wówczas, gdy zrzekł się obywatelstwa polskiego i oświadczył, że natychmiast wyjedzie. Wyjechał, razem z kilkunastoma tysiącami innych osób pochodzenia żydowskiego.

Jego żona Adela nie pojechała z nim. Bała się Żydów – ich tradycji, religii, zakazów, bała się wojny, którą toczył Izrael, bała się samego Izraela, o którym krążyły przerażające plotki, bała się, że trafią do kibucu, gdzie będzie jeszcze gorzej niż w Polsce.

Fundament pojechał sam, a ja nie mogłem zrozumieć, dlaczego w naszym mieście mogła zostać ulica imienia Icchaka Lejba Pereca, gdzie chodziliśmy z Laurką do cukierni, a pan Perec musiał wyjechać.

22.

O wuju, co się utopił
w arbuzie

Śmierć Smoka zatarła w nas strach nocy, podczas której ktoś do niego strzelał. Czasami wraz z ludźmi odchodzą ich tajemnice i wiele wskazywało na to, że w tym wypadku też tak się stanie. Jednak wszystkich zaniepokoiło to, co się wydarzyło w dniu jego pogrzebu.

Pożegnać go poszedł niemal każdy mieszkaniec naszej ulicy – nawet jak ktoś Smoka za życia nie lubił, po śmierci nie miał już do niego pretensji. Matka mówiła, że pretensje do ludzi powinny umierać wraz z nimi, w przeciwnym razie wystają z grobu i straszą tych, którzy je mają. Nie bardzo potrafiłem sobie wyobrazić, jak pretensje mogą wystawać z grobu, ale przecież wiadomo, że na cmentarzach dzieją się niestworzone rzeczy.

Przyszedł tłum ludzi, bo rozeszła się wieść, że Smok zginął śmiercią męczeńską, broniąc świętych obrazów. Setki ludzi modliły się za niego, dopowiadając sobie ciąg dalszy do plotki. Ktoś zapytał Emanuelę o to, jak zginął, a ona odparła, że zapalił się od butelki spirytusu. Chwilę potem cały cmentarz szeptał, że Smok został zaatakowany przez komunistów butelkami z benzyną.

Matka szczerze współczuła zapłakanej Rozali, ale ojciec niestosownie wyglądał na zadowolonego. Spoglądał w niebo i śledził lot jaskółek, jakby spodziewał się dojrzeć w nich duszę Smoka odlatującą do ciepłych krajów. Czułem przerażenie, strach przed okropną śmiercią, którą widziałem, ale jednocześnie – podobnie jak ojciec – ulgę. Z jakiegoś powodu człowiek ten go szantażował, znalazł w naszym domu coś zakazanego, prawdopodobnie to właśnie ojciec potem do niego strzelał, a teraz tajemnica ta spłonęła wraz ze Smokiem.

Ktoś musiał obserwować dom i śledzić to, co się w nim działo. Wiedział, że w całej kamienicy nikogo przez parę godzin nie będzie. Usiłował się dostać do mieszkania Laurki, ale udało mu się wyłamać tylko jeden zamek, drugiego nie zdołał. W naszym mieszkaniu niczego początkowo nie zauważyliśmy. Dopiero potem, gdy ojciec usiadł przy stole, a mama przyniosła herbatę, rodzice spostrzegli, że koniec jednej z ościeżnic przy drzwiach do salonu jest lekko uniesiony.

– Co to, gwoździe się obluzowały? – zdziwił się ojciec. Podszedł, zajrzał za ościeżnicę. – A niech to jasna cholera! – zaklął. – Ktoś obcy był w naszym mieszkaniu!

– Mundek, co ty mówisz? – poderwała się matka. – Kto niby miał być?

– Ktoś tu czegoś szukał. Tu jest jakaś skrytka! – zawołał ojciec, odchylając górną deskę ościeżnicy.

– Skrytka? – podskoczyła z radością Tyrania.

– Prawdziwa?

Podbiegłem, dostając od razu wypieków na twarzy.

Ojciec wyjął deskę z nadproża. Zobaczyłem schowek. Nieduży – trzydzieści na dziesięć centymetrów. Zajrzałem.

– Pusty – jęknąłem z żalem.

– Pusty – powtórzył ojciec. – Zadzwonię na milicję.

– Nie, lepiej nie dzwoń – zaprotestowała matka.

– A niby dlaczego? – ojciec zmarszczył brwi ze zdziwieniem. – Przecież ktoś włamał się do naszego mieszkania.

– Może po prostu zapomniałam zamknąć drzwi. Albo siostra Immakulata chciała sprawdzić, czy nie ma nic do haftowania. Ma przecież nasze klucze. A potem zapomniała zamknąć.

– A skrytka? – ojciec nie dawał za wygraną. – Ktoś nam ukradł coś ze schowka.

Aż usiadłem z wrażenia na podłodze. W naszym domu wciąż są nieodkryte schowki!

– Nikt nic nie ukradł. Schowek był już pusty – spokojnie powiedziała matka.

– A ty niby skąd to wiesz? – powiedział ojciec podejrzliwym tonem.

– Wiem. Jak kiedyś wycierałam tam kurze, to ta deska mi się przesunęła.

– Jak to ci się przesunęła?

– No normalnie.

– Odkryłaś skrytkę? I nic mi nie powiedziałaś? Dlaczego mi nic nie powiedziałaś?

– Po prostu wyleciało mi to z głowy.

Patrzyłem na moją matkę szeroko otwartymi oczami. Jak skrytka może komuś wylecieć z głowy? Lekcje mogą wylecieć, pacierz albo wyrzucenie śmieci. Ale schowek? Nie ma mowy, żeby schowek mógł komuś wylecieć z głowy. Ojciec też był zdziwiony. Jego zdziwienie przeszło w oburzenie.

– Co jest, do cholery? Jak ty mnie traktujesz? Nie wierzysz mi? Masz przede mną tajemnice?

– To nie ja! To dom!

– Co ty, Hela, za głupoty mi tu opowiadasz? Dom ma przede mną tajemnice? A ty razem z nim w zmowie przeciwko mnie?

– Nie gadaj głupot! Mówię, że jeśli jest coś schowane, to dom to ukrywa, a nie ja! Tylko to mówię.

– Co, nadal mi nie ufasz? Po tylu latach mi nie ufasz, bo byłem polskim partyzantem? Co, złodziej jestem? Nocą powykradam wszystko ze skrytek twojego Niemca? Tego pieprzonego Freytaga?

– Uspokój się, Edmund! Nic nie wiesz o Freytagu, to nie wyklinaj. Po prostu zapomniałam ci o tej desce powiedzieć.

– Czy ty masz mnie za głupiego?

– Upiekę ciasto. – Matka postanowiła załagodzić awanturę na słodko. – Chcecie sernik czy drożdżowe?

– Drożdżowe, z rodzynkami. – Skorzystałem z okazji, że ojciec zamilkł urażony.

Kiedy słodki zapach rozchodził się po mieszkaniu, przyszła siostra Immakulata wiedziona szóstym zmysłem, ewentualnie po prostu zmysłem powonienia. Usiadła w kuchni za stołem i długo rozmawiała z matką po niemiecku.

Gdy wyszła, matka oznajmiła nam, że właśnie zaprosiła ją na wigilię, bo w święta nikt nie powinien siedzieć sam w domu. Z tego samego powodu przyjdzie też do nas panna Julianna. Już chciałem zauważyć, że jakby panna Julianna poszła do siostry Immakulaty, to żadna z nich nie byłaby sama, ale matka spojrzała na mnie takim wzrokiem, że natychmiast ugryzłem się w język.

– Jakby panna Julianna poszła na święta do Immakulaty, to żadna nie siedziałaby sama – zauważyła nieostrzeżona wzrokiem Tyrania i ponieważ okazała się złą chrześcijanką, musiała od razu pójść wyrzucić śmieci, chociaż to była moja kolej.

Pomyślałem, że może to i lepiej. Może moja rodzina będzie przy obcych zachowywać się w miarę normalnie. Święta bowiem bywają u nas trudne do zniesienia. Głównie z powodu historii, które się opowiada przy świątecznym stole. Przyjeżdżają krewni – za każdym razem niemal wszyscy, jakby szykowali się do ostatniej wieczerzy – przy czym są to wyłącznie krewni ze strony matki, ojciec bowiem z biegiem czasu stał się jakby sierotą. Chociaż gdzieś pod Opatowem miał swój dom, krewnych i ich groby, to z jakiegoś niejasnego dla mnie powodu najpierw przestał do nich jeździć, a potem nawet ich wspominać, tak jakby go wydziedziczyli z tego domu o słomianej strzesze i podłodze z gliny za karę, że związał się z Niemką. A może to on sam postanowił wydziedziczyć się z tej biedy, która przechodziła w spadku z pradziada na dziada, a w końcu miała przejść i na niego. Nie wiem, nigdy nie chciał o tym mówić, ale widać było, że ogrania go jakaś tęsknota i smutek, gdy podczas świąt pokój rozbrzmiewa niemieckim szwargotem. Czasami miałem wrażenie, że znów czuje się jak partyzant, tym razem otoczony przez Niemców już bez możliwości ucieczki.

Krewni matki ustawiali się przed zastawionym stołem i zaczynali od apelu poległych, wspominając tych, którzy rok lub dwa lata temu sami wspominali, a dziś są bohaterami kolejnych toastów. Zwyczaj panuje taki, że za każdego nieboszczyka trzeba wypić pięćdziesiątkę i opowiedzieć o nim anegdotę, przy czym zaczyna się opowiadać od najmłodszych stażem, więc na przykład dziadkowie są gdzieś dopiero w połowie drugiej butelki na głowę i nie każdy potrafi do nich doczekać. Matka ma głowę tak mocną, że wytrzymuje aż do pradziadka, kłócąc się przy tym ze swoim bratem o chronologię pogrzebów, która jest wprawdzie oczywista, ale z punktu widzenia anegdot niektóre wydawały się pilniejsze i trzeba było pogrzeby poprzestawiać w czasie.

Zdumiewające było to, że matce nigdy historyjek nie brakowało, a niektóre trzymała w tajemnicy do samego końca jak asa w rękawie. Najmocniejszy był ten z roku, w którym spalił się Smok – wtedy przy wigilijnym stole zaskoczyła wszystkich krótkim opowiadaniem o śmierci wuja o imieniu Hans.

Matka miała sześciu braci – poza Kurtem i Frankiem byli jeszcze Hans, Max, Ben i Tom. Wszyscy nazywali się jednosylabowo, bo dziadek zwykł mawiać, że rodzina jest jak czujne stado, w którym mężczyźni nawołują się krótkim warknięciem.

Wuj Hans nie miał lekkiego życia głównie z tego powodu, że nie był bohaterem. Frank, jego starszy o godzinę brat bliźniak, służył w Luftwaffe, oblatywał prototypy nowych samolotów i dwa razy spadł z nieba, za co został wyróżniony Krzyżem Żelaznym oraz zdjęciem Hermanna Göringa z autografem. Wuj Max służył jako korespondent wojenny i robił głównie zdjęcia żołnierzy niemieckich, uśmiechniętych przed wyruszeniem z okopów. W swoim pokoju miał wielki portret Leni Riefenstahl z dedykacją, albowiem podobnie jak Hans był zbieraczem autografów. Wuj Tom, najstarszy z braci, był kapelanem wojskowym, dość nieszczęśliwym, bo nie popierał wojny, a jednak musiał tłumaczyć żołnierzom powody, dla których na klamrach ich pasów widnieje napis „Gott mit uns". Nawet matka, chociaż wówczas dopiero szesnastoletnia dziewczyna, miała już za sobą pierwsze sukcesy: awansowała na dowódcę sekcji w formacji Bund Deutscher Mädel, a poza tym, ponieważ przypominała niezwykle popularną aktorkę Olgę Czechową, wystąpiła w dwóch filmach propagujących bardzo modne wśród niemieckiej młodzieży łucznictwo, dzięki czemu, w odróżnieniu od swoich braci, to ona rozdawała nagrody w postaci swoich osobiście dedykowanych zdjęć. Był jeszcze wuj Ben, najmłodszy z nich wszystkich i okryty chyba jakąś zmową milczenia, bo wiedziałem o nim tylko tyle, że zaginął na froncie. Kiedyś dziadek się upił i wymknęło mu się, że wuja Bena Niemcy najpierw zatrzymali za dezercję, a potem wysłali do karnej kompanii aż pod Kursk.

A wuj Hans? Nawet do wojska go nie chcieli. Próbowali wcielić go do armii parę razy, ale wuj dysfunkcję miał taką, że mdlał pod wpływem emocji. Dziadek, jak już płynęło w jego krwi nieco alkoholu, opowiadał, że to jakaś klątwa Freytaga – Hans uważał, że skoro nazywa się König tak jak bohaterowie powieści *Die Ahnen*, to jego życiorys może być ciągiem dalszym losów tamtego rodu. Wierzył, że między jego rodziną a Freytagiem i bohaterami jego powieści musi istnieć magiczny związek. Trudno powiedzieć, ile w tym magii, ale rzeczywiście istniały pewne podobieństwa. Wuj Hans, podobnie jak Gustav Freytag, był na przykład w dziwny sposób uczulony na wojsko.

Gdy pod koniec lat trzydziestych dziewiętnastego wieku pisarz dostał wezwanie do komendy uzupełnień we Wrocławiu, jego organizm zareagował gorączką tak wysoką, że trzeba było pilnie wzywać lekarza. Ojciec Freytaga pojechał do regimentu ze stosownym orzeczeniem i pisarzowi nieco się polepszyło, ale gdy doszła go wieść, iż mimo zaświadczenia ma natychmiast się zameldować, gorączka wróciła i była tym razem tak uporczywa, że zadziwiła nawet komisję lekarską. Gdy w końcu ozdrowiał, wcielono go do wojska, na co natychmiast znów zareagował tak wysoką gorączką, że czym prędzej odesłano go do lazaretu. Po kolejnym ataku temperatury komendant machnął na poborowego ręką i tak wielki pisarz Niemców, piewca silnych Prus, został z powodu uderzeń gorączki uznany za niezdolnego do służby w wojsku pruskim.

Podobnie było z wujem Hansem. Otrzymał wezwanie do wojska – zemdlał. Nazajutrz opanował się nieco i nawet przeczytał je na głos dwa razy, trzymając się dzielnie. Gdy się jednak spakował i zaczął żegnać z dziadkiem, znowu zemdlał. Na drugi dzień na wszelki wypadek już się nie żegnali. Wuj zemdlał dopiero na dworcu na widok pociągu wojskowego. Pojechał zemdlony. Nie wiadomo, co przez miesiąc działo się z wujem. Po miesiącu wrócił uśmiechnięty. Zemdlał dopiero wówczas, gdy od babci dostał po twarzy mokrą szmatą. Bo to przecież wstyd, żeby w domu siedział, podczas gdy wszystkie chłopy ze wsi walczą.

A potem wszystkie chłopy bohatersko ginęły. Jeden sąsiad w walce na bagnety. Drugi podczas inwazji na Normandię. Poległ na plaży. Nigdy wcześniej nie był nad morzem, zresztą nikt z całej wsi nie był przed nim nad morzem – on pojechał na plażę pierwszy. Brat babci zginął podczas pożaru fabryki zbrojeniowej, ratując sekretarkę zarządzającego fabryką generała. Sypiał z nią regularnie, ale po kryjomu, chociaż i tak równie bohatersko, bo każdego jej zalotnika generał profilaktycznie odsyłał na front. Miłość i wojna wymaga ofiar, mawiał nadzwyczaj celnie. Wuj Tom poległ, niosąc ostatnią posługę. Wuj Max oddał życie za ojczyznę nieco na siłę, bo ojczyzna jeszcze jego życia nie chciała, ale on się uparł, żeby zrobić zdjęcie fotoreportażowe żołnierzy, którzy stawiają pole minowe, i pewnie dobrze by się to skończyło, gdyby nie światło. Od strony okopów przeszkadzał mu księżyc w pełni świecący prosto w obiektyw, więc postanowił ustawić się między żołnierzami a księżycem, tak aby światło mieć za plecami. W tym celu obszedł ich szerokim łukiem, po czym, kierując się ku upatrzonej pozycji, wszedł na świeżo ustawione pole minowe. A wuj Hans? Jak zginął wuj Hans? Jak zginął wuj Hans, skoro w rodzinie mężczyźni ginęli śmiercią ewidentnie bohaterską, a wujowie Kurt i Frank żyli jeszcze tylko przez nieuwagę losu?

Było tak. Gdzieś w połowie 1941 roku wuj Frank został wysłany nad Grecję. Strącili go, wzięli do niewoli, ale po dwóch tygodniach Grecja skapitulowała, a wuj wrócił do domu kontenerowcem pełnym zrabowanych dzieł sztuki oraz arbuzów. Arbuzy płynęły jakby przy okazji, gdyż w tym transporcie dzieł sztuki nie było zbyt wielu.

W porcie udało mu się znaleźć kierowcę z ciężarówką, który miał rozkaz, by zameldować się pod Wrocławiem, a że samochód wiózł tylko kilka skrzynek jakiejś dokumentacji, dopełnili go arbuzami – może gdzieś po drodze na coś się je wymieni. Po paru dniach byli w domu, z ładunku arbuzów została połowa, ale i tak na tyle dużo, żeby obdzielić wszystkich sąsiadów.

Wieczorem urządzono kolację powitalną, podczas której wuj zademonstrował nabytą w Grecji umiejętność picia wódki z wydrążonego arbuza i zagryzania jej kawałkami pływającego w nim owocu. Wuj Frank i kierowca ciężarówki, zmęczeni drogą, upili się już przed północą. Kobiety sprzątały ze stołu, kiedy wuja dopadło pragnienie. Zlały więc resztki czystego soku do wielkiej czary z wydrążonego arbuza, postawiły mu ją przed nosem i poszły spać. Wuj Hans czas jakiś wpatrywał się w taflę soku, może nawet kontemplował w niej swoje odbicie, po czym usnął znużony, a może po swojemu zwyczajowo zemdlał, tak jednak nieszczęśliwie, że zwiesiwszy głowę, zanurzył nos i usta w owocowej toni, topiąc się tym sposobem w łupinie wydrążonego arbuza.

Wezwany rano lekarz orzekł zgon, stwierdzając w urzędowym dokumencie, iż „śmierć nastąpiła w wyniku uduszenia na skutek zablokowania dróg oddechowych cieczą znajdującą się w arbuzie". I w ten oto sposób nieszczęsny wuj Hans, który nie potrafił dorównać swoim braciom za życia, zrównał się z nimi w momencie śmierci równie absurdalnej i niepotrzebnej jak ich. Jednak – w odróżnieniu od setek tysięcy ludzi poległych w walce na bagnety – on zmarł chyba jak nikt inny na świecie, bo kto gdziekolwiek słyszał o człowieku, który utopił się w arbuzie?

23.

Atlantyda,
moja krótkotrwała ojczyzna

Wuj Kurt przywiózł mi pod choinkę dżinsy ze skórzaną nalepką „Rifle". Moje pierwsze prawdziwe dżinsy. W polskich sklepach dewizowych kosztowały osiem dolarów, czyli połowę średniej pensji. Do tej pory nosiłem dżinsy nieprawdziwe, co łatwo było poznać i po obrzydliwym kolorze roboczego drelichu, i po tym, że w ogóle nie farbowały w praniu. Miały nalepkę z wizerunkiem psa Szarika z *Czterech pancernych* i przynosiły wstyd właścicielowi. Próbowałem się ratować, trąc je na kolanach pumeksem, ale prędzej można było wydrapać w nich dziurę, niż zetrzeć ten okropny kolor.

Tyrania też zazwyczaj dostawała „szariki", a jako dziewczyna obeznana z praktykami mody podpowiedziała mi, że przed wyjściem z domu należy wcierać w nie talk, a wówczas nabierają koloru mniej więcej pożądanego. Niestety podczas chodzenia talk się trochę osypywał, a podczas prania całkowicie schodził, więc zabieg talkowania trzeba było powtarzać za każdym razem. Kiedyś Tyrania spieszyła się na randkę i malując w łazience oczy, poprosiła, żebym natarł jej spodnie talkiem, bo Rudy Tomek czeka już na dole. Wziąłem jej spodnie do kuchni, ale nie mogłem znaleźć talku, więc sięgnąłem po pojemnik z napisem „Sago" i wtarłem w dżinsy mniej więcej pół kilo mąki ziemniaczanej, wierząc, że to na jedno wychodzi. Spodnie nabrały koloru prawdziwych dżinsów do tego stopnia, że Tyrania nawet pocałowała mnie w policzek, co zdarzało się wyłącznie z okazji moich imienin.

Mniej więcej po kwadransie zaczął padać deszcz, a parę minut później wpadła do domu Tyrania strasznie zapłakana ze wstydu, jaki przyniosły jej przed Rudym Tomkiem dżinsy, na których pojawiły się obrzydliwe gluty z mąki, co wyglądało gorzej niż niemodnie.

Oprócz prawdziwych dżinsów dostałem pod choinkę książkę Juliusza Verne'a. Prezent wcale nie wydawał mi się skromny, chociaż widać było na nim ślady po herbacie. W tamtych czasach po gazety stało się w kilkunastometrowych kolejkach, a i tak nie dla wszystkich wystarczało, książki zaś były towarem na tyle deficytowym, że po powieść Verne'a Tyrania poszła do antykwariatu. Ślady zużycia były jednak nieliczne, a kunsztowność wydania rekompensowała je całkowicie. Oglądałem powieść z zachwytem. Już tytuł obiecywał niesamowite przeżycia: *Dwadzieścia tysięcy mil podmorskiej żeglugi*. Okładkę zdobiła rycina, na której we wnętrzu łodzi podwodnej stał kapitan Nemo i z założonymi rękami spoglądał przez wielki bulaj w ciemną toń oceanu, skąd nadpływała gigantyczna ośmiornica, machając mackami dwukrotnie przekraczającymi wysokość człowieka i łypiąc groźnymi ślepiami. Przewróciłem stronę tytułową i przeczytałem: „Wydanie czwarte z 19 ilustracjami i okładką Alphonse'a de Neuville'a. Nakład Gebethnera i Wolffa, 1928". Ten Alfons trochę mi przeszkadzał – było to imię, z którego wszyscy na podwórku się śmiali, i jak już nie było nic wesołego do opowiedzenia i wszystkie dowcipy zostały przypomniane, to zawsze ktoś rzucał w powietrze: „Alfons", i znowu było zabawnie. Szybko jednak przyznałem, że Alfons był artystą wybornym – jego ryciny, przedstawiające odległe lądy, dziwnych ludzi, niespotykane zwierzęta i głębie oceanów, kryły w sobie jakąś mroczną tajemnicę, nad którą pochylałem się w skupieniu, wpatrując się w detale godzinami.

Ochoczo oddałem się lekturze. Czytałem głośno, by wyobrażać sobie, że jest to słuchowisko w radiu, i nieświadomy jeszcze niczego, płynąłem wraz z kapitanem Nemo jego podwodnym Nautilusem, gdy nagle zobaczyłem śródtytuł, po którym zamilkłem osłupiały: „ATLANTYDA".

Atlantyda, o której tak często opowiadała mi babcia. Moja pra-ojczyzna. Miejsce urodzenia moich praprzodków. Powoli, z jeszcze większą uwagą, ponownie przeczytałem fragment opisujący, jak ubrani w specjalne skafandry śmiałkowie wędrują po dnie oceanu.

„Zarysowywały się przed nami malownicze ruiny, już wyraźnie pokazujące, że pochodziły z ręki człowieka, a nie Stwórcy. Nagromadzenia kamieni, tworzące zarysy zamków i świątyń, rozciągały się szeroko; pokryte było to wszystko światem zwierzokrzewów kwitnących; mchy i wodorosty, niby bluszcze, pięły się około tych ruin i odziewały je jakby płaszczem roślinnym.

Cóż to była za część świata? Kto poustawiał te skały i kamienie jakby na uroczyskach przedhistorycznych? Gdzież mnie przyprowadził ten fantasta, kapitan Nemo?". I dalej: „Jednym zamachem, w kilka minut, wspięliśmy się na szczyt wyższy od okolicznej masy skalistej, o jakie dziesięć lub dwanaście metrów. Spojrzałem w stronę, którąśmy przebyli. Góra nie wyżej się wznosiła nad siedemset lub osiemset metrów nad płaszczyznę. Po drugiej jednak stronie góry równina znajdowała się i wiele razy niżej. Wzrok mój sięgał daleko i obejmował przestrzeń oświetloną gwałtownemi wytryskami masy rozżarzonej. Ta góra była wulkanem! O pięćdziesiąt stóp poniżej szczytu wypływała z krateru rzeka lawy, rozlewającej się kaskadami ognistemi w otaczającym ją wodnym żywiole, a nad wszystkiem wznosiła się ulewa z kamieni i żużli. Wulkan ten zdawał się być niezmierną pochodnią i oświetlał niższą płaszczyznę, aż do granic widnokręgu.

Powiadam, że krater podmorski wyrzucał lawę, a nie płomienie. Płomieniom bowiem potrzeba tlenu z powietrza, a pod wodą go nie ma; potoki zaś lawy, mające same w sobie pierwiastki gorzenia, mogą się rozpalić do białej czerwoności, walczyć zwycięsko z otaczającym je płynnym żywiołem i ulatniać się w zetknięciu z nim. Gwałtowne prądy unosiły wywiązujące się gazy; potoki lawy spływały, aż do podstawy góry tak zupełnie, jak materje wyrzucane z Wezuwjusza na Torre del Greco.

Istotnie, patrzyłem na miasto zrujnowane, zapadłe w gruzy, zwalone, o dachach podruzgotanych, świątyniach zgniecionych, łukach i sklepieniach rozbitych, kolumnach powalonych na ziemię, a we wszystkiem znać było proporcje pewnego rodzaju architektury toskańskiej. Tam oto widnieją resztki olbrzymiego wodociągu; tutaj wzniesienie obmurowane akropolu, a śród niego lekkie kształty Partenonu, ówdzie ślady bulwaru, jakby otaczającego niegdyś starożytny port na brzegach zanikłego morza – a w nim okręty handlowe i trójrzędowe statki wojenne. Dalej jeszcze rysowała się linja długa murów zwalonych; znać było opustoszałe ulice, niby pogrzebana pod wodą Pompeja, którą kapitan Nemo wskrzesił dla mnie.

Gdzie więc jestem, na co patrzę? Za jakąkolwiek cenę pragnąłbym się o tem dowiedzieć. Chciałem mówić i już brałem się do zerwania sobie z głowy otaczającej ją kuli metalowej. Ale powstrzymał mnie kapitan Nemo, a podniósłszy kawałek kamienia kredowego, podszedł do skały z czarnego bazaltu i nakreślił na niej jeden wyraz: ATLANTYDA".

Byłem zafascynowany tym opisem i wiedziałem, że będę do niego wracał wielokrotnie. Zwłaszcza że ojciec mawiał, iż książki, której nie warto czytać więcej niż raz, nie warto czytać w ogóle. Miał taką teorię na temat książek i chyba na wszelki wypadek ich nie czytał.

Przyglądałem się rycinie, na której widniały ruiny Atlantydy, i zastanawiałem się, jak by to było, gdyby nie zatonęła i gdybym to tam się urodził – wśród Atlantów.

Potem pobiegłem do babci, która przyjechała do nas na święta, i pokazałem książkę Verne'a – długo czytała fragment o Atlantydzie, każdy wyraz śledząc palcem, po czym orzekła, że całość się zgadza, z wyjątkiem tych statków, które nie były trójrzędowe, lecz pierwszorzędne, bo na Atlantydzie wszystko było w najlepszym gatunku. Babcia dobrze mówiła po polsku, chociaż nie wszystko dokładnie rozumiała.

Kilka miesięcy później mieliśmy w szkole lekcję wychowania obywatelskiego, na której nowa nauczycielka tłumaczyła nam, że Wrocław to specyficzne miasto, bo równie dobrze można w nim spotkać ludzi, którzy pochodzą z Niemiec, jak i tych, co przyjechali tu ze wschodu. Od razu ktoś podniósł rękę i się pochwalił, że jego rodzice przyjechali ze Lwowa, a po nim zgłosił się ktoś z Wilna. Nauczycielka zapytała wtedy, czy dla równowagi jest wśród nas ktoś, kogo rodzice urodzili się tutaj przed wojną i byli Ślązakami, na co wstałem i oznajmiłem, że moja mama mieszkała przed wojną niedaleko Wrocławia, ale nie była Ślązaczką, lecz Niemką. Nauczycielka zaczęła tłumaczyć, że tutaj żadnych Niemców nie było, co najwyżej właśnie Ślązacy, którzy zawsze mówili po polsku, chociaż z akcentem niemieckim. Trochę się zdziwiłem, bo babci do tej pory z trudem przychodziło czytanie po polsku, a matka nadal liczyła tylko po niemiecku, więc zacząłem coś przebąkiwać o tym, że chyba jednak mieszkali tu także Niemcy, być może w jakieś niedużej ilości. Któryś z chłopców wstał i dwa palce lewej ręki przyłożył pod nosem, co miało imitować charakterystyczne wąsiki, a prawą wyprostował ku górze z okrzykiem „Heil Hitler!". Klasa ryknęła śmiechem, a ja ze wstydu zrobiłem się czerwony i chcąc jakoś uciec od tego Hitlera, zacząłem tłumaczyć, że tak naprawdę to moi dawni przodkowie nie są ani ze Śląska, ani z Niemiec, tylko z Atlantydy, i nazywają się Atlanci. Nauczycielka spojrzała na mnie jak na wariata, po czym wzięła encyklopedię i przeczytała na głos, że atlant to w architekturze postać, która określony element architektoniczny, na przykład balkon, podtrzymuje rękoma, barkami lub głową. Klasa zwijała się już ze śmiechu, a ja się trząsłem z oburzenia. Jak ta nauczycielka to sobie wyobraża? Że na Atlantydzie żyli mężczyźni z balkonami na głowach? No po prostu idiotka, a nie nauczycielka, powinna dostać dwóję. Niemniej jednak to nie ona, lecz ja dostałem dwóję wraz z uwagą w dzienniczku, by rodzice przyszli do szkoły.

Kilka dni później ze szkoły wróciła zdenerwowana matka i stanowczym głosem zabroniła mi, bym kiedykolwiek opowiadał komuś o tych historiach z Atlantami. Próbowałem się bronić, mówiąc, że przecież babcia wielokrotnie mi o nich opowiadała, a poza tym mam książkę Juliusza Verne'a, gdzie wszystko jest opisane, a ilustracje są tak dokładne jak zdjęcia. Przyniosłem ją z pokoju i chciałem pokazać, jakie te ilustracje są wspaniałe, ale matka machnęła ręką, jakby chciała się odgonić od uprzykrzonej muchy, i przyznała, że owszem, w niemieckich szkołach kiedyś uczono o Atlantach i ona sama też wielokrotnie o nich słyszała, ale po przegranej wojnie wszystko się zmieniło i teraz lepiej już o nich nie wspominać. A jeśli jeszcze raz powiem w szkole coś równie głupiego, to wrzuci do pieca wszystkie książki Verne'a.

Ojciec stał z boku i początkowo przysłuchiwał się w milczeniu, ale w końcu nie wytrzymał i powiedział:

– Hela, dlaczego mówisz dziecku o przegranej wojnie?

– A jak mam mówić?

– Niemcy przegrały.

– No właśnie.

– A my mieszkamy w Polsce. Ja jestem Polakiem. Ty masz obywatelstwo polskie. Dzieci są Polakami. Polacy wygrali wojnę. Niemców tutaj od dawna nie ma.

– Oj, Edmund! Tak mi się powiedziało.

– Nie powinnaś dzieciom mącić w głowie.

– Piotruś zdenerwował mnie tą Atlantydą.

– To twoja matka winna. To ona nagadała mu tych bzdur o Atlantydzie.

– Odczep się od moich rodziców! – krzyknęła matka i chociaż ja już nic nie mówiłem, tylko stałem cicho, wyszarpnęła mi z dłoni moją ulubioną książkę Verne'a, otworzyła drzwiczki pieca i wrzuciła ją w ogień.

Płakałem głośno, jakbym miał pięć lat, a nie dwanaście, leciały mi łzy i smarki, żal mi było książki i Atlantów, którzy nagle okazali się zmyśleni, a ojciec podszedł i przytulił mnie do piersi, i był tak smutny, jakby jemu też zrobiło się nagle tych Atlantów żal. Potem wziął mnie za rękę i poszliśmy do parku Południowego na sanki.

Koło górki przy torach zjeżdżaliśmy aż do zmroku, a gdy wróciliśmy do domu, przed bramą naszej kamienicy zobaczyliśmy łunę. Pomyślałem, że to zemsta Atlantydy.

– Chryste Panie, pali się! – krzyknął ojciec, przyspieszając kroku.

Ale to nie był pożar. W bramie spokojnymi ognikami płonęło kilkadziesiąt zniczy. Pielgrzymi z okolicznych parafii rozpalili je z okazji kolejnej miesięcznicy męczeńskiej śmierci Smoka, który – jak przekazywali sobie wierni – został spalony przez komunistów, broniąc prawdy i wiary.

24.

Listy w szufladzie z majtkami

Nie mam pojęcia, jak dorastają chłopcy, którzy nie mają starszych sióstr – w dorastaniu starsze siostry są niezbędne i chyba głównie po to zostały wymyślone. Zacząłem podglądać Tyranię. W podglądaniu najprzyjemniejsze jest domyślanie się. Domyślanie się jest przyjemniejsze od samego patrzenia. W patrzeniu już nic się nie zmieni, na patrzenie nie ma się wpływu, a domyślać można się wszystkiego, nie tylko tego, co się w końcu zobaczy. Moje dorastanie wyszło z ciekawością naprzeciw jej dojrzewaniu i obserwowało je z czerwieniejącymi uszami.

Przypadkiem odkryłem, że Tyrania prowadzi bogatą korespondencję z przyjaciółką. Wszystko jej opisywała – przez tydzień robiła zapiski, a potem wysyłała kilka stron zapełnionych drobnymi literkami. Listownik, drewniane pudełko z przegródkami na listy i papeterię, trzymała w szufladzie z bielizną, którą czasami oglądałem z poczuciem popełnianego występku. Lubiłem dreszcz emocji, który towarzyszył zaglądaniu do szuflad zakazanych. Po raz pierwszy poczułem go, wyciągając z kredensu w przedpokoju pistolet. Później czułem ten dreszcz, dotykając rzeczy Freytagów – munduru, naturystycznych broszur z nagimi kobietami, bagnetu z gotyckim napisem, pierścienia, który na nas patrzył.

W wieku dwunastu lat wszystko zaczęło się zmieniać. Hitlerowski mundur interesował mnie już mniej niż majtki mojej siostry.

W większości były gładkie, ale niektóre miały jakieś wzroki lub napisy, głównie po niemiecku. Oczywiście z paczki od ciotki Kerstin. Najbardziej podobały mi się takie z nazwami dni tygodnia – było ich siedem w komplecie, jedna para na jeden dzień, co wydawało mi się dziwactwem, bo ja jedną parę majtek nosiłem przynajmniej przez tydzień. Któregoś dnia zauważyłem, że w komplecie brakuje majtek z napisem „Samstag", i było to podejrzane, bo w soboty umawiała się zazwyczaj na randki z Rudym Tomkiem.

Listownik leżał na dnie szuflady przewiązany sznurkiem. Zaglądałem do niego parę razy, głównie z ciekawości, czy Tyrania nie pisze jakichś nieprawdziwych rzeczy o mnie, na przykład że nie wpuszczam jej do łazienki albo coś w tym rodzaju. Ale nie pisała, w ogóle o mnie nie wspominała, tak jakbym w jej życiu niewart był uwagi. Nawet smutno mi się zrobiło z tego powodu, bo pomyślałem, że jak kiedyś ktoś te listy przeczyta, to nawet się nie dowie o moim istnieniu. Postanowiłem zatem coś zrobić, żeby Tyrania napisała także o mnie, a nie tylko o sobie.

Nazajutrz wyszedłem przez kuchenne okno na gzyms biegnący dookoła domu i przeszedłem nim aż do okien salonu, do którego wskoczyłem z okrzykiem tryumfu. Matka złapała się za serce, a ojciec za pasek. Dostałem siedem razów w tyłek – zawsze dostawałem siedem, bo siedem to dobra liczba na szczęście – ale się nie rozdarłem, w końcu dwanaście lat zobowiązuje. Przez kilka dni nie miałem dostępu do pokoju Tyranii, lecz w końcu udało mi się dotrzeć do listownika. Moja wredna siostra napisała tylko tyle: „Boże, jak ja się męczę w tym domu, chętnie bym się już wyprowadziła, ojciec czepia się wszystkiego, a mój brat jest tak głupi, że chodzi po gzymsie, i to kiedy rodzice są w domu, jakby nie wiedział, że dostanie za to w dupę". I tyle potomność się dowie o moim istnieniu.

Chciałem odłożyć listownik, gdy fragment następnego listu zwrócił moją uwagę: „tracisz taką czystość, która przypisana jest tylko dziewicom…". O rety, o czym ona pisze? O dziewicach? Jak to mówił ostatnio nasz ksiądz na religii? Zdechł smok, który pożerał dziewice, bo już nie miał się czym odżywiać. Tyrania zazwyczaj opisywała po prostu to, co się działo po szkole między nią a jej koleżankami. Nudy takie. Zacząłem czytać – powoli, bo pismo Tyranii było wyjątkowo niestaranne.

„Droga przyjaciółko, przed chwilą się wzruszyłam, bo... bo pomyślałam o utraconej niewinności. Ja Ci chyba kiedyś o tym pisałam, a może i nie. Na obozie mieszkałam z dwiema dziewicami. Jedna z nich jest samotna. Druga ma chłopaka od siedmiu miesięcy, wiesz, taka pierwsza, czysta i poważna miłość. Siedzieli w drugim pokoju i oglądali kolorowe tygodniki, które moja matka przywiozła z Niemiec. W pewnym momencie pomyślałam, że może już nie oglądają, tylko wędrują po sobie rękoma i sprawdzają swoje granice. Pytają się, czy mogą je przekroczyć, ale potwornie się boją. Że ciąża, że potem wszystko będzie inaczej, że on chce tylko seksu... takie obawy, które każda z nas miała na początku. Ja też. Ale wtedy pachniałam truskawkami. Nie wiem, czemu cały czas myślę, że jako dziewica pachniałam truskawkami. Może faktycznie tak pachniałam, a może bardzo w to wierzę i przyjęłam to za prawdę. Nie umiem Ci tego wyjaśnić, ale to się po prostu czuje, że tego już nie ma. Okropnie tęsknię za tamtym zapachem. Ale może w to miejsce przychodzą inne zapachy lata? Poczekajmy, aż zima się skończy, to wtedy Ci powiem".

Zamknąłem listownik i odłożyłem go na miejsce. Zdumiewające! Moja siostra uprawia seks. Prawdziwy seks jak dorośli ludzie.

Do Tyranii czasami przychodzili koledzy ze szkoły. Zamykała się z nimi w swoim pokoju i głośno puszczała muzykę. Ojciec od czasu do czasu wykręcał korki, po czym, szukając zwarcia, wchodził od razu do jej pokoju, żeby sprawdzić, czy ono aby u niej nie nastąpiło. Tyrania zazwyczaj nie dopuszczała do zwarć, ale jak skończyła siedemnaście lat, to zaczął przychodzić do niej Rudy Tomek, starszy o dwa lata, całkiem dorosły i z pryszczami, z których powodu miał męskie potrzeby. Słyszałem przez drzwi, jak tłumaczył to Tyranii, a ona chlipała, bo chyba do męskich potrzeb jeszcze nie dorosła. Rudy Tomek był jednak uparty i w końcu doszło widocznie do zwarcia u Tyranii, bo ojciec wyrzucił go za drzwi.

Zamknęli się potem z matką we troje w kuchni i strasznie krzyczeli na Tyranię, że daje się macać po piersiach, co było oczywistą niesprawiedliwością rodzicielską, bo przecież Tyrania piersi nie miała. Wprawdzie czasami suszyły się w łazience dwa staniki, które dostała w paczce od ciotki Kerstin, ale przymierzyłem je kiedyś dla zabawy i były na mnie tak samo dobre jak na moją siostrę.

Stałem pod drzwiami w kuchni i podsłuchując awanturę, doszedłem do wniosku, że prawdopodobnie budzą się u mnie męskie potrzeby jak u Rudego Tomka. Może nie na taką skalę, żeby z tego powodu doszło w całym domu od razu do zwarcia, ale jakieś mrowienie ciała, przepięcie w podbrzuszu, delikatny prąd, biegnący wewnętrzną stroną ud, poczułem wyraźnie. Wyobrażałem sobie, jak Rudy Tomek szuka piersi na ciele Tyranii, i nagle zaschło mi w gardle. Pot wystąpił na czole, dłoniach i plecach, a w brzuchu zrobiło się gorąco i jakoś tak przyjemnie, ale mdławo, jakbym się napił dwa razy posłodzonej herbaty.

Prawdopodobnie po raz pierwszy w życiu poczułem podniecenie seksualne. To wstyd, że z powodu mojej siostry i Rudego Tomka, ale nic na to nie poradzę. Do tej pory uważałem, że jestem doświadczony seksualnie, bo kilka razy widziałem piersi Money Lizy – prawdziwe, duże i kołyszące się, a nie szukające dopiero w życiu perspektywy jak u Tyranii – ale gdy poczułem to dziwne przepięcie w podbrzuszu, to zrozumiałem, że jest jakaś absolutnie nowa sfera życia do tej pory przede mną ukryta. Bardzo chciałem być wtedy od razu taki jak Rudy Tomek – jeśli nie starszy, to przynajmniej z pryszczami.

Raz pobudzone przepięcie nie chciało już dać mi spokoju i od tego dnia coraz częściej myślałem o rzeczach do tej pory zupełnie mi obojętnych, a nawet nieprzyzwoitych. Gdy przypominałem sobie piersi Money Lizy, to miałem wrażenie, że są one dla mnie na wyrost, potrzebowałem czegoś na mój wiek.

Ze trzy, może cztery lata wcześniej, gdy mieliśmy chyba po osiem lat, Laurka pozwoliła mi na cmentarzu dotykać swoich piersi, chociaż oboje nie wiedzieliśmy po co. Nawet nie wiem, skąd nam to wówczas przyszło do głowy, skoro nie było w tym nic zabawnego. Ja pokazywałem jej bicepsy i kazałem sprawdzać, jakie są duże. Laurka bicepsów nie miała, więc może dlatego wpadliśmy na pomysł, żeby dotykać jej piersi, bo i w dziewczętach coś przecież musiało być przeznaczone do dotykania.

Przy najbliższej okazji zapytałem Laurkę, czy znów mogę dotknąć jej piersi. Siedzieliśmy na schodach, łuskając słonecznik.

– A dlaczego chcesz to zrobić? – zapytała, nie przerywając dłubania.

– Nie wiem. Tak po prostu. Chcę.

– A dlaczego chcesz?

– Nie wiem. Tak po prostu w środku czuję, że chcę.

– Ale jak w środku?

– No w środku. W człowieku. We mnie.

– Ale w sercu?

– Nie, to nie jest w sercu.

– No to gdzie?

– Nie wiem.

– A jak to czujesz?

– Tak jakbym chciał siku.

Przez dłuższą chwilę milczała.

– Tak jakbyś chciał siku?

– No tak czuję w środku, że chcę.

– Mama mówiła mi, że chłopcy są dziwni.

Tym razem ja zamilkłem.

– To chyba miłe, że chcesz dotknąć moich piersi – powiedziała po chwili Laurka.

– To mogę?

– Ale kiedy indziej.

– Kiedy?

– Jak poczujesz to w sercu, a nie tam, gdzie chcesz siku.

Westchnęła, a ja zrozumiałem, że wie o pewnych sprawach znacznie więcej niż ja. Westchnąłem i ja, po czym w milczeniu skubaliśmy słonecznik. Nie wiem, o czym wówczas myślała, natomiast ja zastanawiałem się, jak to będzie, gdy poczuję w sercu, że chcę dotknąć jej piersi tak bardzo, jakby chciało mi się siku.

25.

Koperty z hitlerowską wroną

Z zazdrością oglądaliśmy stojący pod domem wóz wuja Kurta. Nasz pierwszy samochód to była prototypowa syrena nabyta z okazji moich urodzin, by na wakacje jeździć nad Bałtyk i wdychać jod, bo to zdrowe dla każdego. Miała dach z płyt pilśniowych, który podczas deszczu przeciekał, dlatego ojciec w końcu ją sprzedał i kupił czteroletnią syrenę 100, o tyle nowocześniejszą, że dach miała z klepanej ręcznie blachy i już nie przeciekała.

Wuj przyjechał oplem kapitänem, który niedawno wszedł do produkcji, i było to auto jak z innego świata. Zgrabne, nowoczesne i lśniące chromem. W środku skórzane siedzenia i automatyczna skrzynia biegów. Silnik ponaddwulitrowy, podczas gdy nasza syrenka nie miała nawet litra. Stanął naprzeciw syreny, która wybałuszyła reflektory i wyglądała, jakby miała wytrzeszcz.

– Ale wóz – z zachwytem jęknął ojciec.

– Też byś już dawno taki miał, Mundek, jakbyście w końcu zdecydowali się wyjechać. A wy siedzicie w tej Polsce nie wiadomo po co – judził wuj. – Kiedy w końcu wyjedziecie?

– A, pewnie już niedługo – skłamał ojciec dla świętego spokoju.

Temat wracał wielokrotnie podczas wizyt gości z tamtej strony granicy, aż wszyscy nabraliśmy głębokiej wiary, że nasze dni w Polsce są policzone, chociaż jeszcze nie wiadomo, do ilu.

Wuj przywiózł cały bagażnik trudno dostępnych w Polsce frykasów – mandarynek, czekolad, gum do żucia – oraz karton zup w proszku Knorr, które matka dodawała do niedzielnych rosołów, uzyskując mało wówczas znany smak luksusu na bazie glutaminianu sodu.

Przyjechali we czworo, z ciotką i dwiema kuzynkami, które od razu zamknęły się w pokoju z Tyranią, by opowiadać sobie sekrety. Od zwykłych historii sekrety różnią się tym, że opowiada je się na ucho lub za zamkniętymi drzwiami.

W Wigilię zeszła do nas siostra Immakulata, tym razem jednak ubrana nie w szary habit, lecz w czarną spódnicę i czarny sweter z wielkimi jak krążki do hokeja guzikami. Po niej przyszła panna Julianna, która w takim dniu także nie powinna być sama w domu, więc usiadła z nami przed telewizorem i razem czekaliśmy na sygnał ojca, który obserwował niebo, by ustalić, która gwiazda będzie pierwsza.

Panna Julianna założyła bardzo elegancki czarny kostium, a na jej szyi błyszczała złota Bellona, kobieta w hełmie z pióropuszem, taka jak te z ksiąg Freytagów, i wyglądało na to, że panna Julianna pasuje nam do kompletu. Moja matka miała na sobie suknię, też czarną, i te trzy ubrane na czarno kobiety sprawiałyby wrażenie powszechnej żałoby, gdyby nie kostium ciotki, która ubrała się na różowo. Ciotka zawsze ubierała się na różowo, nosiła okulary w złotych oprawkach oraz torebki na złotych łańcuszkach i od razu było widać, że jest z zagranicy.

Gdy ojciec zobaczył, która gwiazda jest pierwsza, połamaliśmy się opłatkiem, a matka zmówiła modlitwę.

– *Vater unser im Himmel, geheiligt werde Dein Name. Dein Reich komme, Dein Wille geschehe, wie im Himmel, so auf Erden* – modliła się większość gości, powtarzając za matką.

– Ojcze nasz, któryś jest w niebie, święć się imię Twoje. Przyjdź królestwo Twoje, bądź wola Twoja, jak w niebie, tak i na ziemi – modlił się ojciec, Tyrania i ja.

Ojciec nie był zbyt religijny, ale jeśli widział, że się czasami szykujemy z babcią do modlitwy przed snem, to nie pozwalał nam zmawiać pacierza po niemiecku, lecz kazał się modlić po polsku. Pod tym względem zachowywał się patriotycznie – bronił naszych dusz przed zniemczeniem. Sam był przy tym katolickim optymistą w sposób właściwy dla większości Polaków – chodził do kościoła tylko kilka razy w roku, a i tak wierzył, że pójdzie do nieba.

Wuj położył koło siebie cienki plik starych listów związanych wstążką. Odkąd pamiętam, wyciągał te listy i kładł je na naszym wigilijnym stole przy pustym talerzu, który zostawia się dla zbłąkanego gościa. Na kopertach widniał okrągły stempel poczty polowej, na górze był napis „Feldpost", a pod spodem wrona z rozłożonymi skrzydłami trzymająca swastykę w szponach. U innych pod obrusem było siano, a u nas żółte koperty z hitlerowską wroną.

Co roku pytaliśmy wuja o ich zawartość, a on odpowiadał, że to listy od jego brata Bena, który zaginął na froncie, ale jak będą tu leżeć obok czekającego talerza, to Ben w końcu się odnajdzie i do nas wróci. Nie chciał jednak zdradzić ich treści, mówiąc, że jeszcze nie teraz, tak jakby to „teraz" wymagało osobnego czasu niż teraźniejszy. Uznaliśmy w końcu, że to jakieś niezrozumiałe dziwactwo, niech więc listy będą z nami, niech czekają na zaginionego wuja. W końcu, szczerze mówiąc, lepszy zamknięty w sobie list niż nieproszony gość, jakiś niewymyty włóczęga, który mógłby do nas trafić w poszukiwaniu tradycyjnie oczekującego talerza.

Nie wiem, o czym w normalnych rodzinach opowiada się przy świątecznym stole. U nas opowieści te zawsze były trochę dziwne, z pogranicza wojennej grozy. Tym razem wuj Kurt wspominał sytuację z wojny, gdy jako żołnierz Wehrmachtu biegł w tyralierze i widział, jak odłamek pocisku urywa głowę żołnierzowi obok – to był jego kamrat z wioski, razem wcielili ich do wojska, a mieli wtedy po szesnaście lat. Jak ta głowa została nagle w tyle, przerażony wuj pomyślał: „*Scheisse*, trzeba po nią wrócić, nie można biec dalej bez głowy". Ale tu akurat się mylił, bo sąsiad bez głowy biegł nadal, nogi normalnie się ruszały, palec nie schodził ze spustu, kule zaś szły w głąb ziemi po omacku.

Potem, już w okopach, gdy było po wszystkim, bo nadleciały radzieckie myśliwce i rozłożyły niemiecki oddział na zmarzniętej ziemi, rozmawiali tylko o tym: jak to jest możliwe, że pozbawiony głowy człowiek przebiega jeszcze kilkanaście metrów i w dodatku strzela.

Felczer tłumaczył, że ten bieg zapisany był w pamięci włókien nerwowych i dlatego, na tym krótkim dystansie do chwały, żołnierzowi głowa nie była już potrzebna. Natomiast oficer (młody kapitan, którego wysłano na front wschodni za to, że podejrzewany był o romans z żoną generała Walthera von Brauchitscha, głównodowodzącego Wehrmachtem podczas najazdu na Polskę) wyjaśnił znacznie prościej, że to wiara w Führera czyni cuda – sam widział podobne przypadki wiele razy, na froncie to nic szczególnego.

Chyba trzeci raz słyszałem tę opowieść – początkowo była historią snutą przez dziadka, który służył w tym samym pułku, a teraz stała się relacją wuja, bo rodzinne opowieści przechodzą z pokolenia na pokolenie. Pomyślałem, że jak będę kiedyś miał dziecko, to przy okazji świąt Wielkiej Nocy lub Bożego Narodzenia też je nastraszę opowieścią o żołnierzu biegnącym bez głowy.

Do dziś pamiętam ten strach, gdy usłyszałem ją po raz pierwszy. Nie mogłem potem zasnąć i gdy w sąsiednich domach dorośli śpiewali kolędy, a dzieci zasypiały z myślami o prezentach, ja leżałem w łóżku mokry ze strachu, a z każdego kąta pokoju machały do mnie przedsenne koszmary. Wtedy przyszedł ojciec, niosąc kubek ciepłego mleka i pachnący piernik. Ten piernik był obdarzony magiczną mocą, po drugim kawałku wszystkie lęki miały już pełne brzuszki i kładły się spać najedzone. Matka piekła go zgodnie z przepisem babci – to był dziwny przepis, pamiętam tylko, że wrzucała do ciasta fusy z czarnej kawy, mówiąc, że robi tak każda niemiecka czarownica.

Teraz też piernik znalazł się na stole i smakował prawdziwym miodem, rodzynkami, orzechami, cynamonem, goździkami, imbirem, kardamonem, anyżem, gałką muszkatołową i czymś ulotnym, ale absolutnie niezbędnym – tym czymś, co mają tylko ciasta pieczone przez matki na święta.

Kolacja mijała jak co roku, czyli ja z ojcem i Tyranią patrzyliśmy w telewizor – w Wigilię zazwyczaj leciał jakiś western, a ojciec uwielbiał, jak się strzelali – natomiast matka z rozpaczą co rusz pytała, czy jest wystarczająco wzniośle i patetycznie, bo dla niej prawdziwe święta musiały mieć nastrój, który pamiętała z dzieciństwa, kiedy to jeszcze nie było telewizorów. Patetycznie było w sposób raczej umiarkowany, bo strzelanina z Indianami rzadko bywa patetyczna, ale wszyscy zgodnie kłamaliśmy, że wzniośle jest jak nigdy dotąd, i nawet siostra Immakulata nam przytakiwała, nie chcąc nikomu robić przykrości.

Naprawdę wzniośle było przed świętami, gdy matka podczas sprzątania salonu słuchała oper Wagnera, tłumacząc Tyranii treść *Parsifala*. Przekonywała przy tym, że – podobnie jak Parsifal – Tyrania powinna wystrzegać się miłości zmysłowej z Rudym Tomkiem, bo rozsądek da jej życiową siłę w postaci ukończenia studiów, co się jej nie uda, jeśli zajdzie w ciążę, na co Tyrania się zaczerwieniła, a ja nabrałem podejrzeń, że matka również znalazła jej listownik. Potem usłyszeliśmy oboje historię Parsifala i moim zdaniem nie było tam nic o ciąży, ale może nie znam się na interpretacji.

Według Wagnera Parsifal był początkowo nieznanym nikomu wędrowcem, średniowieczne legendy mówią zaś, iż był towarzyszem króla Artura, jednym z rycerzy Okrągłego Stołu. Zapamiętałem, że *Parsifal* to historia o kielichu, którego Jezus używał podczas ostatniej wieczerzy. Kielich ten nazwano Graalem. W nim wino po raz pierwszy przemieniło się w krew, tak jak przemienia się do dziś podczas każdej Eucharystii. Po ukrzyżowaniu Chrystusa Graala pilnowały anioły, które potem przekazały go pod opiekę pierwszego strażnika, a miejsce, w którym to się stało, szybko zasłynęło z nadziemskich łask i rozkoszy.

Graal miał magiczną siłę udzielającą się tym, którzy brali udział w święcie jego uroczystego odsłaniania. Była to siła duchowa, pozwalająca każdemu zachować wieczną młodość, a rycerzy uczynić niezwyciężonymi. Natomiast cała cudowna moc kielicha mogła spłynąć na tego, kto został jego kolejnym strażnikiem, ale musiał to być człowiek o wielkich cnotach, pokorny, czysty, mężny i wierny. Taki jak Parsifal, który został kolejnym strażnikiem Graala.

Wagnera słychać było w naszym domu dość często – początkowo matka odtwarzała na gramofonie ebonitowe płyty pozostawione przez

Freytagów, potem wuj Kurt przysyłał jej winyle i całe mieszkanie wypełniały podniosłe dźwięki oper na przemian z tęsknymi piosenkami Édith Piaf; w moim dzieciństwie patos mieszał się z tęsknotą. Ojciec nie znosił tej muzyki, miał minę, jakby go bolały zęby. Sam śpiewał tylko partyzanckie piosenki, do których miał zdumiewającą słabość. Co roku jeździł na Festiwal Pieśni Partyzanckiej do Kraśnika, gdzie na scenie dominowały śpiewniki Gwardii Ludowej, ale poza sceną, przy ogniskach, najchętniej śpiewano pieśni AK. Ojciec poszerzał tam swój repertuar i w naszym domu z niemieckimi pieśniami matki mieszały się polskie pieśni partyzanckie, żołnierskie i powstańcze. Intonował je często, ale głównie przy goleniu albo podczas kąpieli – zza zamkniętych drzwi łazienki słychać było wtedy jego tubalny głos: „My ze spalonych wsi, my z głodujących miast, za głód, za krew, za lata łez już zemsty nadszedł czas".

Stawałem wtedy pod drzwiami i razem z nim nuciłem:

„Więc zarepetuj broń i w serce wroga mierz! Dudni nasz krok, milionów krok, brzmi partyzancki zew".

Matka starała się nas wtedy zagłuszyć swoimi pieśniami, a ojciec wychodził w końcu z łazienki i utyskiwał, że słuchanie *Parsifala* lub *Walkirii* to manifestacja polityczna. Twierdził, że wielkim fanem Wagnera i przyjacielem jego rodziny był bowiem Adolf Hitler, który wielokrotnie przyznawał, że z treści librett kompozytora czerpał polityczne inspiracje i dzięki nim stał się otwarty na wszelkie wyzwania, jakie niemiecki naród przed nim stawiał. Nie mam pojęcia, dlaczego muzyka tak otwiera ludzi – może to ze względu na klucz wiolinowy.

Czasami marzyłem o tym, że jestem takim Parsifalem, szukam Świętego Graala, mam niebezpieczne przygody i cudem uchodzę z życiem z mnóstwem ran, które opatruje Laurka. Tu jednak przypominało mi się, że strażnikiem kielicha może zostać tylko ten, kto wśród licznych cech ma także wolę rezygnacji z miłości zmysłowej, i popadałem w rozterkę. Chciałbym się bowiem z Laurką całować.

Western się jeszcze nie skończył, John Wayne nadal wymierzał sprawiedliwość swoim długolufowym winchesterem, gdy pomiędzy jednym a drugim strzałem usłyszałem dziwne słowa:

– Wczoraj znowu jacyś obcy byli w naszej piwnicy – powiedziała Tyrania. – Jestem pewna, że szukali skarbów.

Natychmiast odwróciłem się od telewizora.

– Skarbów? – zdziwiła się panna Julianna. – W naszej kamienicy?

– To niemożliwe – żachnął się wuj Kurt. – Mogli szukać od razu po wojnie, to co innego. Niemcy mieli pochowane kosztowności w różnych miejscach. Ale teraz? Ćwierć wieku po wojnie? Wszystko, co było do znalezienia, zostało już znalezione.

– W naszym domu nic jeszcze nie zostało znalezione – zauważyła Tyrania.

– Tato, a może jednak coś jest jeszcze do odkrycia w naszym domu? – zapytałem z nadzieją.

– Czytałam w „Słowie Polskim", że w domu przy Drukarskiej wybuchł gaz i jak osunęła się jedna ze ścian, to wśród cegieł znaleziono mnóstwo kosztowności, srebrne zastawy, złote kielichy i takie tam rzeczy – powiedziała Tyrania.

– Wtedy tych dwóch mężczyzn z Niemiec też o jakiś kielich pytało pannę Juliannę – przypomniał sobie ojciec. – Pokazywali nawet zdjęcie. Pani ten kielich widziała, prawda? – Odwrócił się do panny Julianny.

– Możliwe, że mężczyźni, których wczoraj spotkałam w piwnicy, to byli ci sami… – Tyrania chciała coś jeszcze powiedzieć, ale matka stanowczo jej przerwała:

– Przecież prosiłam cię, żebyś sama nie chodziła do piwnicy!

– Mamo! Przecież ja już mam osiemnaście lat!

– Poczekajcie – poprosił wuj Kurt i zwrócił się do panny Julianny:

– Widziała pani ten kielich? A jak wyglądał?

– Tak, widziałam, ale słabo to pamiętam – machnęła ręką panna Julianna.

– Był z metalu czy ze szkła? – zapytała matka.

– Chyba ze szkła… Tak, na pewno ze szkła.

– A kiedyś, jak opowiadałaś mi o Lutrze, to mówiłaś, że opowiesz mi, jak wyglądał ten kielich – przypomniałem sobie obietnicę matki.

– To dłuższa historia.

– Opowiedz! – przyklasnęła Tyrania.

– Jesteście już na tyle duzi, że mogę wam opowiedzieć – zgodziła się matka.

Część zapamiętałem wtedy z jej opowieści, resztę później dopowiedział mi pan Teofil, którego zawsze wypytywałem o szczegóły historyczne. A zatem – kiedy austriacki cesarz Ferdynand I wydał edykt przeciwko protestantom na Śląsku, Luter zrozumiał, że Habsburgowie decydują się na śmiertelną walkę z nową doktryną religijną. Ze Śląska do Wittenbergi, o której już się mówiło, że jest protestanckim Rzymem, zaczęły napływać coraz bardziej dramatyczne wieści. Kara groziła za wszystko – nie było mowy o jawnych nabożeństwach według nowego rytu, nawet spotkanie kilku mężów mogło się skończyć nakazem niszczenia domostw tych wiernych, na których doniesiono, że są protestantami lub udzielają im schronienia.

Rodziła się kontrreformacja, a cesarz Ferdynand miał wielkie ambicje. Marzył o odbudowaniu europejskiego cesarstwa na wzór wielkich przodków pod jednym berłem i w jednej wierze. Doktorzy z Wittenbergi wiedzieli wiele o Ferdynandzie, bo mimo niespokojnych czasów poczta działała znakomicie i po Europie bez zakłóceń krążyły listy. Te przychodzące z katolickiej, gorącej Kastylii pokazywały, że Habsburgowie nie cofną się przed niczym, by utrzymać władzę, bo we krwi mają ambicję, brak skrupułów i co najgorsze – szaleństwo.

Ferdynand był jednym z licznych i – o dziwo – zdrowych potomków Filipa Pięknego i Joanny Szalonej. Ojca nie mógł pamiętać, bo miał zaledwie trzy lata, gdy ten zmarł nagle, nie dożywszy trzydziestki. Jak bardzo Filip musiał być piękny, a Joanna szalona, skoro po śmierci nie pozwoliła pochować ciała swego męża? Ferdynand – przyszły cesarz – wiedział doskonale, że niespełna ćwierć wieku wcześniej na wszystkich dworach Europy szeptano, iż Joanna zupełnie już postradała zmysły i nie pozwala pochować ciała męża, nie dopuszczając nawet do siebie myśli, że ten nie żyje. Zanim ostatecznie rodzice Ferdynanda spoczęli razem w katedrze w Grenadzie, dwór Joanny Szalonej uczestniczył w zdumiewających ceremoniałach. Ciało Filipa było ubierane w szaty każdego dnia i rozbierane wieczorem. Joanna kładła się obok niego każdej nocy, a rankiem próbowała zbudzić pocałunkami. Służba nosiła ciało w lektyce, a nawet sadzała do stołu. Wiele wysiłków włożyli katoliccy hierarchowie w to, by Joanna zezwoliła włożyć ciało do trumny. Podobno przeważył fortel, że Filip, jedynie leżąc w trumnie, może liczyć na rychłe zmartwychwstanie.

Pamięć tych szaleństw była jeszcze bardzo świeża, kiedy Ferdynand, syn Joanny, brał się do czyszczenia Europy z heretyków. Tu, w Wittenberdze, otoczeni życzliwością niemieckich książąt doktorzy nowej doktryny mogli czuć się bezpiecznie. Ze Śląska dochodziły jednak coraz bardziej złowieszcze wieści. Luter wiedział, że kontrreformacja zacznie narastać, i słyszał o tym, jak skuteczny jest zakon jezuitów, których Ferdynand ściągnął do Wiednia, by tam zajęli się nie tylko edukacją cesarskich dzieci, ale przede wszystkim walką z luteranami.

Luter i jego współpracownicy wiedzieli, że nowe wyznanie przetrwa jedynie wtedy, gdy zagości nie tylko w sercach, lecz także głowach nowych wyznawców. Wszak tylko wykształceni mogą czytać, rozumieć i przekazywać mądrość następcom. Misję tworzenia szkoły, mogącej stać się wzorem dla protestanckich szkół, powierzono Valentinowi Friedlandowi zwanemu Trozendorfem, słynnemu wykładowcy, który kierując gimnazjum w Złotoryi, doprowadził je do takiego poziomu, że planowano przekształcić je w uniwersytet.

Trozendorf początkowo związany był z Wrocławiem, później jednak zaczął wyjeżdżać z naukami do Wittenbergi. Czerpał stamtąd wiedzę źródłową o nowej religii i wzmocniony duchowo wracał na Śląsk. To właśnie podczas jednej z kolejnych wizyt w Wittenberdze otrzymał z rąk Lutra ów słynny kielich. Z darem tym miał jeździć po Śląsku i nauczać, zakładać szkoły, podtrzymywać ducha reformacji.

Luter mu rzekł: „Nie mamy świętych obrazów, które mogłyby zaświadczyć, że to ty właśnie mówisz w moim imieniu. Listy nie są bezpieczne, bo cię zdradzą i ściągną na ciebie męczeńską śmierć. Potrzebujemy symbolu, dzięki któremu pewni będziemy wzajem swoich dobrych intencji. Już dwa lata minęły, jak Ferdynand prześladuje naszych braci na Śląsku. Potrzebują wsparcia i duchowej pomocy. Jedź do nich, zabierając ze sobą ten kielich, z którego czynić będziecie mszę pod dwiema postaciami. Na kielichu znajdujesz różę – symbol naszej wiary. Ten sam symbol w listach po świecie roześlę. Jeśli cię kto przywita, pokazując różę, wiedz, że to przyjaciel w potrzebie. I niech to dla wszystkich będzie znak nadziei i radości naszej wiary".

Wtedy, cytując Lutra, matka podeszła do biblioteczki i wyjęła książkę oprawioną w czerwoną skórę. Na okładce zobaczyłem wytłoczoną złotą różę. Nazwisko autora: Gustav Freytag, tytuł: *Martin Luther*. Matka zaczęła czytać opis róży z listu Lutra napisanego w 1530 roku, od razu tłumacząc na polski:

„Pierwszy ma być krzyż – czarny na tle serca. Serce ma być umieszczone w środku białej róży, pokazywać, co przynosi radość, pociechę i ukojenie w wierze. Dlatego róża powinna być biała, a nie czerwona, ponieważ kolor biały jest kolorem duchów i wszystkich aniołów. Róża ta znajduje się na błękitnym polu, jako że taka radość ducha i nadzieja oznaczają początek radości niebiańskiej w przyszłości. Wokół tego pola umieszczony jest złoty pierścień, ponieważ błogość w niebie trwa wiecznie i nie ma końca, i droga jest ponad wszelką radość i dobra, tak jak złoto jest najdroższym metalem szlachetnym".

Matka odłożyła książkę i opowiadała dalej.

Dziś niewiele osób wie, jak wyglądał kielich Lutra. Wiadomo, że w podróż na Śląsk wyruszył wraz z Trozendorfem w specjalnie skonstruowanej skrzyni, która miała tak zbudowane wewnętrzne ściany, że po jednej stronie stał kielich ze złota i Biblia w języku łacińskim, a po naciśnięciu specjalnego zamka tylna ściana obracała się o sto osiemdziesiąt stopni, ukazując właściwy kielich oraz

Biblię po niemiecku w tłumaczeniu samego Lutra. Pomysłodawca renesansowego sejfu podróżnego zakładał, że gdy dojdzie do grabieży, napastnicy zabiorą złoto, nie troszcząc się o ciężkie opakowanie. Na skrzynkę natrafiono jeszcze w siedemnastym wieku i została dokładnie opisana, dzięki czemu sporo możemy powiedzieć o samym kielichu. Był wysoki na mniej więcej trzydzieści dwa centymetry, średnica czaszy miała około jedenastu centymetrów, a podstawa była o centymetr węższa. Ci, którzy go wtedy widzieli, opisywali go jako dar najcenniejszy z cennych – zrobiony był najpewniej ze szkła weneckiego, bo w skrzyni powtarzał się motyw skrzydlatego lwa.

Lew to symbol Marka Ewangelisty. Choć protestanci do świętych podchodzą z rezerwą, święty Marek jest wyjątkiem. To ewangelista, autor najstarszej i najkrótszej Ewangelii. Spisał katechezę samego świętego Piotra i brał udział w podróżach misyjnych ze świętym Pawłem, dlatego jest patronem podróży w „dobrej sprawie". Do niego zwracali się dmuchacze szkła, malarze na szkle i witrażyści, malarze fresków i kartografowie, pisarze i notariusze. Święty Marek chroni podróżnych przed burzą, gradobiciem i nagłą śmiercią. Zginął w Aleksandrii męczeńską śmiercią, a jego relikwie w 830 roku przeniesiono do Wenecji, której bogactwo w dużej mierze oparte było na tajemnicy wyrobu szkła, często cenniejszego niż złoto.

Kielich miał być rubinowy, wytwarzany metodą dmuchanego szkła, z diamentowym grawerunkiem o bardzo delikatnym rysunku. Stopkę wzmocniono złotem. Czaszę połączono ze stopką złotą kulą, na której przedstawiono różę Lutra z literami „M" i „L". Czasza podzielona była poprzecznie na trzy części wzmocnione złotymi łańcuszkami. Brzeg kielicha wykończono złotą taśmą. U dołu stopki ukryto maskę lwa, wskazującą na oryginalne weneckie pochodzenie.

W pierwotnym zamyśle tworzony był jako koronacyjny prezent dla cesarza Ferdynanda, który miał lwa z Bohemii w swojej symbolice heraldycznej. Dlatego Luter wybrał właśnie ten kielich. Lwa pokonać może tylko lew. Cesarskiego lwa Habsburgów – ewangeliczny lew świętego Marka.

Słuchaliśmy tej opowieści jak urzeczeni, nie wszystko jeszcze rozumiejąc. Dlaczego kielich był tak cenny? Czy miał coś wspólnego z Graalem? Dlaczego mieliby go szukać akurat Niemcy?

– Kielich… – wyszeptała siostra Immakulata. – Znowu za nim węszą.

Spojrzała na matkę, która sprawiała wrażenie bardzo zatroskanej.

– A, to ja też wam opowiem coś dziwnego – powiedziała w zamyśleniu Tyrania. – Byłam niedawno z moim chłopakiem w kinie. W tym za ścianą naszego domu. Gdy siedzieliśmy już w fotelach, wszedł na salę doktor Szorstki z jakimś mężczyzną. To był dobrze ubrany mężczyzna. Czarny płaszcz z wełny, elegancki kapelusz. Wyglądał na cudzoziemca. Przyszli tuż przed rozpoczęciem seansu. Leciała już kronika filmowa, więc przebiegli między ekranem a pierwszym rzędem schyleni, żeby nie zasłaniać. Mimo to w połowie drogi tamten mężczyzna stanął. Odwrócił się w kierunku ekranu, przyklęknął i się przeżegnał.

– Przeżegnał się? – zdziwił się ojciec. – W kinie? To absurdalne.

– No właśnie – przytaknęła Tyrania. – Bardzo to dziwne.

– Dziwne – przyznała siostra Immakulata, wypijając wino z kieliszka jednym haustem. – Dziwne, ale nie dla kogoś, kto wie, że przed wojną w tym miejscu był ołtarz.

– Ołtarz? W kinie? – zapytało jednocześnie kilka osób, kierując na siostrę Immakulatę zdziwione spojrzenia.

26.

Historia o złych zakonnicach

– Jak wiecie, przed wojną byłam w zakonie – rozpoczęła swą historię siostra Immakulata, odstawiając pusty kieliszek wina, który ojciec natychmiast uzupełnił. – Byłam dziewiątym dzieckiem swoich rodziców, czwartą dziewczynką. Gdybym była chłopcem, to co innego. Mogłabym zdobyć zawód albo pójść do wojska jak bracia. Chciałam iść na służbę do miasta, ale rodzice wysłali mnie do klasztoru w ślad za moją starszą siostrą. Tylko najstarsza została w domu – do pracy w polu i pomocy w kuchni. Dla reszty nie było miejsca, a klasztor był wtedy najprostszym sposobem na zapewnienie dachu nad głową.

Dzień klasztorny rozpoczynał się o piątej rano. Pracę przy chorych, kalekich i starcach, a także zajęcia w kuchni, pralni i na polu przerywał dzwonek obwieszczający porę modlitwy lub posiłku. Trzeba było się spieszyć – na zrzucenie roboczego fartucha, przebranie się w habit i stawienie w refektarzu lub kaplicy wyznaczono pięć minut. Spóźnionym siostra przełożona kazała całować betonową podłogę i klęczeć na niej do odwołania, recydywistkom niekiedy przez całą noc.

Kara i pokuta groziła za wszystko – stłuczenie talerzyka, zgubienie guzika, rozdarcie fartucha, spojrzenie w lustro lub szybę okienną. Siostra Immakulata nie buntowała się. Wiedziała, że jej droga do nieba musi być trudna. Ponieważ pochodziła z biednej rodziny i nie wniosła do zakonu żadnego posagu, trafiła do grona sióstr tak zwanego drugiego chóru, które wykonywały najcięższe prace i usługiwały siostrom z bogatszych rodzin. Miały gorsze od pozostałych cele i miejsca w kaplicy, a nawet inne modlitwy.

Po wojnie większość sióstr została wysłana do Niemiec. Część jednak została, by pilnować majątku, którego nie zdołano jeszcze wywieźć, wśród nich siostra Deotyma, osobista zaufana siostry prowincjalnej. Obie były przekonane, że zajęcie Wrocławia przez Polaków jest tymczasowe i Niemcy niebawem powrócą. Wraz z Deotymą zostało kilka sióstr do obsługi i utrzymania klasztoru w porządku, wśród nich siostra Immakulata.

Nieoczekiwanie jednak okazało się, że zamiast Niemców zjawiły się polskie zakonnice. Były oszołomione zgromadzonym bogactwem. No bo czego tu nie było! Dywany, maszyny do szycia, średniowieczne meble, wielkie obrazy w złoconych ramach, zdobiony płaskorzeźbami fortepian z hebanu, skrzypce, mandoliny, harfa, cymbały i inne przedmioty tak dziwne, że niektórym siostrom nieznane nawet z nazwy.

Polskie zakonnice nie uszanowały starszeństwa siostry Deotymy i dokwaterowały ją do celi Immakulaty. Deotyma z nerwów aż się pochorowała i dostała tak wysokiej temperatury, że zaczęła majaczyć. W majakach tych wydawało jej się, że siostra Immakulata jest nową siostrą prowincjalną, która przyjechała po nią z Heidelbergu. Prosiła więc, by usiadła przy jej łóżku, trzymała za rękę i wysłuchała raportu z dobrze wypełnionej misji. Gorącym od choroby szeptem mówiła, że posagi sióstr są cały czas dobrze schowane i nietknięte, nie licząc kilku złotych dolarówek, które musiała sprzedać, by utrzymać klasztor na doprawdy skromnym poziomie. Martwi się tylko o kielich Lutra, po który miał przyjechać oficer z organizacji Ahnenerbe wysłany przez samego Reichsführera-SS Heinricha Himmlera.

Słów siostry Immakulaty słuchałem obojętnie i raczej ze znudzeniem, bo w ogóle nie interesowały mnie sprawy zakonne, jednak wzmianka o kielichu ponownie skupiła moją uwagę. Od dawna o nim słyszałem, docierały do mnie urywki zdań, z których mogłem się domyślać, że ukryto go gdzieś w pobliżu, być może nawet w naszym domu, na przykład w skrytce pod deskami podłogi, a może zamurowano w którejś ze ścian, i wiedziałem też, że to być może z jego właśnie powodu jacyś Niemcy kręcą się wokół kamienicy. Wciąż jednak nie znałem powodów, dla których kielich ten miałby być dla nich tak cenny, że interesował się nim sam Himmler, jeden z najbliższych współpracowników Adolfa Hitlera.

Immakulata nie wyjaśniała nam wówczas, czym było Ahnenerbe, dopiero później miałem się dowiedzieć, że to nazwa niemieckiej organizacji badawczej, którą po wojnie Międzynarodowy Trybunał Wojskowy w Norymberdze uznał za organizację zbrodniczą. Początkowo Ahnenerbe organizowało ekspedycje archeologów i antropologów między innymi na Bliski Wschód, do Boliwii i Tybetu, gdzie spodziewano się znaleźć ślady dawnych plemion germańskich, może nawet samych Atlantów. Ekspedycje te opisywano mianem romantycznych wypraw. Brał w nich udział między innymi Bruno Beger, antropolog i kapitan SS, ten sam, który kilka lat później uczestniczył w gromadzeniu przez Ahnenerbe eksponatów do zbioru szkieletów Instytutu Anatomii Uniwersytetu Rzeszy w Strasburgu. Zbiór ten miał udowodnić odrębność, a zarazem wyższość rasy germańskiej. W tym celu kapitan nie szukał ich jednak podczas kolejnych wypraw archeologicznych, lecz w niemieckich obozach koncentracyjnych. Typował więźniów zróżnicowanych antropologicznie i wysyłał do obozu Natzweiler-Struthof w Alzacji, gdzie uśmiercano ich, by tworzyć kolekcje czaszek i kości.

W bibliotece Freytaga znalazłem książkę pod tytułem *Tibet* z 1941 roku. W środku było kilka zdjęć z wyprawy zorganizowanej przez Ahnenerbe, a na nich głównie Bruno Beger – wysoki, młody, długowłosy blondyn, zazwyczaj w otoczeniu egzotycznych pejzaży. Jedno ze zdjęć opatrzono lakonicznym podpisem: „Romantische Landschaft". Na tle pasma gór, za którymi zachodzi słońce, uśmiechnięty kapitan sprawdza cyrklem antropologicznym szerokość czoła młodej Tybetanki. Do dziś, gdy słyszę pojęcie „niemiecki romantyzm", przed oczami mam ten jego uśmiech.

Ahnenerbe zajmowało się także grabieżą szczególnie cennych dzieł sztuki i zabytków archeologicznych – wśród nich znalazły się też te, które odkryto w grobowcach faraonów. Na polecenie opętanego mistyką Himmlera organizacja szukała również Świętego Graala, który miał pomóc Niemcom w zdobyciu władzy nad światem.

Podobnie jak Hitler, Himmler był fanatykiem Wagnera i legend o Parsifalu – obaj uważali swoich żołnierzy za dziedziców męstwa i sławy dawnych wojowników. W niemieckim wojsku była to wiara powszechnie propagowana – to dlatego, bawiąc się na poniemieckich cmentarzach, tak często widywałem nagrobne rzeźby rycerzy. Chociaż Himmler wielokrotnie porównywał się do wielkiego mistrza zakonu krzyżackiego, a niektórzy z jego bliskich współpracowników twierdzili, że SS to odrodzony zakon templariuszy, to jednak w swojej siedzibie na zamku Wewelsburg kazał urządzić okrągłą salę z wielkim stołem, dookoła którego zasiadał z dwunastoma oficerami SS na wzór króla Artura i jego rycerzy. Mieszając historię z legendami, tworzył podwaliny nowego mitu, w którym fakty z baśniami przenikały się w nierównych proporcjach. Był przekonany o istnieniu kielicha Graala i patronował wielu ekspedycjom, które przez kilka lat go poszukiwały. Wierzył, że gdy go znajdzie, Niemcy staną się niepokonane na wieki.

Zdumiewające dla mnie było to, że do tej pory wojnę widziałem tak, jak uczono mnie o niej w szkole – w Niemczech doszedł do władzy szaleniec opętany manią wielkości i zrównał z ziemią połowę Europy. Dopiero opowieści matki, a potem siostry Immakulaty, w końcu – gdy byłem już starszy – lektura rodzinnych listów i pamiętników uzmysłowiły mi, że obłęd tego szaleńca był obłędem, który się rozprzestrzenił niemal w całym narodzie, w tym także w mojej rodzinie. Tysiące, setki tysięcy, a w końcu miliony Niemców uwierzyły w swoją misję. Wierzyli, że są potomkami półbogów, którzy popełnili kiedyś grzech zmieszania swojej krwi z krwią innej rasy, krwią plebejską, i teraz, aby ją oczyścić i odzyskać dawną moc, trzeba wojen i pokoleń. Ta wiara była jak nowa religia, której Hitler został apostołem.

W świetle tej wiary naturalne i zrozumiałe stało się na przykład istnienie ośrodków Lebensbornu, niemieckiego „źródła życia", gdzie pod sztandarami SS starano się przywrócić czystość krwi niemieckiej i wyhodować nordycką rasę nadludzi. W wieku piętnastu lat do takiego ośrodka pod Łodzią, wówczas Litzmannstadt, trafiła Hilda, starsza siostra mojej matki. Przywieźli ją spod Wrocławia wraz z dwudziestoosobową grupą dziewcząt należących do Bund Deutscher Mädel, żeńskiej formacji Hitlerjugend. Ich jedynym zadaniem było zajście w ciążę.

Hilda w listach do domu utyskiwała, że dziewczętom obiecywano towarzystwo przystojnych oficerów, ale na miejscu okazało się, że dla części zabrakło Niemców i na początek muszą się zadowolić Polakami z łapanek. Zapewniano przy tym, że są to Polacy specjalnie wyselekcjonowani, o cechach rasy nordyckiej, więc do celów prokreacji pełnowartościowi. Mimo tego zapewnienia zdarzało się, że ośrodek odwiedzała grupa żołnierzy udających się na front, a wówczas organizowano potańcówki tylko dla Niemców. W ośrodku mieszkało kilkaset młodych dziewcząt. Po paru miesiącach Hilda z grupą brzemiennych koleżanek zostały odesłane do ośrodka pod Berlinem, gdzie ich dzieci miały się urodzić i zostać przekazane do adopcji, głównie rodzinom oficerów SS.

Tajemnicą pozostało to, czy Hilda trafiła do ośrodka Lebensbornu z własnej woli, czy pod przymusem. W ośrodku pod Berlinem zastał ją koniec wojny, a wraz z nim żołnierze zwycięskiej Armii Czerwonej. To było 8 maja 1945 roku, dokładnie w dniu dziewiętnastych urodzin ciotki Hildy. Od tamtej pory nigdy już o niej nie usłyszeliśmy. Rodzina wspominała ją rzadko, nigdy przy mnie lub Tyranii – wiedzieliśmy tylko tyle, ile zdołaliśmy podsłuchać.

Tamtego wigilijnego wieczoru siostra Immakulata nic nie mówiła o Graalu, wspomniała jedynie o ukrytym kielichu Lutra, Himmlerze i stowarzyszeniu Ahnenerbe, co i tak wydawało nam się wystarczająco tajemnicze, by słuchać z szeroko otwartymi ustami. Próbowaliśmy o ten kielich dopytać, dowiedzieć się czegoś więcej, ale Immakulata zamroczona winem, niesiona swoją opowieścią, myślami była daleko, znów między murami klasztoru, który wracał do niej we wspomnieniach, a ona w potrzebie rozżalenia się nad sobą ochoczo im się poddawała.

Siostra Deotyma dwa dni spędziła w łóżku, majacząc i zapewniając o swej rychłej śmierci, a trzeciego dnia jakby zmartwychwstała – sama poszła skoro świt na jutrznię, nieco tylko osłabiona. Siostra Immakulata nigdy więcej już jej nie zobaczyła. Deotyma przepadła na jutrzni jak kamień w wodę, po prostu zniknęła podczas modlitwy.

Polskie siostry nie chciały uwierzyć, że Immakulata nic o zniknięciu Deotymy nie wie – wietrzyły spisek, bo nie można przecież na jutrzni zniknąć bez ingerencji Boga lub obcego wywiadu. Nieufność pogłębiła się jeszcze bardziej, gdy jedna z sióstr, trzepiąc materac po siostrze Deotymie, znalazła w nim kilka zaszytych złotych dwudziestodolarówek. Przypierana do muru siostra Immakulata przysięgała, że o niczym nie wie – może to cud mający wspomóc ubogi zakon. Natychmiast zostały rozprute wszystkie materace w klasztorze, ale cud się nie powtórzył.

Od tej pory nikt nie odzywał się już do siostry Immakulaty, nie licząc wydawania poleceń. W końcu wysłano ją na naukę zawodu szewskiego, bo naprawa trzewików sióstr zakonnych to dla poniemieckiej siostry praca doskonała. Terminowała Immakulata u niemieckiego szewca przez dwa miesiące. To był dobry, spokojny człowiek, prowadził swój warsztat jeszcze przed wojną. Za ścianą miał dwupokojowe mieszkanie z łazienką i kuchnią, na której gotował Immakulacie mleko z mąką, które nazywał pyszną zupą – zacierką.

Codziennie, po powrocie za mury klasztoru, sprzątała wieczorem celę przełożonej i dwie cele sióstr pierwszego chóru, a rano, przed wyjściem do szewca, rozpalała w piecach. Gdy do dotychczasowych obowiązków dodano jej nocne szycie butów, poszła do przełożonej i poprosiła o zdjęcie z niej obowiązku sprzątania cel sióstr pierwszego chóru. Przełożona potraktowała to jako grzech i przejaw pychy, po czym dołożyła do jej obowiązków sprzątanie refektarza. Wtedy po raz pierwszy Immakulata pomyślała o ucieczce.

Pewnego dnia przyjechał kolejny transport osadników ze wschodu, a wśród nich szewc z Kielc, który wszedł do warsztatu, rozejrzał się, cmoknął z zadowoleniem i kazał się niemieckiemu szewcowi wynosić. Tamten, stary już człowiek, rozpłakał się jak dziecko, zdziecinniały staruszek, któremu z bezradności trzęsą się ręce, na co weszła żona szewca z Kielc i zrobiło jej się żal starego Niemca. Orzekła, że roboty jest dużo, więc stary szewc zamieszka na poddaszu i będzie pomagał w prowadzeniu warsztatu, ona z mężem przejmą mieszkanie po Niemcu, Immakulata zaś może zająć ich jednopokojowe mieszkanie na czwartym piętrze w kamienicy po niejakim Freytagu i nadal terminować jako czeladniczka.

Tak też się stało i – paradoksalnie – w mieście, które przeszło z rąk niemieckich w ręce polskie, niemiecka zakonnica odzyskała wolność. Immakulata postanowiła bowiem uciec z klasztoru – wróciła tam tylko po to, by zabrać ze sznura trzy suszące się habity, i z taką wyprawką zamieszkała na czwartym piętrze domu Freytagów.

Przez jakiś czas terminowała u szewca, a wieczorami chodziła modlić się do salki na tyłach naszej kamienicy, która wcześniej pełniła funkcję skromnego domu modlitw ewangelików. Ufundował go Richard Freytag, który chciał pomóc zaprzyjaźnionemu pastorowi w tworzeniu nowego zboru. Immakulata była katoliczką, jednak wybrała ten dom modlitw, bo msze odprawiano w nim po niemiecku. Ponieważ dodatkowo zniechęciły ją wcześniejsze doświadczenia w katolickim klasztorze, przeszła na luteranizm.

Po pewnym czasie niemieckie msze przeniesiono do jednego z kościołów na Starym Mieście, a z ewangelickiej salki przy naszym domu zniknął ołtarzyk, a na jego miejscu pojawiło się szare płótno. Pełniło funkcję ekranu. Co sobotę wyświetlano na nim filmy – czarno-białe, radzieckie, o wojnie – do dnia, w którym na ulicy Przodowników Pracy odbudowano poniemieckie kino Roxy Filmpalast i nadano mu dumną nazwę Przodownik.

Kiedy siostra Immakulata skończyła swoją opowieść, matka spojrzała na nią ze zrozumieniem i pokiwała głową.

– Z tego, co siostra mówi, wynika, że ten mężczyzna może wiedzieć o istnieniu kielicha Lutra – powiedziała, zapalając papierosa.

– Zaraz, pogubiłem się – wtrącił wuj Kurt. – Który mężczyzna?

– No, ten, który był z doktorem Szorstkim w naszym kinie – wyjaśnił ojciec.

– A dlaczego miałby wiedzieć o kielichu? – zdziwił się wuj Kurt.

– Chyba wie, bo w tym kinie zaglądał za ekran, stukał w ścianę i szukał tam czegoś, jak już wszyscy wyszli – powiedziała Tyrania.

– Stukali w ścianę za ołtarzem? To nawet miałoby sens – zauważył ojciec. – No bo gdzież by szukać kielicha protestantów, jak nie w protestanckiej świątyni?

– Myśli siostra, że Szorstki z tym drugim mężczyzną szukają kielicha Lutra? Tak jak stowarzyszenie Ahnenerbe i Himmler szukali najpierw Graala? – spytała matka, zaciągając się papierosem tak mocno, że aż było słychać, jak od żaru trzeszczy bibułka.

– Myślę, że tak – odparła siostra Immakulata.

– Ale dlaczego akurat tutaj? – zdziwił się wuj Kurt. – Dlaczego wokół tego domu?

– Bo jego właściciel Richard Freytag należał do stowarzyszenia Ahnenerbe – powiedziała matka.

– Ahnenerbe? Rzeczywiście! – wuj Kurt aż podskoczył. – Pamiętam! Przyjeżdżaliśmy do Wrocławia i braliśmy udział w pracach młodzieżowej drużyny poszukiwaczy organizowanych pod patronatem tej organizacji. Zazwyczaj reprezentował ją właśnie Freytag! Był dowódcą wszystkich drużynowych.

– Nasza grupa była drużyną Poszukiwaczy i Strażników Kielicha, tak się nazywała – dodała matka. – Przechodziliśmy ćwiczenia, przygotowania. Marzyliśmy, że jak dorośniemy, to wyjedziemy na prawdziwe wyprawy z Ahnenerbe. Urządzaliśmy podchody, opracowywaliśmy zasadzki i systemy zabezpieczeń, uczyliśmy się robić przemyślne skrytki, na wypadek gdybyśmy znaleźli kielich Lutra lub ktoś dałby nam go na przechowanie, a my musielibyśmy go ukryć.

– A ten nasz dowódca drużynowych, Freytag? Pamiętasz, co mówił?

– Pamiętam. Zawsze podkreślał, że naszym obowiązkiem jest szukać i strzec, nigdy jednak nie powiedział, czy wciąż jeszcze szukać, czy może już strzec. Człowiek by oddał życie w obronie skrytki, która mogłaby być po prostu pusta.

– Ale jedna nie była.

– Nie była.

27.

Co kryły koperty z hitlerowską wroną

Po kolacji poszedłem wyrzucić śmieci, a wracając, spotkałem na schodach doktora Szorstkiego. Wychodził z piwnicy, trzymając w ręku mały flakon. Pewnie przyrządzał dla kogoś swoją leczniczą miksturę. Pomyślałem, że to musi być bardzo ważna osoba – taki doktor. Mój ojciec przynosił z piwnicy kiszone ogórki, a doktor Szorstki magiczne mikstury. Nie znaczy to, że nie byłem dumny ze swojego ojca, wręcz przeciwnie – nie każdy ojciec trzyma w domu pistolet i strzela do szantażysty. Niby to niemało, bo nie znałem żadnego innego chłopaka, którego ojciec trzymałby w domu pistolet, ale brakowało mi ciągu dalszego tej historii, czegoś, czym mógłbym zaimponować chłopakom, jakiejś nowej strzelaniny z udziałem złych ludzi, o której można potem przez wiele dni opowiadać.

– Wesołych świąt! – powiedziałem grzecznie.

– Wesołych, wesołych – odrzekł doktor Szorstki w zamyśleniu. Po czym zatrzymał się i z ciekawością zapytał:

– Macie gości? Z Niemiec?

– Tak, wuj Kurt przyjechał z rodziną. I przyszła panna Julianna i siostra Immakulata.

– To miło. I pewnie jest bardzo interesująco, prawda?

– Miło. Ale wuj Kurt zmęczony jest podróżą i prawie nic nie mówi, a za to dużo opowiada Immakulata.

– O, doprawdy? A myślałem, że to taka milcząca osoba.

– Kiedyś, jak nie znała dobrze polskiego, była milcząca. Ale moja mama ją nauczyła i teraz dużo rozmawiają po polsku. Pan Teofil obiecał, że jak dobrze się nauczy, to znajdzie jej pracę w bibliotece.

– To ładnie ze strony pana Teofila, pan Teofil to dobry człowiek. A panna Julianna?

– Chyba też jest dobra. Zrobiła tort i przyniosła.

– Znakomicie. Dobry tort?

– Nie wiem, mama mówiła, że dopiero jutro go zjemy, bo w Wigilię tortów się nie je.

– Jasne, to oczywiste. A czy panna Julianna coś opowiada?

– Chyba nie. Nie wiem dokładnie, bo oglądałem film z Johnem Wayne'em.

– Lubisz, jak się strzelają?

– Jasne.

– Też lubię. A siostra Immakulata dobrze już mówi po polsku?

– Bardzo dobrze. Prawie tak jak moja mama.

– To świetnie. A o czym dziś mówiła?

– O wszystkim, o tym, jak była w zakonie i jak pracowała u szewca.

– To ciekawe, ale dla dorosłych. Dla ciebie nic ciekawego nie było?

– Trochę, jak mówiła o złotych dolarówkach i kielichu.

Doktor Szorstki wyjął paczkę papierosów.

– Chcesz zapalić? Nie bój się, nie powiem twojej mamie, to będzie nasza tajemnica. Możemy wypalić w piwnicy.

– Ja jeszcze nie palę. Dziękuję.

– Chłopcy w twoim wieku już palą. Przynajmniej niektórzy.

– Tyrania pali, ale w ukryciu.

– Kto?

– Moja siostra, tak na nią mówimy.

– Aha, rozumiem. Dokucza ci?

– Teraz mniej, ale kiedyś bardziej.

– Tak to jest ze starszymi siostrami.

Doktor Szorstki zapalił papierosa i zaciągnął się z przyjemnością.

– To ciekawe o tych złotych dolarówkach i kielichu. Bardzo ciekawe. Opowiesz mi coś więcej?

– W klasztorze były te dolarówki.

– A kielich?

– Nie wiem, Immakulata nie mówiła.

– Nic nie mówiła? Przypomnij sobie.

– No właśnie nic, tyle, że ktoś po niego miał przyjechać, ale to jeszcze w czasie wojny czy może raczej pod koniec, jakoś tak.

– Może chcesz papierosów dla kolegów? – Doktor Szorstki ponownie wyciągnął paczkę. Prawie pełna. Chesterfieldy. Rarytas.

– Mogę wziąć. – Coś mnie podkusiło.

– To trzymaj. – Wyciągnął rękę. – I umówmy się, że jak coś usłyszysz o kielichu albo o czymś podobnym, to mi powiesz, dobrze? Wiesz, bardzo interesuje mnie historia. Lubię takie ciekawostki.

Schowałem chesterfieldy do kieszeni. Jeszcze nigdy nie miałem własnych papierosów.

– Nie wiem, może coś usłyszę.

– Tylko nie mów nikomu, że pytałem, bo się będą ze mnie śmiać, że niby taki poważny doktor Szorstki, a interesuje się jakimiś kieliszkami. Jak nasz Smok, który przede wszystkim interesował się kieliszkami. – Doktor Szorstki głośno się roześmiał, zadowolony z dowcipu.

Wziąłem kubeł i poszedłem do domu.

– Co tak długo cię nie było? – czujnie zapytała matka.

– Rozmawiałem z doktorem Szorstkim – odparłem dumnie, bo to przecież jedyny prawdziwy doktor w naszej kamienicy.

– A o czym taki srajtek jak ty mógł z nim rozmawiać? – zadrwiła Tyrania, najwyraźniej zazdroszcząc mi znajomości.

– A pytał, kto u nas jest na święta i czy są ciekawe rozmowy…

– Jakie ciekawe rozmowy? – zaniepokoiła się matka. – Co go obchodzą nasze rozmowy? Co mu powiedziałeś?

– Nic. Mówiłem, że oglądamy wszyscy film z Johnem Wayne'em.

– Nie dopytywał się?

– Pytał tylko, czy się dużo strzelają.

– Też mi coś. Taki niby poważny doktor Szorstki, a westernami się interesuje. Zmykaj spać!

Zamknąłem drzwi pokoju i wyjąłem paczkę chesterfieldów. Powąchałem. Ładny zapach. Chciałbym, żeby moja skóra tak pachniała. Może Laurce by się podobało. Stuknąłem dwa razy w ścianę. Nic, cisza, żadnej odpowiedzi. Pewnie jeszcze siedzi przy stole z mamą.

Przypiąłem szpilką chesterfieldy do słomianej maty przy łóżku i spojrzałem z zadowoleniem – moja kolekcja pustych pudełek po papierosach była chyba najbogatsza na całej ulicy. Nie chciało mi się jeszcze spać. Uchyliłem drzwi.

Wuj, zmęczony podróżą, drzemał w fotelu. Ojciec siedział na sofie i oglądał telewizję. Tyrania zamknęła się w pokoju z kuzynkami. Przy stole siedziały same kobiety i rozmawiały o życiu, głównie o tym, że jest ciężkie i z tego powodu trudno je znieść.

Zacząłem sobie wyobrażać, jak się znosi życie. Najgorzej to mają Immakulata i panna Julianna, bo muszą znosić życie aż z czwartego piętra. Moi rodzice znoszą je tylko z pierwszego. Pani Rozala w ogóle nie musi znosić życia, bo mieszka na parterze.

Wygląda jednak na to, że pannie Juliannie będzie lżej, bo słyszę, jak oddycha z ulgą, wyjawiając kobietom, że wkrótce przyjedzie Fryderyk.

Mnie sentymentalne historie w ogóle nie interesują, wolałbym podsłuchiwać o złotych dwudziestodolarówkach, więc z ulgą patrzę na wuja, który się budzi, mrugając z niedowierzaniem karpia zmartwychwstałego na wigilijnym stole.

Panna Julianna, spłoszona swym wyznaniem, zerka na zegar i mówi, że jest już pierwsza w nocy, więc czas spać.

– No, *ja, ja, liebe Helga* – zwraca się wuj Kurt do mojej matki, kiedy zostają już sami. Zauważyłem, że czasami, gdy chce coś powiedzieć, to zaczyna od tego „no, *ja, ja, liebe*", nawet jak pytał mnie rano: „no, *ja, ja, liebe Peter*, ile to ty masz już lat?", jakby tym „no, tak, tak, kochany" gromadził w głowie czas na ułożenie pierwszej myśli, wierząc, że po niej następne jakoś już pójdą.

– Coś ci muszę powiedzieć – dodaje, chociaż to przecież oczywiste, skoro powiedział już to swoje „no, *ja, ja, liebe*". A potem snuje historię jak z wojennego filmu, chociaż strzelają się w niej mało.

– *Ja, ja, liebe Helga* – mówi, patrząc ze smutkiem na moją matkę. – To są listy od naszego brata, których ci nigdy nie pokazałem – jedyna pamiątka po Benie, a jednocześnie moje bolesne wyznanie winy.

Wyciągnął przed siebie mały plik listów w pożółkłych kopertach, ten, który od paru lat kładł na wigilijnym stole.

Historia była dziwna i dla mnie mało zrozumiała. Ich najmłodszy brat Ben miał szesnaście lat, gdy został wysłany na front. W przeciwieństwie do wuja nienawidził tej wojny, prosił więc w listach, żeby wuj go stąd zabrał, zupełnie jak dziecko, które chce, żeby je zabrano z kolonii, na której biją. Wuj wstydził się listów brata. Razem z dziadkiem wierzył w magię Rzeszy z mocą, której nie osłabiła śmierć większości mężczyzn w rodzinie. Nie pokazywał więc tych listów nikomu, gardził zdradą i tchórzostwem, może nie wiedział, co w tej sytuacji ma pisać, a może chciał brata wychować lub ukarać – teraz sam już nie wie, jaki był najważniejszy powód tego, że wszystkie listy odsyłał mu z powrotem, uprzednio zaznaczając błędy językowe czerwonym ołówkiem.

Gdy listy przestały przychodzić, myśleli, że Ben podzielił los swoich trzech braci i zginął, zwłaszcza że jego korespondencję, związaną brunatną wstążką, odnaleziono w alianckim obozie dla jeńców. Jednak ostatnio Niemiecki Czerwony Krzyż trafił na jego ślad w Kanadzie. Wkrótce potem do wuja Kurta przyszedł stamtąd list, w którym najmłodszy brat prosi, żeby na razie go nie szukać – może kiedyś sam przyjedzie na wigilię, ale jeszcze nie teraz. Cały list był napisany czerwonym ołówkiem.

Gdy wuj skończył swoją opowieść, miałem wrażenie, że właśnie w tej chwili dopadł go czas – przy stole siedział zgarbiony starzec o oczach smutnych jak katastrofa, która nie powinna wydarzyć się w święta. Zaskoczył matkę tym niespodziewanym wyznaniem, bo wszyscy sądzili, że w korespondencji, którą tyle lat przechowywał, tkwi jakiś dumny sekret rodzinny, może świadectwo bohaterskich czynów, a może wskazówki o zakopanym złocie, tymczasem prawda okazała się zupełnie inna, niż oczekiwaliśmy, rozczarowująco smutna, a nawet ponura.

– Idziemy spać, wszyscy – powiedziała matka, zbierając ze stołu talerze. Zostawiła tylko jeden, ten od początku kolacji pusty.

Nie mogłem zasnąć. Próbowałem myśleć o czymś miłym. Wyobrażałem sobie Laurkę. Jest wojna, ona ma na sobie mundur polski, ja niemiecki, siedzimy w różnych okopach. Jestem snajperem. Szukam celu. Spostrzegam Laurkę. Patrzę przez lunetę celowniczą, widzę jej zadarty nosek, piegi, zielone oczy i natychmiast się zakochuję. Kątem oka widzę, jak inny Niemiec wybiega z okopu i biegnie w kierunku Laurki. Ona próbuje do niego strzelać, ale widzę, że zabrakło jej naboi. Niemiec stoi nad nią i celuje prosto w głowę. Widzę oczy Laurki. Pełne strachu. Biorę na cel żołnierza i strzelam do niego, mimo że jest moim współtowarzyszem z okopu. Laurka patrzy na mnie i – chociaż jestem Niemcem – pięknie się w moim kierunku uśmiecha.

Do pokoju weszła matka.

– Już śpię – wyjaśniłem na wszelki wypadek.

– Znowu nie umyłeś zębów – powiedziała z wyrzutem.

Nie mam pojęcia, skąd matki takie rzeczy wiedzą. Nawet nie zapaliła światła.

28.

Zapach jest zawsze
na wierzchu

Czasami wuj nie mógł przyjechać. Wtedy najważniejszym dniem przed świętami był ten, w którym przychodziło awizo. Zawsze spodziewaliśmy się go z wyprzedzeniem, więc było wypatrywane i wyczekiwane. W porze listonosza zbiegaliśmy z siostrą na zmianę do skrzynki, skacząc po dwa schodki, by sprawdzić, czy aby już nie dotarło. Wiedzieliśmy, że się pojawi – awizo było nieuchronne jak Wigilia lub Wielki Piątek, musiało nadejść, chociaż nie zaznaczono go w kalendarzu żadnym kolorem.

Gdy w końcu któreś z nas wyciągało je ze skrzynki, wiadomo było, że za parę godzin zacznie się prawdziwe święto. Nie zapowiadała go ani pierwsza gwiazdka, ani kolędnicy, ani pochód święconych jajek w koszyczkach. Zawsze poprzedzało je awizo z magicznym słowem: „paczka".

Biegło się wówczas do domu jak najprędzej, wrzeszcząc od połowy drogi: „Mamo, mamo, ubieraj się, idziemy na pocztę, od wuja Kurta paczka przyszła!". Mama nigdy nie sprawiała nam zawodu, zostawiała każdą robotę, choćby najpilniejszą, jak mieszanie farszu na pasztet albo lepienie pierogów, rzucała wszystko, zakręcała gaz pod garnkami i wyłączała piekarnik, brała dowód osobisty, zarzucała w pośpiechu płaszcz i już pędziliśmy po schodach.

Wyciągała rower z piwnicy, bo paczkę do domu wiozło się na bagażniku roweru. Ojciec zazwyczaj był wtedy w pracy, więc nie mogliśmy jechać samochodem, a zresztą, nawet gdyby był w domu,

to i tak szlibyśmy z rowerem na piechotę, bo samochód trzymaliśmy w garażu odległym o pięć kilometrów, bliższego nie było. Auto
ojciec wyprowadzał jedynie w pogodne weekendy, by je pod domem
reperować, nawet jeśli nie było zepsute.

Na poczcie jęk zachwytu. Nasza paczka! Jaka duża! Oburącz przejmowała ją matka, a myśmy dopytywali, czy zawartość jest wystarczająco ciężka. A dalej wszystko toczyło się już jak w filmie sensa-
cyjnym z bardzo wartką akcją. Na bagażnik. Przywiązać sznurkiem.
Matka za kierownicę. Prowadzi. Ja z jednej strony bagażnika. Siostra z drugiej. Asekuracja. I szybko do domu. Mamo, mamo. Czemu
tak powoli idziesz?

A w domu to już był dziki szał. Tu ją postaw, tu, na stole! Daj
nożyczki! Gdzie są nożyczki?! Przecież ty ostatni używałeś! Ja? Chyba
zwariowałaś. Po co miałbym brać nożyczki?! Przestańcie, bo scho-
wam paczkę do szafy!

I znowu potulne milczenie.

Poczekaj, nie gryź tego sznurka, przynieś lepiej nóż z kuchni.

Nie tnij go tak, nie tnij na takie kawałki, cały niech będzie, sznurek może się przydać. No i pociął, skaranie boskie z tym chłopakiem, dobrze, że ojciec tego nie widzi, taki dobry był ten sznurek.

No i jeszcze tylko papier, raz-dwa, na strzępy i już jest eldorado!

Zapach, zapach był zawsze na samym wierzchu. Słodki zapach
bogatych Niemiec, dostatek pachnący mieszanką woni mydełek,
cytrusów, prawdziwej kawy i korzennej woni wypraw do odległych
krajów.

I wszystko tak pięknie opakowane. U nas nawet jak coś dobrego
się trafiło, to zawijano to w szary papier. W szkole uczono nas, że
netto to zawartość, tara to opakowanie, a brutto to zawartość z opa-
kowaniem. Wiedziałem już wtedy, że netto mamy w Polsce bardzo
dobre, ale tara jest beznadziejna, przez co brutto wychodzi dość
smętne.

Zaczynało się z paczki pełne celebry wyciąganie. Na górze
były podarunki lekkie. Najpierw coś z odzieży. Dla mnie T-shirt

z nadrukiem, koszula dla ojca, dla mamy rajstopy, a czasem sukienka; dla Tyranii bielizna, a na dodatek winylowa płyta Rolling Stones, Led Zeppelin lub Deep Purple. Zazwyczaj była też płyta dla mamy – Édith Piaf lub gwiazdy hitlerowskich Niemiec o nazwisku Zarah Leander, które mama wymawiała z rozmarzeniem i brzmiało jak „oleander".

Potem były rarytasy. Czekolady, marcepany i migdały, cukierki, żelki i rodzynki, pierniczki, wafelki i kandyzowane owoce. Lukrecje. Budynie. Galaretki. Guma do żucia. Co za głupota, za każdym razem mówił ojciec, sprzedawać produkt spożywczy, którego nie można zjeść.

Pod spodem ciężka artyleria na święta. Puszki z brzoskwiniami i ananasem. Kilka pomarańczy. Małe mydełka Fa, które mama od razu chowała do szafy, żeby pachniało tam jak za granicą. Kawa, herbata, kakao, przyprawy, zupy w proszku Knorr, zupełnie w Polsce nieznane, keczup, cienkie „winerki" w słoiku, pyszne na świąteczne śniadanie albo z makaronem, a na koniec – proszek do prania (Persil) i płyn do płukania (Lenor) w małych opakowaniach, takich w sam raz, by pachnieć na święta.

Zawsze były też szokujące niespodzianki. Piórnik z zawartością wskazującą, że do szkoły można nosić piękne kredki, gumki, długopisy, dezodorant (Bac lub Rexona), woda po goleniu (Sir albo Tabac), szampon, płyn do kąpieli, a nawet takie wynalazki jak suchy szampon – proszek, który sypało się na włosy i wcierało ręcznikiem, a potem się z niego otrzepywało i nie trzeba było polewać głowy wodą.

Z tą gumą do żucia, kiedy w połowie lat sześćdziesiątych dostaliśmy ją po raz pierwszy, mieliśmy jednak problem. Początkowo nikt z nas nie wiedział, jaki przekaz kryje się w napisie „Chewing Gum". Były opakowania, bardzo ładne i apetycznie pachnące owocami lub miętą, ale nie było instrukcji obsługi. Matka czytała po wielokroć wszystkie słowa wydrukowane na papierkach, ale nic z nich praktycznego nie wynikało. Nikomu nawet na myśl by nie przyszło, że takie twarde nie wiadomo co wkłada się do jamy ustnej, rozgryza do miękkości, a po jakimś czasie wypluwa. Sporo tej tajemnicy wuj nam wtedy przysłał – dwa opakowania (jedno „Spearmint Gum", drugie „Juicy Fruit Gum") po dziesięć paczuszek, a w każdej dziesięć listków.

Z początku przez tydzień matka ich nie pokazywała, przerażona wyuzdanym połączeniem wyrazów „gum" i „spearmint". Schowała je w pudełku wśród rzeczy z pozoru codziennych, ale nam zakazanych, takich jak żyletki Wilkinson (też z paczek), zakrzywione nożyczki do usuwania fastryg, poduszeczki z igłami i luzem kupowane prezerwatywy, bez opakowania, tylko posypane talkiem, które obok tych igieł leżały ryzykownie.

Nawiasem mówiąc, kilka miesięcy wcześniej dostałem od ojca rower na urodziny, ale trzymałem go głównie w piwnicy. Jakiś idiota z zakładów rowerowych Mesko nadał mu bowiem nazwę Eros. Mimo moich usilnych próśb ojciec nie pozwalał mi tego słowa zamalować. Dokładnie tak samo nazywały się wówczas prezerwatywy, budziłem więc salwy śmiechu wśród chłopaków za każdym razem, gdy ze swoim rowerem pojawiałem się na ulicy.

Podobnie jak my, żaden z sąsiadów też nie miał pojęcia, do czego to może służyć „spearmint gum", więc przez wiele dni matka eksperymentowała. Najpierw zalała ją wrzątkiem i piliśmy ten wywar w kubkach jak herbatę. Potem pomyślała, że to coś do sosów, i spożywaliśmy gumę do żucia z mięsem (tę miętową) lub w formie polewy z cukrem (Juicy Fruit Gum) do ryżu z jabłkami lub makaronu na słodko. Czy ktoś w Polsce jadł makaron z owocową gumą do żucia? Ja jadłem. Tyrania też, bo inaczej nie moglibyśmy wyjść na dwór.

Najprościej byłoby do wuja zadzwonić i zapytać, ale nasza rodzina należała wtedy do cywilizacyjnej większości pozbawionej telefonu. Matka zapytała więc w liście i tak po trzech tygodniach otrzymaliśmy błyskawiczną odpowiedź, że to jest istotnie guma do żucia: gryziesz, gryziesz i gryziesz, a na koniec nie połykasz, tylko wypluwasz. Nowoczesny wynalazek taki.

W naszej klasie tylko dwóch chłopaków poza mną miało prawdziwe dżinsy – jeden dostał je w paczce, drugi w kościele. Paczki z zagranicy dostawała chyba co druga, może co trzecia rodzina – jak nie z Niemiec, to z Kanady lub Ameryki. Dzięki nim mniej więcej wiedzieliśmy, jak się ubierają i co jedzą kapitaliści, i nie mogliśmy zrozumieć, dlaczego Niemcy mają lepiej, skoro to Polska razem ze Związkiem Radzieckim wygrała wojnę i buduje najlepszy z możliwych ustrojów, jakim jest socjalizm.

Kościół socjalizmu raczej nie budował, ale był przydatny na szereg innych sposobów, na przykład rozdawał ludziom adresy zagranicznych darczyńców, z którymi można było nawiązać korespondencję i pożalić się, że w sklepach wszystkiego brakuje.

Kiedyś przyszła do matki Rozala i poprosiła, żeby napisać jej list po niemiecku. Dostała z kościoła adres rodziny z Berlina i chciałaby ją poprosić o wsparcie. Dyktowała więc, że w Polsce niczego nie ma, nawet mąki, kaszy i cukru, co było oczywistą przesadą, bo kasza i mąka były. Z cukrem zdarzały się kłopoty, więc jak już się pojawiał w sklepach, to wszyscy kupowali od razu po dziesięć kilo, w związku z czym szybko zaczęło go brakować w magazynach. Ojciec zawsze przywoził pełen bagażnik, dumny zanosił go do domu, a matka upychała, gdzie się dało. Mieliśmy w domu trzy tapczany – dwa małe i jeden duży – i odkąd pamiętam, skrzynie wszystkich trzech były wypełnione cukrem. A Rozala, zamiast wprost napisać, że chce czekolad i suchej kiełbasy, zawracała Niemcom głowę, że bieda u nas aż piszczy, a w sklepach nie ma niczego. No i minął miesiąc, a do Rozali wielka paczka przychodzi. Wszyscy się zlatują oglądać, Rozala otwiera, a w paczce równo po pięć kilo mąki, cukru oraz kaszy. Dla większego luksusu było też pięć paczek makaronu.

Kościół rozdawał nie tylko adresy, lecz także ubrania. Co pewien czas także i do naszego kościoła przy Sudeckiej podjeżdżał tir z zagranicy pełen używanych ubrań zebranych przez współczujących parafian – cały dzień wyładowywaliśmy kartony, a potem w salce katechetycznej piętrzyły się stosy spodni, płaszczy, bluz i swetrów, w których rozgorączkowani wierni przebierali jak na straganie. Wszyscy w naszej kamienicy ubierali się głównie dzięki paczkom lub Kościołowi i tylko Wieczne Potępienie nie korzystała z tej dobroczynności, bo stroiła się w prezenty otrzymywane od odwiedzających ją mężczyzn.

Pod choinkę, oprócz dżinsów od wuja i Verne'a od Tyranii, dostałem wówczas książkę Alfreda Szklarskiego *Tomek na wojennej ścieżce* od mamy, a od ojca upragnioną finkę ze sklepu o nazwie Składnica Harcerska; wtedy każdy chłopak musiał mieć finkę. Służyła głównie do rzucania w ziemię w celach imperialnych oraz wycinania na drzewach serc, obowiązkowo przebitych strzałą.

W ziemię rzucało się, grając w państwa, co polegało na tym, że trzeba było narysować spory krąg i podzielić go jak kawałki tortu – to były nasze państwa. Potem pierwsza osoba rzucała w państwo sąsiada i jeśli ostrze finki wbiło się w ziemię, odcinała dla siebie kawałek obcego terytorium, po czym rzucała ponownie, aż do pierwszej skuchy. Po niej rzucał następny gracz, też do pierwszej skuchy, a po kolei odpadali ci, których państwa były już tak okrojone, że nie mogli na nich zmieścić stopy. Z powodu konieczności wycinania serc oraz odcinania obcego terytorium finka była tak popularna, że chodziło się z nią na co dzień i nikogo nie dziwił widok grupy nastolatków z przytroczonymi do pasa nożami.

Prezenty bardzo mi się spodobały, tylko z książką Szklarskiego zrobił się lekki ferment, bo chociaż był to najpopularniejszy wówczas pisarz powieści dla młodzieży, ojciec alergicznie go nie znosił. Mówił, że w czasie wojny Szklarski był kolaborantem, bo pisał do niemieckich gazet, za co po wojnie został skazany na kilka lat więzienia.

– Hela, nie miałaś mu co kupić? – pytał matkę z pretensją w głosie.

– Przecież wiesz, jak lubi czytać.

– Ale Szklarskiego?

– To dobry pisarz, młodzież go lubi.

– Pisał przecież dla Niemców.

– Edmund! No i co z tego? Przecież ty ożeniłeś się z Niemką.

– Ale to było po wojnie.

– A podczas wojny byś się ze mną nie ożenił?

Z czasem ojciec się radykalizował. Z jednej strony wciąż utwierdzał matkę w przekonaniu, że wyjazd do Niemiec jest tylko kwestią czasu – trzeba tylko w Polsce wszystkie rzeczy dopiąć i na pewno wyjedziemy. Z drugiej jednak strony czuł do Niemców coraz większy dystans, który początkowo brał się ze spowodowanej zawiścią niechęci do pełnego przechwałek szwagra, później zaś coraz bardziej bolało go poczucie dziejowej niesprawiedliwości, którą podzielali wszyscy w Polsce, nie mogąc zrozumieć, dlaczego Niemcy, państwo najbardziej przegrane, stały się tak szybko potęgą.

Nie chciałem słuchać awantury. Wyszedłem z domu, ale na chowanie się w mundurze Freytaga nie miałem ochoty. Usiadłem na ławce koło trzepaka, wyjąłem finkę i zacząłem rzeźbić serce w oparciu. Po kwadransie było gotowe i już wyryłem pierwszą literę imienia Laurki, gdy w bramie pojawiła się jej matka, pani Adela.

– Co ty tam, cholera, tę ławkę kaleczysz?! – zawołała ze złością, tak jakbym to nie w jej córce się kochał i nie jej imię chciał uwiecznić.

– Dzień dobry – odpowiedziałem grzecznie. – Wyjdzie Laurka?

– Laura nie ma czasu – burknęła Adela – ziemniaki obiera.

Wzruszyło mnie to. Wyobraziłem sobie jej małe dłonie i wielki nóż, którym obiera ziemniaki, zupełnie jak jakaś dorosła już osoba, a nie dziewczynka z dwoma warkoczykami.

– Mogę jej pomóc?

– Da sobie radę bez ciebie.

Fundament jakoś z założenia mnie nie lubił. Pewnie dlatego, że byłem poniemiecki. Ale dlaczego nie lubiła mnie jego opuszczona żona Adela? Przecież kiedyś przyjdę i poproszę o rękę jej córki. Powinna mnie lubić. Albo przynajmniej powinna być miła i się uśmiechać, zabrali nam przecież połowę mieszkania.

Gdy zniknęła za rogiem, schowałem finkę i pobiegłem na piętro. Nacisnąłem dzwonek. Laurka miała czerwone oczy, jakby przed chwilą płakała. Poczułem ucisk w okolicy serca.

– Stało się coś? Dlaczego płakałaś?

– Coś ty. Kroiłam cebulę.

– Mogę ci pomóc?

– Pewnie.

W kuchni stał wielki aluminiowy gar z wodą, a w nim chyba ze dwa kilo obranych ziemniaków.

– Po co wam tyle ziemniaków?

– Mama będzie kluski robić.

– Gumiklyjzy?

– Co?

– Gumiklyjzy. Takie kluski z ziemniaków i mąki.

– Tak, ale to są kluski śląskie.

– Nie, gumiklyjzy.

– To po polsku kluski śląskie.

– Babcia mówi na nie *polnische klyjzy*, a mama mówi gumiklyjzy. Robi je z roladami i modrą kapustą.

– To tak jak moja mama! – ucieszyła się Laurka. – Tylko moja mama robi kapustę czerwoną.

Obraliśmy jeszcze kilka ziemniaków i poszliśmy do pokoju Laurki.

Po drodze po raz pierwszy od lat mogłem uważnie przyjrzeć się wielkiej bibliotece Freytaga, którą ojciec Laurki częściowo przerobił na szafę odzieżową. Z ciekawością oglądałem też witraż w rozsuwanych drzwiach. Wydawał mi się mniejszy niż ten zapamiętany w dzieciństwie. I chyba kolory miał bledsze, choć szkło przecież nie blaknie. Zaskoczony spostrzegłem też, że zamkowa wieża, którą podziwiałem jako mały chłopiec, bardzo przypomina wieżę ciśnień z ulicy Wiśniowej. Przyjrzałem się uważniej. Ośmioboczna podstawa, od której odbijały masywne filary podtrzymujące olbrzymi zbiornik zwieńczony pikielhaubą... Niesłychane odkrycie... Tak, to była ona! Nasza wieża ciśnień! Ale dlaczego umieszczono jej wizerunek w drzwiach biblioteki Richarda Freytaga, dowódcy drużyn poszukiwaczy kielicha Lutra?

Pamiętałem swoje zdziwienie sprzed lat, gdy dowiedziałem się, że wewnątrz obręczy pierścienia Freytaga widnieje początek hymnu protestantów: „Ein feste Burg ist unser Gott" („Warownym grodem jest nasz Bóg"), a na drzwiach biblioteki jego koniec: „Nehmen sie den Leib, Gut, Ehr', Kind und Weib: laß fahren dahin, sie haben's kein' Gewinn, das Reich muß uns doch bleiben" („Niech pozbawią nas źli – żony, dzieci, czci, niech biorą, co chcą, ich zyski liche są, Królestwo nam zostanie").

Teraz do tamtego zdziwienia doszło zaskoczenie: co może mieć wspólnego wieża ciśnień z naszym mieszkaniem? Przypomniało mi się, co matka mówiła o drużynie Poszukiwaczy i Strażników Kielicha Lutra. O przemyślnych skrytkach, systemach zabezpieczeń, ćwiczeniach i podchodach prowadzonych pod patronatem organizacji Ahnenerbe. Miałem wrażenie, że ktoś urządzał te ćwiczenia nie tylko w terenie, lecz także w tym domu.

Chciałem o tym wszystkim opowiedzieć Laurce, ale dostrzegłem w jej nyży tapczan stojący pod ścianą. I to chwilowo wydało mi się ważniejsze.

– Wiesz, że po drugiej stronie tej ściany, dokładnie tak samo jak u ciebie, stoi moje łóżko? – zapytałem.

– Wiem, bo czasami słyszę cię w nocy.

Poczerwieniałem. Co ona może słyszeć?

– Kiedyś, jak byłeś mały, to czasami płakałeś. Teraz czasami krzyczysz przez sen.

– Nie krzyczę.

Roześmiała się.

– Krzyczysz!

– Nie krzyczę! – Rzuciłem się na nią, przewróciłem na łóżko, usiadłem okrakiem i złapałem za nadgarstki. Próbowała mnie zrzucić, ale przygniotłem ją mocno i unieruchomiłem ręce koło głowy. Pochyliłem się, zbliżyłem twarz do jej twarzy.

– Nie krzyczę!

– Krzyczysz. Złaź ze mnie.

Poczułem jej oddech tak blisko jak nigdy dotąd. Był ciepły i pachniał truskawkami. Dotknąłem wargami jej ust. Truskawki.

Przestała się wyrywać. Patrzyła mi w oczy. Nigdy tak blisko nie widziałem jej oczu. Miały kolor ciemniejącego nieba, takiego, jakie jest wtedy, gdy cały dzień świeci mocne słońce, a potem pojawiają się chmury i ptaki zaczynają nisko latać. Robiły się gniewne. Przestraszyłem się.

– Przepraszam – powiedziałem, puszczając jej nadgarstki.

– Idź już, bo zaraz moja mama przyjdzie.

Wstała i odprowadziła mnie do przedpokoju. Przez chwilę wahała się, trzymając rękę na klamce. Potem zdecydowanie ją nacisnęła i równie zdecydowanie przycisnęła swoje usta do moich.

Zamknęła oczy, więc zrobiłem to samo i całowaliśmy się po omacku. W ciemności zauważyłem, że we właściwe do całowania miejsca usta trafiają na ślepo.

– Wiesz, że jesteś pierwszym chłopakiem, z którym całuję się w usta?

Znów poczułem zapach truskawek.

– Wiesz, że pachniesz dziewicą?

Spojrzała na mnie z niepokojem.

– O co ci chodzi?

– Naprawdę. Czuję truskawki. Dziewice pachną truskawkami.

– A ty niby skąd o tym wiesz?

– Przeczytałem w liście mojej siostry.

– Aleś ty głupi. Piłam kisiel truskawkowy.

– Nieprawda. To jest coś więcej niż zwykły kisiel.

– Jasne.

Po czym dotknęła mojego policzka tak delikatnie, jakby musnęła puchem z poduszki. Dziwne, ale właśnie ten dotyk poczułem tak intensywnie jak nigdy dotąd.

Mama zawsze dużo szyła i czasami na podłodze leżały igły strącane ze stołu. Przestrzegała, by na nie uważać, bo jak nadepnę, to mogą wejść w stopę i krwiobiegiem dopłynąć do serca. Okropnie się tego bałem. Teraz, gdy byłem większy, zrozumiałem, że trzeba uważać również na dotyk kobiecej dłoni, bo on także krwiobiegiem może dotrzeć do serca.

29.

Arcyważne
odkrycie Laurki

O ile trudno byłoby powiedzieć coś z całą pewnością na temat ukrytych w naszej kamienicy poniemieckich skarbów, pewne jest to, że przez lata stały w piwnicy słoiki z przetworami pozostawionymi jeszcze przez Freytagów. Nikt ich nie otwierał. Dziadek z babcią bali się, że są celowo zatrute, a matka jak zwykle nie pozwalała brać niczego, co należało do byłych właścicieli.

Mieliśmy dwie piwnice, jedną wielką, pełną starych mebli i rupieci, drugą mniejszą, na węgiel. Mieściła się nieco niżej, schodziło się do niej trzema schodkami za wnęką i była chłodniejsza, więc mama kazała zrobić w niej regały z półkami i obok węgla trzymała przetwory. Gdy pewnego lata wyjechała w odwiedziny do Niemiec, ojciec zszedł do piwnicy i grzebiąc wśród zapasów gromadzonych przez mamę na zimę, znalazł zawekowany słoik z roladami. Otworzył go i odgrzewając, śpiewał:

Noc w konarach wichrem łka,
Spokój, cisza, raptem – trach!
Pełne lufy ognia,
Kaem gra melodię,
A granaty – bach, bach, bach!

Dopiero po dwóch tygodniach, gdy matka wróciła do domu, okazało się, że były to weki jeszcze po Freytagach. Ojciec wściekł się wtedy niesamowicie, krzyczał, że mógł się przecież śmiertelnie zatruć jadem kiełbasianym, a matka w poczuciu winy pozwoliła w końcu resztę słoików wyrzucić.

– Teraz to sama sobie wyrzucaj – powiedział obrażony i tak reszta słoików przetrwała w piwnicy przez następne lata. Te po Freytagach stały na samym dole regałów, brudne od węglowego pyłu – nikomu nie chciało się ich ruszać.

Kiedy wychodziłem z mieszkania Laurki, ze zdumieniem zobaczyłem doktora Szorstkiego, który skacząc po dwa schodki, pędził na górę z naszym brudnym słoikiem pod pachą. Nie miałem wątpliwości. To był charakterystyczny słoik z zielonkawego szkła, wąski i długi, z wieczkiem dociśniętym sprężynującą klamrą i wytłoczonym napisem „Johann Weck".

– Mamo, chyba widziałem, jak doktor Szorstki niesie do domu słoik z przetworami po Freytagach, ale to chyba niemożliwe, prawda? – powiedziałem po wejściu do domu.

Mama się roześmiała.

– Pan doktor jest trochę zdziwaczałym farmaceutą. Gdy się dowiedział, że mamy w piwnicy słoiki ze smalcem zawekowanym jeszcze przez Niemców, to spytał, czy nie mógłby jednego wziąć do eksperymentu. Ale nie pytaj, po co mu stary tłuszcz, bo nie wiem. Może to kwestia jakichś reakcji chemicznych.

– No ale po co niósł słoik do domu, skoro ma laboratorium w piwnicy? – nie mogłem zrozumieć.

– Boże, mam nadzieję, że on tego nie zamierza kosztować – zasępiła się matka. – Chociaż po tych naukowcach to można się wszystkiego spodziewać. Mam tylko nadzieję, że się nie otruje.

Było już tydzień po świętach i wuj szykował się do drogi powrotnej – siedział przy stole i studiował mapę, marudząc na polskie drogi. Ciotka krzątała się z mamą w kuchni i zwyczajowo namawiała ją do wyjazdu.

– Jak wy możecie żyć w tym kraju, wokół bieda, głupota i komuniści. Mam alergię, ale nie na pyłki czy jakieś kwitnące krzewy, mam alergię na głupotę. Nie mógłbym tu mieszkać. W Polsce głupota kwitnie niezależnie od pory roku.

– Wyjedziemy, wyjedziemy, niech tylko Peter skończy szkołę.

– Przecież w Niemczech może skończyć.

– Wyjedziemy.

Robiły deser. Jak zwykle *rote Grütze* z czerwonych owoców. Ciotka zagrzała je w winie, potem dodała trochę cukru, startej skórki pomarańczowej i cynamonu. Skórkę pomarańczową dodawało się u nas tylko na święta, bo poza świętami pomarańczy w sklepach nie było.

– Teraz trzeba zagęścić, daj mi sago – powiedziała, wskazując na stojący nieopodal pojemnik.

– To mąka ziemniaczana, w Polsce nie ma sago – odrzekła matka.

– No widzisz, musicie wyjechać.

Dla mnie brak sago nie był wystarczającym powodem do wyjazdu. Nie chciałem wyjeżdżać. Bałem się. W Polsce było mi dobrze. Wystarczyło, że człowiek miał prawdziwe dżinsy, a już mógł się czuć kimś wyjątkowym. Tyrania dostawała od wuja winylowe płyty długogrające. Led Zeppelin, Pink Floyd, Deep Purple. Czasami wyprowadzała je na spacer. Brała pod pachę i szła do parku, żeby ludzie zazdrościli, bo jak ludzie zazdroszczą, to człowiek tym bardziej się cieszy. Oglądało się za nią pół ulicy. Kuzynki się śmiały, jak im to opowiadała, i mówiły, że w Niemczech wszyscy mają takie płyty, podobnie jak dżinsy, i nikt nie zwraca na to uwagi. Nie wiem, czybym chciał, żeby na moje dżinsy nikt nie zwracał uwagi. Tyrania też na pewno by nie chciała spacerować z płytami wśród ludzi, którzy się za nimi nie oglądają. Pod pewnymi względami w Polsce było jednak lepiej.

Nigdy nie spacerowałem z płytą, a chciałem zobaczyć, jakie to uczucie, więc wszedłem do pokoju Tyranii, która wyszła gdzieś z kuzynkami, i pożyczyłem sobie *Deep Purple in Rock*, album wydany zaledwie przed paroma miesiącami. Był na niej piękny utwór *Child in Time*, który puszczała radiowa „Trójka".

Zostałem dostrzeżony już na schodach.

– O, widzę, że słuchasz już muzyki, dorastasz – zauważyła z podziwem Wieczne Potępienie. Chyba wybierała się do teatru, bo miała buty na wysokim obcasie, czarne futro i pachniała perfumami, a na dole czekała taksówka. Klasyczny zestaw teatralny: obcasy, futro i taksówka. Moja matka dwa razy była w teatrze, więc wiedziałem. Chodziłaby częściej, ale ojca trudno było namówić. Często sprzeczali się z tego powodu.

– Tylko byś w domu siedział – zarzucała mu matka.

– A ty byś tylko o rozrywkach myślała – marudził ojciec.

– A w domu tyle do roboty.

Moim zdaniem nic nie było w domu do roboty. Tyrania codziennie sprzątała po obiedzie, a ja wynosiłem śmieci – wszystko zawsze było zrobione. Ojcu się po prostu nie chciało. Mówił, że teatr to ma codziennie w pracy. Wolał siedzieć na kanapie, palić papierosy i czytać gazety lub oglądać telewizję. Ewentualnie dłubać w syrence. Wiedziałem, że jak będę duży i ożenię się z Laurką, to co miesiąc będziemy chodzić do teatru. Ona założy czarne futro i wysokie obcasy, na klatce zostawi zapach perfum, a przed domem będzie czekała taksówka.

Doszedłem z płytą do wieży ciśnień przy Wiśniowej, ale to nie był najlepszy kierunek, bo minęło mnie zaledwie kilka osób i nikt się nie odwrócił. Powinienem był iść w drugą stronę, w kierunku placu Powstańców Śląskich – tam są przystanki tramwajowe, a na nich sporo ludzi. Zawróciłem, by naprawić swój błąd, gdy zobaczyłem Laurkę. Niosła książkę przyciśniętą do piersi. Pomyślałem, że mógłbym na zawsze zostać tą książką tylko dla tej jednej chwili dotyku.

– Co tam niesiesz?

– Taki romans dla dziewczyn.

– W twardych okładkach?

– A co w tym dziwnego?

– Romansów nie powinno się wydawać w twardych okładkach, bo lekkie lektury nie powinny być ciężkie.

– Masz rację. Idę do parku poczytać, pójdziesz ze mną?

– Pewnie, że pójdę.

Wtedy zauważyłem, że jak idę z Laurką, to już w ogóle nie potrzebuję płyty, bo tak bardzo czuję się ważny. Laurka szła, podskakując.

Od czasu do czasu poważniała i wtedy brała mnie pod ramię, zupełnie jakbyśmy byli dorośli. Wydawało mi się, że wszyscy patrzą na mnie z zazdrością. Trochę mnie to zaskoczyło, że Laurka może na spacerze zastąpić album Deep Purple.

Rozmawialiśmy o świętach. Opowiadałem jej najpierw o wuju, a potem o siostrze Immakulacie. Bardzo zainteresowała ją ta historia, a zwłaszcza kielich.

– A co to za kielich Lutra? – zapytała.

– Nie wiem do końca, sprawdzałem w encyklopedii, ale tam nic o kielichu nie było, tylko o Lutrze.

– A co było o Lutrze?

– Że to zakonnik, którego trafił piorun…

– O, to ciekawe!

– To znaczy najpierw go trafił, a potem on złożył ślubowanie, że wstąpi do zakonu.

– Przeżył trafienie pioruna? To chyba niemożliwe – zwątpiła Laurka.

– Może to był cud i właśnie dlatego Luter wstąpił do zakonu.

– Aha. A co było dalej?

– Dalej było o tym, że nie podobały mu się niektóre rzeczy w Kościele.

– A co mu się nie podobało?

– Odpusty. Mówił, że jak człowiek ma grzech, to nie wystarczy księdzu zapłacić, żeby już grzechu nie było.

– Ja lubię, jak jest odpust przy kościele. Są słodycze i w ogóle. A co było dalej? – dopytywała Laurka.

– Nie podobało mu się też, że ludzie modlą się do obrazów, a nie do Pana Boga osobiście.

– A ty jak się modlisz?

– Osobiście, bo u nas w domu nie ma świętych obrazów. A ty?

– Też osobiście, bo tata nie pozwalał świętych obrazów wieszać. A co było dalej?

– Luter na znak protestu założył własny Kościół, który się nazywa protestancki. Większość Niemców to protestanci…

– Wiem.

– A wiesz, co to jest Święty Graal?

– To jakiś skarb rycerzy.

– To kielich, z którego Chrystus pił wino podczas ostatniej wieczerzy. Ma cudowną moc, dlatego najpierw szukali go rycerze, a w czasie wojny Niemcy. To wiem na pewno, mama mi mówiła.

– I znaleźli?

– Nie, bo gdyby znaleźli, to nie przegraliby wojny. Ale może z tego samego powodu szukali kielicha Lutra!

– I ten kielich też nie został przez Niemców znaleziony?

– Nie, bo do dziś go szukają.

– A po co im teraz, skoro już przegrali wojnę?

– Nie mam pojęcia. Może do nowej wojny potrzebują.

– A gdzie on jest teraz?

– Nie wiem.

Laurka milczała przez dłuższą chwilę.

– Ja już wiem – powiedziała w końcu. – Ty zawsze mówiłeś, że twoja mama nie pozwala ruszać rzeczy po Freytagach i ich pilnuje. Ona w takim razie pilnuje także kielicha Lutra. Razem z siostrą Immakulatą.

To było zdumiewające odkrycie, ale dzięki niemu wszystko stawało się zrozumiałe. Pierścień Freytagów, który matka zawiesiła w żyrandolu, mówiąc, że nas obserwuje, służył do tego, by mnie i Tyranię nastraszyć. To nie pierścień pilnował, lecz moja matka.

W moim umyśle, w głowie chłopca wychowanego na przygodowych książkach Verne'a, Nienackiego i Szklarskiego, wszystko nareszcie się ułożyło. Ahnenerbe, to dziwne stowarzyszenie niemieckich poszukiwaczy wierzące w moc Świętego Graala, także szukało kielicha Lutra. Niemcy byli w większości ewangelikami i być może chętniej uwierzyliby w moc kielicha pozostawionego przez twórcę ich Kościoła niż w siłę Graala związanego z legendami innego Kościoła – katolickiego.

Przez moje dzieciństwo przewijali się tajemniczy mężczyźni w długich płaszczach. Chodzili wokół domu, zaglądali do mieszkań i piwnic. Mówili do nas po niemiecku lub łamaną polszczyzną. Czegoś szukali. Do tej pory sądziliśmy, że ukrytych kosztowności, ale być może czegoś zupełnie innego.

Pamiętałem, że Smok opowiadał o Niemcach, którzy wypytywali go o kielich. Był zirytowany, ale i przestraszony, tak jakby miał świadomość, że przez przypadek za dużo zobaczył lub zbyt wiele się dowiedział. Może to nie był przypadek, że na drugi dzień spłonął. Może ktoś celowo przyniósł mu butelkę spirytusu, wiedząc, że od dawna próbował nieskutecznie trzeźwieć. Czy to nie była wtedy Immakulata? Panna Julianna też wspominała o kielichu, który na fotografii pokazywali jej wysłańcy Fryderyka. Dziwne to wszystko. Także to, że ten jej Fryderyk miał wkrótce przyjechać. Ona myślała, że do niej, ale ja zacząłem podejrzewać, że w zupełnie innym celu.

30.

Zdrady prawdziwe oraz domniemane

Panna Julianna była najbardziej stęsknioną osobą na świecie. Początkowo tego nie rozumiałem, myśląc, że ma różne dziwactwa. Zresztą może to były dziwactwa, ale brały się głównie z tęsknoty.

Emanuela, ta od sztandarów, powiedziała kiedyś mojej mamie, że panna Julianna kupuje ubrania dla Fryderyka i ma już ich całą szafę. Dziwiło mnie to i nie bardzo chciałem wierzyć, że można kupować coś z myślą o kimś, kogo się tylko wspomina, a nie widuje, rozpamiętuje i pamięta, chociaż powinno się zapomnieć.

Po świętach poszedłem do panny Julianny na korepetycje i kiedy robiła mi herbatę, zajrzałem do jednej z szaf, bo zaglądanie do cudzych szaf jest w pewnym wieku bardzo przyjemne. U babci zawsze zaglądałem do wszystkich szuflad, tak jakbym szukał czegoś, sam jeszcze nie wiedząc czego, ale będąc przekonanym, że jest w nich coś do znalezienia. Poza domem babci, naszą piwnicą i pokojem Tyranii nie miałem zbyt wielu okazji do poszukiwań, więc szafa panny Julianny wydawała mi się niezwykle atrakcyjna. Zwłaszcza że zamykana była na kluczyk, a otwieranie zamka zwiększa poczucie tajemnicy. Przekręcałem kluczyk z ciekawością, jakbym szukał skarbów, a nie ubrań gromadzonych przez samotną kobietę dla jakiegoś Niemca, i gdy po cichu, unikając skrzypienia starej szafy, która mogła na mnie donieść, otworzyłem drzwi, panna Julianna weszła właśnie do pokoju, wydając okrzyk zdumienia.

– Co robisz?! Dlaczego grzebiesz w mojej szafie? Matka cię przysłała czy ojciec? Czego kazali ci tam szukać? A klapa w łazience znów podniesiona!

Nie miałem pojęcia, o co jej chodzi z tą klapą, przecież nawet nie skorzystałem jeszcze z łazienki. Panna Julianna była rozzłoszczona jak nigdy – odstawiła szklankę z herbatą tak szybko i niedokładnie, że spodek zawisł na krawędzi stołu, szklanka się zakołysała i po sekundzie wszystko wylądowało na podłodze z brzękiem tłuczonego szkła.

– Idź po szmatę i powycieraj! – krzyknęła czerwona ze złości, zabierając kluczyk do szafy.

Pobiegłem do kuchni przerażony, w ogóle nie zastanawiając się już nad tym, po co jej cała szafa męskich ubrań, w dodatku noszonych, bo na pierwszy rzut oka było widać, że nie są to ubrania ze sklepu, lecz prawdopodobnie ze sprzedającego używaną odzież komisu. Pędząc ze szmatą, nie zastanawiałem się też nad powodami, dla których na dnie szafy panna Julianna trzyma smalec w takich samych zielonych słoikach jak te, które od czasów państwa Freytag stały w naszej piwnicy. Bez wątpienia panna Julianna miała swoje dziwactwa. Każdy je ma i dlatego dziwactwa w ogóle mnie nie dziwiły. Tak naprawdę zastanawiający był w jej szafie zielony szlafrok. Wisiał przy samym brzegu, poznałem go po ozdobnym inicjale. Zamaszyste „E" wyhaftowała na nim moja mama i był to prezent pod choinkę dla mojego ojca – podarowała mu go kilka lat wcześniej, przed epidemią czarnej ospy we Wrocławiu.

Doktor Szorstki pracował wtedy w szpitalu na Ołbińskiej. Przywieziono tam pacjenta, agenta służb specjalnych, który wrócił z misji w Indiach. Lekarze stwierdzili u niego zwykłą ospę wietrzną, ale doktor Szorstki miał wątpliwości. Przekonywał, że to czarna ospa, choroba niezwykle groźna, epidemiczna, często śmiertelna. Dostał za to upomnienie od swojego przełożonego, który twierdził, że w nowoczesnym kraju, w dodatku budującym socjalizm, nie ma miejsca na choroby z czasów średniowiecza. Miał pewnie na myśli dżumę, bo szybko okazało się, że miejsce na czarną ospę jednak było – zachorowała na nią salowa opiekująca się agentem, a potem jej córka.

Doktor Szorstki zrezygnował wtedy z pracy w szpitalu i postanowił zająć się farmacją. Namawiał moją matkę, by zrobiła podobnie, zwłaszcza że ciężko chora córka salowej została przewieziona do szpitala przy Rydygiera, w którym moja mama pracowała jako oddziałowa pielęgniarek. Wątpię, czy chciałaby wtedy ze szpitala uciec, ale i tak było już za późno – epidemia czarnej ospy została potwierdzona, a matkę na dwa miesiące zamknięto w jednym z ośrodków kwarantanny wraz z dwoma tysiącami osób podejrzanych o kontakt z wirusem. Miasto wyglądało jak wymarłe, ludzie bali się wychodzić z domów, a ci, którzy szli do pracy, starali się wzajemnie omijać szerokim łukiem. W ciągu kilku tygodni czarną ospą zaraziło się blisko sto osób, a siedem zmarło.

Siedzieliśmy wtedy z Tyranią w domu i patrzyliśmy ponuro w telewizor, w którym pokazywano snujących się po mieście wysłanników sanepidu – w białych kitlach i maskach na twarzy przypominali duchy. Pokazywano też klamki zakładów i instytucji, które wyglądały na ciężko chore, bo owijano je bandażem nasączonym środkiem dezynfekcyjnym. Mieliśmy wtedy jechać z ojcem na wakacje nad Bałtyk, ale w całym kraju panowała już taka histeria, że tuż przed wyjazdem otrzymaliśmy telegram: „Z przyczyn zagrożenia epidemiologicznego turyści z Wrocławia nie są przyjmowani aż do odwołania".

Opiekowała się nami panna Julianna, w południe przynosząc zupę, a pod wieczór drugie danie, na które trafiał wracający z pracy ojciec.

Zauważyłem, że nie śpiewał przy niej swoich zwyczajowych piosenek o granatach, hełmach i cekaemach, tylko o jakiejś Natalii.

O, Natalio, o, Natalio,
Bez pamięci cię uwielbia nasz batalion.
O, Natalio, o, Natalio,
Pachniesz wiatrem, leśnym szumem i konwalią.

Z czasem panna Julianna się zadomowiła. Oglądała z nami telewizję, a po *Dzienniku Telewizyjnym* siadywała z ojcem przy stole i palili razem papierosy na znak domowego ogniska. Gdy po miesiącu zepsuł się w jej mieszkaniu junkers i nie leciała ciepła woda, panna Julianna przychodziła do nas kąpać się co wieczór, tak jakby awaria w jej łazience zamieszkała na stałe. Schodziła zazwyczaj w eleganckim szlafroku, pod którym miała pidżamę albo koszulę nocną, i bardzo mnie zdziwiło, gdy pewnej nocy wstałem z łóżka i chcąc się napić wody, poszedłem do kuchni, a tam panna Julianna paliła papierosa, patrząc w okno, a na sobie miała zielony szlafrok z czarnym monogramem mojego ojca.

To było jednak kilka lat wcześniej. Od tamtej pory panna Julianna nie bywała już w naszym mieszkaniu w pidżamie, jej junkers chyba już się nie psuł, tym bardziej więc zdziwił mnie widok zielonego szlafroka w jej szafie.

Po korepetycjach wróciłem do domu i chciałem od razu podzielić się tym odkryciem z Tyranią, ale akurat siedział u niej Rudy Tomek i światło było przyciemnione, a to znaczyło, że mają nastrój i jak wejdę, to potem będzie awantura. Raz wszedłem i zobaczyłem, jak się całują. Tyrania rzuciła wtedy we mnie jakimś przedmiotem, a później krzyczała, że jej zepsułem nastrój stworzony za pomocą przyciemnionego światła. Od tamtej pory wiedziałem, że jak ma zaciemnienie, to nie wolno wchodzić.

Minutę później myślałem już o czymś innym, bo do drzwi zadzwoniła Rozala z informacją, że mieliśmy włamanie do piwnicy.

– Wczoraj to się stało, wczoraj wieczorem – rozdygotana opowiadała ojcu. – Sprzątałam tam i zauważyłam, że drzwi są otwarte. Ale myślałam, że szanowny pan Edmund tam siedzi albo Piotruś z chłopakami, jak to mają we zwyczaju, więc nie zwróciłam uwagi. A dzisiaj idę i patrzę, a tam znowu u państwa otwarte, więc zerkam i dopiero widzę, że kłódka ze skoblem jest wyrwana! Łomem to ktoś zrobił, ktoś wyrwał kłódkę łomem!

Od razu zapomniałem o szlafroku. Włamanie do naszej piwnicy? Pobiegliśmy z ojcem na dół.

Istotnie, drzwi naszej piwnicy były uchylone, a przy drzwiach smętnie dyndał wyrwany ze ściany skobel. Na podłodze leżało trochę ceglanego pyłu.

Weszliśmy do środka, ojciec się rozejrzał i ze zdziwieniem stwierdził:

– Chyba nic nie zginęło.

Pośrodku stał inkrustowany stolik z kaukaskiego drewna, obok obite czerwonym aksamitem fotele i jeszcze parę mebli Freytagów z tej części mieszkania, którą kiedyś zajął Fundament podczas naszej nieobecności; wszystko wyglądało na nienaruszone, tylko drzwi obu szaf były otwarte, ale nie sprawiały wrażenia, by ktoś w nich grzebał, galowy mundur Freytaga wisiał godnie, a spodnie wciąż miały zaprasowane kanty.

Mieliśmy już wychodzić, gdy ojciec zerknął do oddzielonej ścianą wnęki, w której trzymaliśmy węgiel, i krzyknął ze zdziwienia.

– Ale jaja! Ktoś zajebał wszystkie stare weki!

Rzeczywiście, zniknął rząd zakurzonych słoików, a na podłodze zostały tylko jasne ślady po ich denkach.

– Zawiadomić milicję? – zapytała z niechęcią Rozala. – Jakby co, to mam świadka, rano był ze mną sąsiad zza ściany.

Po śmierci Smoka kolejarz odwiedzał ją coraz częściej, natura nie znosi bowiem próżni, a Rozala była naturalna.

– Niech pani da spokój! – żachnął się ojciec. – Milicję? Z powodu kradzieży szwabskiego smalcu?

– Ale po co komu takie weki? – zdziwiła się Rozala. – Przecież one musiały być zepsute.

– Czort ich wie. Pewnie włóczędzy zabrali, może na tłuszcz do jakichś lampek.

– Jak to do lampek?

– Normalnie. Takich jak lampki oliwne, żeby po ciemku nie siedzieć.

Uznaliśmy, że to dość przekonujące wyjaśnienie. Wprawdzie przez sekundę pomyślałem o słoiku, z którym biegł po schodach doktor Szorstki, a potem o słoikach w szafie panny Julianny, ale przecież ona na pewno nie potrzebowała tłuszczu do lampek.

W drodze do domu spotkaliśmy na schodach Laurkę. Szła wyrzucić śmieci.

– Pójdę z tobą – zaproponowałem z radością, jakbym się wybierał na romantyczny spacer.

– Moja mama ma cię za chuligana. Widziała, jak wycinałeś coś finką na ławce – doniosła Laurka.

– Tak, to prawda – przyznałem się. – Nawet nakrzyczała na mnie.

– A co wycinałeś?

– Nic takiego.

– Chcę zobaczyć.

Podeszliśmy do ławki. Spojrzałem na wyryte przeze mnie serce i osłupiałem. Ktoś do wydłubanej litery „L" dopisał ciąg dalszy. Nie było to jednak imię Laurki. Pod sercem widniała dedykacja: „Liza".

– A więc to tak. – Laurka zaczerwieniła się ze złości. – A więc to prawda, co opowiadają o chłopakach i Money Lizie.

– Co opowiadają?

– Ty dobrze wiesz. Pokazuje im piersi i tak ich w sobie rozkochuje.

– To nieprawda!

– Nigdy nie pokazywała ci piersi?

– Nigdy! To znaczy kiedyś, dawno, razem z chłopakami oglądałem ją w piwnicy, ale ona już tego nie robi!

– A jednak ją kochasz!

– Nieprawda!

– Kłamiesz! Moja mama widziała, jak wyryłeś dla niej to serce!

– To nie dla niej!

– A dla kogo?

– Dla ciebie!

– I przez pomyłkę źle podpisałeś? Idiota!

Laurka odwróciła się na pięcie i nie słuchając moich wyjaśnień, poszła wyrzucić śmieci.

Gdy otworzyła bramę, klatka schodowa rozbłysła tęczą różnokolorowych płomyków – to okoliczni parafianie tradycyjnie rozpalili znicze z okazji kolejnej rocznicy męczeńskiej śmierci Smoka.

31.

Przypadek metafizyczny pojemnika do mączki sago

Z przedpokoju dobiegł jakiś rumor, a potem dudniący głos ojca:

– Jasna cholera! Kiedy wreszcie pozabierasz stąd te laski po Freytagu?

– Daj spokój, przecież wiesz, że lubię z nimi chodzić.

Istotnie, mniej więcej co dwa tygodnie jeździli na Ślężę. Matka brała wtedy jedną z lasek i tak uzbrojona zdobywała szczyt. Dziwnie wyglądała: pionierki, wełniane skarpety do kolan, krótka spódnica, plecak i laska z metalowym grotem. Trochę się wstydziłem tego widoku, bo inne matki ubrane były normalnie – miały czarne pantofle, lakierowane torebki i ortalionowe płaszcze na wypadek, gdyby zaczęło padać.

Zawsze potrafiła odeprzeć atak ojca, który co rusz domagał się w domu denazyfikacji i wyniesienia do piwnicy kolejnej partii rzeczy po Freytagach. Mistrzowsko w tym celu zmieniała temat.

Tym razem stanęła w drzwiach przedpokoju z ceramicznym pojemnikiem na sago.

– Edmund, uchwyt od przykrywki mi się ukruszył, możesz skleić?

– Postaw gdzieś, potem skleję – powiedział ojciec, zbierając laski, które w korytarzu porozsypywały się jak bierki.

Matka postawiła pojemnik na stole i już wracała do kuchni, gdy nagle rozmyśliła się i przestawiła pojemnik ze stołu na telewizor.

– Żebyś miał na oku i nie zapomniał.

– Nie zapomnę – mruknął ojciec.

Pojemnik stał na telewizorze przez trzy tygodnie.

Ludzie różne rzeczy trzymają na telewizorach. U panny Julianny stało oprawione w ramkę zdjęcie ukochanego Fryderyka von Dyhrna, który jedną ręką dumnie przytulał wąską kibić panny Julianny, a drugą równie dumnie obejmował słup z szyldem Stowarzyszenia Pługów Parowych, którego mimo młodego wieku był prezesem, co panna Julianna podkreślała za każdym razem. U pana Teofila stał na telewizorze nakręcany budzik, na którego tarczy było napisane „Pobieda, 11 jewels". Pan Teofil wytłumaczył mi, że „*pobieda*" to rosyjskie słowo oznaczające zwycięstwo, bo radzieckie zegarki są najszybsze na świecie. Natomiast „*jewels*" to z angielskiego klejnoty, co oznaczało, że budzik ma w środku jedenaście rubinów, z których zrobione są łożyska. Pan Teofil często jeździł w rodzinne strony i za każdym razem dostawał w prezencie budzik, bo poza budzikami nic nie można było tam kupić, w związku z czym miał ich kilkanaście rozstawionych po całym mieszkaniu. Uznałem, że skoro każdy z nich ma po jedenaście rubinów, to pan Teofil musi być bardzo bogaty.

Poza tym na telewizorach u naszych sąsiadów stały głównie ryby. Nie wiem, dlaczego obowiązująca wówczas moda nakazywała stawiać ryby na telewizorze. W mieszkaniu Smoka była to ryba fioletowa, szklana, a u Laurki przezroczysta, z kryształu. U pana Henryczka, a nawet u doktora Szorstkiego, też stała ryba z kryształu, i tylko w naszym domu zamiast ryby stał fajansowy pojemnik z napisem „Sago".

Pod wieczór wpadł pan Henryczek. Był bardzo zadowolony, co zazwyczaj objawiało się u niego butelką w ręku.

– Panie Edmundzie, nowe czasy idą! – zawołał od progu.

– Odkąd pamiętam, to idą – sceptycznie zauważył ojciec. – A jak tylko przyjdą, to od razu okazuje się, że są stare. Dzięki temu całe życie żyję w nowych czasach, sam nie wiem, jak to możliwe.

– Pan nie narzeka, pan da kieliszki, naszą władzę dobroczynną opijemy.

Kiedy pan Henryczek mówił o dobroczynności władzy, to zawsze oznaczało jedno: w kraju kolejne przemiany polityczne zaszły już tak daleko, że wkrótce będzie się zmieniać tablice z nazwami ulic. W wymiarze praktycznym sprowadzało się to do tego, że pan Henryczek wkrótce zarobi tyle, że będzie mógł ponownie wymienić samochód.

Spisując ich rozmowy, mógłbym na przykładach zmieniających się nazw ulic odtworzyć historię miasta, tak jak na przykładzie haseł wypruwanych ze sztandarów, które przynosiła pani Emanuela, mógłbym opisać historię kraju – on utrwalał ją na emaliowanych tabliczkach, ona na miękkim adamaszku.

Od dwóch lat trwała w Polsce wspierana przez rząd nagonka na Żydów, w wyniku której kraj opuściło dwadzieścia tysięcy osób. Żar walki ogarnął zwykłych obywateli, którzy licznie wystąpili o usunięcie z ulic nazwisk żydowskich patronów. Co kilka miesięcy wracała kwestia zmiany nazwy placu Icchaka Lejba Pereca, co byłoby logiczne po wyjeździe naszego Pereca zza ściany, ale nie zmieniono jej jednak do dziś, by pokazać, że Polacy nie są antysemitami. W gazetach podkreślano też, że za Lejbem przemawia jego godna naśladowania pracowitość – wygłaszając mowę pogrzebową, przedstawiciel gminy żydowskiej żegnał go słowami: „To był wspaniały człowiek. Przez dwadzieścia pięć lat ani razu nie spóźnił się do pracy". Nigdy wcześniej nie słyszałem, żeby wspaniałość człowieka właśnie na tym polegała, zwłaszcza że ojciec Laurki też się nie spóźniał, ale to mu nie pomogło.

Najbardziej pan Henryczek liczył jednak na przemianowanie placu Grunwaldzkiego, tym bardziej że gazety ogłosiły już konkurs na nową nazwę i przyszły ciekawe propozycje. Najbardziej spodobały mu się te trzy: „Szturmem Wydarta Wrogowi z Lwiej Paszczy", „Krwią Polską Zbryzgana po Kolana" oraz „Żaden Wróg Nie Zdoła Nas Zgnieść". Są to nazwy wspaniale długie, dzięki czemu można by za nie zainkasować podwójną stawkę.

W połowie butelki, a więc dość szybko, zadzwoniła do drzwi pani Emanuela, która w eleganckich bamboszach wybrała się na poszukiwanie męża.

– Ach, tu jesteś, ochlapusie – zwróciła się do pana Henryczka niesprawiedliwie.

– Przecież nie piję więcej niż inni – słusznie zauważył pan Henryczek i przeczuwając konieczność rychłego odwrotu, szybko uzupełnił kieliszki.

– To może zapalę z wami – zaproponowała pani Emanuela, wyciągając mentolowe papierosy o nazwie Zefir.

Dołączyła do nich matka i tak palili, siedząc przy stole. Palenie papierosów w wielu domach było wówczas najpopularniejszą formą wspólnego spędzania czasu – ludzie gromadzili się dookoła popielniczek tak jak kiedyś ich przodkowie dookoła ogniska. Kiedy pokój był już pełen dymu, wszyscy postanowili przenieść się do kuchni, a ojciec otworzył okno, żeby przewietrzyć.

Siedziałem w swojej nyży pod kocem i przez otwarte drzwi oglądałem telewizję. Po kwadransie weszła pani Emanuela i sięgnęła po papierosy – widocznie znów zachciało im się zapalić. Jej wzrok padł na telewizor i wówczas stała się rzecz dziwna. Emanuela przystanęła, po czym odłożyła papierosy i uklękła przed telewizorem. Następnie przeżegnała się i złożyła ręce jak do modlitwy.

Po kilku minutach wszedł pan Henryczek, wysłany zapewne w celu przejęcia papierosów.

– A cóż ty robisz, Emanuelo?! – wykrzyknął zdumiony widokiem modlącej się do telewizora żony.

– Cicho, głupku! Nie widzisz? – zmitygowała go pani Emanuela, wskazując na szary ekran, gdzie od paru minut widać było jedynie obraz kontrolny.

Obraz kontrolny był nieruchomą planszą z napisem „Przepraszamy za usterki", którą podczas częstych w tamtych latach awarii telewizja emitowała zamiast programu. Zazwyczaj trwało to kilka minut, chociaż zdarzało się, że i godzinę.

– No widzę, obraz kontrolny – odrzekł spokojnie pan Henryk.
– Dlaczego modlisz się do obrazu kontrolnego?

– Spójrz, co stoi na telewizorze, kretynie! – syknęła Emanuela z klęczek.

Pan Henryczek spojrzał i zobaczył nienaprawiony przez ojca pojemnik na mączkę sago. Z opowiadań matki zapamiętał, poczciwiec, że w młodości dziadek roznosił towary kolonialne, w związku z czym nosił przydomek „Pan Sago".

– Boże, toż to ojciec pani Helgi! Urna z prochami Pana Sago! Pobladł i przyklęknął koło małżonki.

Była to jedna z najbardziej zdumiewających rzeczy, jakie w życiu widziałem. Klęczeli tak przed telewizorem oboje, modląc się żarliwie, gdy do pokoju wszedł ojciec.

– No co się dzieje z tymi papierosami? – zdążył zapytać od progu, po czym na widok tak religijnej demonstracji wobec obrazu kontrolnego stanął jak wryty, a szklanka z herbatą wypadła mu z rąk.

– No mówiłam ci, żebyś nie pił tyle wódki, a ty po mieszkaniu ze szklankami łazisz! – zawołała z kuchni matka i przybiegła na ratunek od razu ze ścierką.

Pani Emanuela zdążyła przez ten czas zakończyć modlitwę za zmarłych i powoli powstawała z klęczek, natomiast pan Henryk nadal zmawiał pacierz wpatrzony w pojemnik na mąkę.

– Mundek, co tu się dzieje? – zapytała słabym głosem matka, podejrzewając zatrucie umysłowe alkoholem prawdopodobnie niewiadomego pochodzenia.

– Nie wiem, ja tylko zbiłem szklankę z herbatą – próbował usprawiedliwić się ojciec.

– Bardzo pani współczujemy – wysapała Emanuela. – Proszę przyjąć kondolencje z powodu śmierci tatusia i jednocześnie przeprosiny, że byliśmy na tyle zajęci innymi sprawami, że nie zrobiliśmy tego wcześniej.

– Dziękuję, ojciec długo chorował, a że miał już osiemdziesiąt dziewięć lat, to w końcu musiało nastąpić – ze spokojem odpowiedziała mama. – Życzył sobie, by go po śmierci skremować, i tak też się stało. W pewnym sensie dzięki temu wciąż jest z nami.

Miała na myśli jego prochy rozsypane w górach Szwarcwaldu, ale pani Emanuela nie mogła o tym wiedzieć. Jeszcze raz zerknęła w kierunku telewizora i ciężko westchnęła.

Potem znów usiedli dookoła stołu, na środku którego stała popielniczka. Kładli na niej papierosy i patrzyli, jak się żarzą. Ilekroć byliśmy u babci i dziadek piekł ziemniaki, wszyscy siadali dookoła ogniska i tak właśnie patrzyli na żar. Jednak w popielniczce nigdy nic się nie piekło.

32.

Wychowanie seksualne wśród niemieckich naturystów

Laurka nie odzywała się do mnie od kilku dni. Nie odpowiadała też na moje stukania w ścianę. Byłem zrozpaczony. Kiedyś słyszałem, jak pan Teofil mówił, że po stracie ukochanej rzucił się w ramiona innych kobiet. Postanowiłem też się rzucić, zwłaszcza że zacząłem dorastać, co czułem wszystkimi członkami. Moje ramiona urosły nieproporcjonalnie, podobnie jak nogi, a zwłaszcza stopy. Tyrania śmiała się, że wyglądam jak pająk. Pewnie jak pająk krzyżak, biorąc pod uwagę nasze pochodzenie.

Pewnej nocy poczułem, że dziwne rzeczy zaczynają się dziać też z moim fiutkiem. Miało to wyraźny związek z rozmyślaniami o Laurce. Obrażony, że nadal nie odpowiada na stukanie w ścianę, zacząłem rozmyślać o Money Lizie. Ze zdumieniem zauważyłem, że fiutek też zareagował. Wtedy zrozumiałem, że jest jakaś ogólna idea dziewczęca, a może nawet kobieca, na którą dorastający chłopcy, a potem mężczyźni, reagują zawsze tak samo.

Pierwszą całkiem nagą kobietą, którą zobaczyłem wiele lat wcześniej, była ciężarna Niemka z podręcznego atlasu anatomii dla frontowych felczerów. Uśmiechała się do mnie ze zdjęcia, a obok niej widniała lista przedmiotów, które trzeba przygotować na wypadek porodu. Nawet mnie to specjalnie nie zdziwiło, że odbieranie porodów należy do zadań frontowych. Jak człowiek podstawową wiedzę o życiu zdobywa z poniemieckich książek, to nic go nie dziwi. Z radosnym zdumieniem odkryłem wtedy, że w domu jest mnóstwo nagich kobiet. Ich wizerunki widniały w grubych, obitych skórą księgach Freytagów, gdzie na dziesiątkach rycin boginie o odkrytych piersiach unosiły obnażone miecze. Inne, o powiewających szatach odsłaniających rysunek łona, dosiadały koni o grzywach rozwianych wiatrem i gniewem. Księgi, bogato ilustrowane drzeworytami, miedziorytami i litografiami, pełne były nordyckich i germańskich legend, o których w dzieciństwie cierpliwie opowiadała mi matka, skupiając się wtedy raczej na treści niż obrazie, po który sięgałem później. Z podziwem patrzyłem na Freję, bóstwo płodności, o piersiach zawsze odkrytych, podobnie jak na matrony oraz waleczne walkirie, które podczas uczt zrzucały zbroje, by usługiwać dzielnym rycerzom w zaświatach, pasąc ich wzrok na wieczność już nienasycony.

Specjalna księga, najgrubsza, zawierająca czterysta pięćdziesiąt grafik, z których każdą oddzielono szeleszczącym pergaminem, w całości poświęcona była Brunhildzie, najpiękniejszej córce Odyna, uwiecznionej przez Wagnera w operze *Walkiria*. Wśród czterystu pięćdziesięciu scen z jej burzliwego życia najbardziej podobały mi się te, w których naga wchodzi do jeziora, co zostało z detalami ukazane na trzech kolejnych litografiach.

Przerażała mnie jedynie bogini Hel, władczyni piekła, która na wpół uległa już rozkładowi, dlatego jej twarz i piersi były wciąż piękne, lecz od pępka w dół jawiła się szkieletem.

Dość podobne, ale mniej przerażające, były rysunki w starych atlasach anatomii – widziałem tam nawet przekrój narządów rodnych na pergaminie, który można było dopasować do tekturowego fantomu kobiety.

Jednak najpiękniejsze kobiety znalazłem w pismach zgromadzonych przez Freytagów w piwnicy. Właściciele kamienicy byli zapewne wyznawcami modnego przed wojną naturyzmu, bo na piwnicznych półkach leżały stosy czasopism i broszur, w których nadzy mężczyźni i kobiety gimnastykowali się, strzelali z łuków, rzucali oszczepami i wystawiali ciała ku słońcu. Pisma nosiły tytuły „Figaro" i „Leben und Sonne". Kilka z nich dałem panu Teofilowi, który kiedyś zobaczył, jak wertowałem je na klatce schodowej. Pan Teofil zawsze wszystko wiedział, więc wyjaśnił mi wtedy, że pisma te związane były z przedwojennym ruchem Freikörperkultur (Kultury Wyzwolenia Ciała). Niemcy propagowali kult nagiego ciała – zdrowy Aryjczyk powinien być wysportowany i opalony, golizna jest czymś naturalnym, a ja z tego faktu czerpałem dosłownie pełnymi garściami, wyrywając akty opalających się kobiet i chowając je w swoim pokoju pod łóżkiem.

Ukradkiem przynosiłem z piwnicy także broszury już z lat czterdziestych, takie jak *Der schöne Mensch in der Natur* oraz *Geist und Schönheit,* tym różniące się od poprzednich, że zawierały niekiedy zdumiewające zdjęcia, takie jak te, na których rząd kobiet o mocno owłosionych łonach pozował na tle portretu Adolfa Hitlera. Wódz Trzeciej Rzeszy miewał zastrzeżenia wobec naturyzmu, dostrzegając w nim wpływy lewicy oraz homoseksualistów, więc od czasu do czasu trzeba go było jakoś udobruchać.

Nie wiem jak inni chłopcy w moim wieku, ale ja pierwsze fascynacje kobiecym ciałem czerpałem z tych niemieckich, czasami nawet nazistowskich, książek oraz broszur. Z pewnością nie było to normalne, ale sęk w tym, że bardziej normalnych okazji na zbliżenie się do tajemnicy kobiecego ciała nie miałem.

Czasami usiłowałem podglądać Tyranię, gdy w bramie całowała się z Rudym Tomkiem, ale patrzyłem wtedy głównie na niego, żeby się czegoś nauczyć i wiedzieć na przyszłość, jak mam się zachować przy Laurce.

33.

Panna Julianna traci rozum z powodu tęsknoty

Wszedłem do mieszkania panny Julianny, w drzwiach mijając Laurkę.

– Cześć. Z czego bierzesz korepetycje? – zagadnąłem, uśmiechając się najsympatyczniej, jak potrafiłem.

– Z wierności mężczyzn – odparła zupełnie bez sensu, mijając mnie z dumnie podniesioną głową.

Być może wciąż chodziło jej o to serce wyryte na ławce, a może panna Julianna znów opowiadała coś o Fryderyku. Od pewnego czasu wspominała go częściej, pewna, że już wkrótce przyjedzie, może nawet jutro lub pojutrze, najdalej za kilka dni. Codziennie ubierała się jak do opery, ale nie zamawiała taksówki.

Posadziła mnie przy stole i poszła do łazienki.

– Znów nie zamknął klapy od sedesu – załamała ręce, wychodząc po chwili. – Anioł z niego nie mężczyzna, ale ma swoje starokawalerskie przyzwyczajenia.

Rozejrzałem się po pokoju, ale nie dostrzegłem śladów obecności Fryderyka. Na stole stała tylko butelka po oranżadzie i pusta szklanka. Pewnie po Laurce. No ale nie sądzę, żeby Laurka miała problemy z podnoszeniem i opuszczaniem klapy.

Po mojej szkolnej wpadce z Atlantami ojciec poprosił pannę Juliannę, żeby sprawdzała mi lekcje, zwłaszcza domowe wypracowania, w których mogłem nieopatrznie pomieszać pożądaną wiedzę szkolną z informacjami, które miałem od mamy. Odkąd w naszym domu zawisł pierścień Freytagów, byłem chyba jedynym dzieckiem, które wychowywało się w przeświadczeniu, że templariusze działają współcześnie i z pożytkiem, ale u nas się o nich nie wspomina, bo to zakon niemiecki.

Telewizja zaczęła właśnie emitować serial *Samochodzik i templariusze* ze Stanisławem Mikulskim w roli głównej, uwielbianym przez wszystkich po roli Hansa Klossa w *Stawce większej niż życie*, więc napisałem o nim wypracowanie, które panna Julianna cierpliwie mi poprawiała, czerwonym długopisem podkreślając banialuki. Było ich sporo, mniej więcej co drugie zdanie zostało podkreślone. Najbardziej nie podobało się pannie Juliannie moje szczere wyznanie, że Hans Kloss nosił mundur kapitana Abwehry, który mogę opisać ze szczegółami, bo identyczny wisi w naszej piwnicy.

W przerwach w poprawianiu mojego zeszytu panna Julianna co rusz podchodziła do okna i wychylając się, spoglądała na ulicę, tak jakby coś lada chwila miało się stać lub ktoś miałby nadejść. Każdy, bez względu na wiek, zna takie wypatrywanie. Ja wypatrywałem tak mamy, gdy była zamknięta podczas epidemii ospy, Tyrania wypatruje tak Rudego Tomka. To wypatrywanie z tęsknoty, z oczekiwania, ale przede wszystkim – z nadziei, że jeśli człowiek wystarczająco dobrze się przyjrzy, to wreszcie zobaczy.

Współczułem pannie Juliannie, bo przecież wiedziałem, kogo wypatruje, ale nawet ja zdawałem sobie sprawę z tego, że tylko święci objawiają się niespodziewanie, tylko oni mogą pojawić się nagle – na szybie, kominie, między konarami drzew – lub po prostu mogą zawisnąć tuż nad chodnikiem po drugiej stronie ulicy, czego zwykły śmiertelnik, nawet z Niemiec, nigdy nie dokona, bo przecież najpierw musi przysłać telegram czy list albo chociażby zadzwonić. W przeciwnym razie mógłby nikogo nie zastać w domu, okna byłyby nieumyte, obrusy nieprzygotowane, a w garnku zabrakłoby rosołu. Tylko święci zjawiają się przed człowiekiem niezainteresowani rosołem, dlatego ten fakt nazywa się cudem.

W połowie lekcji zadzwonił dzwonek i panna Julianna z wrażenia podskoczyła, ale to nie był Fryderyk, tylko doktor Szorstki z listem odebranym za nią po sąsiedzku podczas jej nieobecności. Zaprosiła sąsiada do środka, proponując łyk świeżo zaparzonej herbaty, na co przystał tak ochoczo, jakby nie miał własnej w domu.

Idąc do kuchni, panna Julianna znów zajrzała do łazienki i głośno opuściła klapę.

– Co za mężczyzna! Znów zapomniał o klapie!

Doktor Szorstki puścił do mnie oko.

– Gdyby mężczyźni sikali na siedząco, to świat wyglądałby zupełnie inaczej – powiedział wesoło. – Po pierwsze, w wielu domach nie byłoby kłótni o niespuszczoną klapę. Po drugie, konstrukcja muszli zupełnie inaczej by wyglądała. Niepotrzebna byłaby dolna klapa sedesu, muszle mogłyby mieć od razu jakieś wygodne siedziska. Rezygnacja z dolnej klapy spowodowałaby jednak redukcje zatrudnienia w fabrykach armatury sanitarnej, spadek zapotrzebowania na surowiec, a co za tym idzie – ogólny wzrost bezrobocia oraz spadek produkcji w wielu fabrykach na świecie. Wynika z tego, że sikanie na stojąco przyczynia się do utrzymania gospodarczej równowagi na globalnych rynkach.

Było to bardzo mądre, nigdy dotąd nie słyszałem tak mądrego wywodu, więc pokiwałem głową z podziwem, ale jednak na wszelki wypadek postanowiłem zaprotestować.

– To nie ja. Ja nie byłem w tej łazience. A przedtem była tu tylko Laurka i nie było tu żadnego mężczyzny, a panna Julianna już drugi raz opuszcza klapę.

Doktor Szorstki spojrzał na mnie z powagą.

– Nie mów o tym nikomu. Czasami, jak człowiek długo mieszka sam, to zaczyna za kimś tęsknić. Wyobraża sobie wtedy różne rzeczy. Na przykład to, że ktoś po sobie nie posprzątał lub czegoś nie zrobił, chociaż tego kogoś w ogóle nie było.

– Dobrze, panie doktorze, nie powiem nikomu.

– Sprzedałeś? – zapytała panna Julianna, wchodząc do pokoju i otwierając list, który przed chwilą dostała.

– Jeszcze nie wszystko. Jeden cały mi został i trochę drobiazgów z poprzedniego – odparł doktor Szorstki, marszcząc brwi i nieznacznie kręcąc głową na znak, że nie chce przy mnie mówić.

Mają jakąś tajemnicę – pomyślałem z zazdrością. Doktor Szorstki i panna Julianna mają wspólną tajemnicę. Wszyscy w tym domu mają jakieś tajemnice. Moja matka, Wieczne Potępienie, Immakulata, nawet Tyrania, która pisze listy o tym, że dziewice są przesiąknięte zapachem truskawek. Tylko ja nie mam żadnej tajemnicy, nie licząc tego, że podglądam swoją siostrę. Ale co to za tajemnica, o której nie można nikomu powiedzieć.

Panna Julianna szybko przeczytała list i klasnęła w ręce.

– Nie wierzyłeś, a jednak on przyjeżdża – cieszyła się, wymachując listem. – Fryderyk, mój Fryderyk w końcu przyjeżdża!

– Niemożliwe. Kiedy? – doktor Szorstki był wyraźnie niezadowolony.

– Za tydzień.

– Myślałem, że nie przyjedzie. To już go nie ścigają?

– Pisze, że tamte sprawy właśnie uległy przedawnieniu.

– Zbrodnie wojenne nie ulegają przedawnieniu.

– To nie była zbrodnia wojenna!

– A jaka?

– Zwykła. Tylko zwykła.

– Phi! Tylko! – prychnął doktor Szorstki.

Oboje byli poruszeni, z tą jednak różnicą, że panna Julianna jaśniała ze szczęścia, natomiast doktor Szorstki pociemniał ze złości.

Nie rozumiałem, jak to się stało, że przez tyle lat Fryderyk nie mógł odwiedzić panny Julianny, bo w Polsce mogliby go wsadzić do więzienia, a nagle wszystko się zmieniło pod hasłem przedawnienia i już może przyjechać.

– Idź już, następnym razem dokończymy – zwróciła się do mnie panna Julianna.

Kilka godzin później o rychłej wizycie Fryderyka mówiła już cała kamienica. W salonie siedział pan Henryczek z Emanuelą i moimi rodzicami. Jak zwykle palili papierosy.

– Tyle dymu szkodzi zdrowiu, czuć nawet w moim pokoju – poskarżyła się Tyrania, uchylając okno.

– Co ona ostatnio taka na ten dym wrażliwa? – zdziwił się ojciec.

– Może jest w ciąży? Chybabym zabił tego rudego platfusa.

– Tato!

– Ach, kobiety w pewnym wieku stają się na wszystko zbyt wrażliwe – zauważył pan Henryczek.

– A co ty możesz o tym wiedzieć? – zdumiała się pani Emanuela.

– A może coś o mnie masz do powiedzenia?

– Ależ skąd! – pospiesznie zaczął się wycofywać pan Henryczek.

– Ja raczej o pannie Juliannie mówiłem.

– Biedna panna Julianna, jak ten jej Fryderyk w końcu nie przyjedzie, to zdziwaczeje nam całkiem – zmartwiła się mama.

– Ona wyobraża sobie, że mieszka z mężczyzną – wtrąciłem.

– Najpierw kupowała dla niego ubrania. A teraz sama zostawia w łazience podniesioną klapę i marudzi, że on jej nie zamknął.

– Kto nie zamknął? – zdziwił się pan Henryczek.

– No przecież Fryderyk – wyjaśniła matka z taką miną, jakby to było oczywiste.

– Zwariowała? – rzeczowo spytał ojciec.

– Mam nadzieję, że jeszcze nie, ale rozum powoli chyba od niej odchodzi – westchnęła mama.

Wyobraziłem sobie, jak rozum pakuje w jej głowie swoje rzeczy i powoli odchodzi. Coś musiało w tym być i mama miała chyba rację, bo przed wyjściem z mieszkania panny Julianny ukradkiem zajrzałem do łazienki. Klapa była podniesiona, co mogło znaczyć tylko tyle, że z nieznanych przyczyn podnosi ją panna Julianna lub że po mieszkaniu kręci się duch mężczyzny z przepełnionym pęcherzem.

Matka zawsze mówiła, że zgodnie z duchem dziejów Niemcy wrócą do Wrocławia. Na razie wracał Fryderyk. Niewykluczone więc, że podniesioną klapę mógł też zostawić zawsze obecny w naszej kamienicy duch dziejów.

34.

Historia z ponurym kotem

Z okazji przyjazdu Fryderyka w naszej kamienicy zrobiło się podniośle i wszyscy zaczęli sobie opowiadać o tęsknotach. Oczywiście najpierw były wiadome tęsknoty panny Julianny, potem pana Teofila za rzeką Pełtewią, potem rewizjonizm mojej matki, potem Wiecznego Potępienia pragnienie stabilizacji, ale najciekawsza była historia z tęskniącym kotem. Mogłaby z tego powstać opowieść pod tytułem *Dom tęsknot*. Ale po kolei.

Wieczne Potępienie przy każdej okazji podkreślała, że kocha zwierzęta. Były dla niej naturalną częścią otoczenia, bliską cząstką świata. Urodziła się i wychowała na wsi, po podwórku biegał pies, w stodole polował kot, ojciec trzymał króliki, a dziadek miał jeszcze świnię, ale jak przyszli Ruscy, to zjedli.

Kiedyś przyprowadziła ze schroniska psa. Z racji wątpliwej czystości rasy wołali na niego Pasztet. Był tak kontrowersyjny z urody, że się jej spodobał, tak jak niektórym z powodu brzydoty podobają się pitbule albo kulturyści.

Lata leciały i słabło powodzenie Wiecznego Potępienia, która zaczęła sobie zdawać sprawę z tego, że w odróżnieniu od potępienia jej uroda wieczna nie będzie. Powoli rozglądała się za mężczyzną na stałe, dość długo spotykając się z niejakim Zelmerem. Pracował w milicji, ale nie chodził w mundurze, co źle o nim świadczyło. Ojciec podejrzewał, że Zelmer pracuje w Służbie Bezpieczeństwa, co mogło być dla pozostałych lokatorów niebezpieczne. Na imię miał Ludwik, zupełnie jak płyn do naczyń. Pienił się z byle powodu – wystarczyło, że Rozala przez tydzień nie zamiotła schodów. Zarozumiały był, niesympatyczny. Osiem lat od Potępienia starszy i bardzo chętny do małżeństwa. Dobrze jej z nim było – jeździli razem na wycieczki za miasto, chodzili do kina. Raz poszli nawet do teatru i w ogóle nie miała mu za złe, że zasnął.

W końcu Ludwik sprowadził się do Wiecznego Potępienia. Już po kilku dniach zaczęły się kłopoty. Pasztet mu przeszkadzał. Jak leżał pod drzwiami wejściowymi, to było źle, bo szczekał, gdy tylko ktoś pojawił się na klatce. Jak przegoniony spod drzwi leżał na kanapie, to było niedobrze, bo brudzi kanapę. Jak znów przegoniony z kanapy wskakiwał na fotel, to też było niedobrze, bo co będzie, jak ktoś przyjdzie w białych spodniach i usiądzie w fotelu.

– Ależ Ludwiku – próbowała tłumaczyć – nie znam nikogo, kto nosi białe spodnie.

– Moja mama często nosi.

– Ale przecież nie mieszka z nami, znamy się od pół roku i tylko raz ją widziałam.

Nie był to dla Ludwika żaden argument.

Kiedyś, po powrocie z pracy, zobaczyła, że Pasztet jest na smyczy, przywiązany do trzepaka na podwórku. Siedział tak od rana, osiem godzin. Dobrze, że chociaż miskę z wodą miał obok.

– Dlaczego psa tam przywiązałeś?

– Przecież wieczorem i tak pójdziesz z nim na spacer – spokojnie odpowiedział Ludwik.

Wieczne Potępienie aż się zatrzęsła z oburzenia. To Pasztet cały dzień przywiązany do trzepaka ma siedzieć, bo kiedyś mama Ludwika w białych spodniach przyjedzie?

Wyjaśniła zatem, że jeśli trzyma się psa w domu, to kanapa jest tak samo dla psa, jak i dla człowieka. Pies pilnuje mieszkania, wyprowadza człowieka na spacer (bo bez pretekstu człowiek by się nie ruszył), daje mu swoje towarzystwo i czułość, a nawet przynosi kapcie. Słowem – jego obecność w domu jest głęboko uzasadniona. A jak jest uzasadniona w domu, to jest też uzasadniona na kanapie. Nie bez powodu, co podczas rozmów na klatce schodowej zauważyła siostra Immakulata, święty Franciszek mówił o zwierzętach, że to nasi bracia mniejsi. A jak ktoś jest bratem mniejszym, to nie powinien być przez cały dzień przywiązany do trzepaka.

Kobiety orzekły więc zgodnie, że Ludwik powinien zostać wyrzucony za drzwi. I tak pozbyliśmy się z domu esbeka.

Tymczasem w szpitalu, w którym pracowała matka, doszło do dziwnego odkrycia. Któraś z pielęgniarek zauważyła, że od czasu do czasu przychodzi z piwnicy kot, który wędruje na oddział geriatryczny i siada przy łóżkach pacjentów. Pacjenci byli z tego faktu zazwyczaj zadowoleni, bo kot dawał się drapać za uchem, a drapanie kota za uchem jest potrzebą każdego człowieka.

Po pewnym czasie pielęgniarka zauważyła, że kot zwykł siadać przy łóżkach tych pacjentów, którzy wkrótce potem przenosili się na tamten świat. Powiedziała o odkryciu siostrze oddziałowej, czyli mojej matce, i obie zaczęły uważnie kota obserwować. I rzeczywiście – w ciągu kwartału zauważyły, że w siedmiu przypadkach na osiem kot miał rację. Co gorsza, pielęgniarka rozpowiedziała to koleżankom, a te pacjentom, i w szpitalu wybuchła panika.

Wbrew zakazowi lekarzy pacjenci zamykali drzwi swoich sal, niektórzy próbowali się barykadować. Początkowo sądzono, że kot roznosi jakieś wirusy lub bakterie, ale po zbadaniu okazało się, że jest zdrów jak koń albo ryba. Wiadomość dotarła do doktora Szorstkiego, który orzekł, że zwierzę najprawdopodobniej wyczuwa ciała ketonowe, ulatniające się z umierających komórek człowieka.

Trudno było jednak trzymać w szpitalu kota o tak ponurej umiejętności, więc matka wyniosła go w koszyku i wypuściła na wolność. Kot był już jednak do mamy przyzwyczajony, więc powędrował za nią i w ten sposób znalazł się na naszej wycieraczce. Od razu wypatrzyła go Wieczne Potępienie i zachwyciła się nim od pierwszego wejrzenia. Kot rzeczywiście był bardzo ładny – lśniąco czarny w białych skarpetkach. Zamieszkał z Wiecznym Potępieniem, która na wszelki wypadek nie została poinformowana o jego zdolnościach, bo po co budzić licho.

Niekiedy Wieczne Potępienie musiała jednak wyjechać w domyślnych celach służbowych, a wówczas psa oddawała pod opiekę

Rozalki, kotem zaś opiekowali się wszyscy, bo spał na naszej wycieraczce, a jadł z miseczek wystawianych przez Emanuelę, siostrę
Immakulatę i pannę Juliannę, które w tej mierze prowadziły ukryte
współzawodnictwo.

Tamtej jesieni Wieczne Potępienie pojechała za granicę, aż na
Węgry, gdzie są ciepłe źródła i starsi panowie moczą w nich swoje
choroby. Zapowiedziała, że wróci dopiero na wiosnę.

Akurat przyjechała do nas babcia stęskniona długą rozłąką. Od
razu zobaczyła na klatce kota i wniosła go do domu, ratując przed
smutkiem, bo zbliżała się jesień i liście opadały pożółkłe, chmury
zaś ciążyły jak na wieczną niepogodę i wszystkim robiło się smutno,
a zwłaszcza kotom.

Ojciec chodził po domu i się pieklił.

– Weź tego cholernego kota! – krzyczał na babcię. – Spał sobie
na tej wycieraczce i nikomu nie przeszkadzał, a ty przyniosłaś go ze
sobą, to teraz go sobie zabieraj do swojego pokoju!

Ojciec wiedział o ponurej zdolności kota, więc od razu kazał go
wyrzucić, ale babcia powiedziała, że po jej trupie, bo kot ma wzrok
jak dziadek, zupełnie jakby przez jego oczy patrzył. Nazwała go
nawet jego imieniem i wołaliśmy na kota Helmut.

Mama orzekła, że Helmut może zostać, bo to przecież tydzień,
góra dwa, a babcia popadła w jakąś jesienną depresję – wszystko
widziała na czarno i bez większego efektu brała leki, może kot ją
rozweseli i będzie skuteczniejszy niż one.

Nie wiem, na czym polegała depresja babci, bo ja też wszystko
widziałem na czarno – taki już się urodziłem i nie była to wada
wzroku. Depresja babci objawiała się patrzeniem w sufit, chociaż
nic się na nim nie działo, oraz nuceniem niemieckich pieśni z dzieciństwa, co było uciążliwe i gorsze od kota.

Początek przyjaźni z kotem wyglądał obiecująco, bo babcia przestała nucić, a Helmut miał tylko taką wadę, że nie za każdym razem
korzystał z kuwety. Zawołaliśmy panią Rozalę, która z racji mieszkania na parterze wie wszystko o kotach. Nawet nie spojrzała na
Helmuta, tylko od razu orzekła, że sikanie poza kuwetą jest formą

tęsknoty za swoją panią – to ponoć u kotów typowe. Przypomniałem sobie wtedy tych wszystkich mężczyzn, którzy szczali na naszej klatce za czasów Smoka, i pomyślałem ze współczuciem, że oni pewnie też to robili z tęsknoty za kobietami. Może to mało romantyczne, ale widocznie każdy tęskni tak, jak potrafi. Jedni wzdychają i piszą wiersze, a inni sikają.

Rozala radziła udać się z kotem do weterynarza w celu przepisania jakiegoś środka łagodzącego kocią tęsknotę. Matka poszła do doktora Szorstkiego i kot dostał receptę na lek antydepresyjny, przy czym w domu okazało się, że dokładnie taki sam lekarz przepisał wcześniej babci. Różnica była tylko w tym, że kot miał brać pół tabletki dziennie, a babcia półtorej.

Siedzieli zatem rano przy stole, ona w depresji, a on stęskniony. Wyciągała dwie tabletki i jedną dzieliła się z kotem. Potem wracała do swojego pokoju, by obserwować sufit, na którym nadal nic się nie działo. Kot wskakiwał na parapet, by patrzeć na ptaki i mieć niejasne marzenie, że byłoby pięknie, gdyby jeden z nich dał się na wiosnę złapać, gdy będzie już po tęsknocie.

35.

Obrazek z przepowiednią

Zamknęły się w salonie – babcia, matka i Tyrania – i nad czymś usilnie dyskutowały, o ile można nazwać dyskusją sytuację, w której matka krzyczy, babcia grozi zawałem, a Tyrania ciągle płacze. Rozumiałem tylko tyle, że babcia miała kiedyś na sumieniu grzech ciężki jak wór kamieni – garbił jej plecy i przygniatał ramiona, zawsze chodziła pochylona, patrząc pod stopy, jakby miała przeczucie, że w każdej chwili ziemia może się pod nią rozstąpić i piekło ją pochłonie.

Wiedziałem, że matka znała imię grzechu, ale nigdy go nie wypowiedziała. Czasami szły do sypialni babki i budziły spór, zawsze tam drzemiący – matka krzyczała, że nie można tyle lat żyć w udręce, od tego może nadejść choroba, ze zmartwień robią się nowotwory, bo organizm nie może wytrzymać ciągłego smutku. Babka twierdziła, że nowotwory biorą się z grzechów, a nie ze smutku, wyrastają z nich jak krzyże pokutne z wnętrza ziemi. Nie wiadomo, która z nich miała rację, babka czy matka – może jest tak, że grzechy atakują najpierw duszę i z wyrzutów sumienia powstaje smutek, a potem z duszy na ciało są przerzuty – jeśli złośliwe, to człowiek umiera.

Tak było i teraz, a jak ktoś – pomimo zdrowotnej obecności kota – leży cały dzień w łóżku i dużo opowiada o chorobie, to choroba może go w końcu usłyszeć, a jak mówi o niej głośno, to już na pewno usłyszy. Przywołały ją więc pewnego dnia swoim ciągłym krakaniem jak dwie wrony przepowiadające niedobry ciąg dalszy.

Babcia dostała wysokiej temperatury i nic nie pomagało, nawet rosół. W dniu, w którym lekarze załamali ręce, ojciec przerwał trwającą od Świąt Wielkanocnych abstynencję i poszedł po wódkę, a babka przerwała ateizm, na który zapadła po śmierci dziadka, i posłała moją matkę po księdza, grożąc, że umrze przed świtem. Wrócili razem, ojciec z flaszką, a matka z księdzem, lecz w drzwiach nieoczekiwanie ojciec zagarnął księdza ramieniem i poszli do kuchni na jednego. Często było tak, że jak ktoś przychodził do domu, to ojciec zapraszał go na jednego, a potem trudno było policzyć.

Czas nie był zającem i nie uciekał, tylko tykał w zegarze jednostajnie, odmierzany kieliszkami, a gdy wskazówki doszły do dna, ksiądz zasnął zmęczony przemijaniem. Babce zebrało się na sikanie, więc wstała i poszła do łazienki, ale po drodze zobaczyła chrapiącego na stole księdza i zaczęła na niego krzyczeć, zupełnie jakby nagle ozdrowiała albo dla odmiany zachorowała na głowę. Ksiądz otworzył oczy, potem modlitewnik, na którym do tej pory spoczywał – może chciał przeczytać jakiś usprawiedliwiający werset – a wtedy spomiędzy kartek wypadł na podłogę czarno-biały obrazek.

– Dziwny obrazek – zauważył ojciec, podnosząc zgubę.

– To chyba święta panienka – przyjrzała się matka.

– Co ty mówisz? – zdziwiła się babcia, jakby już całkiem zdrowa.

– Przecież na tym obrazku nic nie ma, to tylko kleks jakiś.

Ksiądz wziął obrazek, spojrzał i powiedział:

– To replika obrazu namalowanego przez pewnego Włocha. Był osobistym malarzem Ojca Świętego. Namalował obraz nazywany w Watykanie lakmusem wiary. Składa się z niezliczonej ilości punkcików, które trafiając do naszej świadomości, pobudzają wyobraźnię, i każdy w tym obrazku widzi to, co ma w sercu. Jedni Boga, inni diabła.

Oglądali obrazek ze zdumieniem. Ksiądz tłumaczył, że można za jego pomocą rozpoznać, czy człowiek rzeczywiście w Boga wierzy, czy tylko udaje, bo jak ktoś wierzy, to w plątaninie kresek i plam potrafi dostrzec święte oblicze, a jak jest niewierzący, to nie widzi nic prócz chaosu, bo chaos ma w duszy, i nieszczęśnik taki nie przejrzy, zostanie jak ślepiec, dopóki nie spłynie na niego łaska wiary.

Mama poczuła się dumna, gdyż jako jedyna przeszła zwycięsko przez test pobożności, a ojciec z zafrasowaniem drapał się po głowie.

Babka zaś wyszła na niewierną, co osobie wybierającej się na tamten świat nie wróżyło dobrze na przyszłość.

Za zgodą księdza zabrała obrazek, zamknęła się w sypialni i patrzyła weń w nadziei, że może coś zobaczy, ale jej wyobraźnia musiała być równie słaba jak wiara, bo dni mijały, a jej udało się zobaczyć tylko zbombardowany Berlin.

W końcu wezwała do łóżka Tyranię.

– Wnuczka, co widzisz?

Tyrania przyjrzała się uważnie.

– Nic nie widzę – odpowiedziała niepewnie po chwili.

– To usuń.

– Boję się, babciu.

– Usuń. Każda usuwała. – Babcia spojrzała na matkę, szukając potwierdzenia.

– To były inne czasy – chrapliwym głosem stwierdziła matka. – Wojna, Rosjanie, nie było wyboru.

Wieczorem przyszedł doktor Szorstki. Przyniósł babci jakiś własnoręcznie sporządzony specyfik.

– Co to jest? – Matka podejrzliwie spojrzała na ciemną butelkę. – Pomoże?

– Na pewno nie zaszkodzi – roześmiał się doktor. – Zresztą, jak mawiał Paracelsus: „Cóż jest trucizną? Wszystko jest trucizną i nic nie jest trucizną. Tylko dawka czyni, że dana substancja nie jest trucizną".

Potem rozmawiał z Tyranią. Mama zrobiła kawę i wszyscy palili papierosy, gdyż byli zdenerwowani, i tylko doktor Szorstki nie palił, znał bowiem inne środki wyrazu.

– Jeszcze jest czas, mogę zrobić miksturę – powiedział spokojnie.

– Niech doktor zrobi. Tak na wszelki wypadek – zgodziła się z wahaniem matka.

Babcia po dwóch dniach poczuła się na tyle dobrze, że pojechała z mamą na badania, a lekarz nie potrafił ukryć zdziwienia, bo wbrew wcześniejszym prognozom choroba nie poszła do przodu, lecz stanęła w miejscu, jakby się zagapiła.

– Niezrozumiałe – ocenił lekarz, ale to, czego on nie rozumiał, dla babki było oczywiste: Pan Bóg dał jej czas, by zdążyła przed śmiercią uwierzyć. Patrzyła więc nadal w lakmusowy obrazek codziennie, zasypiała nad nim i z nim się budziła, a po tygodniu zabrała go ze sobą do Niemiec.

Tam obrazek długo utrzymywał ją przy zdrowiu, bo żyła nie dzięki wierze, lecz jej brakowi – kurczowo trzymała się tego świata ze strachu przed tamtym, panicznie się bojąc, że pójdzie do piekła. Wiedzieliśmy, że nie umrze, dopóki nie przejdzie przez test wiary i nie zobaczy Pana Boga na obrazku, a gdy skończyła dziewięćdziesiąt osiem lat i zaczęła tracić kontakt z rzeczywistością, wuj Kurt wpadł na pomysł eutanazji – postanowił ołówkiem połączyć kilka plam w kształt twarzy i babka, zobaczywszy ją w końcu, mogłaby pójść sobie w spokoju do nieba. Na szczęście obyło się bez oszustwa, bo w dniu swoich dziewięćdziesiątych dziewiątych urodzin po raz pierwszy od kilku lat się uśmiechnęła, oddała ciotce obrazek i zamknęła oczy. I tak ją włożyli do trumny – uśmiechniętą, co na pogrzebie wyglądało dość dziwnie, bo wszyscy mieli smutne miny, niektórzy płakali, a ona wyglądała na zadowoloną.

36.

Przepędzenie doktora Szorstkiego

Nasza dzielnica nie była tak biedna jak wówczas łódzkie Bałuty, warszawska Praga czy wrocławski Trójkąt Bermudzki, ale moi rodzice żyli skromnie, ich sąsiedzi żyli skromnie i cała klatka schodowa żyła skromnie z wyjątkiem pana Henryczka i pani Emanueli, jedynych kapitalistów. Następna klatka też żyła skromnie i jeszcze następna, podobnie jak niemal cała ulica.

Mieszkanie Freytagów było piękne, słoneczne i duże, jak przystało na lokal po właścicielach kamienicy, ale pozostałe wybudowano z myślą o wynajmie dla mniej zamożnych, więc ich stan zmieniał się drastycznie wraz z piętrami. Mieszkania na drugiej kondygnacji były jeszcze całkiem przyzwoite, dwupokojowe, wyposażone w dużą łazienkę, spiżarnię i jasną kuchnię, podobnie jak te piętro wyżej, z tą różnicą, że nie miały służbówki. Na czwartym zaś wybudowano pięć klitek dla najmniej wymagających z jedną wspólną ubikacją na korytarzu, ale po wojnie przebudowano je na trzy niezależne mieszkania, w których zamieszkały panna Julianna, Wieczne Potępienie i siostra Immakulata. Nad nimi był już tylko strych, który latem oszałamiająco pachniał rozgrzanymi krokwiami z modrzewia oraz suszącym się praniem. Ku utrapieniu lokatorów czasami próbowały zamieszkać tam gołębie.

Mieszkaliśmy przecież na Krzykach – była to jedna z lepszych dzielnic w mieście, chociaż nie tak elitarna jak Biskupin czy Sępolno, gdzie każdy chciałby zamieszkać z powodu rozległych parków, jednorodzinnej zabudowy i niewątpliwego prestiżu. Krzyki były bardziej demokratyczne niż Biskupin – łączyły finansowych przeciętniaków z bogatymi właścicielami przejętych po Niemcach willi. Każda matka marzyła o tym, że jej córka jak prawdziwa pani zamieszka kiedyś w takim właśnie domu z ogrodem.

Matki mówiły swoim córkom:

– Kudły ci wydrę, jak się zadasz z którymś z sąsiadów, gołodupcem. Jak masz mieć dzieci, to z kimś spoza naszej kamienicy.

Ciąże córek miały być przepustką do lepszego życia. Matki wskazywały rejon łowny, który ciągnął się od wieży ciśnień przy ulicy Wiśniowej aż do parku Południowego, wokół którego pyszniły się najpiękniejsze wille. Dobrze widziany był też nieodległy Grabiszynek, ale tylko część willowa w pobliżu parku, gdzie przed wojną był niemiecki cmentarz. W ostateczności mógł być też Oporów, gdzie domy wprawdzie trafiały się duże, ale architektonicznie skromne.

Dziewczyny z sąsiednich klatek też nie chciały żyć tak jak ich rodzice, w ciemnym mieszkaniu, do którego wchodziło się przez zaszczaną klatkę kamienicy z meliną na parterze. Nie chciały być takimi kobietami, które – jak większość z sąsiedztwa – zmieniały się od razu po urodzeniu dziecka w grube, opryskliwe i zaniedbane baby. Nie wiem dlaczego, ale większość naszych sąsiadek chodziła po domu w szlafroku, kapciach i lokówkach. Tak też wyrzucały śmieci – stały w tych szlafrokach koło śmierdzących kubłów i paliły papierosy, zupełnie jakby uciekły ze szpitala. Najgorsze było to, że szlafroki co rusz im się odwijały.

Ojciec był zadowolony z tego, że Tyrania chodzi z Rudym Tomkiem. Rudy Tomek mieszkał z rodzicami przy ulicy Kampinoskiej. Mieli willę tak wspaniałą, że kręcono w niej sceny do niektórych filmów, w tym *Stawki większej niż życie*. Poznali wtedy Stanisława Mikulskiego, który w mundurze kapitana Abwehry ściskał im dłonie osobiście, co Rudy Tomek podkreślał przy każdej okazji, tak jakby można było ściskać komuś dłoń nieosobiście.

Jednym z ich sąsiadów był Wojciech Dzieduszycki, niezwykle popularny wrocławianin, wybitna i barwna postać, artysta, inżynier i śpiewak operowy, który jako dyrektor młynów zbożowych opracował recepturę produkowanej do dziś mąki wrocławskiej. Dzieduszycki był jedynym prawdziwym hrabią we Wrocławiu, który otwarcie się do tego wówczas przyznawał, i znajomość z nim uchodziła za splendor nawet później, gdy ujawnił, że współpracował ze Służbą Bezpieczeństwa. Napisał dla niej kilkaset donosów, między innymi na generała Stanisława Maczka i Jana Nowaka-Jeziorańskiego.

Tyrania z Rudym Tomkiem chodziła już dwa lata i wizja upragnionej ulicy Kampinoskiej stawała się całkiem bliska. W odróżnieniu od matki ojciec chciał jednak, aby wszystko odbyło się zgodnie z zasadami, czyli najpierw studia, potem ślub i wesele, następnie przeprowadzka do willi, a dopiero potem ciąża, nie zaś w odwrotnej kolejności, na co, niestety, się zapowiadało.

W domu przez tydzień nie cichła awantura. Rodzice kłócili się pod byle pretekstem i zasadniczo nie na temat, Tyrania chlipała w swoim pokoju, a ja siedziałem zamknięty w swoim, ślepym jak kiszka, i znikąd nie było ratunku. Czasami stukałem w ścianę, ale Laurka wciąż milczała niesłusznie obrażona.

Po południu przyszła pani Emanuela i przyniosła kilka zamówień na sztandary do wyhaftowania. Tym razem wszystkie były z przedsiębiorstw, które po paru latach zwątpienia ponownie stawały do rywalizacji w socjalistycznym współzawodnictwie pracy.

Był początek lat siedemdziesiątych, do władzy doszedł Edward Gierek, górnik z pochodzenia, który obiecywał wszystkim cud gospodarczy, a niektórzy mu uwierzyli. Każdy zakład pracy coś, rzecz jasna, produkował, ale przede wszystkim walczył o socjalizm, co było wszędzie napisane drukowanymi literami. Wiadomo, że bez sztandaru walczyć się nie da, więc pani Emanuela, moja mama i siostra Immakulata znów miały ręce pełne propagandowej roboty.

Wieczorem Immakulata i mama siedziały przy stole i nanosiły szkice radosnych haseł, w których przewijały się zawsze trzy wyrazy: „socjalizm", „wolność" i „pokój", w dowolnych konfiguracjach.

Dodatkowymi słowami do uzupełnienia były: „walczymy", „umacniamy", „wspieramy", „popieramy" oraz „budujemy". Tych osiem słów to był niezbędnik każdego ówczesnego działacza i polityka – najlepsi potrafili godzinami wygłaszać przemówienia, dodając do tego zestawu kilka sytuacyjnych rzeczowników.

W domu nareszcie zapanował spokój, zrobiło się niemal sielsko – ojciec siedział w kuchni i pił wódkę, bo pod pretekstem Tyranii znowu przestał być abstynentem, a w salonie jaśniepaństwa Freytag dwie kobiety z innego świata – była siostra zakonna i jej niemiecka przyjaciółka – haftowały złotymi nićmi socjalizm. Przyszedł doktor Szorstki, zamknął się z Tyranią w jej pokoju i nawet ja wiedziałem, że nic dobrego z tego nie będzie, a one nadal rozmawiały o rzeczach przyjemnych, takich jak sanatoria, przepisy na ciasta i wniebowstąpienie.

W końcu doktor Szorstki wyszedł z pokoju Tyranii i poinformował matkę:

– Mikstura jest gotowa. Zostawiłem córce wraz ze szczegółową informacją.

Skłonił się przy tym tak, jak skłaniali się na przedwojennych filmach, prawą nogę wystawiając lekko do przodu, a lewą rękę kładąc na plecach, przez co wyglądał jak alchemik z innej epoki albo nawet diabeł.

Nie wiem, na ile wtajemniczona była siostra Immakulata – może to mama jej powiedziała, a może szukająca rady lub otuchy Tyrania – ale na wieść o miksturze zerwała się z krzesła i ruszyła na doktora Szorstkiego, trzepiąc rękawami swojego cywilnego habitu jak jakiś ptak, jasna gołębica, która za chwilę wydłubie diabłu czerwone ślepia.

– Nie dam zrobić krzywdy! – wrzasnęła.

– Ale o co siostrze chodzi? – cofnął się przestraszony doktor Szorstki.

– Pan wie o co! Ty wiesz, grzeszniku, o co! – siostra Immakulata zaczynała nabierać pewności siebie. – Ty jesteś zło wcielone! Diabeł! Siedzisz w tym swoim laboratorium i Bóg jeden wie, co robisz!

– Chciałem tylko pomóc.

– Nikt tu nie potrzebuje twojej pomocy!

– Pani Hela sama się do mnie zwróciła!

– Ja tylko tak zapytałam o poradę, jak by to wyglądało z medycznego punktu widzenia – nieśmiało wtrąciła matka. – Ale o niczym jeszcze nie zdecydowaliśmy.

– Jak to? Co to za niezdecydowanie takie? – zdziwił się doktor Szorstki. – Przecież prosiła pani, żeby miksturę zrobić!

– Ale tylko tak na wszelki wypadek – broniła się matka.

– Na wszelki wypadek? Co to znaczy, że na wszelki wypadek? Wie pani, ilu ludzi w tym mieście potrafi zrobić taką miksturę? Dwóch! A wie pani, jak trudno składniki u nas dostać? Za dolary je kupiłem!

Do pokoju wbiegł ojciec.

– Czego ty, szczurze piwniczny, krzyczysz na moją żonę? – złapał go za poły marynarki i rzucił o ścianę.

Doktor Szorstki się pochylił i ruszył na ojca bykiem. Ojciec był wyższy, silniejszy, bez trudu pokonałby dość cherlawego przeciwnika, ale alkohol splątał mu nogi. Runęli na podłogę, turlając się aż pod stół. Zgrzytnęło potłuczone szkło. Mężczyźni powoli stawali na nogi i już chcieli ponownie do siebie doskoczyć, ale między nimi, niczym falochron przeciw wzburzonym falom, wyrosła siostra Immakulata.

– Precz! Won z domu! – krzyknęła.

– A moje dolary?

– Oddam panu, panie doktorze, wszystko oddam – jęknęła matka.

– Mam nadzieję! – warknął doktor Szorstki i wyszedł, trzaskając drzwiami.

– *Apage, Satanas* – powiedziała Immakulata i splunęła na podłogę jak prawdziwa czarownica.

Potem matka przyniosła wilgotny ręcznik i otarła ojcu pot z czoła. Ojciec robił obojętne miny, udawał, że nic się nie stało, i nucił jedną z tych swoich partyzanckich piosenek.

Smutna rzeka, usnął las za górą,
Wieś usnęła, zasnął nawet klon.
Śpij dziecino, partyzancka córo,
Idziem w lasy, by wykopać broń.

Najwyraźniej szykował się na wojnę z doktorem Szorstkim, a ja byłem z niego tak dumny jak wtedy, gdy w obronie tajemnicy mamy strzelał do Smoka.

37.

Zmiana wśród domowych wariatów

Panna Julianna była roztrzęsiona.

– Boże, zróbcie coś z tą wariatką z drugiego piętra, bo ja już z nią nie wytrzymam!

Tym razem wariatką okazała się pani Emanuela i to była nowość w naszej kamienicy. Kiedyś za wariatkę uchodziła Money Liza, ale z czasem jej się polepszyło i nawet przestała pokazywać nam piersi. Potem za wariatkę wszyscy mieli pannę Juliannę, ale wiadomo było, że zaraz przyjedzie Fryderyk i wszystko u panny Julianny wróci do normy. Nie będą dziwić męskie ubrania w jej szafie ani podniesiona klapa sedesu.

Pan Teofil zwykł mawiać, że natura nie znosi próżni, i ta uwaga dotyczyła pewnie także wariatów. Skoro panna Julianna wracała do normalnych, to wariatem musiał zostać ktoś inny. Widocznie trafiło na Emanuelę.

– Wychodzę wczoraj z domu i idę na przystanek – opowiadała panna Julianna. – Nagle coś mnie tknęło. Takie złe przeczucie jakieś. Odwracam się i patrzę. I myślałam, że ze strachu od razu zawału dostanę! Z ciemnej klatki biegnie na mnie kobieta z nożyczkami! Twarzy nie widać, tylko te nożyczki błyszczą. No to ja co sił w nogach uciekam. Jak na złość, po drodze żywej duszy. Ale do przystanku mam sto metrów, dobiegnę. Tam na pewno ktoś będzie, tak sobie myślę. Jestem już w połowie drogi, gdy nagle czuję szarpnięcie za sukienkę. Horror normalnie. I słyszę takie okropne „ciach" przy uchu. Szczęk tych nożyczek. Myślałam, że już po mnie. Żyłę mam przeciętą, tą główną, no…

– Aortę! – podpowiedziała matka.

– Właśnie, aortę. Ale łapię się za szyję, żeby krwotok zatamować, a tam nic. Szyja nietknięta na szczęście. Widocznie bestia nie trafiła. Odwracam się ze strachem, patrzę i oczom nie wierzę. Kogo widzę? Emanuela! Emanuela z drugiego piętra przy mnie z nożyczkami stoi! „Ależ co pani wyprawia?" – pytam. A ona mi na to z uśmiechem: „Ach, wie pani, taka nitka pani przy kołnierzu wisiała. A ja nie mogę patrzeć, jak komuś wisi nitka. Na szczęście nożyczki zawsze mam w kieszeni".

– To bardzo dziwne – przyznała matka. – Ale w przypadku pani Emanueli to może być choroba zawodowa.

– Choroba zawodowa? – zdziwiła się panna Julianna.

– No tak. Jak na przykład pylica u górników.

– To niesłychane.

Panna Julianna przyszła po biszkopt. Mama go piekła, bo nikt tak jak moja mama nie potrafił piec biszkopta, a panna Julianna kroiła go u siebie w poprzek na dwucentymetrowe plastry i przekładała kremem własnej roboty – śmietankowym, owocowym lub czekoladowym – potem oblewała delikatnym musem z pianki i żelatyny, a gdy wszystko stężało, przystrajała całość kolorowymi figurkami z marcepana, które robiła godzinami, wyczarowując z marcepanowej miazgi księżniczki, książęta i zaczarowane dorożki zaprzężone w rumaki o splecionych grzywach. Torty były nie tylko smakowite, ale przede wszystkim magicznie piękne, więc żadna uroczystość w okolicy nie mogła się bez nich obejść.

Każdego weekendu, w piątek lub sobotę, obserwowaliśmy, jak okoliczne panie domów wychodzą z mieszkania panny Julianny i z poważnymi minami unoszą ze sobą marcepanowe światy. Najpiękniejszy, jaki widziałem, miał kształt globusa, który przecięto wzdłuż równika. Obie półkule leżały przy sobie, biegunami do góry, a na czubku każdego stały dwie fregaty o żaglach zrobionych z opłatków.

Panna Julianna chciała przygotować tort z okazji przyjazdu Fryderyka i razem z matką zastanawiały się, jak powinien wyglądać.

– Może serce mu zrobię?

– To dobre dla kobiety, ale chyba nie dla mężczyzny – zauważyła moja matka.

– A co jest dla mężczyzny tak ważne jak serce dla kobiet? – spytała panna Julianna.

– No, jest coś takiego, ale ten kształt nie nadaje się na wzór do tortu – zachichotała matka. – To powinno być coś romantycznego, nawiązującego do waszej dawnej przeszłości. Co było wówczas jego fascynacją?

Panna Julianna zmarszczyła brwi.

– Pługi parowe. Był prezesem Stowarzyszenia Pługów Parowych.

– Pług parowy? – zainteresowała się moja matka. – To brzmi dobrze, po męsku. Poza tym przypomina trochę lokomotywę, a chłopcy lubią lokomotywy. Piotruś marzy o kolejce Piko. No a każdy mężczyzna jest jak chłopiec.

– Ale ja już nie pamiętam, jak taka lokomotywa wygląda.

– Na pewno jest jakaś ilustracja w księgach po Freytagu. Zostawił tyle ksiąg, że jest w nich wiedza o całym świecie. Przed wieczorem znajdę i podeślę przez Piotrusia.

Wieczorem mieli przyjść sąsiedzi na wspólne oglądanie kolorowej telewizji. Telewizory były cenne jak skarby, dlatego nadawano im nazwę kosztownych kamieni. Do tej pory mieliśmy telewizor Szmaragd, a potem Ametyst, oba czarno-białe, w końcu zaś ojciec kupił odbiornik kolorowy Rubin i odczuwał nieodpartą potrzebę, by się nim pochwalić. Wprawdzie pierwszym w naszej kamienicy telewizorem kolorowym chwalił się pół roku wcześniej pan Henryczek, ale po miesiącu mu wybuchł. Tamte telewizory szybko zasłynęły z tego, że wybuchają, demolując mieszkania, ale wola posiadania była większa niż strach przed wybuchem.

– Jak byłem dzieckiem, to zbieraliśmy na polu niewypały i wrzucaliśmy je potem do ogniska – tłumaczył ojciec. – Słyszało się, że czasami coś komuś wybuchło w dłoniach, ale nam się zawsze udawało. A taki telewizor w dłoniach przecież nie wybuchnie.

Była w tym jakaś logika. Poza tym telewizory wybuchały nie tylko z powodu wad konstrukcyjnych – zazwyczaj umieszczało się je w ciasnych wnękach meblościanek, pozbawiając całkowicie wentylacji, a one i bez tego grzały się jak małe piecyki.

Jeśli ktoś nie miał meblościanki, tak jak moi rodzice, to kupował specjalny stolik – kładło się na nim dużą serwetę robioną na szydełku, bo taka była moda, na tę serwetę telewizor, na telewizor znów serwetę robioną na szydełku, ale już mniejszą, a na nią koniecznie paprotkę, bo wieść niosła, że telewizory okrutnie promieniują, zwłaszcza te radzieckie, i jedynie paprotka to neutralizuje.

Od 1972 roku telewizja nadawała już dwa programy – jeden nazywał się Pierwszy, a drugi Drugi, żeby człowiek nie pogubił się od tego nadmiaru. Kolorowe były początkowo jedynie transmisje z partyjnych zjazdów, więc zaproszeni sąsiedzi siedzieli przy stole i oglądali Edwarda Gierka, komentując krawaty. Znacznie częściej telewizja kolorowa emitowała jednak program kontrolny, czyli planszę z barwami, na bazie której można było dostrajać odbiornik, co ojciec czynił godzinami.

Matka najbardziej lubiła oglądać *Piórkiem i węglem*, program prowadzony przez profesora Wiktora Zina. Był to dość nudny wykład o architekturze, który – rzecz niespotykana na światową skalę – głównie z powodu braku innych programów regularnie gromadził przed odbiornikami setki tysięcy, a potem miliony telewidzów, tak jakby wszyscy zapałali nagle wielką miłością do teorii budownictwa. Elementy architektoniczne profesor Zin rysował czarnym piórkiem na białym papierze lub białą kredą na papierze czarnym i wszyscy przyglądali się temu z uwagą. Jedyne rozczarowanie, jakie profesor sprawił mojej matce, zdarzyło się w roku 1973, gdy jego audycję po raz pierwszy transmitowano w kolorze i wszyscy mieli nadzieję, że profesor weźmie kolorową kredę, ale on nadal rysował białą na czarnym papierze i wszystko było po staremu czarno-białe, a potencjał telewizora kolorowego tylko się marnował.

Pierwsza przyszła pani Emanuela, która od czasu wybuchu w swoim mieszkaniu nie zgadzała się na kupno nowego telewizora, ale miała czasami ochotę, żeby popatrzeć. Matka chciała się rozliczyć za poprzednią robotę, więc od razu wręczyła jej sztandar. W tym momencie do mieszkania weszła mama Laurki, pani Adela, również zaproszona do oglądania telewizji, i zastygła z wrażenia. Widok sąsiadek wręczających sobie sztandar z hasłem współzawodnictwa pracy musiał być dla niej sporym zaskoczeniem. Emanuela strzepnęła sztandarem jak pierzyną, po czym wyjęła z kieszeni nożyczki i dwoma ruchami obcięła jakieś wystające nitki.

– Nie mogę patrzeć, jak gdzieś wisi nitka – powiedziała przy tym. – Na szczęście nożyczki zawsze mam w kieszeni.

– To bardzo dziwne – zauważyła matka.

Potem, z powodu telewizora kolorowego, wszyscy zaczęli mówić o nowoczesności i matka zaproponowała, żeby na kuchennych makatkach nie wyszywać już haseł typu „Młoda kchareczka zwinna jak laleczka", lecz może coś, co lepiej oddaje tempo społecznych przemian. I wtedy pani Adela powiedziała, że w sklepach dewizowych pojawiło się urządzenie, które samo zmywa naczynia. Taka jakby pralka, tylko zamiast ubrań wkłada się do niej naczynia. Nikt jej, oczywiście, nie uwierzył, bo wiadomo, że w pralce naczynia by się od razu potłukły. Nie przeszkodziło to jednak temu, by pochwalić Adelę za ukrytą do tej pory duszę poetycką, bo na poczekaniu ułożyła taki dwuwiersz: „Gdy zmywarka sama zmywa, gospodyni odpoczywa". Matka uznała, że dwuwiersz jest bardzo nowoczesny, i go sobie zanotowała, a niebawem w sprzedaży pojawiły się makatki o tej treści, które haftowała wraz z siostrą Immakulatą.

Następnie rozmowa zeszła na temat Tyranii, bo w jakiś sposób wieść zdążyła się rozejść po kamienicy.

– Ten Tomek jest taki wysoki, przystojny, na pewno silny – zachwycała się Emanuela. – Dziecko na pewno będzie śliczne. Zamieszkają u was czy u niego?

– Ach, jeszcze nic nie wiadomo – zastrzegła matka. – Dopiero za kilka dni spotkamy się z jego rodzicami, żeby o wszystkim porozmawiać.

Na to pani Adela powiedziała, że uzupełnia swoją edukację, bo chciałaby zrobić maturę, i czyta właśnie podręcznik *Przygotowanie do życia w rodzinie socjalistycznej*. Jego autorzy udowadniają, że wprawdzie z biologicznego punktu widzenia współżycie można rozpocząć w miarę wcześnie, nawet przed uzyskaniem dowodu osobistego, to jednak prawdziwie socjalistyczne współżycie płciowe powinno się zaczynać po dwudziestce, bo do tego czasu państwo wybuduje dla młodych małżeństw wystarczającą liczbę mieszkań.

Wtedy wszystko było z nazwy socjalistyczne. Ustrój, państwo, władza, praca, nauka, nawet rodzina, a w niej – także współżycie płciowe. Stosunki pozamałżeńskie nie były socjalistyczne. Tyrania, Rudy Tomek i ich zamykanie się w ciemnym pokoju nie było więc socjalistyczne. Zbliżała się ideologiczna dyskusja o podłożu płciowym, co wydawało mi się niezwykle ciekawe, niestety matka przypomniała sobie, że panna Julianna przygotowuje w swoim mieszkaniu powitalny tort dla Fryderyka. Pospiesznie wyciągnęła z biblioteki opasły tom na temat wynalazków i poleciła, bym pobiegł z nim do pana Teofila, który zna się na wszystkim i pług parowy odnajdzie bez problemu.

Pan Teofil bardzo się przejął naszą misją znalezienia pługa, który byłby odpowiedni na wyrób cukierniczy. Szybko się okazało, że nie ma z tym żadnego problemu, bo pługom parowym poświęcono cały rozdział z pięknymi ilustracjami.

– Ten jest najładniejszy – wskazał pan Teofil.

Na rysunku widniał dziwny pojazd przypominający małą lokomotywę. Miał długi komin i stał na czterech wielkich kołach o metalowych obręczach.

– To lokomobila – wyjaśnił pan Teofil.

– Naprawdę pan Fryderyk jeździł taką lokomotywą po polu?

– To nie tak, jak ci się wydaje – roześmiał się pan Teofil. – Taką lokomobilę ustawiało się na jednym końcu pola. Na drugim stała druga. Połączone były liną, do której przymocowano pług. Raz włączano jedną lokomobilę, a raz drugą, i w ten sposób pług na linie chodził po dwieście, trzysta metrów tam i z powrotem.

– Fantastyczne – przyznałem z podziwem.

– Ponad tysiąc lat temu używano radła – wyjaśniał pan Teofil, wskazując odpowiedni rysunek. – Radło było pojedynczym ostrzem, które tylko cięło ziemię, a pług to tak jakby kilka połączonych radeł odwracających skiby ziemi na drugą stronę.

Pan Teofil rzeczywiście wszystko wiedział.

Zabrałem księgę z pługami i pognałem do panny Julianny.

– To jest lokomobila, a to jest pług, czyli rozwinięte radło. Radło jest najważniejsze, bo było pierwsze – pokazałem.

– Doprawdy?

Panna Julianna wyglądała na rozczarowaną.

Dopiero zasypiając w łóżku, uświadomiłem sobie, że najważniejszym elementem pługu parowego jest jednak lokomobila i to ona powinna być na torcie. Wspaniała, dumna lokomobila. Na poprawki było już za późno. Dlatego Fryderyk, ukochany panny Julianny, na którego czekała przez ćwierć wieku, został nazajutrz powitany tortem ozdobionym radłem z marcepana.

38.

Po co przyjechał Fryderyk?

Pierwsza zobaczyła Fryderyka siostra Immakulata. Schodziła wyrzucić śmieci, a Fryderyk wchodził właśnie do bramy. Na jego widok krzyknęła i wypuściła wiadro z dłoni. Fryderyk nie zdążył się zdziwić, bo natychmiast rozległ się lament Rozali.

– No przecież przed chwilą całe schody mokrą szmatą umyłam, a już śmieci rozsypane! No co za ludzie mieszkają w tym domu! Nikt nie szanuje mojej pracy!

Fryderyk cofał się przestraszony, ale z góry zbiegała już panna Julianna, by przyjść ukochanemu z odsieczą. Immakulata zostawiła wiadro i pobiegła na górę. Wpadła do naszego mieszkania, nawet nie pukając.

– To on, to na pewno on! – krzyknęła, wpadając do kuchni, gdzie matka ucierała z żółtek kogel-mogel.

– Immakulato, co się dzieje?! – zawołała z niepokojem matka.

– To ten oficer, który przyjechał do naszego klasztoru! To on, poznałam od razu!

– Niech się siostra uspokoi. Jaki oficer?

– Ten ze stowarzyszenia Ahnenerbe, przysłany przez samego Reichsführera-SS Heinricha Himmlera!

– Przecież Himmler nie żyje od lat!

– Ale wtedy jeszcze żył. I przysłał tego oficera.

– Boże, ja nic nie rozumiem – załamała ręce matka.

– No przecież opowiadałam! – zniecierpliwiła się Immakulata. – Po kielich Lutra miał przyjechać, jak się wojna kończyła.

Matka zmarszczyła brwi.

– Immakulato, nie wspominałaś nigdy, że widziałaś tego oficera. Mówiłaś, że miał przyjechać do siostry, jak jej tam, Teodozji?

– Deotymy. Była przełożoną. Ale ja go już wcześniej widziałam.

– W klasztorze?

– W klasztorze.

– To dlaczego nic mi o tym nie mówiłaś?

– Jakoś tak…

– Nie ufasz mi? Nawet mi nie ufasz?

– Ufam, ale jakoś tak…

– Ale co on tam robił?

– Nie wiem. Wiem za to, że przed chwilą go widziałam. Tylko wtedy był w tej czapce z trupią czaszką i czarnym płaszczu ze skóry.

– Usiądź i odpocznij. Może się mylisz.

Siostra Immakulata oddychała ciężko.

– Nie mylę się.

– No i co on by tu robił?

– Przecież pani wie, co by tu robił.

– Może to nie on? Tyle lat minęło. A na starość wszyscy zaczynamy wyglądać podobnie.

– Może nie on. Wzrok już mam nie ten.

Siostra Immakulata powoli się uspokajała, chociaż wciąż wyglądała na zaskoczoną. Obie wyglądały na zdziwione. Moja matka chyba tym, że nagle spostrzegła, iż nie wszystko wie o siostrze Immakulacie.

Mnie Fryderyk od początku wydawał się rozczarowujący. Nie przyjechał nawet swoim samochodem, tylko zwykłą taksówką, jakby chciał zabrać pannę Juliannę co najwyżej do opery, a nie w drogę na resztę życia. Rozala mówiła mojej mamie, że miał tylko jedną walizkę, w dodatku małą. Od razu pomyślałem, że być może jest biedny i dlatego panna Julianna zbierała dla niego ubrania. To było bardzo ciekawe odkrycie, bo do tej pory myślałem, że biedni Niemcy nie istnieją. Jak ktoś rodzi się w Niemczech, to jest bogaty i od razu ma rower, a potem samochód. Tak jak większość Polaków uważałem, że skoro Niemcy przegrali wojnę, to my powinniśmy być bogaci, a nie oni. Stało się jednak odwrotnie, co traktowałem jako najlepszy dowód na to, że świat jest postawiony na głowie.

Fryderyk był przed sześćdziesiątką, miał brzuch, złote okulary, jasne, niemal białe buty, jasnozielone spodnie ze sztruksu i ciemnozieloną marynarkę, też ze sztruksu. Długie włosy, do ramion, niemal całkowicie siwe, czesał tak, że zasłaniały zakola. Typowy Niemiec. Niemców łatwo było poznać. Głównie po złotych okularach, sztruksach, jasnych ubraniach i siwiźnie. Polacy nie kupowali jasnych ubrań. Nie chcieli się ubrudzić, a może wyróżniać. Nie byli też tak powszechnie siwi. Może dlatego, że mężczyźni umierali młodziej, a kobiety farbowały włosy na fioletowo. Poza tym przyjeżdżali do nas głównie starsi Niemcy, młodzi nie mieli tu czego rozpamiętywać. Odkąd pamiętam, Rynek był pełen siwych wycieczek, pielęgnujących wspomnienia.

No i Fryderyk pachniał jak Niemiec. Nie znałem się na polityce i nie wiedziałem, dlaczego nasz najlepszy na świecie socjalizm jest gorszy od ich paskudnego kapitalizmu, ale nos podpowiadał mi niezawodnie, że zwycięstwa nie ma po naszej stronie. W Polsce śmierdziało. Na klatkach schodowych – szczyną lub chlorem, w tramwajach – potem i niestrawionym alkoholem, w szkołach – przypalonym mlekiem, w stołówkach – gotowaną kapustą, w biurach – papierosami i jajkami na twardo; śmierdziało nawet w większości domów, gdzie nikt nie dbał o skuteczność wentylacji, a cebulę smażyło się przecież codziennie.

Niemca można było wyczuć nosem. Pachniał. Tak jak wuj Kurt, a teraz Fryderyk. Cudowną mieszanką wody po goleniu Sir lub Tabac, dezodorantu Fa lub Rexona, proszkiem do prania Persil i płynem do płukania tkanin Lenor. Do tego dochodziła mgiełka codziennych zapachów, których byliśmy pozbawieni. Tak jak nie pachniały nasze domy, tak i nie pachniały nasze ciała – tak jak w domach nie unosiły się wonne estry płynów do prania firan, dywanów, płynów do podłóg, łazienek, a nawet kibli, tak i nad naszymi ciałami nie unosił się zapach szamponów do włosów i aromatów do kąpieli, nasze dłonie nie pachniały kremem Nivea, a palce skórką obieranych mandarynek. My w najlepszym wypadku byliśmy bezwonni, o ile nie liczyć zwykłego mydła, krochmalu i proszku Ixi. Być może dlatego na nic się zdawały rozpaczliwe próby matki, która chciała i w naszym domu rozporządzać zapachem, ale udawało jej się to na krótko, bo przysyłany na święta Lenor od razu z ubrań wietrzał, czując, że nie ma przy nas perspektyw, by się zatrzymać na dłużej.

Poza zapachem nie było we Fryderyku nic wyjątkowego. Zwykły, siwy Niemiec w złotych okularach. Przez pierwsze dwa dni mieszkał w hotelu Monopol. Siostra Immakulata mówiła, że to dlatego, by nie siać zgorszenia noclegiem u panny Julianny. Chyba jednak nie do końca miała rację, bo przez te dwa dni panna Julianna mieszkała w hotelu razem z nim, więc niepokój i tak został zasiany. Wynajął pokój z balkonem, z którego przed wojną przemawiał Adolf Hitler. Mówił o tym z pewnym rozbawieniem, ale i nie bez dumy, co wyraźnie irytowało siostrę Immakulatę.

– Czego on tu szuka, jeśli nie kielicha Lutra? Po co przyjechał? – pytała moją matkę, siedząc razem z nią w salonie i haftując złote orły na czerwonych sztandarach.

Bo rzeczywiście, Fryderyk sprawiał wrażenie, jakby czegoś szukał. Po dwóch dniach przeniósł się z hotelu Monopol do mieszkania panny Julianny, po czym postanowił poznać wszystkich lokatorów. Składał im kolejno wizyty – przychodził z butelką wódki oraz czekoladkami. Trzeba go było wpuścić, otworzyć butelkę i rozlać, nawet jak człowiek miał mało czasu lub co innego na głowie. Gość rozglądał się po mieszkaniu i o wszystko wypytywał, niby z ludzkiej życzliwości, ale Immakulata wietrzyła podstęp.

Najpierw złożył wizytę doktorowi Szorstkiemu. Przywitali się serdecznie, jak starzy znajomi, ale potem o coś chyba się pokłócili, bo na klatce słychać było podniesione głosy. Pewnie to przez nerwy doktora Szorstkiego, które ostatnio miał w strzępach. Tak orzekł pan Henryczek, twierdząc, że jego sąsiad biegnie do drzwi i patrzy przez wizjer za każdym razem, gdy ktoś pojawia się na schodach. Widać to po światełku, którym wizjer na chwilę rozbłyskuje, gdy w mieszkaniu odsłania się klapkę.

Nerwy prawdopodobnie postrzępiło Szorstkiemu nieoczekiwane bogactwo, bo od jakiegoś czasu wszyscy widzieli, że wiedzie mu się znacznie lepiej, chociaż i do tej pory nie mógł narzekać. W ciągu miesiąca wymienił telewizor na kolorowy i kupił nowego fiata 125p, budząc tym zazdrość na całej ulicy. Ojciec z zazdrością i niechęcią mówił, że prawdopodobnie Szorstki dokonał w końcu jakiegoś ważnego odkrycia w swoim laboratorium i udało mu się patent dobrze sprzedać, niewykluczone, że za granicę. Wszyscy byliśmy szalenie ciekawi, co to za odkrycie, ale doktor Szorstki robił tajemnicze miny.

Tymczasem Fryderyk chodził jak ksiądz po kolędzie, był też i u Rozalki, gdzie poznał przy okazji jej kolejarza zza ściany. Później zaszedł do pana Henryczka, a potem z panną Julianną i Emanuelą zajrzał do pani Adeli. Wtedy dopiero Laurka przestała się na mnie gniewać i przyszła do nas wieczorem oglądać telewizję, bo w jej domu trwała impreza i trudno było wytrzymać.

Laurka przyniosła sensacyjną wiadomość, że Fryderyk zajmuje się kręceniem filmów dokumentalnych i zamierza zrobić film o naszej kamienicy. Każdy z mieszkańców będzie jej bohaterem z wyjątkiem Smoka, który nie żyje. Osoby nieżyjące nie mogą być bohaterami historii, które się dzieją po ich śmierci, z wyjątkiem sytuacji, w których się objawiają jako duchy. Tak za Fryderykiem powiedziała panna Julianna i to mimo wszystko daje jakąś szansę także Smokowi, bo przecież może się objawić.

– A o co wypytywał was ten Fryderyk? – dociekała siostra Immakulata.

– W zasadzie to o wszystko, jak prawdziwy reżyser – odpowiedziała z podziwem Laurka. – Nawet o to, czy tato ścian nie przebudował i czy ktoś w nich czegoś nie znalazł.

– Czy ktoś w nich czegoś nie znalazł? – siostra Immakulata z wrażenia wypuściła kłębek złotych nici.

– No, czegoś, co mogliby zostawić Niemcy – tłumaczyła Laurka.

– Na przykład czego? – zapytała matka z miną tak groźną, że biedna Laurka ze strachu zamarła.

– Ja nie wiem, proszę pani. Nie mam pojęcia. Mówię tylko o tym, o co ten pan wypytuje.

– Oczywiście, moje dziecko, oczywiście – uspokoiła ją matka.

– Wszystko w porządku. Trochę nas tylko niepokoi, że jakiś obcy człowiek po naszej kamienicy się kręci. Wiesz, jak to dzisiaj jest, trudno obcym zaufać.

– Ale on nie jest obcy – broniła Laurka przegranej sprawy. – To przecież narzeczony panny Julianny.

– Narzeczony, co ćwierć wieku potrzebował, by sobie o tym przypomnieć! – prychnęła matka, a Laurka wcisnęła głowę w ramiona i już bez słowa oglądała telewizję.

Transmitowano akurat *Turniej miast*, w którym współzawodniczący z Obornikami Dzierżoniów stracił właśnie punkt w zbieraniu makulatury. Na szczęście odrobił go szybko podczas rywalizacji muzyków ludowych, zwyciężając dzięki kapeli grającej na piłach, co zawyrokował sam Jerzy Waldorff, arystokrata i krytyk muzyczny, chyba najwybitniejszy homoseksualista PRL-u, leżący dziś na Powązkach w grobie ze swoim partnerem.

Dwa dni później panna Julianna zatrzymała ojca na klatce schodowej, pytając, czy może przyjść do nas z Fryderykiem.

– Dla ciebie wszystko, moja śliczna – odpowiedział ojciec, jakby mu się coś pomyliło, a ona pocałowała go w policzek, zupełnie jakby jego pomylenie także i jej się udzieliło.

W domu ojciec nucił tym razem o jakiejś Zosi.

Zośko, Zosiu, hej, Zosieńko!
Łezkę z oka otrzyj ręką,
Chociaż może padł
Ten, co serce skradł,
Szturmowa to dola
Śmierć, nigdy niewola.

Przyszli pod wieczór, a z nimi Money Liza.

– Fryderyk postanowił wspomóc finansowo Rozalę, ale nie zgodziła się przyjąć pieniędzy, więc zatrudniliśmy jej córkę do prowadzenia domu – wyjaśniła panna Julianna. – Wzięliśmy ją dziś ze sobą, niech zobaczy, jak się gotuje i podaje do stołu w porządnych domach. Chyba nie macie państwo nic przeciwko temu?

– Ależ skąd! – zapewnił skwapliwie ojciec, dumny z wyróżnienia.

– A to pech! – wyrwało się matce. – Mam tylko parówki.

– To ja może ugotuję! – zaoferowała się Money Liza.

To było niesamowite. Mieliśmy własną pomoc kuchenną, zupełnie jak Freytagowie!

Matka wyciągnęła z kredensu słoik z nalepką „Wiener Würstchen", rarytas z paczki wuja Kurta przetrzymywany na wyjątkowe okazje, takie jak moje lub Tyranii urodziny albo brak obiadu. Wrzucała wówczas do garnka niespotykaną na naszym rynku zupę w proszku Knorr i dodawała po parówce na osobę, a my zajadaliśmy się z lubością.

Money Liza wzięła słoik i pobiegła do kuchni, a goście usiedli przy stole i zapalili papierosy, co zawsze robi się na początku wizyty. Panna Julianna siedziała bardzo blisko Fryderyka, cały czas w niego wpatrzona, nawet wtedy, gdy nic nie mówił. Ojciec polał wódkę i wypili na jedną nogę, otrzęśli się z obrzydzenia i od razu wypili na drugą nogę w celu uzyskania równowagi.

– Pan na długo przyjechał do Polski? – zaciekawił się ojciec.

– Na tak długo, jak długo coś mnie tutaj zatrzyma – odpowiedział, zalotnie spoglądając na pannę Juliannę. Mówił po niemiecku, panna Julianna od razu tłumaczyła.

– Coś? Chyba ktoś? – z uśmiechem uściśliła matka.

– Może ktoś, a może coś – droczył się, kładąc dłoń na kolanie panny Julianny, której oczy rozbłysły jak od nagłej gorączki.

Money Liza rozłożyła talerze, potem przyniosła z kuchni sałatkę żydowską i ogórki kiszone. W końcu wniosła parówki.

– Ojej, a co to jest? – jęknęła mama na widok parówek rozgotowanych tak, że aż wywinęły się na lewą stronę.

– Pięć minut je gotowałam, tak jak jaja na twardo – oznajmiła zadowolona Money Liza. – Ale może powinnam była gotować jak jaja na miękko?

– Nie, kochanie, parówek w ogóle się nie gotuje – spokojnie wyjaśniła matka. – Parówki, jak sama nazwa wskazuje, podgrzewa się po prostu na parze, ewentualnie w gorącej wodzie.

– Aha. Tak jak jajka w koszulkach?

– Co ty tak z tymi jajkami? – zdziwił się ojciec.

– Mamy rodzinę na wsi – wyjaśniła Money Liza. – W zasadzie to jemy tylko jajka. Czasami trzy razy dziennie, ale za każdym razem inaczej. Na przykład na śniadanie gotowane, na obiad sadzone, a na kolację jajecznicę. Też mogę państwu tak robić.

– Obiad bez kotleta? – zaniepokoił się ojciec.

– Czasami robię kotlet z jajek.

– A na deser? – zażartowała panna Julianna.

– Bezy lub kogel-mogel.

Zapowiadał się miły wieczór.

Dopiero po północy Fryderyk był na tyle pijany, że bez skrępowania zapytał, czy nic nie znaleźliśmy pod podłogą. Kobiety były akurat w kuchni, więc obaj mężczyźni kierowali się w rozmowie głównie gestykulacją oraz intuicją.

– Znaleźliśmy – odpowiedział ojciec, nucąc znów o cekaemach.

Fryderyk zastygł z kieliszkiem w dłoni.

– *Was?*

– Szlakę. Znaleźliśmy szlakę.

– *Was?*

– Szlakę.

– *Was ist das?*

– Szlaka to szlaka – spokojnie odpowiedział ojciec, a rozgorączkowany Fryderyk pobiegł do kuchni z pytaniem:

– *Julianne, was bedeutet:* szlaka?

Nie usłyszałem już odpowiedzi, ale nie sądzę, by panna Julianna wiedziała, że szlaka to spieniony żużel używany kiedyś do ocieplania stropów.

39.

Jak ukryć wujka z Wehrmachtu?

Były w naszej rodzinie sprawy, które na pewno nie wydawały nam się chwalebne, ale uważaliśmy je za naturalne, chociaż wśród wielu osób budziły zdziwienie, a czasem kontrowersje. Dlatego raczej o nich nie wspominaliśmy, choć niekiedy przypadkiem nam się wymykały. Zdarzyło się to także przy rodzicach Rudego Tomka.

Przez kilka tygodni umawiali się z nami na wizytę zapoznawczą, która zazwyczaj jest najważniejsza, bo w pamięci zostaje pierwsze wrażenie. To tak jak z pierwszą wizytą Laurki w naszym domu, kiedy to natychmiast się w niej zakochałem. Oni nalegali, żeby się spotkać w domu na Kampinoskiej, bo mają tam dużo miejsca, ale ojciec uznał, że nie będzie z córką chodził jak jakiś swat, ma przecież swoją dumę, niech zobaczą. Oprócz dumy chce także pokazać telewizor kolorowy Rubin, model doprawdy fantastyczny, chociaż czasami wybucha.

Rudy Tomek bywał u nas regularnie i ojciec wypytywał go o ważne rzeczy. Wiedzieliśmy na przykład, że nie mają kolorowego telewizora. Poza tym usłyszeliśmy, że jego mama nie pracuje, bo nie ma wewnętrznej potrzeby, a ojca zatrudniono w urzędzie miasta, gdzie jest prawą ręką dyrektora.

Tyrania mówiła, że w ich domu nie czuje się najlepiej. Onieśmielają ją portrety żołnierzy, chyba ułanów, wiszące na ścianie, kolekcja halabard i mieczy oraz narodowa flaga w kącie pokoju, skierowana ku wchodzącym niczym bojowy proporzec. Zupełnie jak w jakimś muzeum.

– Flagę trzymają w pokoju? – zapytał nie bez podziwu ojciec.

– Ojciec Tomka jest jakimś ważnym działaczem partyjnym – wyjaśniła Tyrania.

– No ale żeby flagę trzymać w pokoju? – nie mogła zrozumieć matka. – Niezłych teściów sobie wybrałaś.

Ale przecież Tyrania nie teściów sobie wybierała, tylko Rudego Tomka.

Z Rudym Tomkiem ojciec odbył przyjacielską rozmowę.

– Jak zrobisz krzywdę mojej córce, to naślę na ciebie bandziorów. Jak będzie chciała wziąć ślub, a ty nie będziesz chciał, to naślę na ciebie bandziorów. Jak będzie chciała zamiast ślubu alimenty, to masz regularnie płacić, bo jak nie, to naślę na ciebie bandziorów.

Wyglądało na to, że w każdej sytuacji naśle na niego bandziorów. Mój ojciec, doprawdy, potrafił zatroszczyć się o rodzinę.

Rodzice Tomka przyszli w końcu którejś soboty, oboje bardzo dystyngowani – ona w lśniącym futrze i kapelusiku z woalką, a on w płaszczu do samej ziemi, kapeluszu z szerokim rondem i z parasolem, chociaż nie padało. Zachowali się bardzo szarmancko, bo przynieśli kwiaty oraz kilo cukierków o nazwie Michałki. Te michałki były wtedy trudno dostępną w sklepach nowością. Masa kakaowa, mielone orzechy, czekolada. Pycha.

Siedzieliśmy wszyscy przy stole i z namaszczeniem zjadaliśmy cukierki.

– A dlaczego właściwie one mają imię jak człowiek? – zainteresował się mój ojciec.

Wówczas tata Rudego Tomka, który prawdopodobnie wszystko wiedział (podobnie jak pan Teofil), wyjaśnił nam, że produkowane są nieopodal Wrocławia w świebodzickich zakładach Śnieżka, gdzie pracuje Janina Miodek, piękna technolożka, w której towarzysz Michał zakochał się po uszy. Piękna Janina nie odwzajemniła miłości Michała, ale gdy opracowała recepturę nowych cukierków, nadała im jego imię, by jego wspomnienie o niej było nieco słodsze.

Niewykluczone, że była to prawda, bo rzeczywiście w Śnieżce pracowała wówczas Janina, ciotka Jana Miodka, językoznawcy z Wrocławia od paru lat prowadzącego w dzienniku „Słowo Polskie" rubrykę *Rzecz o języku*, pod wpływem której Tyrania postanowiła studiować polonistykę.

Kolacja wyglądała na bardzo udaną, prawie wszystkie cukierki zostały zjedzone. Minęła północ i goście siedzieli przy stole zmęczeni alkoholem, gdy nagle przyszła teściowa Tyranii zaczęła wypytywać moją matkę o dzieciństwo. Matka radośnie zaczęła je sobie przypominać i z niewiadomego powodu rozgadała się o słodkiej tycie.

W Niemczech, podobnie jak na Śląsku, dzieciom idącym po raz pierwszy do szkoły wręczało się wielki rożek z tektury wypełniony słodyczami – ale taki naprawdę wielki, często ponadpółmetrowy, żeby zapamiętać to wydarzenie na lata. Ten rożek to właśnie tyta. Tak się dziwacznie od dziesiątek lat nazywa. Owinięty był szeleszczącym celofanem lub kolorowym papierem, a u góry związany wstążką – taki róg obfitości, żeby dzieciom szkoła dobrze się kojarzyła. W środku, w zależności od zamożności rodziców, były sople cukrowe, odpustowe lizaki, karmelki, trufle, a nawet marcepany z Lubeki. Mama najbardziej lubiła żelki Goldbären firmy Haribo (dostępne dziś w każdym markecie Złote Misie) oraz czarne cukierki zawierające gorzki wyciąg z korzenia lukrecji, polecane nie tylko przez smakoszy, lecz także przez lekarzy z powodu ich właściwości przeciwzapalnych i bakteriobójczych. Z tytą szło się do fotografa, bo zdjęcie z nią było w życiu każdego człowieka równie obowiązkowe jak z Pierwszej Komunii Świętej.

Mama Rudego Tomka zrobiła wielkie oczy i przyznała, że to cudowny zwyczaj i żałuje, że takiej tyty nigdy nie miała sposobności zobaczyć. Na to moja matka poderwała się radośnie.

– Ach, to chodź, pokażę ci zdjęcia, kochanie.

Biorąc się za ręce jak dwie przyjaciółki, a może nawet siostry, poszły w kierunku ciężkiego kredensu Freytagów, a za nimi ruszył ojciec Rudego Tomka, bo też chciał tytę zobaczyć.

Matka odsunęła dolną, rzeźbioną w węże szufladę i wyciągnęła kilka albumów ze starymi fotografiami z czasów jej młodości.

– O, to jestem ja z tytą – powiedziała po chwili, pokazując stronę albumu, na której były przedwojenne zdjęcia w sepii.

– Jakie to ciekawe! – wykrzyknęła matka Rudego Tomka, porywając album i przyglądając się małej dziewczynce z warkoczykami, która trzyma oburącz nie rożek, lecz wielki róg z kartonu wypełniony słodyczami.

Mama uśmiechnęła się zadowolona i wyciągnęła następny album, by przyszłej teściowej swej córki pokazać mnie, gdy miałem roczek i goły leżałem na kocyku, z trudem unosząc głowę, by wpatrywać się w obiektyw. Mama Rudego Tomka uroczo się roześmiała, bo w domu ma album z podobnymi zdjęciami, i było bardzo wesoło – wszyscy się śmiali ze zwyczaju, który kazał rodzicom kłaść swoje nagie dzieci na szorstkich kocykach z gryzącej wełny i robić im zdjęcia, na które ich bohaterowie patrzą po latach z zażenowaniem i wstydem. Stałem z boku upokorzony, bo Tyrania zachichotała, że mam małego siusiaka, a oni rechotali, jakby naprawdę było z czego.

A potem stała się jeszcze większa katastrofa.

Matka Rudego Tomka, nasyciwszy swą ciekawość widokami słodkiej tyty i siusiaka, sięgnęła po kolejny album. Nagle wydała zduszony jęk i poczerwieniała.

– O mój Boże przenajświętszy! – krzyknęła, po czym opadła na kanapę.

– Co ci się stało, kochanie? – zapytała z niepokojem moja matka.

– Tam… w tym albumie… co to są za ludzie? – wyjąkała z przerażeniem przyszła teściowa Tyranii.

Matka podniosła album z podłogi, a jej twarz rozjaśnił czuły uśmiech.

– Och, kochanie, to moi ukochani bracia. Max, Kurt i Tom. Ale tylko Kurt żyje, tamci zginęli na froncie.

– Bracia? Jak to bracia? Przecież oni są w niemieckich mundurach! Ze swastykami!

Matka spojrzała na swoją nową krewną jak na kosmitkę.

– A niby w jakich mieli być? Przecież przed wojną tu były Niemcy. Państwo było niemieckie, Wrocław był niemiecki, władza była niemiecka, to i wojsko było niemieckie. Chleb też był niemiecki. Jak przyszedł czas i chłopa brano do wojska, to przecież nie było innego niż niemieckie. A czas zawsze przychodził.

– O Boże, to straszne! – krzyknęła nasza przyszła krewna i sięgnęła po szklankę z zimną wodą.

Ojciec Rudego Tomka przeglądał album z niedowierzaniem.

– Po co to trzymacie? – zapytał z odrazą.

– A niby dlaczego mam nie trzymać? – zdziwiła się matka. – Przecież na tych zdjęciach są moi bracia.

– A ta dziewczynka w wojskowym mundurze?

– To nie jest mundur wojskowy. To była taka sekcja dla dziewcząt przy Hitlerjugend.

– Byłaś w Hitlerjugend?

– Boże, dlaczego wy tak bardzo nic nie wiecie? To było obowiązkowe! Żaden młody Niemiec nie mógł nie należeć do Hitlerjugend.

– Jesteś Niemką…

Ojciec Rudego Tomka zamilkł i wyglądało na to, że już się nie odezwie.

– To musi pozostać między nami – powiedział w końcu. – To musi być nasza tajemnica.

– Co musi być naszą tajemnicą? – zapytała z niepokojem matka.

– Wasze hitlerowskie pochodzenie.

– Hitlerowskie? – uniosła się z fotela.

– Tata chciał powiedzieć, że niemieckie – próbował załagodzić Rudy Tomek.

Przez parę minut w pokoju panowała cisza tak ciężka, jakby ktoś postawił na środku wagon kamieni. Potem ojciec Rudego Tomka poprosił, żeby nigdy więcej do tego tematu nie wracać. Jego matka zginęła w Auschwitz, ojciec był w AK, więc byłoby niezręcznie wspominać przy rodzinie, że synowa miała wujów w Wehrmachcie.

– Co robić? – rozłożyła ręce matka Rudego Tomka. – Krewni naszych krewnych są naszymi krewnymi i nic się na to nie poradzi. Matka była poruszona.

– Popełniłam błąd z tym zdjęciami – przyznała, chowając albumy. – Nie powinnam była ich wyciągać. Wolałabym zapomnieć, że przed wojną mieszkali tu ludzie o innej narodowości niż teraz. Wolałabym zapomnieć, że to wszystko się zdarzyło, ale pamiętam i nic na to nie poradzę.

Przez wiele lat matka nie przyjmowała prawdy o wojnie. Dla niej, podobnie jak dla wielu Niemców, Hitler był człowiekiem, który wyprowadził kraj z kryzysu, a budową fabryk zbrojeniowych, kolei i autostrad radykalnie zmniejszył bezrobocie. Roztoczył wizje, które stały się im bliskie, obudził marzenia, w które uwierzyli. Nie widzieli nic złego w obietnicy zwycięstwa nad światem, nie mieli nic przeciw temu, by nad nim panować. Tak jak uwierzyli w baśń o Atlantach, tak samo uwierzyli w mit swojego posłannictwa i w to, że ich kule lecą ku dobremu celowi.

Kiedy po raz pierwszy ktoś powiedział jej, że Niemcy palili w piecach ludzi, w ogóle nie rozumiała, o co chodzi.

– Co za bzdura! – obruszyła się urażona. – To już naprawdę szczyt wszystkiego mówić, że Niemcy palili w piecach ludźmi. Węglem palili, drewnem, ale nie ludźmi! Kto takie rzeczy wymyśla?

Do Auschwitz pojechała kilkanaście lat po wojnie w ramach cyklu krajoznawczych wycieczek organizowanych przez zakłady pracy. Wtedy dopiero zrozumiała.

Po powrocie wyrzuciła z albumów te zdjęcia, na których rodzina pozowała przy portretach Hitlera. Zostało tylko jedno – być może przez jej nieuwagę, a może dlatego, że to ostatnia fotografia, na której wszyscy byli jeszcze razem. Rodzina Königów. Po raz ostatni w komplecie. Parę miesięcy później z sześciu braci zostanie przy życiu tylko dwóch. Na zdjęciu – dziadkowie, mama i jej bracia, siedmioro rodzeństwa, stoją w mundurach. Bracia mają buty wyglansowane na błysk. Błyszczy również skórzany mapnik zawieszony u boku mojej matki. Przed nimi siedzą dziadek z babcią w wiklinowych fotelach, pomiędzy którymi ustawiono stolik tak mały, że zmieścił się na nim tylko portret wodza Trzeciej Rzeszy i podpierający go żołnierski hełm dziadka, jeszcze z pierwszej wojny.

Dziadek walczył w nim pod Armentières w północnej Francji, a potem czasami wspominał, jak podczas świąt Bożego Narodzenia w 1914 roku żołnierze niemieccy i brytyjscy dokonali samowolnego zawieszenia broni, wyszli z okopów, złożyli sobie życzenia i zagrali w piłkę. Nie wiem, jaki był wynik, bo za każdym razem dziadek coś kręcił. Mam wrażenie, że stał na bramce i wpuścił decydującego gola. Po świętach żołnierze znów zaczęli do siebie strzelać – dziadek dostał wtedy kulę w kolano. Dziękował za nią Panu Bogu przez całe życie. Wprawdzie zawsze już utykał, ale tylko utykając, mógł uciec przed wojskiem i dokuśtykać do późnej starości.

40.

Grzech pod obrazami świętych

Matka chyba nie lubiła Rudego Tomka, bo postanowiła pokazać Tyranii, jak się robi prawdziwe gumiklyjzy. Były przekleństwem naszego dzieciństwa. Obrzydliwie się nazywały i równie obrzydliwie ciągnęły między zębami, zatykały, dusiły, a z dziurki pośrodku klucha wypływał tłusty sos, którego nienawidziłem jeszcze bardziej.

– Pamiętaj – tłumaczyła matka – to muszą być dobre, żółte kartofle, nie te pastewne, które w sklepach sprzedają. Kartofle trzeba ugotować, muszą być dobrze posolone i nie wolno ich rozgotować. Jak odlejesz wodę i wystudzisz, musisz dokładnie przecisnąć je wszystkie przez praskę. Dla pewności możesz to zrobić dwa razy. Wkładasz je do miski z płaskim dnem, ugniatasz na równo i robisz na nich znak krzyża.

– Takiego jak w kościele? – Tyrania odruchowo się przeżegnała.

– Nie, takiego jak w dodawaniu, o równych ramionach. To najważniejsze, żeby ziemniaki podzielić na cztery części. Jedną z nich wyjmujesz i układasz na wierzchu trzech pozostałych. W tę pozostałą po kartoflach ćwiartkę wsypujesz mąkę ziemniaczaną. Ma na wysokość zająć tyle miejsca, ile pozostałe kartofle. Zagniatasz i to wszystko – żadnego jajka, żadnego mleka ani mąki pszennej. Zagniatasz dokładnie i od razu lepisz kluski. Nabierasz ciasta tyle, ile mieści się we wnętrzu dłoni. Robisz kulkę i wskazującym palcem wyciskasz dziurkę na sos. Gumiklyjzy nie lubią czekać – jak już je wszystkie ulepisz, od razu wrzucaj do wrzątku. Muszą się gotować tak długo, aż wszystkie wypłyną, a jeśli chcesz, żeby to były prawdziwe gumowe gumiklyjzy, to poczekaj jeszcze parę minut. To wszystko. I pamiętaj:

każda śląska gospodyni będzie ci patrzeć na ręce, jak to robisz. I każda będzie przy tej okazji oceniała całą naszą rodzinę, nie tylko ciebie. Bo kluski się wynosi z domu, one mówią o rodzinnym domu więcej niż wszystkie papiery. To śląskie wiano dziewczyny. Tak jak rolady i kapusta modra.

– To ja innego wiana nie dostanę? – spytała zaniepokojona Tyrania.

Tyrania szykowała się do wyjścia za mąż, tymczasem ja z Laurką rozpoczynaliśmy nowy rok szkolny. Poszedłem do ósmej klasy, a ona do pierwszej licealnej. Bałem się, że pozna tam jakiegoś czwartoklasistę, który będzie już myślał o studiach, i się w tej jego dorosłości zakocha po kucyk. Dlatego ucieszyłem się bardzo, gdy ojciec powiedział mi, że panna Julianna chwilowo jest zbyt zajęta Fryderykiem i w lekcjach będzie pomagać mi Laurka, bo z taką propozycją wyszła jej mama w ramach stosunków dobrosąsiedzkich.

Zupełnie nie radziłem sobie z matematyką, fizyką i chemią. Szczerze mówiąc, mój umysł z pewnością nie był ścisły, był raczej luźny, a może nawet rozwiązły. Objawiało się to nadmiernym zainteresowaniem naturystycznymi pismami pozostawionymi przez Freytagów, gdzie nagie panny wdzięcznie się wypinały na kredowym papierze. Początkowo przeszkadzało mi, że pozują często na tle popiersi i innych podobizn Hitlera, zwłaszcza w salach gimnastycznych, gdzie portrety wodza osiągały rozmiary basenu olimpijskiego, ale z czasem przyzwyczaiłem się i przestałem go zauważać. Tak pewnie dzieje się ze wszystkimi portretami – człowiek przestaje zwracać na nie uwagę, dlatego wciąż trzeba wieszać nowe, więc miasta dyktatorów pełne są ich podobizn.

Być może to samo dotknęło też Rozalę, która za czasów Smoka wieszała u siebie portrety świętych. Diabeł, dyktator czy święty – to nie ma większego znaczenia, każdy podlega takim samym prawom ludzkiej nudy. Każdy, z wyjątkiem nagich kobiet oglądanych przez nastolatków, oczywiście. To głównie one zajmowały mi głowę, a nie tablice trygonometryczne.

Wcześniej pomagała mi Tyrania, ale teraz była już jedną nogą na Kampinoskiej w domu Rudego Tomka, a drugą nogą nerwowo przytupywała, nie mając dla mnie czasu. Korzystałem też z pomocy pana Teofila, ale ten rozgadywał się zazwyczaj na inne tematy i po dwóch godzinach wracałem z mętlikiem w głowie i z nieodrobionymi lekcjami. Laurka do pomocy doraźnej była idealna. Zbiegała się w niej moja tęsknota za umysłem chociażby umiarkowanie ścisłym i jego nieumiarkowana rozwiązłość.

Umawialiśmy się w każdą sobotę. Laurka przychodziła tuż po obiedzie i wciąż pachniała truskawkami, na pewno nie tylko z powodu kompotu. Siadaliśmy obok siebie w mojej pozbawionej okna nyży i dotykając się łokciami, wertowaliśmy podręczniki. Dotykały się też nasze kolana oraz zewnętrzne strony ud, a jej włosy muskały mój policzek, gdy sprawdzała, czy dobrze odrabiam wszystkie zadania. Mógłbym je tak odrabiać godzinami, ale niestety na poniedziałek zazwyczaj mało nam zadawali.

W ostatni weekend września moi rodzice zaproponowali, żebyśmy pojechali z nimi na wieś, do domu po babci. Znalazł się jakiś kupiec, dom trzeba było posprzątać i zabrać ostatnie pamiątki. Mieliśmy trochę im pomóc, trochę się pouczyć, ale przede wszystkim pooddychać świeżym powietrzem. Zdumiewająca była wówczas powszechna wiara ludzi w zdrowe powietrze, połączona z równie powszechnym paleniem papierosów. Moja matka paliła paczkę dziennie, babcia paliła paczkę, ojciec mniej więcej półtorej, Tyrania pół, a dziadek nawet dwie dziennie, zanim umarł i go spalili. I wszyscy głęboko wierzyli w świeże powietrze.

Pojechaliśmy w piątek wieczorem. Rodzice spali w pokoju dziadków, Laurka w gościnnym, a ja w kuchni. Kuchnia pełniła także funkcję jadalni i salonu. Nie było w nim telewizora, bo dziadek był fanem radia i całe życie słuchał wraz z babcią słuchowisk *Matysiakowie* i *W Jezioranach*. Zamiast telewizora stało wielkie lustro, które wszystko widziało. Więcej niż ktokolwiek. Moją matkę, gdy była młoda, i jej braci w brunatnych mundurach. Teraz patrzyło na mnie, jak zasypiam, myśląc o dziewczynie w sąsiednim pokoju.

Nazajutrz ubrałem się jak do kościoła, bo mieliśmy pójść odwiedzić krewnych, ale rodzice pojechali najpierw do Opola, podpisać wstępną umowę sprzedaży, a my z Laurką zostaliśmy w domu sami. Było cicho, spokojnie, wręcz błogo – nad płatami ściernisk zbierały się gromady ptaków powoli szykujących się do odlotu, kwitły jeszcze osty, chabry i łopiany, a na południowej ścianie domu wisiały dojrzałe, słodkie od słońca winogrona. Zrywaliśmy je najpierw wychyleni przez okno w kuchni, a potem poszliśmy zrywać te znad okna w sypialni dziadków, gdzie nad łóżkami wisiały dwa duże obrazy religijne przedstawiające Matkę Boską Bolejącą i Jezusa Chrystusa, który w jednym ręku trzyma swoje krwawiące serce, a drugą wykonuje gest błogosławieństwa.

Gdy tylko weszliśmy do środka, od razu przewróciłem Laurkę na łóżko. Ze śmiechem mocowaliśmy się przez chwilę, a w końcu pozwoliłem jej zwyciężyć i usiąść na mnie okrakiem. Pochyliła głowę i włosami łaskotała mnie w usta. Rzucałem się na łóżku, wierzgałem i wykręcałem głowę, ale bezskutecznie – włosy Laurki miałem rozsypane na całej twarzy, świata poza jej oczami nie widząc. Teoretycznie mógłbym ją zrzucić jednym ruchem bioder, ale moje biodra nie miały takiego zamiaru.

Poczułem dotyk jej ust na swoich ustach. Całowała mnie, naprawdę mnie całowała. Rozchyliła wargi i objęła nimi moje. Poruszyłem ustami od razu, ochoczo, żeby widziała, że mi się to podoba, robiłem wewnątrz jej ust głośne cmoki, zupełnie jakbym całował babcię w rękę, ale po chwili zorientowałem się, że to robi się chyba trochę inaczej, i skoro ona obejmuje swoimi wargami moje, to ja chyba powinienem postąpić podobnie, i tak przez czas jakiś oboje próbowaliśmy się połknąć – jedno starało się otworzyć usta szerzej niż drugie, co zapewne przypominało dwie walczące o życie ryby, przy czym ja wciąż chciałem być zwycięzcą. Nagle poczułem wewnątrz swoich ust koniuszek jej języka i wtedy zrozumiałem, że znalazłem się w łóżku z doświadczoną kochanką. To znaczy z taką, która już wcześniej się z kimś całowała, może nawet na przerwie z czwartoklasistą. Poczułem zazdrość, ale wiedziałem, że Laurka była przecież starsza i nie mogła cały czas czekać na mnie ze swoim życiem intymnym. Postanowiłem przejść do ofensywy, żeby nie pomyślała, że jestem niedoświadczony. Przewróciłem ją na plecy, położyłem się na niej i zacząłem instynktownie ocierać się kroczem o jej krocze przez sukienkę i moje spodnie do kościoła. Jednocześnie wsuwałem rękę pod jej sukienkę, a ona protestowała za każdym razem, gdy koniuszkami palców zbliżałem się do malutkiego sutka.

W wyniku pocierania zdarzyła się rzecz niespodziewana, bo oto poczułem, że coś dziwnego się ze mną dzieje, tak jakby moje ciało zachciało tańczyć, a usta śpiewać. Zaczęła mnie ogarniać niezrozumiała błogość i już myślałem, że jestem w raju – było mi tak dobrze jak nigdy dotąd, nie dałoby się tego porównać nawet z zasypianiem przed telewizorem – gdy nagle coś mną wstrząsnęło, zupełnie jakby mnie kopnął lekki, ale przyjemny prąd. Coś we mnie cicho krzyknęło i wszystko odpłynęło falą, którą natychmiast poczułem w wyjściowych spodniach.

Laurka odsunęła mnie z przerażeniem, dotknęła swoich ud i od razu wiedziała, co się stało – wszak była doświadczoną kochanką.

– O Jezusie przenajświętszy! – zawołała. – Musisz uważać! Zrobiło ci się mokro i mam to w okolicy majtek! Czy wiesz, że od takich rzeczy możemy mieć kłopoty, a nawet dziecko? Wiesz, że plemniki wędrują?

Nie wiedziałem. Nie miałem pojęcia. Zwłaszcza, że wędrują.

Czas jakiś trwaliśmy w bezradnym milczeniu. Potem Laurka poprawiła włosy oraz sukienkę, uklękła na łóżku i z twarzą zwróconą ku świętym obrazom złożyła prośbę:

– Proszę cię, Boże, niech nie zajdę teraz w ciążę, bo matka mnie przecież zabije.

Uklęknąłem przy niej oniemiały ze strachu i błagalnie patrzyłem na obraz Chrystusa, który wyciągał do nas swe krwawiące serce.

Niebiosa nas wysłuchały i na drugi dzień Laurka z samego rana podeszła do mnie bardzo blisko, by z miną właściwą sekretnej kochance wyszeptać na ucho, że właśnie dostała okres, więc nie jest w ciąży. Edukacja seksualna była wówczas na marnym poziomie, ale wiedziałem, jaki związek ma jedno z drugim, więc zrozumiałem, że znów będziemy się mogli ocierać. Uwierzyłem też wtedy w skuteczność modlitw.

Wróciliśmy do Wrocławia w niedzielę późnym wieczorem. Laurka pożegnała mnie pocałunkiem w policzek. Gdy kładłem się spać, wiedziałem, że nasze łóżka jak zwykle dzieli tylko ściana, widziałem przez nią uśpione ciało Laurki i czułem, jak nasze ręce dotykają muru, jak pod ich pragnieniem zmniejsza się grubość oraz gęstość cegieł, jak się szukamy przez ustępującą przeszkodę, aż w końcu nasze dłonie się spotykają i zaczynają splatać palce, potem wędrują ciepłymi ścieżkami ramion, odnajdują miejsca tylko przez wyobraźnię odkryte i zaskakują je we śnie. Usta wymieniają oddechy, przenikając nimi przez tynki jak przez muślin, i nawet pamięć o ścianie przestaje istnieć i nie ma jej aż do świtu, gdy tuż przed nami się budzi i w pośpiechu ustawia porozrzucane na podłodze cegły.

41.

Hitler leży pod jabłonią

Szok rodziców Rudego Tomka dla nas także był zaskoczeniem. Do tej pory żyliśmy w naturalnym środowisku naszej kamienicy, gdzie wszystko było dla każdego oczywiste i nikt się nie dziwił, że ćwierć wieku po wojnie moja matka nadal liczy po niemiecku, panna Julianna wciąż kocha swojego przedwojennego Niemca, a Immakulata chodzi do kościoła na msze odprawiane tylko po niemiecku. Jeszcze w latach pięćdziesiątych na Dolnym Śląsku w ponad stu trzydziestu szkołach głównym językiem nauczania był niemiecki, więc obcy, chrapliwy akcent nie robił na nikim wrażenia. Ja miałem tylko domieszkę krwi niemieckiej i po mnie w ogóle nie można było już niczego poznać, nie licząc wpadek takich jak ta z Atlantami.

Rodzice Rudego Tomka mieli radykalnie odmienne pochodzenie – byli polskimi patriotami o tradycjach ułańskich i niepodległościowych, których dziadkowie walczyli w powstaniu wielkopolskim przeciw Niemcom, co stanowiło ich wieloletni powód do chluby. Historycznie byliśmy podzieleni, ale ojciec Tomka na szczęście największą niechęć żywił jednak do Rosjan, podobnie jak moi rodzice, a to już dawało jakąś płaszczyznę pod przyszłe sojusze.

Matka powoli kapitulowała – być może wciąż wierzyła, że Niemcy do Wrocławia wrócą, ale wiedziała, że na pewno nie teraz ani w dającej się przewidzieć przyszłości – może kiedyś, może inaczej, nie w czołgach, lecz równie skutecznych mercedesach, z siecią supermarketów zamiast obozów zagłady.

Czytała gazety i oglądała telewizję, której początkowo nie wierzyła, ale z czasem uznała, że prawda o wojnie jest inna niż ta, w której się wychowała. Jej młodość – pełna pięknych mitów, dzielnych walkirii, poświęcenia, tajnych zakonów, walecznych rycerzy, lądów dawno zaginionych, a możliwych wówczas do odnalezienia, wizji mocy i misji ocalenia – jej młodość zaczęła jej się teraz wydawać oszustwem, a przez to Hitler stał się największym rozczarowaniem jej życia.

Nawet nie wiedziałem, że wciąż ma jego książkę – zobaczyłem ją pewnego dnia późną jesienią, gdy matka z jakiejś nerwowej niecierpliwości zaczęła zawczasu robić przedświąteczne porządki. Wyciągnęła ją z kredensu i rzuciła na podłogę, a wtedy ze zdumieniem dostrzegłem okładkę. Ze zdjęcia patrzył na mnie lekko nastroszony Hitler w marynarce, białej koszuli i pod krawatem, ubrany tak, jakby szedł do kościoła, a nie na wojnę. Jednak pod spodem widniał tytuł *Mein Kampf* – na skośnym czerwonym pasku białe litery wydrukowano krzykliwym gotykiem.

To była książka jeszcze ze zbiorów Freytaga, opatrzona pieczątką z nazwiskiem oraz ekslibrisem, pierwsza, którą matka zdecydowała się wyrzucić. Po niej na podłodze znalazło się jeszcze kilka innych książek, między innymi wybór przemówień Rudolfa Hessa (gdzie część zdań była przez poprzednich lokatorów podkreślona kopiowym ołówkiem) oraz – chyba trochę z rozpędu – *Also sprach Zarathustra* Fryderyka Nietzschego i *Sein und Zeit* Martina Heideggera, który był wprawdzie współpracownikiem gestapo i członkiem NSDAP, ale przede wszystkim wybitnym filozofem, co podkreślał nawet pan Teofil, przeglądając niekiedy pozostawione w naszym mieszkaniu księgozbiory. Na samej górze znalazł się niemiecki rozkład jazdy pociągów z 1945 roku. Ręką Freytaga na okładce zapisana została data: 18 stycznia 1945, oraz godzina odjazdu pociągu z Wrocławia do Berlina. Mieli specjalnie zarezerwowany wagon, ale skład z nim nie odjechał. Dzień wcześniej wrocławskie dworce zostały zbombardowane przez Rosjan. Freytagowie próbowali ewakuować się dwoma samochodami, ale ich elegancki czarny mercedes-benz 260 D limousine utknął na podjeździe kamienicy z pękniętą od przeciążenia osią. W pośpiechu rozładowali auto, część rzeczy zanosząc do mieszkania, a część do sobie tylko znanych skrytek. Pewnie pocieszali się, że niebawem front zostanie odparty i spokojnie do swojego domu wrócą.

W ciągu trzech tygodni z miasta ewakuowało się siedemset tysięcy osób – część pociągami, reszta pieszo. Matka obserwowała wtedy te konwoje ludzi, bezustanny kilkutygodniowy pochód w kierunku Drezna. Przez pierwszych kilka dni widać było rzekę samochodów tworzących zator aż po horyzont, potem już tylko furmanki wyładowane po brzegi, a w końcu nawet furmanek zabrakło i ludzie szli pieszo – matki pchały wózki z dziećmi, a mężczyźni prowadzili rowery objuczone tym, co zdołali zapakować na drogę. W dzień było kilkanaście stopni poniżej zera, a nocą temperatura spadała aż do minus trzydziestu. Początkowo służby pomocnicze zbierały ciała na odkryte ciężarówki i wywoziły do masowych grobów, ale z czasem ograniczyły się do odrzucania ich na bok, w głąb rowów melioracyjnych. Matka bała się pójść tą drogą. Mieszkała wtedy u ciotki pod Wrocławiem i nie była nawet pewna, czy jej też dotyczy nakaz ewakuacji. Postanowiła czekać w myśl odwiecznej zasady, że jakoś to będzie.

Teraz, po chwili wahania, podniosła rozkład jazdy Deutsche Bahn i włożyła go z powrotem do kredensu, jakby mógł jeszcze się do czegoś przydać, jakby tamte pociągi sprzed trzydziestu lat mogły jeszcze ruszyć, a ona jednym z nich wróciłaby do krewnych pod Berlinem, by tak jak kiedyś razem ze swoją matką wyciągać z ziemi szparagi o świcie. Resztę książek wzięła pod pachę i zeszła na dół.

Na podwórku pan Teofil wykopywał wyschnięte latem krzewy. Osiedlowa administracja od lat nic nie robiła, więc mieszkańcy sami starali się zadbać o niewielki pas zieleni, składający się ze starej czereśni, jabłonki, kilku krzewów i trawnika. Pan Teofil łamał suche gałęzie krzewów i wrzucał je do niewielkiego ogniska, a obok miał kilka ziemniaków przygotowanych do upieczenia. Pomysłem spalenia książek był oburzony.

– Co za idiotyczna koncepcja! – krzyczał poirytowany. – Zupełnie jak Niemcy w 1933 roku! Czy wie pani, że oni palili na dziedzińcach uniwersytetów książki takich autorów jak Brecht, Gide, Einstein, Hašek, Heine, Kafka, Freud? Bo były napisane przez Żydów lub w duchu, który nie odpowiadał idei narodowego socjalizmu? A pani dziś na moich oczach chce Heideggera spalić? I Nietzschego, bo naziści przepisali kilka zdań z jego książek? Z Kanta też przepisali. To dlaczego Kanta pani tu mi nie przyniosła? Albo Hegla. Hegel jest w porządku, bo marksiści przejęli od niego dialektykę?

Wyrwał jej książki – kilka szpargałów z niemieckimi swastykami wrzucił do ogniska, Heideggera i Nietzschego włożył pod pachę, a Hitlera oddał z powrotem.

– Tylko tego nie chcę. Nie mógłbym zjeść upieczonych w nim ziemniaków.

Matka była zdezorientowana. Nie miała pojęcia, co o tym wszystkim myśleć. Kilka tygodni temu wstydziła się zdjęć rodzinnych, na których znalazły się podobizny Hitlera, a dziś miała się wstydzić tego, że w jakiś sposób chciała się od tej przeszłości odciąć. Coś mruknęła pod nosem i wrzuciła Hitlera do płytkiego dołka pod jabłonią, skąd przed chwilą pan Teofil wykopał korzenie zeschłego krzewu. Wzięła od niego łopatę, przysypała dołek ziemią i uklepała.

Spojrzał z politowaniem.

– Niech pani jeszcze świeczkę mu zapali.

Niemiły był jak nigdy dotąd.

Od czasu przyjazdu Fryderyka nasza kamienica nie była już taka jak dawniej, zupełnie tak, jakby przebudził się zły duch. Być może był to jakiś duch po Freytagach. Pan Teofil stał się zgryźliwy. Wieczne Potępienie codziennie wracała pijana, ale nie tak jak kiedyś, lekko, wesoło i ze śpiewaniem, lecz na ponuro, milcząco, z podkrążonymi oczami. Money Liza, do tej pory zawsze uśmiechnięta, posmutniała nagle i szła ze wzrokiem utkwionym w ziemię, jakby bała się, że ktoś wyczyta z jej oczu coś, co nie powinno być tam zapisane. Panna Julianna przestała dekorować torty i udzielać korepetycji. Doktor Szorstki do nikogo się nie odzywał, cały wolny czas spędzał w towarzystwie Fryderyka. Zamykali się w jego piwnicznym laboratorium i siedzieli tam godzinami.

– Doktor mi mówił, że pracują nad jakąś szczepionką – w ramach domowych plotek powiedział ojcu spotkany na schodach pan Henryczek.

– To niemożliwe, nie w tych warunkach – odpowiedział ojciec.

– Ale tam remont zrobili, widziałem, że meble przywieźli, tapety...

– Tym bardziej.

– To co oni tam robią przez tyle czasu? – zdziwiła się pani Emanuela.

– Jak to co? Knują! Z diabłem knują. Czuję to – twierdziła siostra Immakulata.

Najgorsze było jednak to, że coś złego działo się także w naszej rodzinie. Coś nienazwanego jeszcze, niewypowiedzianego, czającego się na razie poza słowami. Coś, co było dopiero w intuicji, tonie głosu i coraz częstszym zniecierpliwieniu. Zniecierpliwieniu ojca i rozdrażnieniu matki. W jego spojrzeniu, nieobecnym, gdy stał w oknie i patrzył w horyzont, gdzie nic się nie działo. W gestach zastygłych, jakby skamieniałych. Ojciec brał papierosa do ust i zapalał zapałkę. O czymś myślał, zapominając o zapałce, która dopalała się w jego dłoni do końca, parząc palce. Matka wkładała naczynia do zlewu, zatykała korek i odkręcała kran. Nieruchomiała i miałem wrażenie, że zasypia z otwartymi oczami. Budził ją dopiero strumień wody lecącej z przepełnionego zlewu wprost na podłogę.

Tyrania chyba tego nie widziała. A może nie chciała o tym mówić, bo pochłonięta była swoimi sprawami. Późną jesienią wzięła ślub cywilny i przeprowadziła się do Rudego Tomka na Kampinoską, skąd donosiła, że codziennie kłania jej się hrabia Dzieduszycki i prowadzi z nią rozmowy o muzyce. Żyła już w innym świecie, tak jak panna Julianna przed wojną – był to świat młodych mężczyzn, starej arystokracji i rozmów o sztuce. To widocznie typowy etap w życiu zakochanych dziewcząt.

Siostra Immakulata twierdziła, że jakieś zło przyszło wraz z Fryderykiem. Od początku zachowywała się przy nim dziwnie. Wprawdzie nie mówiła już, że jest oficerem Abwehry wysłanym po kielich Lutra przez Heinricha Himmlera, jednego z głównodowodzących Trzeciej Rzeszy, ale sprawiała wrażenie, że nadal tak myśli.

42.

Antenaci

Książki były jak magnes, który przyciągał pana Teofila do naszej biblioteki, bo w mieszkaniu, które przypadło mu w udziale po Niemcach, nie zostało nic z literatury. Z innych rzeczy zresztą też nie, bo wszystkie wylądowały na szaberplacu przy moście Grunwaldzkim. Nie wiadomo, dlaczego akurat mieszkanie Teofila szabrownicy wyczyścili tak dokładnie, ale dzięki temu miał gdzie wprowadzić całą swoją kresową przeszłość – pamiątki, a wraz z nimi wspomnienia.

Wtedy, gdy opiekował się mną podczas przesłuchania moich rodziców w związku z postrzeleniem Smoka, byłem w jego gabinecie – tam, gdzie trzymał mapy, globus i maszynę do pisania marki Mercedes. Przy innej okazji pokazał mi swój pokój stołowy – na wciąż poniemieckich tapetach wisiały jego rodzinne portrety, zdjęcia wąsatych panów i pulchnych pań, jakieś drewniane samoloty ze śmigłami – chyba z jego dzieciństwa – obrazy z końmi i myśliwymi oraz zegary, które podobno miały jakieś kuranty, choć nigdy takiego kuranta na oczy nie widziałem. Lubiłem za to zegar z kukułką i przez jakiś czas w każdą niedzielę pukałem do pana Teofila za pięć dwunasta, żeby mnie wpuścił i dał popatrzeć na kukułkę.

– Jesteś punktualniejszy niż moje zegary – śmiał się Teofil już w przedpokoju i zapraszał do środka.

– Punktualność mamy we krwi, tak mówi moja mama – odpowiedziałem kiedyś panu Teofilowi.

Czasami, jak jej słuchałem, to wydawało mi się, że w tej krwi to musimy mieć dużo różnych rzeczy. Ale nie wiedziałem, gdzie one są, bo ilekroć się skaleczyłem, nie widziałem w swojej krwi ani zamiłowania do porządku, ani punktualności, ani oszczędności. Moja krew nie różniła się niczym od krwi innych chłopaków z podwórka.

– Czy pan wie, o co chodzi z tą krwią? – spytałem kiedyś.

– Wiesz pewnie, że krew krąży po całym człowieku. Z serca płynie do głowy. I jak głowa coś zobaczy, to obraz ten wraca do serca, które się raduje albo smuci. Popatrz na przykład na tę szablę. – Pan Teofil po raz pierwszy pozwolił mi dotknąć broni, która wisiała na ścianie. – Gdybym patrzył na ten oręż tylko oczami, a nie sercem, byłaby to tylko kupa złomu. Ale moje serce kocha tę szablę, dlatego moje oczy cieszą się jej widokiem. Kiedyś, w dawnych czasach, kiedy trzeba się było bić za polską ojczyznę, należała do mojego pradziadka. I on używał jej, by siekać wroga. – Pan Teofil zdjął szablę ze ściany i ruszył z okrzykiem do przodu, siekając wroga. – Widzisz, Piotrusiu, ja we krwi mam ułańską fantazję. I choćby nie wiem ile wody w Odrze upłynęło, ci, co tu przyjechali zza Buga, tę fantazję będą mieć we krwi, póki żyją. A wraz z nimi całe to miasto.

– A moją punktualność? Czy moją punktualność też będzie mieć to miasto?

– Trochę mniej. Niewielu was tu zostało.

Potem pan Teofil opowiedział mi historię małego rycerza, który gdzieś tam na Kresach wysadził wraz ze sobą zamek, żeby wróg nie wdarł się do ojczyzny. Z czasem, gdy byłem już większy, podsuwał mi do czytania Trylogię, tłumacząc, że powstała ku pokrzepieniu serc i po to, by głosić chwałę polskiego oręża, a ja szybko przekonałem się, że z tym pokrzepieniem to prawda, bo na ekrany telewizorów wszedł serial o panu Wołodyjowskim i na zawsze pokrzepił moje serce faktem, że ten najdzielniejszy z rycerzy Rzeczypospolitej był, tak ja i ja, dość nikczemnego wzrostu.

Pan Teofil kochał książki i w książkach szukał odpowiedzi na każde pytanie. I zawsze ją znajdował, a wtedy z zadowoleniem mruczał: „Lwowska szkoła!".

Zwrot „lwowska szkoła" był w jego ustach najwyższym stopniem uznania dla czyjejś fachowości, bez względu na to, czy temat dotyczył kieszonkowych złodziei, czy teoretyków matematycznych. Wiedział, czym jest „lwowska szkoła", bo przed wojną zdążył skończyć najlepsze lwowskie gimnazjum i nawet zaczął studiować prawo na Uniwersytecie Jana Kazimierza. Nie było mu jednak dane skończyć fakultetu, bo we wrześniu 1939 roku Lwów zagarnęli Rosjanie.

Pan Teofil z dobrych lwowskich szkół wyniósł nie tylko znajomość kodeksów po łacinie i poezji Kresów po polsku i ukraińsku, lecz także pierwszorzędną znajomość języka niemieckiego. Czytał płynnie nawet najbardziej zdobną szwabachę, pisał swobodnie listy i artykuły dla zagranicznych, podobno szwajcarskich, gazet. Płynnie mówił, choć matka kręciła głową nad jego galicyjskim akcentem.

Czasami odwiedzał nas w dziwnej domowej marynarce z błyszczącego materiału i z zawiązanym pod szyją jedwabnym szalikiem. Ojciec męskie podomki uważał za kresowe dziwactwo, ale matka ze znawstwem powiadała, że to bonżurka, w której zwykli chadzać po domu „ludzie ze sfer". Teofil ze sfer przychodził zawsze z herbatą w szklance w srebrnym koszyczku, który trzymało się za cienkie ucho. Na koszyczku umieszczony był herb. Kiedyś zapytałem, co to za herb, a on odpowiedział, że jego przodków – antenatów. Bardzo mnie to ucieszyło, bo matka wielokrotnie mi mówiła, że my też mieliśmy przodków „antenatów", a to mogło znaczyć, że my też znajdziemy kiedyś naszą szablę i dowiem się, jak mój pradziadek dzielnie bronił polskiej ojczyzny, a wtedy przestaniemy w końcu pilnować tych wszystkich rzeczy pana Freytaga, tylko zajmiemy się swoimi sprawami.

Siadywał Teofil z tą herbatą nad książkami w pokoju stołowym i zatapiał się w nich na długie godziny. Prosił tylko od czasu do czasu o wrzątek i popijał go, budząc nasz podziw tym, że się nie parzy.

– Te książki, które pani ma w tym domu, to prawdziwy skarb! – powiedział pewnego razu, a matka uśmiechnęła się tak, jakby pochwalił jej sukienkę. – Ale skarbów często złe duchy pilnują i jak się je wypuści spomiędzy stron, to stają się niebezpieczne.

– A co pan ma na myśli? – Spojrzała niepewnie na pryzmę książek, która stała pod oknem w salonie, a potem na stos książek na szafie, w końcu na rząd skórzanych grzbietów równo poukładanych na regałach.

– W tych książkach są zatrute myśli, które mogły skazić niejeden umysł – ciągnął Teofil.

– Na truciznach się akurat znam – odparła matka krótko. – Po tylu latach pracy w szpitalu potrafię je szczelnie zamykać.

Po tej rozmowie zacząłem się uważniej przyglądać książkom, z którymi od lat mieszkałem pod jednym dachem i których okładki doskonale znałem, ale nigdy nie pytałem, jaką treść ukrywają. Były ze mną od zawsze – najpierw pięknie ustawione na półkach biblioteki, później wciśnięte w każdy kąt domu. Zawsze tuż obok – one nieme, a ja ślepy.

Po słowach Teofila zacząłem wśród ksiąg czegoś szukać, samemu jeszcze nie wiedząc czego – wertowałem je, zapamiętywałem tytuły i nazwiska autorów, próbowałem fragmenty tłumaczyć, porównywałem kształty, kolory, jakość ilustracji. Robiłem to ostrożnie, żeby nie wzbudzić czujności matki, bo rozmowa o truciznach ciągle dudniła mi złowieszczo w uszach.

Wiele pozycji się powtarzało. Dlaczego? Nie miałem pojęcia. W szafce w przedpokoju, tuż obok lasek Freytaga z emblematami schronisk, matka trzymała różne wydania wielotomowej powieści Freytaga *Die Ahnen*.

– To cykl zebrany w jedną sagę – wytłumaczyła mi, gdy wyrównywałem ich grzbiety. – Każdy odcinek dzieje się w innym czasie, ale tym, co je łączy, jest nazwisko bohaterów i to, że biorą udział w najważniejszych wydarzeniach historycznych.

– Bronią ojczyzny – powiedziałem wyuczony przez pana Teofila.

– Tak – odparła mama, lekko zdziwiona.

– Czy to się dzieje w czasach, kiedy na ojczyznę napadał wróg i rycerze chwytali za broń, żeby ją ratować, a te książki powstały ku pokrzepieniu serc i po to, by upamiętniać chwałę polskiego oręża?

– Chwałę niemieckiego oręża, Piotrusiu – odpowiedziała matka.

Palnąłem gafę, ale na każdym piętrze naszej kamienicy obowiązywał inny patriotyzm, więc można się było pogubić.

– „Die Ahnen" to „przodkowie" – wyjaśniła matka – historia rodziny Königów.

– Naszej rodziny?

– Nie – roześmiała się.

– Ale dziadek miał przecież takie nazwisko.

– To przypadek, ale lubię myśleć, że moje życie jest dalszym ciągiem tej książki. Może też je kiedyś ktoś opowie.

– Może pan Teofil, on w naszym domu pisze na maszynie.

– Może.

Różnych wydań powieści, stojących obok lasek w przedpokoju, było chyba pięć albo sześć, tak jakby Richard Freytag je kolekcjonował lub po prostu trzymał egzemplarze autorskie po swoim krewnym Gustavie. Najbardziej mi się podobało to z 1937 roku, z drzewem genealogicznym na okładce. Całość, wydana w sześciu tomach przez Berlińskie Stowarzyszenie Wydawców, miała ponad tysiąc stron. Na drzewie jak bombki na choince wisiały ogromne kule, każda z portretem któregoś członka rodziny König. Twarz na jednym z nich przypominała mi pradziadka, ale mama stwierdziła, że to niemożliwe.

W wydaniu sygnowanym przez Leipcik s. Hirzel Verlag z lat 1896--1898 nie było obrazków cycatych walkirii ani nawet dumnych rycerzy. W niektórych książkach widniały za to plamy po kawie, którą pił ktoś nieostrożny ponad pół wieku temu, były też jakieś uwagi pisane na marginesie ołówkiem, a pewne akapity podkreślono lub wręcz przekreślono – wyglądało to jak poprawki naniesione do następnych wydań.

Pewnego wieczoru matka sięgnęła na półkę i wyjęła pierwszą z trzech części powieści Soll und Haben. Najpierw z pamięci wyrecytowała motto: „Powieść powinna szukać niemieckiego narodu tam, gdzie w swojej porządności jest do znalezienia, a mianowicie w pracy", po czym zaczęła opowiadać historię Antona, który – tak jak i ona – z małej śląskiej wsi przyjechał do Breslau, by tam spotkać swoje szczęście. Zapamiętałem, że *Soll und Haben* zaczyna się od słów: *„Anton war ein gutes Kind"*.

Ja dobrym dzieckiem nie byłem, bo historia Antona, który robił kupiecką karierę w sklepie swojego przyszłego teścia, w ogóle mnie nie obchodziła. Matka mówiła że *„Soll und Haben"* to dla księgowego rachunek zysków i strat: „Winien i ma". Tłumaczyła, że to najsłynniejsza niemiecka powieść w historii, że z niej wszyscy Niemcy dowiadywali się, jak dobrze żyć, uczciwie pracować i zdobywać majątek. Powieść była tak znana, uwielbiana i ceniona, że pokolenia niemieckich dziewcząt wyobrażały sobie, iż najlepszą dla nich partią może być tylko mężczyzna podobny do jej bohatera. Na dowód matka wyjęła z książki wydarty fragment starej gazety i przeczytała ogłoszenie matrymonialne, w którym panna na wydaniu szuka odpowiedniego kawalera, przy czym „zasadniczym warunkiem dla chętnego jest posiadanie przezeń charakteru, cech i wyglądu, jakimi pan Gustaw Freytag opisał w swojej powieści *Soll und Habe*n postać pana von Finka. Osoby zainteresowane będą łaskawe złożyć oferty na poste restante z hasłem: Fink".

Później pan Teofil tłumaczył mi, że Niemcy bardzo potrzebowali wielkiej historii swojego narodu pokazującej ich męstwo i szlachetność pochodzenia, dlatego latami, niemal każdego roku, wydawano powieści Freytaga – stały we wszystkich domach, księgarniach i bibliotekach. Niemal nie było Niemca, który by ich nie czytał, bo przez dziesiątki lat znajdowały się na liście lektur szkolnych. Wydawano je w milionach egzemplarzy. Były dla Niemców tym, czym dla Polaków Trylogia lub historyczne powieści Kraszewskiego.

Po latach, kiedy zacząłem czytać o życiorysie Freytaga, przekonałem się, że nie była to przyjemna postać. Do trzydziestki żył na garnuszku ojca, burmistrza Kluczborka, a później, gdy ojciec nie chciał go już utrzymywać, ożenił się dla pieniędzy z jakąś bardzo leciwą panią. Gdy tej się zmarło, związał się ze służącą, z którą miał dwoje dzieci. W końcu nawet się z nią ożenił, ale gdy podupadła na zdrowiu, przejęta śmiercią młodszego syna, bez większych skrupułów zamknął ją w domu wariatów i szybko się rozwiódł. Blisko siedemdziesięcioletniemu kochankowi spieszno było bowiem do następnej oblubienicy, trzydziestotrzyletniej mężatki, z którą romansował już od dłuższego czasu. Doprowadził do jej rozwodu i znów się ożenił.

Freytag zmarł w 1895 roku, lecz jego książki nadal cieszyły się niesłabnącą popularnością. W 1924 roku powstał film na podstawie *Soll und Haben* z Olgą Czechową, niezwykle popularną w Niemczech aktorką, tą samą, do której w młodości tak podobna była moja matka.

Po przegranej wojnie nawet Niemcy nie chcieli już czytać o swojej dziejowej misji. Freytag odchodził w niepamięć i pewnie odszedłby tam całkiem, gdyby nie jego piramida.

43.

Pan Teofil
w piramidzie Freytaga

Pisanie jest jak wiązanie sznurowadeł – pisze się po to, żeby język nie uciekł. Panu Teofilowi ostatnio chyba uciekał, bo z okien na trzecim piętrze słychać było stukot maszyny do pisania, ale nie jednostajny, tylko co rusz przerywany, jakby ktoś strzelał krótkimi seriami liter, a potem stwierdzał, że słowa chybiły i trzeba od nowa poszukać celu. Pan Teofil pisał swoją powieść z pierwszych zdań i najwidoczniej mu nie szło.

Mama mówiła, że to na skutek piramidy, bo jego powieść w żaden sposób nie chce się w niej zmieścić. Wzięła z półki książkę Freytaga i pokazała mi narysowany w niej trójkąt.

Trochę zrozumiałem, a później doczytałem, że z tą piramidą jest tak: Arystoteles mówił, że fabuła składa się z trzech części, a na całość składają się początek, środek i koniec. Horacy twierdził natomiast, że dla lepszego rozwoju akcji fabuła powinna mieć pięć części. Freytag rozwinął tezy Horacego i w tej oto książce z trójkątem, *Die Technik des Dramas*, przedstawił pięciostopniową strukturę dramatu, do dziś wykładaną na wszystkich uczelniach zajmujących się literaturą, scenariuszem i teatrem. Struktura ta nazywana jest piramidą Freytaga. Na jej dole po lewej stronie znajduje się „ekspozycja", czyli wprowadzenie, w którym zapoznajemy odbiorcę z bohaterami i tematyką oraz określamy cel głównego bohatera. Na lewej ścianie piramidy mamy „rozwój akcji", gdzie realizacja celu bohatera się komplikuje. Na szczycie piramidy dochodzimy do „punktu kulminacyjnego", w którym fabuła osiąga szczyt napięcia, następuje zwrot akcji i dotych-czasowa sytuacja ulega odwróceniu. Potem schodzimy prawą stroną piramidy – „rozwiązaniem akcji", podczas którego konflikty boha-terów zostają zażegnane. Na dole po prawej stronie czeka nas „zakoń-czenie akcji", będące źródłem emocji odbiorcy.

Poczułem dumę, że mieszkamy w domu, w którym jest tyle książek takiego mądrego człowieka. Zrozumiałem też, że problem pana Teofila polega na tym, że w powieści złożonej z samych pierwszych zdań nie da się napisać zakończenia.

– Coś mu dziś ciężko idzie – zauważyła matka, wracając do robie-nia porządku w kredensie z książkami. – Zanieś mu tego nazistę, ja nie chcę mieć go w domu, a jemu może da natchnienie, a przy okazji go udobrucha, jak taki z niego obrońca filozofów i uczonych.

Podała mi jedną z najpiękniejszych książek, jakie zostały po Freytagu: *Paracelsus* Erwina Guido Kolbenheyera. Na czerwonej okładce wykonanej z tłoczonej złotem skóry widniała postać śred-niowiecznego alchemika, nad którym unoszą się dwie walczące ze sobą czarownice. Jedna z nich chce go przebić mieczem, a druga zasłania tarczą. Alchemik trzyma w rękach kolbę, z której unoszą się ludzie. Księgę wypełniało mnóstwo kolorowych grafik: na jed-nej Paracelsus przyrządzał tajemniczą miksturę, na drugiej poda-wał ją pięknej, ale bardzo bladej dziewczynie, najwidoczniej mar-twej, bo opłakiwanej już przez grono bliskich, na kolejnej dziewczyna ta budziła się nagle i odzyskiwała uśmiech oraz kolory. Kolejne grafiki przedstawiały pola walki i poległych rycerzy, a potem ich cudowne uzdrowienia. Opowiadały niezwykłą historię Paracel-susa, lekarza i maga, który pracował nad eliksirem dającym nie-śmiertelność.

– To Paracelsus też był nazistą? – spytałem ze zdziwieniem, mając przed oczami doktora Szorstkiego, którego od uczniów diabła i Para-celsusa zwykła wyzywać siostra Immakulata.

– Skądże, już bez przesady – roześmiała się matka. – Miałam na myśli autora. To Erwin Guido Kolbenheyer, który uzasadniał czys-tość niemieckiej rasy. Uczyliśmy się o nim w szkole. Trafił nawet na

„listę nieśmiertelnych" – niemieckich pisarzy najbardziej zasłużonych dla Hitlera.

Z trzydziestoletnim opóźnieniem matka przeprowadzała w naszym domu denazyfikację. Przynajmniej częściową, bo oficerskiego munduru Freytaga, w którym chowałem się, gdy byłem mały, nadal nie pozwalała wyrzucić. Być może w jej przypadku skuteczniejsza od oficjalnej propagandy okazała się zwyczajna telewizja. Nie było dnia bez filmu o wojnie, w którym Niemcy zawsze popełniali złe uczynki, a Polacy i Rosjanie dobre. Jedni byli całkiem czarni, a drudzy świetliście biali, zupełnie jak Indianie i kowboje w westernach.

Wziąłem książkę i poszedłem na górę. Pan Teofil wyglądał jak prawdziwy pisarz. Otworzył mi drzwi nieogolony i niedbale ubrany, nawet rozporek miał niedopięty. Od razu sprawdziłem, czy mój jest zapięty. Zawsze tak się dzieje, że jak widzę u kogoś niedopięty rozporek, to od razu sprawdzam swój, mam taki bezwarunkowy odruch.

Na mój widok pan Teofil złapał się za rozporek.

– Patrz, co za odruch – powiedział. – Zawsze, jak ktoś sprawdza swój rozporek, to ja automatycznie sięgam do swojego.

Pomyślałem, że są cechy, które wyróżniają mężczyzn, i to jest widocznie jedna z nich. Poczułem się dumny, że mam już w pełni rozwiniętą świadomość płciową.

– Mama kazała to panu przekazać. – Wyciągnąłem księgę, trzymając ją oburącz, bo ważyła chyba z dziesięć kilogramów.

– *Paracelsus* – przeczytał zdziwiony. – To raczej coś dla doktora Szorstkiego.

– Mama chyba nie bardzo go lubi – wyrwało mi się niepotrzebnie.

– Paracelsusa?

– Jego też, ale jeszcze mniej doktora.

– Wszyscy powinniśmy się lubić, mieszkamy w jednej kamienicy.

– A pan lubi wszystkich?

– Tylko jednego nie lubię. – Roześmiał się i gestem zaprosił mnie do środka.

– Pewnie Fryderyka? – próbowałem zgadnąć. – Mój ojciec też go nie lubi. A najbardziej to go nie lubi siostra Immakulata.

– Wydawało mi się, że ona lubi nawet gołębie, które jej pstrzą parapety.

– Gołębie może i tak, ale Fryderyka na pewno nie, chociaż nie pstrzy.

– A czym jej tak zalazł za skórę?

– Ona myśli, że nie przyjechał tu z powodu panny Julianny.

– Doprawdy? – szczerze zdziwił się pan Teofil. – A z jakiego powodu, jak nie dla tak uroczej damy?

– Po kielich Lutra. Albo jeszcze po jakieś inne rzeczy, które są w naszej kamienicy pochowane.

– Słyszałem o tym kielichu. I czytałem o nim. – Pan Teofil miał już kilkadziesiąt książek z naszej biblioteki. – Ale literatura na jego temat jest bardzo skąpa. Wierzysz w jego magiczną moc?

– Nie wiem, nigdy nie widziałem czegoś naprawdę magicznego. Na religii mówią nam, że takich zjawisk nie ma.

– No a transsubstancjacja?

– Proszę?

– Przepraszam. Chodzi mi o przemienienie hostii w ciało, a wina w krew Chrystusa, które dokonuje się podczas mszy.

– To nie magia, panie Teofilu, to zwykły cud eucharystyczny.

– Zwykły cud, powiadasz? Ładnie powiedziane. Czy cud może być zwykły?

– No chyba tak, skoro zdarza się na każdej mszy. To pewnie z tysiąc razy dziennie albo i więcej.

– A według ciebie kielich Lutra obdarzony jest mocą czynienia cudów zwykłych czy niezwykłych?

– Chyba niezwykłych, tak jak kielich Graal.

– I ty w to wszystko wierzysz?

– Pewnie! Moja mama też wierzy. A już na pewno wierzy siostra Immakulata. I różni ludzie przecież pytali. Ja nie rozumiem tylko, po co im ten kielich.

– To zależy komu. Dla jednych może mieć wartość historyczną, muzealną, dla drugich okultystyczną.

– Wiem, pamiętam z religii. Pod Jerychem pan Jezus uzdrowił niewidomego.

– Okultystyczną, a nie okulistyczną – roześmiał się pan Teofil.

– Okultyzm, czyli wiara w magię, zjawiska paranormalne, wiedza tajemna.

– Jasne, po prostu niedosłyszałem.

– Wiesz, Niemcy wierzyli w takie rzeczy, że nawet by ci się nie śniło.

– Mama mówiła mi nie tylko o Graalu, lecz także o Atlantydzie.

– No właśnie, aż trudno pojąć, jak wychodząc od takich bajek, można było rozpętać wojnę na cały świat – zaczął opowiadać pan Teofil. – Po pierwszej wojnie światowej Niemcy były krajem pogrążonym w nędzy. Ni stąd, ni zowąd pojawił się przeciętny człowieczek z nieprzeciętną żądzą władzy. Zaczął opowiadać ludziom banialuki o wyższości rasy niemieckiej, o jej wspaniałym, wręcz boskim, pochodzeniu. Uwierzyli mu, dali władzę i gotowi z nim byli podbić Europę. Zaczęli szykować się do wojny. A wojna to gigantyczny przemysł, uruchamiający wszystkie gałęzie – od najnowocześniejszych technologii po komunikację i górnictwo. W ciągu kilku lat Hitler całkowicie zlikwidował bezrobocie i z kraju pogrążonego w kryzysie uczynił mocarstwo. Przy czym miał to być dopiero początek. Planowano, że terytorium Rzeszy rozciągać się będzie od Atlantyku po Ural, a dotychczasowe miasta niemieckie zostaną przebudowane z rozmachem porównywalnym do Cesarstwa Rzymskiego, Babilonii i Egiptu w najświetniejszych czasach faraonów. Opracowywano już projekty architektoniczne, a w nich takie szczegóły jak pałac dla Hitlera w Berlinie, którego ogrom był niewyobrażalny – sama sala jadalna miała prawie sto metrów długości i ponad trzydzieści szerokości. Obok zaprojektowano halę mogącą pomieścić sto osiemdziesiąt tysięcy osób, której kopułę na wysokości prawie trzystu metrów zwieńczyć miał olbrzymi orzeł trzymający w szponach kulę ziemską. Debatowano nawet nad tym, co zrobić z mikroklimatem hali, bo sto osiemdziesiąt tysięcy osób paruje tak, że w pewnym momencie powietrze może się skroplić i na głowy zgromadzonych spadłby deszcz stworzony z ich potu i oddechów. Większość Niemców uznało Hitlera nie tylko za genialnego przywódcę, lecz także mesjasza. To dlatego wiece polityczne i defilady często przypominały procesje religijne. Kobiety ubóstwiały go tak, jak dziś ubóstwiają znanych aktorów lub piosenkarzy rockowych.

Pan Teofil westchnął z rozmarzeniem:

– Auto, którym jeździł Hitler, zawsze było obsypywane kwiatami.

– A co to ma wspólnego z kielichem Lutra? – zapytałem pospiesznie, nie chcąc słuchać dalszych wątków wojennej historii.

– Obłęd Hitlera sięgał nie tylko ziemi, lecz także nieba. Chciał mieć władzę nie tylko nad ludźmi, lecz także nad ich umysłami, duszami. Nienawidził Stolicy Apostolskiej. Często wspominał o nowej religii. Myślę, że marzył o tym, aby ją stworzyć. Potrzebował do tego nowych symboli.

– Kielich miał być takim symbolem?

– Prawdopodobnie. Sam wiesz, że podczas Eucharystii mówimy o krwi w kielichu mszalnym. A dla Niemców to właśnie krew decyduje o przyszłości rasy. Kielich Lutra mógł być Niemcom bliższy nawet niż Graal, bo Niemcy to w większości ewangelicy jak Luter. Więc mógł być ten kielich ważnym dla nich symbolem. Pewnie miał spocząć obok Włóczni Przeznaczenia.

– Włóczni Przeznaczenia?

– Nie słyszałeś o niej? To włócznia, którą jeden z legionistów przebił Chrystusa na krzyżu.

– To ona istnieje?

– W kilku wersjach, uznawanych przez Kościół katolicki za relikwie Męki Pańskiej. Jedna z nich jest na Wawelu, ale Niemcy w czasie okupacji uznali ją za kopię. Hitler zafascynowany był Włócznią Świętego Maurycego, o której pisał nawet w *Mein Kampf*. Przez wieki pełniła funkcję symbolu władzy cesarzy rzymskich. Hitler marzył o niej, bo przecież uważał się za spadkobiercę Rzymian. Po przejęciu Austrii wysłał swych ludzi z organizacji Ahnenerbe do skarbca Habsburgów w Wiedniu, gdzie była przechowywana, i kazał ją stamtąd zabrać. To fakty historyczne, absolutnie niepodważalne. Ale on nigdy nie miał dość. Zdobył włócznię, chciał jeszcze kielich.

– To czemu szukał obu kielichów? Lutra i Graala…

– O Graalu mógł marzyć, ale szanse na jego znalezienie były niemal zerowe. Tymczasem oprócz kielicha należącego do Lutra są też takie, które Luter wręczył swoim najbliższym współpracownikom. Możliwość znalezienia któregoś z nich była więc niemała.

– A pan co o tym wszystkim myśli?

– Nie wiem. Nie mam pojęcia. Wiemy jednak na pewno, że naziści z Ahnenerbe szukali tych kielichów, a przecież nie po to, żeby podawać w nim Hitlerowi wino podczas kolacji. Chcieli stworzyć własną religię, bo religia daje władzę absolutną. Marzyła im się Święta Rzesza, Heilige Reich.

44.

Dom, który się powiesił

Przy stole siedział pan Henryczek i palił z ojcem papierosy. Przeglądali jakieś dokumenty, głośno komentując.

– Ten jest pomysłowy! – powiedział pan Henryczek, wyciągając jakieś napisane na maszynie podanie. – Profesor Nowicki z Zespołu Obyczajowości Świeckiej zwraca się o nadanie ulicom nazw Czterech Pancernych i Kapitana Klossa.

Obaj zachichotali.

Profesor Andrzej Nowicki był filozofem pracującym wówczas na Uniwersytecie Wrocławskim, znanym z radykalnie ateistycznych poglądów i książki *Papieże przeciw Polsce*. Udowadniał w niej, że kolejni papieże szkodzili Polsce, a Hitler doszedł do władzy dzięki wsparciu Watykanu. Po latach został znanym masonem i wielkim mistrzem Wielkiego Wschodu Polski, jednego z wolnomularskich zakonów działających w Polsce.

Pod koniec lat sześćdziesiątych ojciec zapisał się do partii. To był jego specyficzny rodzaj buntu przeciw wujowi Kurtowi i reszcie rodziny z Niemiec, która bezustannie dopytywała, kiedy wreszcie wyjedziemy z Polski. Chciał mieć w końcu własne zdanie, własny pomysł na życie i w ten osobliwy sposób wszystkim go pokazał. Rozumiałem go, bo musiało to być dla partyzanta okropne – żyć cały czas w niemieckim okrążeniu. Partia była z nazwy „polska" i „zjednoczona", co w tym ciągłym otoczeniu Niemców – żywych, umarłych i tych na portretach – mogło mu dawać poczucie własnej wartości i bezpieczeństwa.

Po roku, jako dobrze rokujący towarzysz, został skierowany na dwuletni kurs na Wieczorowym Uniwersytecie Marksizmu i Leninizmu. To były zdumiewające kursy, podczas których wykładowcy uzasadniali wyższość gospodarki socjalistycznej nad kapitalistyczną, chociaż wystarczyło wyjrzeć przez okno i popatrzeć na biedę na ulicach i pustki w sklepach, by wiedzieć, że tego się nie da uzasadnić. Po zaliczeniu kursu otrzymywało się dyplom wyższej uczelni i można było zostać dyrektorem lub prezesem. Tym sposobem, w ciągu czterech lat, ojciec awansował z elektromechanika dużego zakładu na jego dyrektora. Partia oczekiwała, że ludzie na takich stanowiskach będą świecić przykładem, więc ojciec musiał pozapisywać się od razu do różnych towarzystw i stowarzyszeń, w których udzielał się społecznie. Tak znalazł się między innymi w komisji zajmującej się sprawami kultury przy Miejskiej Radzie Narodowej (będącej wówczas odpowiednikiem dzisiejszego urzędu miasta) wraz z panem Henryczkiem.

Pan Henryczek nadal produkował tabliczki z nazwami oraz numerami ulic, współpracując jednocześnie z komisjami nazewnictwa, w których od lat traktowano go jak wybitnego znawcę tematu. Czasami przynosił do domu podania od instytucji i zaangażowanych społecznie mieszkańców, które wraz z ojcem wstępnie opiniowali, niekiedy na trzeźwo. Z rozmów między nimi dowiadywałem się, jak zmienia się historia pisana na emaliowanych tabliczkach.

– Profesor domaga się też ulicy imienia Lenina. Pisze, że jest niedopuszczalnym przeoczeniem, iż w naszym mieście nie uhonorowano jeszcze wodza rewolucji odpowiednią ulicą. To rzeczywiście dziwne – zasępił się pan Henryczek. – Coś musimy mu odpisać.

– Napiszemy, że z powodu powolnej rozbudowy miasta podaż patronów znacznie przewyższa popyt służb geodezyjnych i niektórzy czekają w kolejce już kilkanaście lat – zaproponował ojciec.

– Czekaj, tu jest też sugestia, żeby w ramach zacieśniania przyjaźni polsko-radzieckiej przemianować na Lenina ulicę Dworcową, bo obok jest Kościuszki.

– A jaki to ma związek z zacieśnianiem przyjaźni? – zdziwił się ojciec. – Przecież Dworcowa to ulica kurew.

– Chodzi o to, że Dworcowa krzyżuje się z Kościuszki, który walczył z Rosją, a gdyby zamiast Dworcowej krzyżowała się z nią ulica Lenina, to byłby taki ładny dowód na pokojowe współistnienie.

– Nie podpiszę się pod tym. Poza tym Komisja Nazewnictwa nie odda Dworcowej, to nazwa historyczna. Mamy coś jeszcze?

– Tak, w imieniu Mirosława Milewskiego obywatele proszą o upamiętnienie jego matki.

– A kto to jest ten Milewski? – zdziwił się ojciec.

– Generał, wiceminister MSW, bliski współpracownik generała Jaruzelskiego. Pracował w Urzędzie Bezpieczeństwa jeszcze za czasów Stalina. Człowiek z tej ekipy, co to śpi z odbezpieczonym pistoletem pod poduszką.

– Kurwa. To trudno odmówić. A kim była jego matka?

– Tłumaczką z niemieckiego w hitlerowskim komisariacie.

– Co?

– Pomagała Polakom.

– Jasne.

Co innego nie znaleźć ulicy dla Lenina, który i tak już nie żyje, a co innego nie spełnić prośby wiceszefa MSW, żyjącego jak najbardziej. Znaleźli dla niej małą uliczkę na peryferiach miasta i odetchnęli z ulgą.

Kilka miesięcy później znów pochylali się nad pismem wystosowanym w imieniu ministra. Pełne było oburzenia, bo stosowna uchwała o nadaniu imienia wprawdzie zapadła, ale okazało się, że ulica Anastazji Milewskiej znalazła się między Jajczarską a Mleczarską, czyli w miejscu, które nie jest wystarczająco godne.

– Dałbyś z tym spokój, jeszcze podpadniesz temu esbekowi – radziła matka. – Ty przecież nie masz głowy do polityki.

Ojciec był innego zdania. Codziennie kupował „Trybunę Ludu" i czytał wszystkie tytuły, a czasami także to, co było pod nimi napisane tłustym drukiem. To była gazeta o bardzo dużym formacie, rozłożona zajmowała całą szerokość stołu. Przeglądał ją, trzymając rozłożoną w rękach, i miałem wrażenie, że coraz częściej zasłania się w ten sposób przed matką, odgradza się od niej, zamyka we własnym świecie, tam, po drugiej stronie gazety. Tak też było i tym razem – widziałem, że mamie jest smutno, ale zamiast do niej podejść i zmylić jej myśli jakimś wymyślonym beztrosko problemem, założyłem buty i uciekłem przed jej smutkiem na dwór. Strasznie nie lubiłem, kiedy się smuciła.

Laurka wracała z jakichś zajęć pozalekcyjnych, chyba tańca czy innego baletu, bo idąc, podskakiwała radośnie, i był to widok tak miły, że ścisnęło mnie w żołądku zupełnie tak, jakbym nagle zgłodniał. Pomyślałem, że nigdy nie zasłonię się przed nią „Trybuną Ludu" i nie pozwolę, żeby była smutna, nawet jak nie uda nam się wyjechać do Niemiec i pierwszy telewizor kupimy sobie dopiero po kilku latach pracy. Usiedliśmy na ławce, trzymając się za ręce, i byliśmy już jak prawdziwi narzeczeni, gdy nagle z bramy wyskoczyła pani Adela, mama Laurki, z radosnym okrzykiem.

– Laura, natychmiast do mnie biegnij! Do osiedlowego papier toaletowy rzucili!

Nie wiem, jak to możliwe, ale wtedy notorycznie brakowało papieru. Nawet gazetowego. Gazety kupował każdy, bo były w domu niezbędne – głównie do wykładania wiader, ponieważ foliowych worków na śmieci jeszcze nie wymyślono. Gazet używało się też do pakowania, rozpalania w piecach i wykładania szuflad, bo zawierały śladowe ilości ołowiu, który odstraszał mole. Poza tym tradycyjnie wycinano z nich wkładki do butów oraz kapeluszy. Czytano zaś głównie program telewizyjny, który codziennie był niemal taki sam, ale na wszelki wypadek trzeba to było sprawdzić. Jeszcze bardziej brakowało papieru toaletowego, po który ustawiały się kilkudziesięciometrowe kolejki.

Laurka pobiegła do swojej mamy, mijając w bramie doktora Szorstkiego, który z uśmiechem poprosił, by zająć mu kolejkę. Od kilku dni doktor Szorstki do wszystkich się uśmiechał i był niezwykle dumny, bo kupił mieszkanie w wisielcu.

Wisielec, zwany również trzonolinowcem, to nazwa eksperymentalnego budynku, o którym pisała cała prasa, nie tylko

w Polsce, lecz także w RWPG (Rada Wzajemnej Pomocy Gospodarczej była taką ówczesną Unią Europejską, zrzeszającą te wszystkie biedne kraje, które uparły się, żeby budować socjalizm). Wybudowano go właśnie na skrzyżowaniu Kościuszki z Dworcową,
niedoszłą Lenina. Budynek ma jedenaście pięter, ogrzewanie
podłogowe i unikatową konstrukcję. Poszczególne stropy nie opie-
rają się na cegłach, lecz wiszą na stalowych linach przytwierdzo-
nych do żelbetowej głowicy, którą osadzono na betonowym trzo-
nie. Prasa pisała, że budynek jest socjalistyczną realizacją
romantycznej wizji Leopolda Staffa z wiersza *Podwaliny*:

> *Budowałem na piasku*
> *I zawaliło się.*
> *Budowałem na skale*
> *I zawaliło się.*
> *Teraz budując, zacznę*
> *Od dymu z komina.*

Tak właśnie wisielec został zbudowany. Od dachu. Najpierw na
żelbetowy trzon nasadzono stropy wszystkich jedenastu pięter
i ułożono je jeden na drugim jak wafle w andrucie. Na samej górze
leżał dach, a pod nim głowica, do której zamocowano stalowe liny
przechodzące przez narożniki leżących niżej stropów. Potem pod-
niesiono dach z głowicą, podmurowano trzon i tak zawisł sufit jedenastego piętra. Po nim strop jedenastego, będący sufitem dziesiątego,
potem dziewiątego, ósmego i tak dalej, a na koniec pierwszego.
Budynek nie miał parteru, pierwsze piętro wisiało na stalowych
linach w powietrzu, a do środka wchodziło się przez wąską klatkę
umieszczoną pośrodku betonowego trzonu.

Złośliwi mówili, że tak wygląda dom, który z rozpaczy się powiesił, ale i tak wrocławski trzonolinowiec oglądały wycieczki, a posiadanie w nim mieszkania uchodziło za splendor i dodawało prestiżu. Było to miejsce wymarzone dla nagle wzbogaconego
i cieszącego się wśród nas sławą odkrywcy doktora Szorstkiego,

które doskonale podkreślało jego społeczny awans. Przyglądaliśmy się mu z uznaniem i zrozumieniem, a także, odkąd zaczął do domu znosić kartony niezbędne do przeprowadzki, z pewną zazdrością. Dziwiło nas tylko to, że w swój złotodajny wynalazek wtajemniczył Fryderyka, z którym na wiele godzin zamykał się niekiedy w piwnicznym laboratorium.

Fryderyk nieoczekiwanie zaprzyjaźnił się także z Wiecznym Potępieniem, u której bywał regularnie, ale nigdy w niecnych celach, o czym – mimo głębokiej do niego niechęci – zapewniała siostra Immakulata jako sąsiadka zza ściany. Czasami nawet gdzieś wychodzili i Fryderyk brał wówczas aparat fotograficzny, a panna Julianna mówiła, że poszedł fotografować piękne podwrocławskie plenery, dwory oraz dolnośląskie zamki, po których Wieczne Potępienie go oprowadza, gdyż jako jedyna z naszej kamienicy jest osobą wystarczająco do tego bywałą.

Moja matka, smutna już od dłuższego czasu, od razu poweselała. Coraz częstsze patrzenie ojca w okno miało związek z jakąś kobietą i matka podejrzewała Wieczne Potępienie, chociaż nie widziała ich nigdy razem. Ja bym prędzej podejrzewał pannę Juliannę, chociażby z powodu zielonego szlafroka ojca, który znalazłem w jej szafie, gdy byłem u niej na korepetycjach. Zobaczyłem wówczas szlafrok i te dziwne słoiki podobne do pozostawionych w naszej piwnicy przez Freytagów. Ale równie dobrze mogła z powodu swojego dziwactwa wziąć go dla Fryderyka, gdy przychodziła do nas podczas zarazy, a matka z chorymi na czarną ospę pacjentami była zamknięta w szpitalu.

Oczywiście, że od razu pojawiły się plotki. Ludzie, jak rozmawiają ze sobą i kończą im się ciekawe tematy, zaczynają sobie wymyślać różne rzeczy, a w owych czasach godzinami stało się w kolejkach, które okazały się idealne do takiego wymyślania. Laurka opowiadała mi, jak pewnego razu stała z mamą w kolejce po papier toaletowy. Każdemu sprzedawali po pięć rolek, więc czekały z mamą radośnie, bo razem należało im się dziesięć. Obok stała Rozala, zła, że nie zabrała ze sobą Money Lizy, i najpierw rozmawiały ogólnie, ale po godzinie skończyły im się wszystkie ogólne tematy. Wtedy Rozala zaczęła zmyślać niestworzone rzeczy na tematy szczegółowe, że ktoś widział doktora Szorstkiego w hotelu Monopol z kobietą wiadomego prowadzenia, a ktoś inny zobaczył Fryderyka z Wiecznym Potępieniem w okolicach ulicy Dworcowej, gdzie wieczorami spacerowały panie również wiadomego prowadzenia. Porozmawiali z nimi przez chwilę, a potem z grupą kilku kobiet poszli w kierunku pobliskiego hotelu Grand, by razem wiadomo jak się prowadzić.

To wszystko wydawało mi się zupełnie pozbawione sensu – dla mnie było jasne, że pan Fryderyk przyjechał do Polski z powodu panny Julianny, ewentualnie z powodu kielicha Lutra, i ma z tego tytułu ciekawsze rzeczy na głowie niż spacery w celu wiadomego prowadzenia. Toteż idąc do domu, zdziwiłem się niezmiernie, widząc go na półpiętrze, gdzie przyciskał do ściany Money Lizę. Miała głowę odchyloną do tyłu. On całował ją w szyję, a ręce trzymał pod jej spódnicą. Ona w ogóle go nie odtrącała, jakby jej było obojętne, że nie przyjechał do niej, lecz do panny Julianny.

45.

Hitler zatruł złotą jabłoń

W naszym domu wszystkie bieżące potrzeby zapisywaliśmy na małych karteczkach i przyczepialiśmy szpilkami do makatki w kuchni. Na makatce pani Freytag wyhaftowała niebieską nicią młyn z napisem „Meine Küche, Meine Freude".

Od paru dni matka nie przyjaźniła się z kuchnią, bo nasze zapiski z makatki w ogóle nie były dostrzegane. W poniedziałek przyczepiłem karteczkę z napisem „Blok rysunkowy i kredki". Obok – od soboty – wisiała moja karteczka z prośbą o zeszyt do nut i temperówkę. Poniżej kilka próśb ojca na trzech kolejnych karteczkach. „Kawa, cukier, śmietanka". „Papier toaletowy, nowe chusteczki". „Pasta do zębów!". W środę doszła znów moja: „Krzyżacy". I zamówienie Tyranii: „Proszę, mamo, przynieś mi glukozę ze szpitala".

Któregoś dnia wszedłem do kuchni i zobaczyłem, że wszystkie nasze zamówienia leżą podarte na podłodze, a na makatce wiszą dwie karteczki zapisane ręką matki. Na jednej było pytanie: „A może ktoś zapyta mnie, czego ja potrzebuję?". Na drugiej była odpowiedź: „Miłość".

Podszedłem do matki, objąłem ją w pasie.

– Dlaczego napisałaś na tej karteczce o miłości?

– Żeby pamiętać o tych chusteczkach.

– O chusteczkach?

– Tak, żeby kupić chusteczki.

– A co ma z tym wspólnego miłość?

– Miłość jest jak katar.

– Co?

– Miłość jest jak katar. Nie ma takiego zapasu chusteczek, który by się przy jednym bądź drugim nie wyczerpał.

Zrozumiałem, że nie chce mi powiedzieć. Traktuje mnie jak dziecko. No to będę jak dziecko.

– Mamo, nie kupiłaś mi *Krzyżaków*. Dostanę dwóję.

– Jakich krzyżaków?

– Lektura szkolna. Henryk Sienkiewicz napisał.

– A, rzeczywiście!

– Prosiłem, a nie kupiłaś…

– Przecież jest w domu! Widziałam przy sprzątaniu. Stoi wśród powieści, chyba koło *Die Ahnen*, tam, na dolnej półce.

Podszedłem do biblioteczki z książkami Freytaga, zacząłem szukać. Bez skutku.

– Nie ma.

– Oj, mówię ci, że jest!

– To znajdź mi, bo nie widzę.

Matka podeszła i zdecydowanym ruchem sięgnęła po książkę.

– No, mówiłam ci, że jest!

Wziąłem książkę do ręki. Na okładce, rzeczywiście, rycerz z charakterystycznym czarnym krzyżem, obok tytuł: *Die Kreuzritter*. Zaglądam do środka. „Roman von Heinrich Sienkiewicz, Berlin 1900". Obok wklejony ekslibris Freytaga.

– Mamo, ale to jest po niemiecku.

– Zawsze musisz marudzić? Zupełnie już jak twój ojciec.

– Nie marudzę. Potrzebna mi książka do szkoły…

– To weź na razie tę, pokażesz pani, że masz, a potem kupię ci po polsku.

Oczywiście dostałem dwóję z polskiego i minus ze sprawowania, ale w ogóle się tym nie przejąłem. Martwiło mnie tylko jedno – pogłębiający się smutek matki.

Zauważyłem, że jak człowiek jest smutny albo odchodzi gdzieś daleko myślami, to patrzy przez okno. Ilekroć Tyrania pokłóciła się z Rudym Tomkiem, odwracała się do nas plecami, zupełnie jakby to była nasza wina, i opierając ręce o framugi, spoglądała na horyzont. Ojciec od jakiegoś czasu też tam patrzył. A teraz matka. Wydawało mi się dziwne, że wszyscy po kolei odwracają się do siebie tyłem, każdy z własnego nieznanego innym powodu, i patrzą w dal, jakby wzrokiem szukali pocieszenia u kogoś, kogo w tej dali nie ma. A może jest, ale jeszcze dalej, niż można z okna zobaczyć, i oni patrzyli w tę dal jeszcze dalszą, dla pozostałych niewidoczną. Ja nigdy nie byłem smutny aż tak bardzo, żebym musiał patrzeć w taką dal przez okno. Ale teraz próbowałem sprawdzić, jak to jest, kiedy człowiek czuje się bardzo nieszczęśliwy. Stawałem więc przy oknie i patrzyłem. Widziałem ławkę z sercem, które wyciąłem dla Laurki, a ktoś mi je ukradł i oddał Lizie. Widziałem trzepak, na którym codziennie wisiałem przynajmniej przez pół godziny, żeby urosnąć. Śmietnik, przy którym stały kobiety w papilotach. Murek, na którym siedzieli mężczyźni, palili papierosy i pili piwo. Dwa kopulujące psy. Dwóch milicjantów na patrolu. Obaj mieli przytroczone do boku długie, lekko wygięte pały. Ponoć sami je wyginają, żeby sprawiały wrażenie, że to od częstego używania. No i jakiegoś menela widziałem, śpiącego pod czereśnią. Normalny świat, nic, czym można by się zasmucić. Nie licząc czereśni.

Mieliśmy na podwórku dwie czereśnie, oddzielone małym płotkiem. Po jednej stronie płotku był skrawek ziemi, o który dbali moi rodzice, po drugiej stronie takim samym skrawkiem zajmował się pan Henryczek z Emanuelą. Było to dziwne, ale gdy dwa lata temu pan Henryczek ściął jedną czereśnię, bo się łamała ze starości, to ta druga przestała owocować. Owocowała od zawsze, a przynajmniej, odkąd pamiętam, pełna entuzjazmu dla zaczynającego się lata. W czerwcu gałęzie uginały się od czerwonych owoców, słodkich i tak soczystych, że usta spływały sokiem. Dzieliliśmy się ze szpakami, które stołowały się na najwyższych gałęziach – te niższe były nasze. A w zeszłym roku nagle posmutniała, czerwiec jej nie cieszył, a wśród liści nie było nic, ani jednego owocu. Szpaki też były zawiedzione.

Początkowo myślałem, że nasza czereśnia straciła owoce ze smutku i tęsknoty za tą drugą, z którą w czasie wiatrów, przez płotek, szeleściły do siebie gałęziami. Laurka śmiała się ze mnie:

– Drzewa nie mogą za sobą tęsknić przez płotek!

– A dlaczego drzewa nie mogą tęsknić przez płotek, skoro ja tęsknię każdego wieczoru przez niewiele grubszą ścianę? – zapytałem, a Laurka się zaczerwieniła.

Poprosiliśmy o opinię Rozalę. W końcu była ze wsi, powinna się znać na czereśniach. Spojrzała na drzewo, rozejrzała się dookoła i powiedziała:

– Samotne drzewo owocu nie da, tak jak samotna kobieta nie urodzi dziecka.

Nie był to dla mnie argument, bo na naszej ulicy mieszkały wtedy trzy samotne kobiety, w tym jedna z dzieckiem, a dwie w ciąży. Ale Rozala wiedziała swoje. Zawołała znajomego starego ogrodnika, który dosadził drugą czereśnię. Słyszałem, jak rozmawiał z Rozalą.

– Ma pani rację, szanowna pani. Czereśnia, tak jak i na ten przykład grusza, owocuje tylko wtedy, gdy ma w pobliżu drugie drzewo do pary. Potrzebny jest pyłek innego drzewa tego samego gatunku.

Moim zdaniem nie o pyłki tu chodziło, ale o tęsknoty. Ale nawet ogrodnik nie musi znać wszystkich ogrodowych tajemnic. Wezwany parę miesięcy później nie wiedział na przykład, co się w tym roku stało nagle z jabłonią. Do tej pory jej złote owoce każdej jesieni były słodkie, chrupiące, twarde, a gdy zaczęliśmy w tym roku zrywać je z drzewa, ze zdziwieniem i żalem zobaczyliśmy, że żaden nie nadaje się do jedzenia – miękkie, pachniały jak ocet. Ogrodnik zerwał jabłko, ugryzł, skrzywił się i wypluł. Obszedł drzewo, zerwał następne z drugiej strony, znów ugryzł, skrzywił się i wypluł.

– Sfermentowane, psiakrew – powiedział. – Pierwszy raz widzę, żeby na drzewie rosły sfermentowane jabłka.

Zaklął, zapalił papierosa, pokręcił głową z dezaprobatą, splunął i sobie poszedł.

– Taka dobra jabłoń! – rozpaczała Rozala. – Tyle kompotów co roku robiłam! A w tym roku nic z niej nie będzie!

Sąsiedzi wyszli na klatkę schodową.

– Doprawdy nic z niej nie będzie? – zmartwił się pan Teofil. – Rzeczywiście, dobre owoce. Też lubiłem tak po drodze zerwać sobie jabłuszko.

– No to już pan sobie nie zerwie!

– A co się stało?

– Sfermentowane! Wszystkie owoce od razu sfermentowane się rodzą!

– Niemożliwe!

– No mówię panu, jakby ktoś zły urok na naszą jabłonkę rzucił.

– Gdybym był przesądny... – zaczął pan Teofil i przerwał.

– To co? To co? – dopytywała Rozala.

– Ech, nic takiego – roześmiał się pan Teofil. – Cudów przecież nie ma. Ani złych, ani dobrych.

– Cuda są tylko dobre, cuda złe to są przekleństwa – wyjaśniła Rozala. – Klątwy. Zdarzają się częściej, niż się panu wydaje.

– Ale ja nie miałem na myśli klątwy – roześmiał się pan Teofil.

– A co?

– Nic takiego, po prostu pani Hela zakopała wiosną książkę pod tym drzewem. Taki pogrzeb jej zrobiła.

– Jaką książkę? – podejrzliwie zapytała Rozala.

– *Mein Kampf* Hitlera – spokojnie odpowiedział pan Teofil. – Ale nie bądźmy przesądni, dobrze?

– A wie pan, że to prawdopodobne?

– Co jest prawdopodobne?

– To Hitler! To Hitler zatruł naszą jabłonkę!

– Ależ sąsiadko, toż to absurd!

Ale Rozala już go nie słuchała. Pobiegła do piwnicy po łopatę, by ekshumować Hitlera i wrzucić go do kubła na pospolite śmieci.

Zeszliśmy z Laurką pół piętra niżej i spotkaliśmy doktora Szorstkiego z Fryderykiem. Schodzili po schodach. Minęła ich siostra Immakulata, która po chwili przystanęła i spojrzała w dół klatki, by zobaczyć, dokąd idą.

– Znowu lezą do piwnicy ryć i szukać.

Spojrzałem na Laurkę pytająco. Wzruszyła ramionami. Każdy w naszej kamienicy miał teorię dotyczącą swoich sąsiadów.

Ojciec uważał, że doktor Szorstki sprzedaje Niemcom swoje laboratoryjne wynalazki, a Fryderyk jest pośrednikiem.

Pan Henryczek widział, jak siostra Immakulata niosła pod pachą niemieckie skrypty chemiczne, i wydedukował, że pomaga doktorowi Szorstkiemu.

Pani Emanuela widziała, jak panna Julianna przepisuje z tych skryptów jakieś wzory i opatruje je polskimi opisami, z czego mogłoby wynikać, że ona również bierze udział w laboratoryjnym procederze.

Matka miała w tej kwestii poglądy konserwatywne i uważała, że obaj mężczyźni szukają pozostawionego przez Freytagów złota.

Podejrzewała, że jest ukryte nieopodal kamienicy, w którymś z podziemnych przejść, latami budowanych przez Niemców na wypadek wojny.

Siostra Immakulata mówiła, że chodzi im tylko o kielich, który prawdopodobnie został schowany w okolicach tunelu łączącego naszą kamienicę z dawną salką kościółka ewangelickiego.

Matka oraz siostra Immakulata wielokrotnie opowiadały o tunelach w Festung Breslau. Mówiły, że pod miastem biegła sieć korytarzy, którymi Niemcy dowozili uzbrojenie i żywność do stanowisk obronnych. Pod ziemią wybudowano także kilka schronów i szpital, a nawet stację kolejową.

Po wojnie rozpisywały się o podziemnym mieście także wrocławskie gazety, nawet pan Teofil wielokrotnie pisał o nim w „Słowie Polskim", trudno było jednak cokolwiek zweryfikować, bo tuż przed kapitulacją twierdzy Wrocław większość wejść do podziemi została wysadzona przez niemieckich saperów i zasypana gruzem. Natomiast wjazd do ukrytej stacji miał się znajdować w okolicy Dworca Głównego, pod którym istotnie jest labirynt korytarzy i kilka podziemnych pięter nieznanego przeznaczenia, ale przez te wszystkie lata nikt ich nie zbadał, podczas ucieczki Niemcy otworzyli bowiem śluzy i zalali je wodą.

W wielu punktach miasta przetrwały wejścia, obmurowane cegłą i przysypane ziemią – przedsionki podziemnych schronów. Jeden do dziś znajduje się niedaleko naszej kamienicy, przy ulicy Wiśniowej, nieopodal wieży ciśnień. Bawiliśmy się w nim jako dzieci, ale wchodziliśmy na odległość najwyżej dwudziestu metrów od wejścia, bo dalej się baliśmy – jak ktoś miał dobrą latarkę i poświecił w głąb, to widać było hitlerowskiego trupa, a w zasadzie szkielet w resztkach po niemieckim mundurze. Te szczątki leżały tam blisko trzydzieści lat, aż w końcu Obrona Cywilna tunel zamurowała.

Wejścia do podziemi można było znaleźć w najmniej oczekiwanych miejscach, takich jak korytarz damskiej toalety w centrum miasta na placu Solnym, skąd i dziś eksploratorzy potrafią się przedostać do rozległych pomieszczeń, które pełniły funkcję schronu oraz lazaretu. Wrocław pełen jest podziemi. Całkiem prawdopodobne wydawały się więc sugestie mojej matki i Immakulaty o tunelu pod naszym domem i Fryderyku, który w nim czegoś szuka.

To wszystko rozbudzało naszą wyobraźnię. Żyliśmy w przeświadczeniu o otaczających nas tajemnicach. Tak jak nie wiedzieliśmy, dokąd prowadzą tunele, lochy, przejścia i schody, które w wielu rejonach miasta urywały się nagle w korytarzach zamurowanych, zasypanych gruzem lub zalanych wodą, tak też czasami nie wiedzieliśmy, gdzie kończy się rzeczywistość, a zaczyna fikcja. Nie byliśmy nawet pewni swojej kamienicy, w której przez lata ktoś bezustannie czegoś szukał, najpierw w meblach, potem pod podłogami i w ścianach, a w końcu w piwnicach, tak jak teraz w piwnicy doktora Szorstkiego, która mogła kryć jego farmaceutyczne laboratorium, ale mogła również ukrywać przejście, którym podążały domysły wszystkich lokatorów.

46.

Zeszyt o misiach niegrzecznych

Na stole leżał zeszyt. Nie powinienem był go brać do rąk, a tym bardziej otwierać, tak jak nie powinienem był potem wertować, czytać fragmentami, a później jeszcze raz, słowo po słowie, tym razem od początku, z nieskończonym niedowierzaniem. Ale też nie powinienem w ogóle być w tym mieszkaniu, nie powinienem do Wiecznego Potępienia przychodzić, a jak już przyszedłem pod pretekstem tak banalnym, że nawet ja od razu o nim zapomniałem, to nie powinienem był zostawać i czekać, aż Wieczne Potępienie się wykąpie, by razem z nią napić się potem herbaty, licząc jednak na coś więcej, a konkretnie na to, na co każdy dorastający chłopak liczy, przychodząc do kobiety żyjącej ze słabości mężczyzn.

Na podwórku często rozmawialiśmy z chłopakami o seksie. Kiedy ma się szesnaście albo osiemnaście lat, zdumiewająco często rozmawia się o seksie, jakby gadaniem człowiek chciał nadrobić ewidentne braki w zaspokojeniu potrzeby. Każdy się przechwalał doświadczeniami, przy czym były to głównie doświadczenia młodzieńczej masturbacji wzbogacone literaturą piękną. Większość z nas dużo wtedy czytała, bo w kinach, podobnie jak w telewizji, wyświetlano głównie radzieckie filmy o wojnie albo – jeszcze gorzej – o miłości, więc wieczorami, siedząc pod domem na trzepaku, opowiadaliśmy sobie książki.

Wybieraliśmy wątki, które najbardziej do nas intelektualnie przemawiały, tak jak na przykład opis onanizujących się na wyścigi

chłopaków z *Buszującego w zbożu* Salingera – śmialiśmy się do roz-
puku z tego, który skończył pierwszy. Akurat wyszły też wtedy
Utwory zebrane Rafała Wojaczka, wrocławskiego prozaika i poety.
Wojaczek bardzo nam imponował. Po pierwsze – był dyspozyto-
rem MPO, po drugie – leczył się w szpitalu psychiatrycznym, po
trzecie – popełnił samobójstwo w wieku dwudziestu sześciu lat,
a więc wtedy, gdy człowiek zaczyna się starzeć. W marzeniach chcieliśmy być tacy jak on, ale nie mieliśmy odwagi, co najwyżej próbowaliśmy za jego radą wykorzystać podczas onanizmu wypełnioną
ciepłą wodą butelkę po mleku.

Większych doświadczeń seksualnych raczej nie mieliśmy, nie
licząc dotykania Money Lizy, ale to były stare dzieje, sprzed paru
lat, więc człowiek już tego dotyku nie pamiętał. Ja miałem wprawdzie jeszcze jedno wspomnienie – wspomnienie wydarzenia,
w wyniku którego zabrudziłem sobie spodnie, ocierając się o Laurkę
pod portretem Jezusa z sercem gorejącym, ale to już była miłość,
a nie tylko seks, a miłość nie jest do opowiadania chłopakom na
trzepaku.

Każdy z nas chciał mieć za sobą to pierwsze doświadczenie, ale
dziewczęta w naszym wieku były nami zupełnie niezainteresowane.
Poza tym w latach siedemdziesiątych nastolatki raczej nie uprawiały
seksu. W większości inicjacja zaczynała się dopiero po skończeniu
dwudziestu lat – dziś nie mam pojęcia, co nas tak długo powstrzy-
mywało. Niektórzy z nas chcieli spróbować z prostytutkami, ale one
nie chciały próbować z nami.

W Polsce prostytucja teoretycznie nie istniała – była sprzeczna
z marksistowskim światopoglądem jako przejaw wyzysku człowieka
przez człowieka. W praktyce w samym Wrocławiu formalnie funk-
cjonowało wówczas kilkaset prostytutek – rejestrowała je komenda
wojewódzka milicji i od czasu do czasu przesłuchiwała w sprawie
klientów. Prostytutki te były jednak całkowicie poza naszym zasię-
giem, bo ich stawka wynosiła minimum dziesięć dolarów, czyli tyle,
ile średnia miesięczna pensja. Obsługiwały głównie cudzoziemców,
o których pisały potem raporty dla milicji. Wprawdzie bez problemu

i dość tanio można było znaleźć jakąś damę w okolicy ulicy Dworcowej, ale kto raz poszedł i zobaczył, ten wiedział, że to oferta jedynie dla desperatów.

Pozostawała nam nadzieja w takich kobietach jak Wieczne Potępienie, które lubiły mężczyzn z powodu nieskończonej łaskawości swoich serc, a nie tylko dla ich portfeli. Tak to sobie mniej więcej wyobrażałem – pójdę do Wiecznego Potępienia, a ona zajmie się mną z życzliwości sąsiedzkiej. Nie miałem wyrzutów sumienia, uważałem, że co innego seks, a co innego miłość, Wojaczek przecież nie kopulował z butelką na mleko z miłości.

Laurka była moją fascynacją od pierwszego wejrzenia i, jak sądziłem, pewnie do ostatniego. Do prawdziwego seksu pewnie kiedyś dorośniemy, na razie jest między nami zapach truskawek. Poza tym, przestrzeżony przykładem Tyranii, strasznie się bałem, że od razu będziemy mieć dzieci. Nigdy nie mogłem zrozumieć, dlaczego w telewizji politycy wciąż straszą Trzecią Rzeszą, skoro przeciętny młody człowiek bardziej się boi ciąży niż Hitlera.

Myślałem o Wiecznym Potępieniu. Wyobrażałem sobie gest po geście, co będzie się działo, gdy zbiorę się w końcu na odwagę i wejdę do jej domu. Wszystkie zdarzenia miałem już wymyślone, wszystko odbyło się w mojej głowie wiele razy, teraz tylko czekałem na odpowiedni moment, żeby zdarzyło się naprawdę ten pierwszy raz.

Całe godziny spędziłem w przedpokoju gotów do wyjścia, w czystej koszuli i z umytymi nogami, śledząc ruch na klatce i czekając na najbardziej sprzyjający układ, aż w końcu się doczekałem. Wieczne Potępienie wróciła nad ranem do domu, siostra Immakulata przyszła do mojej mamy, a panna Julianna pojechała gdzieś ze swoim Fryderykiem. Na czwartym piętrze nie było świadków, pognałem więc na górę i nacisnąłem dzwonek, chociaż pewnie nie musiałem, bo serce waliło mi tak głośno, że przez drzwi mogła mnie usłyszeć.

Otworzyła jeszcze w płaszczu, zdążyła tylko zapalić papierosa. Spojrzała na mnie z lekkim zdziwieniem.

– Jesteś już dorosły, Piotrusiu. Czy może nie lubisz, jak się zdrabnia twoje imię? Czy może pan nie lubi, panie Piotrze?

– Nie, w porządku. Może tak pani mówić.

Była jeszcze starsza niż Wojaczek. Miała chyba trzydzieści lat, może nawet trzydzieści pięć, ale wyglądała pięknie. Za jej plecami przez okno świeciło słońce, rude włosy iskrzyły się w promieniach, miałem wrażenie, że zaraz się zapalą. Zapalą się z tego gorąca, które jest w powietrzu mimo chłodnego poranka. Z gorąca, które jest we mnie, i z gorąca, które na pewno jest także w niej, chyba z nim jeszcze przyszła, nie zdążyła go ugasić i zaraz rozpęta się to wszystko, o czym do tej pory mogłem tylko marzyć.

– Przyszedłeś po coś konkretnie czy chciałeś tak tylko porozmawiać?

W moich wyobrażeniach nie zadawała takich pytań, tylko uśmiechnęła się i wzięła mnie za rękę.

– Tak tylko… – odpowiedziałem, przełykając ślinę z takim trudem, jakbym nagle dostał obustronnego zapalenia migdałów.

– To wejdź i się rozgość. Nastaw wodę na herbatę, a ja tylko wezmę szybki prysznic, bo jestem trochę spocona.

Zrzuciła buty, ściągnęła płaszcz.

– Powiesisz?

Wyjęła z ust papierosa.

– Zgasisz?

Poszła w kierunku łazienki. Piętami w ogóle nie dotykała ziemi, tak jakby cały czas miała na stopach buty na wysokim obcasie. Odwróciła się i spojrzała na papierosa, którego wciąż trzymałem w ręku.

– Palisz?

– Czasami – skłamałem.

– Są koło popielniczki, na stole.

Wszedłem do pokoju. Pod ścianą stała obita na czerwono sofa, obok dwa czerwone fotele. Na ścianie duży obraz przedstawiający nagą kobietę, która trzyma klatkę z papugą. Bardzo dziwny obraz: kobieta jest czarno-biała jak z fotografii, klatka czerwona, a papuga kolorowa. Pod ścianą kredens lakierowany na wysoki połysk. Za szybami kryształy i butelki zagranicznego alkoholu. Dużo butelek i wszystkie jeszcze od nowości pozamykane. Plik kolorowych pism, wszystkie zagraniczne. Tytuły, których – mimo paczek wuja – nawet u nas w domu nie widziałem: „Vogue", „Cosmopolitan", „Hustler", „Penthouse". I stół, a na nim popielniczka, obok papierosy, a obok papierosów zeszyt. Być może w ogóle bym go nie otwierał, ale zaintrygował mnie tytuł napisany kobiecą ręką: „Niegrzeczne misie".

Miś pierwszy zaczynał się na siódmej stronie, trzy wcześniejsze były puste, a cztery pierwsze – zapełnione adresami hoteli w różnych miastach oraz numerami telefonów o dziwnych adnotacjach: „niezdecydowany, ale przyjeżdża, chociaż rzadko", „stary gaduła, nie przyjeżdża", „gawędziarz, jedna wizyta na dziesięć telefonów", „kandydat na samobójcę", „ubek, nie płaci nawet za rachunek w knajpie", „fotoamator zboczony, robi intymne zdjęcia, kiedy udaję, że śpię", „impotent z inklinacjami", „miły milicjant" i cała strona – „chuje zbóje, nie rozmawiać z nimi, choćby nie wiem co".

Miś pierwszy opisany został bardzo dokładnie. „Poniedziałek. Paweł, poznany w restauracji Savoy. Najprzystojniejszy mężczyzna w tym roku. Pięknie całuje, pięknie się kocha, bardzo delikutaśnie. Nie lubi francuza pod żadną postacią. Trochę dziwny. Sprawia wrażenie, że chodzi mu tylko o to, żeby sprawić kobiecie przyjemność, co za miła odmiana. Patrzy się, cały czas patrzy, przygląda się, jak reaguję, jakby robił badania na małpce. Ma forda czerwonego, chyba kupionego u nas za dolary. Nie ma żony, ma córkę, ale chyba taką z jakiegoś romansu.

Sobota. On ma piękne mieszkanie. Piękne meble, bogato. Pracuje jako prawnik. Ale nie wiem, czy w sprawie braku innej kobiety mnie nie kłamie, bo w łazience widziałam ślady kobiety. Bałam się pytać.

Poniedziałek. Paweł mówi, że to córka czasami go odwiedza. Ale kłamie mnie, kłamie, bo w koszu widziałam opakowanie po prezerwatywie, a w koszu z brudami dwie pary majtek damskich, na pewno za dolary. Zaproponował mi, żebym została jego arabeską, powiedział to ładniej, że będzie mi pomagał finansowo, sześćdziesiąt dolarów miesięcznie, ale o córkę nie wolno mi już go wypytywać.

Aha, te dolary, to mówił, że będą w bonach towarowych. Nie wiem, skąd ma tyle bonów.

Piątek. Pierwsze pieniążki dostałam, czterdzieści dolarów, nie mówił, dlaczego dwadzieścia urwał, znamy się już przecież cały miesiąc, ale i tak jestem zadowolona. Bardzo.

Czwartek. W Ratuszowej poznałam ciekawego misia, nazywa się Adrian. Dwa lata młodszy, ale zaciekawiony mną. Widać, że mu się podobam. Cały czas się na mnie gapił, a potem poprosił o papierosa, którym się zakrztusił. Wysoki, podoba mi się. Ma małego opla z nalepką DDR na zderzaku. Chyba tam pracował. Myślę, że zostanie moim misiem, bo P. zaczyna nie przychodzić. Szkoda, taki był miły".

Miś następny zajmował trzy strony: „Mój miły Czaruś mówi, że odejdzie od żony, i to chyba prawda, bo to jakaś zołza, a on jest nauczycielem fizyki na uniwersytecie i ma tytuł profesora, ale sobie wybrał, wolałabym geografię, można byłoby o podróżach marzyć. Jest sekretarzem partii, ma kontakty z SB, bo się wygadał. Pachnie i ma pieniążki, jego ojciec prowadzi firmę prywatną, ale to tajemnica. Chyba pieką pączki, bo zawsze mi przynosi takie same".

Zapiski dotyczące misia pierwszego pochodziły sprzed dwóch lat, zajmowały kilkanaście kartek i kończyły się datą sprzed kilku miesięcy. Trzy następne strony były wolne, po czym zaczynał się miś drugi, tak jakby ten pierwszy nie był jeszcze bez szans i na wszelki wypadek miejsce na niego czekało. W życiu Wiecznego Potępienia było jednocześnie po kilku misiów – niektórzy zajmowali tylko pół strony, inni stronę, a niektórzy tylko akapit. Tak jak Fryderyk.

„Sprawa z Fryderykiem wydaje się coraz poważniejsza. Miały być niby tylko zdjęcia, a poszło to wszystko za daleko. Niepotrzebnie wdałam się w tę znajomość, bo nawet najgorsza kurwa z Dworcowej wie, że po sąsiedzku się nie kradnie".

Zeszyt zdążyłem odłożyć w ostatniej chwili.

– Co ci się stało? Dlaczego jesteś taki czerwony? – zdziwiła się Wieczne Potępienie, wchodząc do pokoju. – Pewnie naoglądałeś się „Playboya"? Niegrzeczny miś. I co ja mam teraz z tobą zrobić?

47.

Wizyta towarzysza Zelmera

Ojciec siedział przy stole, patrząc z żalem na pustą butelkę po Asbach Uralt, niemieckiej brandy, którą przyniósł ze sobą Fryderyk. Gość chodził po salonie i oglądał ścianę ze zdjęciami Freytagów.

– *Es ist unerhört!* – emocjonował się, wymachując rękami, a panna Julianna tłumaczyła. – To niesłychane! Równo trzydzieści lat po wojnie, a u państwa taki szacunek do pamiątek po byłych właścicielach!

– Szkoda, że pan nie widział, jak tu mieszkaliśmy przez pierwsze lata po wojnie! Wisieli na wszystkich ścianach. Żona nie pozwalała dotknąć. Mówiła, że Niemiec zaraz wróci. Dopiero po jakimś czasie udało mi się ją przekonać, żeby trochę poprzewieszała. Teraz jest sprawiedliwie, bo na jednej ścianie wisimy my, a na drugiej oni – powiedział ojciec.

– Tak, teraz jest sprawiedliwie – przyznał Fryderyk. – A panu nie przeszkadzają tacy obcy w domu?

– Człowiek się z nimi oswoił. Poza tym ładnie wyglądają, dekoracyjnie. A jak ktoś w gości przyjdzie, to myśli, że to może i moi przodkowie, tacy dostatni, przecież po twarzach nie widać, że to Niemcy.

– A zdjęcia pana rodziny są gdzieś?

– Wie pan, ja ze wschodu. Z Kielecczyzny. Tam bieda, nie byłoby czego fotografować. Dom z klepiskiem mieliśmy, przez ścianę był chlewik pod jednym dachem z naszym domem. Po co ktoś miałby zdjęcie chlewika robić?

– No to ma pan nową rodzinę – roześmiał się Fryderyk, wskazując Freytagów. – Dał się pan jakby zaadoptować.

– Raczej oswoiłem się z nimi – poprawił ojciec.

Przez te wszystkie lata przyzwyczailiśmy się do poniemieckich pamiątek. Ich obecność wydawała nam się naturalna i zawsze nas dziwiło zdumienie gości. Ciężka szafa z kaukaskiego orzecha była tu wcześniej niż my, podobnie jak mahoniowa biblioteczka ze starymi księgami, przedwojenny sekretarzyk, którego nogi wyrzeźbiono w kształcie łap lwa, stół na dwadzieścia cztery osoby, prawdopodobnie jeszcze średniowieczny, rozkładany za pomocą dziwnego systemu korb, żelaznych trybów i przekładni, rzeźbione krzesła, obite czerwonym aksamitem fotele, kuchenna ceramika z niemieckimi napisami, kredens z ukrytym pistoletem Walther, wahadłowy zegar, zdjęcia i obrazy – w odróżnieniu od nas te rzeczy były tu zawsze, a przynajmniej przed nami. Owszem, mogło dziwić, że niemal cała biblioteczka pełna jest poniemieckich książek, ale matka zawsze czytała lepiej po niemiecku niż po polsku. A czytać bardzo lubiła. Moje książki stały w moim pokoju, a ojciec kupował tylko gazety.

Wnętrza wielu domów tak we Wrocławiu wyglądały. Większość niemieckich właścicieli nie zdążyła wywieźć swoich mebli, zdjęć, obrazów, zwykłych rzeczy codziennego użytku. Przez lata służyły ich następcom, w wielu mieszkaniach są do dziś. Niektóre znalazły się w antykwariatach jako zabytki lub dzieła sztuki, gdzie kupowali je właściciele wybudowanych już po wojnie domków i mieszkań, którzy chcieli za ich pomocą podkreślić swój dobry gust oraz bogactwo i w ten sposób dawali nowe życie poniemieckim sprzętom. Czasami kierowali się podświadomie pewnym obowiązującym na tych ziemiach wzorcem. To byli przesiedleńcy, ludzie przyjezdni, obcy, oderwani od swoich korzeni. Starali się jakoś dopasować do nowej rzeczywistości, przyjmowali niektóre z zastanych dekoracji, z czasem traktując je jak swoje. Większość osadników nie znała takich wynalazków jak przepływowy piecyk do ciepłej wody, więc za autochtonami przyjęli, że – od nazwy producenta – nazywa się junkers, chociaż do tej pory nazwę tę kojarzyli z firmą produkującą niemieckie myśliwce i samoloty bombardujące ich dawne domy. Wiele przedmiotów musieli nazwać od początku – we Wrocławiu nie było wywietrzników, cedzaków i ziemniaków, były lufciki, durszlaki i kartofle, a wodę lało się nie wężem zza rogu, lecz szlauchem zza winkla. Kiedy zaś nie było wiadomo, jak coś nazwać, pytano z niemieckiego: *„wie heisst er?"*, i tak powstał popularny tu „wihajster".

Przez te lata matka i tak na wiele pozwoliła. Wszystkie poniemieckie gazety zostały spalone, podobnie jak propagandowe i reklamowe broszury, a książki kojarzące się z Trzecią Rzeszą, w tym albumy Leni Riefenstahl i Heinricha Hoffmanna (ulubionych fotografów Hitlera), wynieśliśmy z Tyranią do szkoły podczas zbiórek makulatury.

Drobiazgi i rzeczy osobiste Freytagów, nawet tak już im niepotrzebne jak znalezione w szufladach reichsmarki, rysunki dziewczynek, odznaki, pamiątki z różnych miejsc, świadectwa ukończenia szkół czy kolekcja mosiężnych, posrebrzanych i kościanych gałek na laskę, trafiły do piwnicy i zostały zamknięte w szafie obok oficerskiego munduru Freytaga.

Do piwnicy wynieśliśmy też większość zdjęć – na ścianie zostały tylko te bez mundurów. Na jednym z nich był Gustav Freytag z sumiastym wąsem wsparty łokciami o kilka tomów swojej powieści *Die Ahnen*, tuż obok Richard Freytag w surducie i dostojnych binoklach machał do nas z okna swojego eleganckiego mercedesa 260 D limousine, tego samego, którym pod koniec wojny nie zdążył uciec z miasta, nieco niżej wisiał portret pani Freytag w sukni balowej, jeszcze niżej portreciki jej dziewczynek, które uśmiechały się tak miło, że na ich policzkach widać było dołeczki. Wisiało tam też równie stare, jak dziwne zdjęcie w złotej ramie – przedstawiało damę w krynolinie, która w jednym ręku trzyma rozłożony parasol, a w drugim łabędzia na smyczy. Niepostrzeżenie, nawet nie wiem kiedy, wśród tych portretów pojawiły się dwa stare zdjęcia z albumu matki – na jednym dziadek z babcią, na drugim mama w otoczeniu braci. Zawisły wśród fotografii państwa Freytag, zupełnie jakbyśmy na tej ścianie byli jedną rodziną. Moją rodzinę można było poznać tylko po ramkach – Freytagowie mieli ramki pozłacane lub bogato rzeźbione, a nasze były proste i czarne, biedne, w większości nawet nielakierowane.

Przyglądał się Fryderyk tym zdjęciom, przeglądał stare książki i popadał w zachwyt. Ojciec dumnie brał na siebie zasługi mojej mamy.

– Kto wie, teraz jest odprężenie między Niemcami, może przyjadą kiedyś, to się im te zdjęcia odda – mówił nie swoimi słowami, bo to zawsze matka tak mówiła, a on tylko się na nią za to złościł.

– Może kiedyś przyjadą, może przyjadą – kiwał głową Fryderyk.

– Ale coś mi się wydaje, że to pan z małżonką najpierw do Niemiec się przeprowadzicie.

Dopiero w tamtych latach, ćwierć wieku po wojnie, Niemcy podpisały układ PRL-RFN, oficjalnie uznając nienaruszalność granicy na Odrze, a przez kilka następnych lat negocjowano warunki dobrego sąsiedztwa. Wśród nich znalazł się zapis o zakończeniu akcji łączenia rodzin. W ciągu kilku lat miało z Polski wyemigrować ponad sto dwadzieścia tysięcy osób pochodzenia niemieckiego – mieliśmy wyjechać wraz z nimi.

Odkąd pamiętam, mimo ciągłych wyjazdów władze Niemiec utrzymywały, że w Polsce jest jeszcze ćwierć miliona osób pochodzenia niemieckiego. Co kilka lat wyjeżdżało po kilkadziesiąt tysięcy, nie mówiąc już o tym, że w pierwszych latach po wojnie wyjechały trzy miliony. W drugiej połowie lat pięćdziesiątych wyjechało ponad ćwierć miliona, a Radio Wolna Europa nadal podawało, że w Polsce jest jeszcze ćwierć miliona. W latach sześćdziesiątych wyemigrowało ponad sto pięćdziesiąt tysięcy, a rząd Niemiec nadal twierdził, że zostało ćwierć miliona. Ćwierć miliona było taką dyżurną jednostką niemieckości w Polsce. Gdy w latach siedemdziesiątych po raz kolejny wyemigrowało ćwierć miliona, wydawało się, że wszyscy wyjechali i została tylko moja mama z siostrą Immakulatą, a wtedy rząd w Bonn znów oznajmił, że w Polsce pozostało jeszcze ćwierć miliona osób niemieckiego pochodzenia – nie mam pojęcia, jak oni to liczyli, może po prostu Niemcy w Polsce tak dobrze się rozmnażali.

– A, cały czas o tym mówimy, żeby wyjechać, ale zebrać się człowiek jakoś nie może – machnął ręką ojciec i pstryknął w butelkę, żeby pokazać, że już pusta, a puste butelki wskazują zazwyczaj, że temat się skończył.

Fryderyk był naprawdę eleganckim mężczyzną, bo natychmiast zrozumiał, że jego obecność stała się nużąca, zatem skłonił się i wyszedł pod rękę z panną Julianną. Pan Henryczek w podobnych sytuacjach stawiał zazwyczaj opór, domagając się kontynuacji biesiady, co często kończyło się chrapaniem obu mężczyzn na naszej kanapie.

Matka, zadowolona, że obyło się bez większego pijaństwa, sprzątała już ze stołu, gdy rozległ się dzwonek. Po chwili do pokoju wszedł dziwnie pobladły ojciec, a za nim mężczyzna wyglądający dokładnie tak, jakby grał w szpiegowskich filmach. Miał długi, szeroki płaszcz dwurzędowy z postawionym kołnierzem, a na głowie kapelusz z szerokim rondem, jakby w naszym domu padało z sufitu. Twarz miał jakby znajomą.

– Służba Bezpieczeństwa – przedstawił się matce, która usiadła z przejęcia.

– Bezpieczeństwa? – powtórzyła bezwiednie, rozglądając się dookoła, jakby w poszukiwaniu przedmiotów zagrażających bezpieczeństwu kraju.

– Wyjaśnijcie, towarzyszu – rzekł przybysz do ojca.

– To jest… towarzysz Zelmer, mieszkał kiedyś nad nami przez parę miesięcy z Wiecznym Potępieniem.

– To było dla celów operacyjnych – uciął kapitan.

– Chciał nas tylko… zapytać o sąsiada – dokończył prezentację ojciec.

Matka spojrzała złym wzrokiem. Nienawidziła tej partyjnej nomenklatury, nie znosiła, gdy ojciec – partyjnym zwyczajem – zwracał się do kogoś per towarzyszu.

– Jak to „dla celów operacyjnych"? – zareagował ojciec z pewnym opóźnieniem.

– O pana Henryka? – zdziwiła się z kolei matka. – To dobry i spokojny człowiek.

– Nie, nie, obywatelko. Przyszliśmy was zapytać w sprawie niejakiego Fryderyka. Fryderyka niejakiego – powtórzył imię, żeby nie było niepotrzebnych posądzeń i wątpliwości.

Matka odruchowo spojrzała za ramię gościa, ale w korytarzu nikogo więcej nie było; działacze partyjni i mundurowi, mówiąc o sobie, używali zazwyczaj liczby mnogiej i czasami ich ponosiło. Groteskowo to wyglądało, gdy dwóch mężczyzn mówiło do siebie per wy – zupełnie jakby rozmawiali przynajmniej we czterech.

Język był tak wypełniony czytelnymi kodami, że po tych kilku zdaniach wszystko stało się jasne. Skoro z ojcem mówią sobie per towarzyszu, to znaczy, że są po jednej stronie barykady i na razie nic nam nie grozi. Skoro o matce i panu Henryku przybysz mówi per obywatel, to znaczy, że zachowuje służbowy dystans, zazwyczaj pełen opryskliwej, a przynajmniej nieuprzejmej obojętności, która jednak w każdej chwili może ewoluować i przemienić się w groźną podejrzliwość. Chwilowo jest jednak bezpiecznie. Ale skoro o Fryderyku, eleganckim gościu z Republiki Federalnej Niemiec, mówi, że to Fryderyk „niejaki", to znaczy, że sytuacja jest niejasna, sprawa podejrzana i prawdopodobnie będą kłopoty. Człowiek „niejaki" to osoba niepewna pod każdym względem – klasowym, politycznym i moralnym. Znacznie gorsza niż człowiek „nijaki". „Nijaki" jest bezbarwny, półprzezroczysty, a „niejaki" ma już w sobie ciemnoszarą, brudną barwę.

– Ale cóż my możemy powiedzieć o panu Fryderyku? – matka bezradnie rozłożyła ręce. – Ledwo go znamy. Zaledwie dwa razy pił u nas wódkę.

– Ten koniak na przykład? – surowo zapytał Zelmer, pokazując pustą butelkę.

– To żaden koniak, towarzyszu. – Ojciec próbował się bronić przed posądzeniem o rozrzutny tryb życia i sprzyjanie kapitalistycznym nawykom. – To tylko brandy, Asbach Uralt, którą on przyniósł.

– Wiem, co to koniak, a co brandy, towarzyszu, nie musicie mnie pouczać – upomniał Zelmer.

– Oczywiście. Straszne świństwo, jakby z politury to produkowali – próbował załagodzić ojciec.

– Tu się z wami zgodzę – oświadczył przybysz łaskawie. – Nasza wódka Czysta jest najlepsza.

– Najlepsza – zgodził się ojciec słabym głosem.

– No to polejcie, towarzyszu, nie ma co tak o suchym pysku rozmawiać.

Ojciec wyciągnął butelkę z kredensu, matka przyniosła kieliszki i słoik ogórków kiszonych. Polali. Zelmer chrząknął.

– Znacie to? – zapytał. – Co to jest kolejka?

– Nie, nie znam – odpowiedział ojciec.

Wypili.

– Kolejka to socjalistyczne podejście do sklepu – zarechotał towarzysz Zelmer.

Przegryźli ogórkiem.

– A znacie o Breżniewie i Mickiewiczu? – zapytał ojciec.

– Nie, nie znam.

Nalali.

– Podczas jednej z wizyt w Polsce towarzysz Breżniew został zaprowadzony przez Gierka do biblioteki – opowiada ojciec. – Breżniew chodzi, przegląda książki, nagle w jego ręce wpada *Pan Tadeusz*. Breżniew zaczyna czytać: „Litwo, ojczyzno moja…". Wściekły rzuca książkę i pyta Gierka: „Kto to napisał?". Na co Gierek wystraszony tłumaczy: „Mickiewicz, ale on już nie żyje…". A na to rozpromieniony Breżniew: „Wiecie co, towarzyszu Edwardzie, za to właśnie was lubię!".

Zarechotali i wypili.

– Ale musicie być czujni, towarzyszu – spoważniał nagle towarzysz Zelmer i przegryzł ogórkiem.

– Jasne. Staram się – przegryzł ojciec.

Nalali.

– Staracie się… – w zamyśleniu powiedział Zelmer. – Ale antypaństwowe dowcipy opowiadacie, i to w obecności funkcjonariusza na służbie.

Wypił. Zagryzł.

– Ależ… towarzysz pierwszy opowiedział – niepewnym głosem zaprotestował ojciec.

Odstawił swój kieliszek. Uzupełnił towarzyszowi.

– A wiecie, co to jest prowokacja? – zapytał towarzysz Zelmer.

– Może ja tak specjalnie opowiedziałem antypaństwowy dowcip, żeby was sprowokować, wybadać, sprawdzić waszą lojalność wobec socjalistycznej ojczyzny?

– Może się napijecie? – zapytał ojciec, wskazując pełny kieliszek.

– Nie, wystarczy, na służbie trzeba zachować trzeźwość. A wyście nie zachowali.

– Chciałem dowcipem odpowiedzieć na wasz dowcip, żeby jakoś rozmowa się kleiła.

– A przecież się klei, jak widzicie, klei się bez dowcipów. Prawda?

– Tak. Klei się, klei, towarzyszu, jak najbardziej – przytaknął ojciec, z wściekłości robiąc się czerwony na twarzy.

– To po co opowiadacie mi antypaństwowe dowcipy? Nie znacie innych?

– Nie ma innych, wszystkie są antypaństwowe – z nagłą satysfakcją stwierdził ojciec.

– A nieprawda. Od czego mamy zaufanych ludzi kultury? Pisarzy, nierzadko nagradzanych? Także od układania propaństwowych dowcipów. Ten o księdzu na statku znacie?

– Nie, nie znam.

– Tonie statek, na którym znajduje się też ksiądz. Pasażerowie proszą go o odprawienie za nich mszy. Ksiądz mówi, że na całą mszę to już czasu nie wystarczy, ale może zrobić to, co podczas mszy najważniejsze. Po czym zdejmuje kapelusz i zbiera pieniądze.

– I co dalej? – zapytał ojciec.

– Jak to co? Nic. Koniec. Koniec jest taki, że msza w skrócie to taca na pieniądze.

– Nieśmieszne.

– Śmieszne. I śmieszne, i propaństwowe. Takie dowcipy trzeba opowiadać. Zapamiętacie?

– Zapamiętam.

– To świetnie. A teraz, jak już mamy rozluźnioną atmosferę i pełną zaufania, to porozmawiajmy o sprawie ważniejszej. To między nami zostanie. Co wiecie na temat naczynia zwanego kielichem Lutra oraz przyjazdu do Polski tego całego Fryderyka?

48.

Mężczyźni myślą
o jednym

Przez kilka dni nieopodal naszego domu stał ciemnozielony fiat 125p, w którym siedziało pięciu mężczyzn. Wszyscy palili papierosy i przez uchyloną szybę dymiło się jak z komina. Co jakiś czas jeden z nich gdzieś znikał, po kwadransie wracał i znów palili w pięciu. Ojciec mówił, że to ubecy albo milicja po cywilnemu, bo tylko oni mogą całymi dniami tak nic nie robić w zaparkowanym na pustej ulicy samochodzie.

– Na co oni tam tak czekają? – denerwowała się matka.

– To chyba z powodu Smoka – uspokajał ojciec. – Pewnie zrywają plakaty.

– Ale aż w pięciu?

– Na zmianę chodzą, żeby się żaden nie opatrzył.

Zbliżała się kolejna rocznica samospalenia Smoka i w kościele na Sudeckiej pojawiły się plakaty o jego walce o wiarę i niepodległą ojczyznę. No i o tym, że poległ śmiercią męczeńską z rąk komunistów. Ktoś je po kryjomu wieszał, a kto inny po kryjomu zrywał.

Wracaliśmy z Laurką ze spaceru i przed domem przystanęliśmy na chwilę. Doktor Szorstki pakował do swojego samochodu jakieś pakunki, jakby już się wyprowadzał do mieszkania w tym budynku, który się powiesił. Pomagał mu Fryderyk, obaj byli bardzo zaaferowani. Paczki były niewielkie, niewiele większe niż pudełka po butach. Pierwszy raz w życiu widziałem, żeby ktoś się przeprowadzał w pudełkach po butach. Z boku stały Wieczne Potępienie oraz

Money Liza. Obie paliły papierosy – Wieczne Potępienie nerwowo, zaciągając się raz za razem, Money Liza spokojnie, a nawet z ukontentowaniem.

– Nie wiem, czy ja dobrze robię – powiedziała Wieczne Potępienie.

– Dobrze robię, dobrze robię – zanuciła Money Liza.

– Obyśmy potem nie żałowały – dodała Wieczne Potępienie.

– Nie wiem, mnie to nagle zaczęło niepokoić…

– Trochę już za późno na skrupuły – uciął doktor Szorstki. – Poza tym Fryderyk zapewnia, że jesteś słodziutka i nie pożałujesz.

– Nie pożałujesz, nie pożałujesz – zanuciła Money Liza.

Ucichli i poczekali, aż przejdziemy. Kiedy ich mijaliśmy, Fryderyk cmoknął na widok Laurki, jakby ssał landrynkę. Doktor Szorstki coś mu warknął. Wsiedli do samochodu i odjechali. W tym samym czasie ruszył też ciemnozielony fiat, w którym paliło papierosy pięciu mężczyzn. Było to absurdalne, bo Fryderyka można by podejrzewać o wszystko, ale nie o wieszanie plakatów w kościele.

– Obleśny dziad – splunąłem z oburzeniem, gdy znaleźliśmy się na klatce schodowej.

– Obleśny – zgodziła się Laurka. – Czasami, jak idzie za mną po schodach, to aż czuję, jak intensywnie mi się przygląda.

Mimo oburzenia poczułem lekką przyjemność, ten rodzaj próżnego zadowolenia, które towarzyszy młodemu mężczyźnie, gdy idąc ze swoją dziewczyną, spostrzega w oczach innych mężczyzn nagłą chciwość – znak aprobaty, a może i zazdrości, potwierdzający słuszność wyboru.

Latem Laurka płowiała od słońca i stawała się przylądkiem piegów, jej biała skóra czerwieniała na policzkach oraz na dekolcie, który nigdy się nie opalał i zawsze był jaskrawoczerwony, a gdy dotknęło się go palcem, okazywał się gorący. Włosy wiązała w kitkę i wciąż wyglądała jak dziewczynka, jedynie biodra jej się zaokrągliły jak w podręcznikach o dorastaniu dziewcząt, w rozdziale o trzeciorzędowych cechach płciowych, które – cokolwiek by o nich powiedzieć – były u Laurki zawsze pierwszorzędne.

– To okropne, że ten stary Niemiec tak się gapi na moją dziewczynę – powiedziałem nieszczerze.

– On w ogóle jest jakiś dziwny. Widziałam wczoraj, jak macał na
schodach Money Lizę.

– Też to kiedyś widziałem, mówiłem ci.

– Biedna panna Julianna – westchnęła Laurka. – Aż mam ochotę
przekląć, ale jestem przecież grzeczną dziewczynką, która nigdy nie
przeklina.

Roześmiała się.

– Myślisz, że on ją zdradza? – spytałem.

– Myślę, że tak.

– Nie wierzę. Tyle na niego czekała, a teraz on miałby ją zdra-
dzać? To przecież nie miałoby sensu. I byłoby okropnie niespra-
wiedliwe! – oburzyłem się, tym razem szczerze.

– Mężczyźni tacy są – ponownie westchnęła Laurka.

– A ty niby skąd możesz to wiedzieć?

– Mama mi mówiła. A ona wie, co mówi.

– Twój ojciec też taki był? Zanim wyjechał?

– Nie mam pojęcia. Miałam wtedy niecałe dziesięć lat.

– No ale widujesz go czasami.

– Raz w roku, na Boże Narodzenie.

– Ale jednak nie ożenił się po raz drugi.

– Bo formalnie nie wziął z mamą rozwodu. Ale wiem, że kogoś ma.

– Ja taki nie będę.

– Moja mama właśnie przed tym mnie przestrzegała.

– Przed czym? – zatrzymałem się na schodach zdumiony. – Przede
mną?

– Przed mężczyznami, którzy tak mówią. Bo mówią tak tylko po
to, żeby dziewczyna poszła z nimi do łóżka – zapewniają ją wtedy,
że kochają na całe życie, a jak tylko dziewczyna się odda, to im od
razu przechodzi.

– Mnie nie przejdzie! Słowo honoru! Nawet jak mi się w końcu
oddasz, to mi nie przejdzie!

– O, widzisz? Powiedziałeś, że jak ci się „w końcu" oddam. To znaczy, że tylko to ci w głowie i tylko na to tak naprawdę czekasz. Tylko seks ci w głowie, tak jak innym chłopakom.

– Nieprawda! Sam seks mnie nie interesuje. Chcę, żeby to był seks z dziewczyną, na której mi zależy.

– Tak tylko mówisz, każdego chłopaka seks interesuje. Pewnie z inną też byś poszedł, jakby chciała.

– Coś ty. Raz nawet wybierałem się do takiej jednej. Tak z ciekawości. Nawet byłem już w drodze. Przed samymi drzwiami. I nawet nacisnąłem już dzwonek. Ale w ostatniej chwili się rozmyśliłem.

– Nie wierzę ci.

– Nie wierzysz, że się rozmyśliłem? Słowo.

– Nie wierzę, że poszedłeś. Nie zrobiłbyś mi tego. Zgrywasz się albo chcesz, żebym była zazdrosna.

Poczułem, że zaraz się zaczerwienię. Wiedziałem, że akurat teraz nie mogę płonąć jak panna wstydliwym rumieńcem, bo się wszystko wyda, więc intensywnie myślałem tylko o tym, żeby się nie zaczerwienić, ale zawsze tak było, że jak się bałem, że się zaczerwienię, to od razu robiłem się czerwony. Zatkałem nos i tak na niby kichnąłem – to też jest dobry sposób, żeby udawać, że czerwień na twarzy bierze się nie ze wstydu, lecz z kichania.

– Na zdrowie. Dlaczego Fryderyk mówi Wiecznemu Potępieniu, że jest słodziutka? Dziwne, nie uważasz?

– Może też do niej chodzi.

– Tak jak do Money Lizy? – zdziwiła się Laurka.

– Ma nawet bliżej.

– Co za szkop pierdolony – powiedziała Laurka, grzeczna dziewczynka, która nie przeklina.

49.

Na tropie Fryderyka von Brickena

Panna Julianna smutniała. Choć ubierała się w kwieciste sukienki i chciała być w radość strojna jak wiosna, była jak jesień, która za oknami znów się powoli zbliżała. Nic w niej nie kwitło, żaden uśmiech ani wesołe spojrzenie, a kiedy schodziła po schodach ze zwieszoną głową i przygarbionymi plecami, to wyglądała tak, jakby z jej sukienek opadły wszystkie liście.

Fryderyk kilka tygodni temu gdzieś wyjechał – początkowo mówiła, że tylko na parę dni, by razem z Wiecznym Potępieniem i Money Lizą pomóc doktorowi Szorstkiemu w urządzaniu nowego mieszkania, ale obie kobiety wróciły nazajutrz, doktor Szorstki dzień po nich, a Fryderyka wciąż nie było. Wraz z nim zniknął spod naszego domu ciemnozielony fiat z piątką mężczyzn, którzy widocznie już się napalili.

Chyba cała kamienica wiedziała już o zdradzie Fryderyka, wszyscy współczuli pannie Juliannie i nawet pan Teofil zaczął się do niej uśmiechać. Spod jedynki czasami dochodziły krzyki kobiet, jakieś tupoty, hałas przewracanych krzeseł, a potem płacz Money Lizy, po którym Rozala wychodziła na korytarz i bezradnie rozkładając ręce, utyskiwała:

– Co za dziewuszysko, żeby takie rzeczy na stare lata mi robić.

Trudno jednak było dopatrzyć się w niej szczerej złości. Wyglądało raczej na to, że odgrywa przedstawienie na potrzeby sąsiadów, a sama w gruncie rzeczy jest zadowolona. Nigdy dotąd Money Liza nie wychodziła z domu tak zadbana, zawsze czysta i ze starannie ułożoną fryzurą. Przestała nosić juniorki – Rozala kupiła jej buciki na obcasie, a Wieczne Potępienie nauczyła ją w nich chodzić z takim wdziękiem, że nawet Laurka przystawała na schodach i podpatrywała, jak Money Liza wędruje do góry, a potem próbowała ją naśladować, co wyglądało tak, jakby kręciła hula-hoop, a ono cały czas z niej spadało.

Pani Emanuela twierdziła wręcz, że Rozala tylko czeka, aż z tych potajemnych schadzek coś będzie, chociaż w domyśle pozostawiała, co miałoby to być. Pan Henryczek mówił wprost, że marzyło się Rozali, iż jej córka odbije pannie Juliannie Fryderyka, wyjdzie za niego za mąż i wyjedzie do Niemiec, a wtedy Rozala przestałby sprzątać w kamienicy i wyjechała z nimi, zostając tam wielką panią. Wszystko wskazywało na to, że scenariusz ten jest możliwy: Money Liza była piękną, młodą kobietą, miała nowe buty i najpiękniejszy biust na całej ulicy. Wprawdzie czasami mówiła trochę od rzeczy, ale po polsku, więc Fryderyk nie wiedział.

Siedział pan Henryczek z ojcem w salonie i jak zwykle zajmowali się paleniem papierosów. Mama zasiadła z panią Emanuelą na sofie i współczuły pannie Juliannie, wydając na przemian głębokie westchnienia. W pewnym momencie pan Henryczek zerwał się z miejsca i podbiegł do telewizora.

– Ludzie, pogłośnię na chwilę, bo sfilmowali naszą kamienicę!

Rzeczywiście. Kamera pokazywała nasz dom! Widać było bramę i okna naszych mieszkań, na pierwszym piętrze mama Laurki podlewała kwiatki stojące na parapecie, a woda spod doniczek kapała na parapet poniżej.

– No, jak Rozala to zobaczy, to będzie w końcu wiedzieć, kto jej brudzi okna – roześmiał się ojciec.

Kamera skierowała się na stojącego pod naszym domem reportera.

– Jesteśmy nieopodal ulicy Powstańców Śląskich, jednej z głównych arterii naszego miasta – mówił. – Nasze reporterskie stanowisko ustawione jest w pobliżu ulicy Sudeckiej pod jedną z poniemieckich kamienic, jakich wiele jest we Wrocławiu i na

Ziemiach Odzyskanych. Polska zastała je zburzone, zniszczone wojenną zawieruchą.

Reżyser pokazał przebitki z powojennymi zdjęciami ruin.

– Odbudowaliśmy je kosztem wyrzeczeń i wspólnego wysiłku, odremontowaliśmy, by socjalistyczny lud pracy miał gdzie mieszkać – mówił głos w tle, a kamera pokazała blokowiska, parki, ludzi wychodzących z jakiejś fabryki. – Dzisiejszy Wrocław jest pięknym miastem, pełnym zieleni oraz nowoczesnych socjalistycznych inwestycji i fabryk. Wymieńmy chociażby Hydral, Archimedesa lub Pafawag.

– Co za farmazony on wygaduje? Jakich socjalistycznych inwestycji? – zirytowała się matka. – Do Archimedesa to jeszcze ze szkolnymi wycieczkami chodziliśmy, zakład nazywał się wtedy Archimedes Schlesisch-Sächsische Schraubenfabrik-Aktiengesellschaft.

– To nawet nazwy nie zmienili? – zdziwił się pan Henryczek.

– Nie zmienili. Wyrzucili tylko te wszystkie niemieckie wyrazy. A w Pafawagu to mój wuj jeszcze pracował, ale wtedy zakład nazywał się Gottfried Linkes Söhne Waggonfabrik Breslau.

– Cicho! – syknął ojciec. – Dajcie posłuchać.

– Wrocław to także prężne miasto uniwersyteckie – czytał lektor – pełne młodych ludzi, którzy pilnie się uczą, by wkrótce wziąć razem ze starszym pokoleniem odpowiedzialność za kształt naszej socjalistycznej przyszłości.

Reżyser pokazywał przebitki z twarzami roześmianych dziewcząt.

– Tymczasem, pomimo układu między PRL a RFN, mimo odprężenia między naszymi narodami, na Zachodzie wciąż prężne są siły, które nie mogą pogodzić się z powojennym ładem, z naszym pokojowym porządkiem.

– Nie mogę tego słuchać – zaprotestowała matka.

– Bądź cicho, wyjdź, jak ci się nie podoba! – fuknął ojciec.

W telewizji widać teraz było demonstrację młodych ludzi tłumioną przez oddział policji.

– To neofaszyści! – zagrzmiał głos zza kadru. – Neofaszyści w zachodnich Niemczech, którzy nadal nie mogą się pogodzić z powojennym ładem, nadal wszczynają burdy przeciw pokojowi!

Niektórzy z demonstrantów mieli opaski ze swastykami i unosili prawą rękę w charakterystycznym pozdrowieniu. Policja używała pałek i gazu łzawiącego, część demonstrantów uciekała, reszta zostawała powalona przez funkcjonariuszy na ziemię, po czym wleczono ich do radiowozów.

– Na szczęście Niemcy pamiętają gorycz wojennej porażki, a służby porządkowe zazwyczaj wiedzą, jak postępować w przypadku faszystowskich prowokacji. Ale czy my, czy my, Polacy, Polacy mieszkający w spokojnej, ludowej ojczyźnie, też zawsze o tym wiemy? Czy wiemy, jak rozpoznać wroga? Czy jesteśmy świadomi wciąż aktualnego zagrożenia?

– Widzisz, widzisz – ojciec palcem pokazał matce ekran, jakby ta demonstracja była jej winą.

– To tylko jacyś chuligani – matka lekceważąco machnęła ręką.

Kamera znowu filmowała nasz dom. Pani Rozala wychodziła akurat na zakupy.

– Nawet dobrze wygląda w telewizji – powiedziała z zazdrością pani Emanuela.

– W rzeczywistości wygląda gorzej – uspokoił ją pan Henryczek.

Rozala uśmiechnęła się do kamery i pomachała przyjaźnie ręką.

– Otworzyliśmy granice w obie strony szerzej niż kiedykolwiek – mówił głos zza kadru. – Ale czy to na pewno jest dla nas bezpieczne? Czy to jest na pewno bezpieczne dla naszych obywateli? Czy ta kobieta, która tak ufnie patrzy w przyszłość, będzie już zawsze mogła się czuć bezpiecznie?

– Co on gada? – złościła się matka. – Przecież nikt z nas Rozali nie zabije, chociaż za tę jej córkę to może by jej się należało.

Kamera pokazała wnętrze naszej klatki schodowej. Zbliżenie na poręcz schodów zwieńczoną głową Bellony.

– To bogini wojny, Bellona. Być może to przypadek, ale to właśnie w tym domu… – reporter dramatycznie zawiesił głos – …w tym domu funkcjonariusze naszych służb bezpieczeństwa natrafili na ślad działalności grupy neofaszystów.

– O Boże! – matka zasłoniła usta dłonią.

– Co? – zdziwił się pan Henryczek.

– Niemożliwe – uspokajała pani Emanuela.

– O kurwa – powiedział ojciec.

Po czym wszyscy zamarli w bezruchu.

Cięcie. Kamera przeniosła się pod czerwony gmach urzędu. Zbliżenie na tabliczkę z białym orłem. Napis: „Komenda Wojewódzka Milicji Obywatelskiej we Wrocławiu".

Kolejne cięcie. Na tle jasnego okna mężczyzna za biurkiem, nie widać jego twarzy.

– Natrafiliśmy na ślad bardzo ciekawej sprawy – rozpoznałem głos towarzysza Zelmera. – Nasz wywiad ustalił, że w kapitalistycznych Niemczech od dawna działa tajna paramilitarna struktura o charakterze rewizjonistyczno-odwetowym. Przygotowuje się na wypadek nowej wojny i już dziś gotowa jest w każdej chwili do mobilizacji kilkudziesięciu tysięcy żołnierzy z dawnych wojsk Hitlera! To ukryte przed opinią światową dywizje pogrobowców Trzeciej Rzeszy! To tajna armia faszystowskich zombi, pragnących zniszczyć naszą socjalistyczną ojczyznę!

– Co za głupoty on opowiada? Jaka dywizja pogrobowców? – rozzłościła się matka. – Od końca wojny Niemcy żyją w pokoju i nigdy nie organizowali żadnej tajnej dywizji!

Wiele lat później miałem się dowiedzieć, że akurat tutaj się myliła. Informacja o organizowanej po wojnie armii podziemnej była prawdziwa i mogła zostać zdobyta przez polski wywiad. Potwierdził ją latem 2014 roku opiniotwórczy tygodnik „Der Spiegel", publikując dokumenty Bundesnachrichtendienst – Federalnej Służby Wywiadowczej. Wynika z nich, że tuż po wojnie tajna organizacja złożona z dwóch tysięcy oficerów Wehrmachtu i Waffen-SS rozpoczęła prace nad zorganizowaniem kilku dywizji wojska gotowego „bronić honoru Niemiec". Jednak jest mało prawdopodobne, by funkcjonowała, chociażby w części, jeszcze kilkadziesiąt lat później. Zelmer pewnie zdawał sobie z tego sprawę, ale ze względów politycznych wolał potępiać nastrój zagrożenia.

– Kilka miesięcy temu do Polski przyjechał osobnik podający się za niejakiego Fryderyka Fonbrikena – tłumaczył dalej Zelmer. – Po sprawdzeniu przez nasze służby okazało się, że nie jest to Fryderyk Fonbriken, lecz Fryderyk von Bricken. Oprawca hitlerowski ścigany przez wiele lat przez prawo. Co go sprowadziło do Wrocławia? Otóż, jak ustalił nasz wywiad, osobnik ten przyjechał po tak zwany kielich Lutra, który pod koniec wojny został ukryty tu, na Ziemiach Odzyskanych.

Kamera pokazała starą salkę kościółka ewangelickiego koło naszej kamienicy, a potem znów front naszego domu. To samo powtórzone ujęcie z Rozalą wychodzącą na zakupy. Znów pomachała ręką i się uśmiechnęła.

– W jakim celu Fryderyk von Bricken zamierzał wykorzystać ten zabobon, wiarę w moc jakiegoś kielicha? – Towarzysz Zelmer dramatycznie zawiesił głos. – Chciał go wykorzystać jako symbol dla odradzającego się nazizmu Niemiec! Nasze służby ustaliły, że kielich poszukiwany był już pod koniec wojny, i to przez wysłanników samego Himmlera. W tym samym celu – by wesprzeć upadające morale Niemców, którzy na naszych towarzyszy broni szli z bagnetami wydobytymi zza pasów, na których klamrach widniał napis „Gott mit uns". „Bóg jest z nami" – tak sądzili, ale ten bóg wojny ich opuścił. Szukali więc nowego, a ich następcy, ich neofaszystowskie niedobitki, nadal go szukają.

– Boże, Julianna teraz dostanie zawału! – załamała ręce matka, patrząc złowrogo na ojca. – Coś ty wtedy temu esbekowi naopowiadał?

Ojciec zgasił niedopałek papierosa i od razu sięgnął po następnego.

– Cholera, ta szuja ubecka mówiła, że to będzie prywatna rozmowa. Zresztą ja mu tylko wspomniałem o tym, co opowiadała kiedyś siostra Immakulata, i coś może nieopatrznie dodałem z waszych rozmów, a resztę to on już sam skądś wiedział.

– A o czym niby rozmawiałyśmy? – spytała matka, czerwona z wściekłości, a pan Henryczek z Emanuelą przysłuchiwali się z szeroko otwartymi ustami.

– No, że ten kielich mógłby służyć do odrodzenia... Dlatego Himmler go szukał.

– Nie mogę uwierzyć, że za takiego człowieka wyszłam za mąż! Za kapusia, co to rozmowy z domu wynosi do Urzędu Bezpieczeństwa!

– Przestań! Nie przesadzaj, nie wynoszę, przecież sam tu przyszedł! Widziałaś. A ja mu powiedziałem tylko tyle, że Fryderyk szuka chyba tego cholernego kielicha. Resztę to ten Zelmer już sam tak namieszał.

– Chryste Panie! Ja nic nie rozumiem! – załamała ręce Emanuela. – O co w końcu chodzi z tym kielichem? Komu on miał służyć?

– Uczciwym Niemcom – wyjaśnia matka. – Takim, którzy już dość mieli wojny.

– To dlaczego szukał go Himmler?

– Wielu go szukało. Ale nie Himmler powinien znaleźć. To był wariat, mistyk i okultysta, wierzył w moc Graala, ale jak nie mógł go odnaleźć, to postanowił wykorzystać kielich Lutra.

– Ale do czego? Przecież Graal miał mieć przynajmniej jakąś moc, a kielich Lutra?

– Czasami zwykłe rzeczy stają się magiczne od słów, wystarczy je wypowiedzieć, a ludzie w to uwierzą. Himmler szukał nowego symbolu dla nowych Niemiec, czegoś, co zjednoczyłoby naród po zdarciu swastyki. Czegoś czystego, niesplamionego krwią, a jednocześnie prawdziwie niemieckiego. To mógłby być właśnie kielich Lutra.

– No ale to już był przecież koniec wojny!

– Himmler myślał, że przechytrzy Hitlera, i właśnie pod koniec wojny próbował dogadać się z aliantami. Był pewien, że uda mu się zawrzeć z nimi sojusz przeciw bolszewikom. Wierzył, że Amerykanie bardziej będą się bać Związku Radzieckiego niż upadającej Rzeszy, i zaproponował im wspólny front. Liczył, że po śmierci Hitlera obejmie przywództwo Niemiec i odbuduje je za zrabowane w czasie wojny złoto.

– I co się stało z tym Himmlerem?

– Propaganda aliancka mówiła, że został pojmany i popełnił samobójstwo, połykając ukryty w ustach cyjanek. Ale nikt nigdy go nie zidentyfikował. Co więcej, prawdziwy Himmler miał blizny, w tym jedną na twarzy po pojedynku na szpady. Lekarz, który dokonywał oględzin zwłok, złożył oficjalne oświadczenie, że tej blizny nie widział. Nie widział też drugiej blizny, na ramieniu, którą prawdziwy Himmler nosił od czasu zamachu na Hitlera. A to znaczy, że być może Himmlerowi udało się przetrwać wojnę i uciec.

– Myśli pani, że to on nadal szuka tego kielicha?

– Nie wiem. Miałby dziś osiemdziesiąt lat.

– A ten Fryderyk von Bricken rzeczywiście mógł przyjechać na polecenie kogoś z tamtych kręgów?

– Nie wiem.

– W każdym razie na pewno siostra Immakulata głęboko w to wierzy – wtrąca ojciec. – Może to właśnie ona zadzwoniła na Służbę Bezpieczeństwa i posłużyła się komunistami, by kielicha bronić.

– To chyba jednak nie byłoby w porządku tak na sąsiada donosić – wzdrygnęła się Emanuela. – A pani mówiła, że kielich miał służyć uczciwym Niemcom.

– To akurat byłoby uczciwe. A przynajmniej sprawiedliwe. Wszyscy widzicie, jaki jest Fryderyk.

– Donos miałby być uczciwy?

– Potem się będziecie kłócić! – uciął pan Henryczek. – Oni teraz jego zdjęcia pokazują.

Rzeczywiście. W telewizji pojawiło się duże zdjęcie Fryderyka. Potem drugie i trzecie.

– Tak wygląda poszukiwany przez polski kontrwywiad Fryderyk von Bricken – mówił z telewizora towarzysz Zelmer. – Ktokolwiek wie, gdzie się ukrywa, proszony jest o kontakt z najbliższym posterunkiem milicji obywatelskiej. Jednocześnie uprzedza się obywateli, że za udzielanie pomocy, szczególnie za ukrywanie podejrzanego, grozi pozbawienie wolności do lat dziesięciu.

– Co za historia! – złapał się za głowę pan Henryczek. – I to wszystko pod naszym dachem, aż trudno uwierzyć!

– No ale po co go pokazali? – zdziwił się ojciec. – Teraz im przecież ucieknie.

– O ile już nie uciekł. Tak, pewnie już uciekł, dlatego pokazują go w telewizji – dedukował pan Henryczek.

– Nigdzie nie uciekł – powiedziała stanowczo pani Emanuela. – Byłam wczoraj u Julianny, żeby ją trochę pocieszyć. W łazience stały jego rzeczy, w przedpokoju wisiał płaszcz i kapelusz.

– To dziwne – przyznał pan Henryczek. – Taki elegancki mężczyzna jak on nigdzie bez kapelusza się nie ruszał.

Rozmawiali o nim jeszcze przez kilka minut. I tylko matka milczała, jakby chciała przez to coś ważnego powiedzieć.

50.

Morderstwo w laboratorium

Fryderyk nie mógł już uciec. Jego ciało leżało za zamkniętymi drzwiami laboratorium doktora Szorstkiego. Natrafił na nie sam doktor Szorstki. Na milicji zeznał później, że przez kilka dni nie schodził do piwnicy, bo podczas przeprowadzki klucze przekazał Fryderykowi, który miał pilnować sprzętu w laboratorium. Od jakiegoś czasu nie potrafił się z nim jednak skontaktować. Nie przejął się tym zbytnio, sądząc, że sąsiad popadł po prostu w kolejny romans i pewnie zaszył się gdzieś z jakąś panną na dwa lub trzy tygodnie. Straszny był z niego łasuch na wdzięki kobiet, a one zazwyczaj mu ich nie odmawiały. Przyjechał przecież z zagranicy, miły i bez obrączki, a za kurs taksówką dawał zawsze dwie marki lub nawet dolara i mówił, że reszty nie trzeba, a kobiety lubią mężczyzn z gestem.

Doktor Szorstki zobaczył w telewizji program o neonazistach i zrozumiał, że jego sąsiad tym razem nie romansuje, lecz prawdopodobnie już uciekł lub się ukrywa, być może w piwnicy, żeby przeczekać całe zamieszanie. Akurat pakował wtedy ostatnie rzeczy do przeprowadzki, więc był w kamienicy. Zbiegł od razu po schodach i długo stukał do zamkniętych drzwi laboratorium, wołając Fryderyka po imieniu, ale z tamtej strony nikt nie odpowiadał. Po węgiel zszedł natomiast pan Henryczek i mocno się zdziwił, widząc sąsiada rozmawiającego z zamkniętymi drzwiami.

– Wie pan, tak pomyślałem, że może w mojej piwnicy ten Fryderyk się ukrywa – wyjaśnił doktor Szorstki nieco zmieszany. – Więc jak pan już tu jest, to chętnie wezmę pana na świadka, bo wolałbym nie mieć kłopotów z milicją.

– W piwnicy? – żachnął się pan Henryczek. – Przecież tam nie ma warunków dla takiego eleganta.

– Warunki to akurat są – odrzekł doktor Szorstki, zmieszany jeszcze bardziej.

– To wezmę łom – zaproponował pan Henryczek.

Zamek w drzwiach okazał się solidny na tyle, że tłukli się z pięć minut, aż usłyszała ich Rozala.

– Co za chłopy nieudane – fuknęła na ich widok. – Mój świętej pamięci małżonek miał przecież klucze do wszystkich piwnic, bo administracja kazała dorobić na wypadek pożaru.

Po chwili wróciła z pękiem kluczy i drzwi ustąpiły z lekkim skrzypieniem.

– Fiu, fiu – zagwizdał pan Henryczek. – Niezłe laboratorium. Chociaż laboratorium to ja tu akurat nie widzę.

– Jest w pomieszczeniu za drzwiami – wyjaśnił doktor Szorstki. – Tutaj odpoczywam.

Rozala rozejrzała się z niedowierzaniem.

– O rety, toż tu wygodniej i ładniej niż u mnie w domu!

– Przesada, wcale nie tak wygodnie – bagatelizował doktor Szorstki. – Wie pani, czasami trzeba zmieszać na przykład dwie substancje i czekać godzinę lub dłużej na efekt. Do domu człowiek nie pójdzie, bo reakcję trzeba mieć na oku, ale położyć się można na chwilę, byleby oczywiście nie zasnąć.

– Ale o taki gust to bym pana doktora jednak nie podejrzewał – przyznał pan Henryczek, spoglądając na czerwone kinkiety w kształcie tulipanów.

– Aleś się pan tu dziwnie urządził. – Rozala rozglądała się z niedowierzaniem. – Zupełnie przy tym pod gust kobiety.

Całe pomieszczenie było wyłożone jasną tapetą w małe różyczki.

– Takie tylko mieli w ofercie, jak robiłem tu remont – wyjaśnił pospiesznie doktor Szorstki. – A i tak musiałem dwa tygodnie czekać.

Pod ścianą stało duże łóżko przykryte czerwoną narzutą, na nim leżało kilka poduszek w barwnych poszewkach. Obok dwa fotele i okrągły stolik ze szklanym blatem, a na nim kolorowe czasopisma. „Vogue", „Cosmopolitan", „Hustler", „Penthouse".

– To nasza sąsiadka mi podarowała, żebym się nie nudził, czekając na wyniki eksperymentów – wyjaśnił doktor Szorstki, chociaż wszystko to było tak dziwne, że nikt go już o nic nie pytał.

Naprzeciwko łóżka stał statyw, taki jak do aparatu fotograficznego lub kamery, a obok dwa reflektorki.

– To do dokumentacji badań? – zapytał ironicznie pan Henryczek.

– Można tak powiedzieć – przytaknął doktor Szorstki, ale jakoś bez przekonania. – Potrzebowałem kilku swoich portretów. Składam aplikację na staż do instytutu w Moskwie. Trzeba było załączyć jakieś swoje zdjęcia, pewnie dla ich służb, wie pan, jak to jest.

– Jasne. Akurat. Prędzej do „The Times" albo innego „Die Zeit" pan sobie robił, żeby się wynikami badań pochwalić. Niech pan przyzna, przed sąsiadami nie ma co ukrywać.

– Och, przed panem to nic się nie ukryje – roześmiał się z niespodziewaną ulgą doktor Szorstki. – Ale proszę nie mówić o tym nikomu. Kontakty z kapitalistami nie są u nas dobrze widziane.

– No dobra, ale co z tym Fryderykiem? – zapytał pan Henryczek. – Widać, że go tu nie ma.

– Nie ma – zgodził się doktor Szorstki.

– A w tym pomieszczeniu za drzwiami? – wskazała Rozala.

– To taka klitka na laboratorium właśnie. Tam go na pewno nie ma – stwierdził doktor Szorstki.

– Sprawdźmy, jak już jesteśmy – zaproponował pan Henryczek, podchodząc do drzwi.

– Niech pan zaczeka, to może ja sam! – uprzedził go doktor Szorstki, rzucając się do klamki.

Uchylił drzwi i zapalił światło.

– Ożeż kurwa mać! – krzyknął, zamykając je natychmiast.

– Co jest? Co się stało? – przestraszyła się Rozala.

– On tam jest? – domyślił się pan Henryczek.

– Jest, leży tam – słabym głosem powiedział doktor Szorstki, osuwając się po ścianie na ziemię.

– To co pan drzwi zamyka? – zezłościł się pan Henryczek. – Trzeba mu jakoś pomóc. Faszysta nie faszysta, ale przecież człowiek, sąsiad w dodatku.

– Ja mu nie pomogę – powiedział doktor Szorstki, patrząc w ziemię.

– To kto mu, kurwa, pomoże, jak nie pan? – pan Henryczek poczerwieniał z irytacji. – Przecież pan jesteś lekarz czy tam farmaceuta, wszystko jedno.

– Ale on już nie żyje – wyszeptał doktor Szorstki.

– Co?

– Zmarł. Nie żyje.

– O Matko przenajświętsza! – przeżegnała się Rozala.

– Nie żyje? Skąd pan wie, że nie żyje? – zapytał podejrzliwie pan Henryczek. – Przecież nawet pan go nie dotknął, pulsu nie zmierzył. A reanimacja? Sztuczne oddychanie?

– On ma rozbitą głowę. Ktoś go uderzył. Nie żyje – doktor Szorstki mówił bezbarwnym głosem, wyrzucając z siebie krótkie zdania. – Od dawna. Krew już zakrzepła. Ktoś go zabił. Wszedł tu i zabił.

– Morderstwo! – załkała Rozala. – Zamordowali człowieka! W naszym domu! Co za biedaczek!

– To nie do wiary, jest pan pewien, że nie żyje? – pan Henryczek próbował zajrzeć za wciąż przymknięte drzwi.

– Jestem. Do kurwy nędzy, jestem!

– Co za biedaczek! – jęczała Rozala. – A taki dobry był z niego człowiek. I tak moją córeczkę szanował. Co za nieszczęście, co za nieszczęście!

– Co robić? Co robić? – rozpaczał doktor Szorstki.

– Trzeba wezwać milicję – stwierdził pan Henryczek.

– Milicję? – zapytał doktor Szorstki z niedowierzaniem.

– No, chyba że chcesz pan od razu Służbę Bezpieczeństwa.

– Ale milicję? Może po prostu pogotowie? Żeby go zabrali…

– Panie! Ocknij się pan! Przecież człowieka zamordowano! Tu nic po pogotowiu, tu trzeba milicji.

– Boże, tylko nie to – rozpaczał doktor Szorstki. – Tylko nie milicję. Teraz? Kiedy wszystko tak dobrze zaczęło się układać?

– Panie sąsiedzie, weź się pan w garść! – krzyknął pan Henryczek. – Jak jest trup, to musi być milicja! Przecież nie pan go zabił, to co się pan boisz?

– No bo to chyba nie pan, prawda? – z niepokojem, nadal szlochając, zapytała Rozala.

– Ludzie, czy wy nic nie rozumiecie? – doktor Szorstki był blady z przerażenia. – Przecież w mojej piwnicy go zabili, drzwi były zamknięte na klucz, będę podejrzany.

– A ktoś jeszcze miał klucz?

– Tylko on.

– Niech się pan uspokoi – poradził pan Henryczek. – Przecież to przy nas go pan znalazł. Będę świadczył, że był pan w szoku i w ogóle.

– Ja też, panie sąsiedzie, ja też zaświadczę – zapewniła Rozala.

Ale doktor Szorstki nie słyszał. Siedział na ziemi i kiwał się jak dziecko w sierocińcu.

– Co to teraz będzie? Co to teraz ze mną będzie? – powtarzał.

51.

Co ukrywał doktor Szorstki

Najpierw przyjechała milicyjna nysa, a pół godziny później czarna wołga, z której wysiadł towarzysz Zelmer.

– No to nam Fryderyk von Bricken jednak zdążył uciec – powiedział, pochylając się nad ciałem.

W piwnicy było trzech milicjantów. Jeden przeszukiwał laboratorium, drugi oglądał ciało Fryderyka, trzeci przesłuchiwał doktora Szorstkiego.

– Znaliście ofiarę, towarzyszu Zelmer? – spytał milicjant przesłuchujący doktora.

– Tak, towarzyszu poruczniku. Z kartoteki kontrwywiadu. Znaleźliście coś?

– Dużo bardzo dziwnych rzeczy.

– No to zadziwcie mnie czymś.

Milicjant podał mu złoty łańcuch z medalionem.

– Znaleźliśmy to przy ciele denata. Stara robota. Wizerunek na medalionie przedstawia kobietę w hełmie z pióropuszem. Chyba jakaś bogini.

– Bellona. Jak w hełmie z pióropuszem, to Bellona – wyjaśnił doktor Szorstki. – Podobna jest przy poręczy schodów.

– Prawdopodobnie należała do von Brickena – stwierdził Zelmer. – Łańcuszek jest odpięty, tak jakby ktoś chciałby mu to ukraść. Ale kto?

– Ja nic nie wiem – rozłożył ręce doktor Szorstki. – Ta piwnica ma dwa wejścia, jedno od strony domu, na klatkę schodową, drugie za tym korytarzykiem… Za tymi drzwiami.

– A co jest tam dalej, za tymi drzwiami? – Zelmer wskazał korytarzyk, w którym znaleziono ciało Fryderyka von Brickena.

– Przejście – schrypniętym głosem odpowiedział doktor Szorstki.

– Dokąd?

– Do starej salki. Dziś jest tam świetlica domu kultury, ale przed wojną to była salka kościoła ewangelickiego – wyjaśnił doktor Szorstki.

– No to jesteśmy na tropie – ucieszył się towarzysz Zelmer. – To powiedzcie mi teraz, gdzie jest kielich.

– Kielich? – zdziwił się doktor Szorstki.

– Pytam o kielich Lutra. Ten, po który przyjechał von Bricken.

– Nie wiem nic o kielichu Lutra.

– Nie wiecie… – Zelmer zwrócił się do porucznika. – Słyszycie, towarzyszu? W podziemiach ewangelickiego kościoła obywatel czegoś szukał, a akurat nic nie wie o kielichu. Co za pech, prawda?

– Nie bardzo wiem, o czym mówicie – zaniepokoił się porucznik.

– Obaj z nieżyjącym von Brickenem szukali cennego kielicha, który kilkaset lat temu był używany przez Lutra. Obywatel Szorstki pewnie dla zysku, a von Bricken dla neonazistowskich celów politycznych.

– Ależ to jakieś nieporozumienie! – zaprotestował doktor Szorstki.

– Mamy informatorów – uśmiechnął się Zelmer. – O wszystkim nam donieśli.

– To nieprawda! Przysięgam! Ja tylko… – doktor Szorstki położył dłoń na sercu.

– Zamilczcie, będziecie mieli czas na wyjaśnienia! – przerwał Zelmer.

– Kielich? Mszalny? Jak to kielich? Pierwsze słyszę – zafrasował się porucznik. – Zupełnie nam to nie pasuje do wyników śledztwa.

– Bez przesady z tymi wynikami – machnął ręką towarzysz Zelmer. – Jesteście tu zaledwie od paru godzin, a ja tą sprawą zajmuję się od miesięcy.

– My też zajmujemy się nią od paru miesięcy. Niemniej jednak mam wrażenie, że mówimy o różnych śledztwach – orzekł porucznik.

– Chyba obaj tracimy tu ze sobą czas – oschle zauważył Zelmer.

– Znaleźliście coś jeszcze oprócz tego łańcucha?

– Dużo bardzo dziwnych rzeczy.

– No to zadziwcie mnie czymś w końcu.

Milicjant podał mu pudełko po butach.

– Są tu tego dziesiątki – powiedział.

– Chyba nie chcecie mi powiedzieć, że nakryliśmy przemytni-ków obuwia – skrzywił się towarzysz Zelmer, po czym otworzył pudełko i gwizdnął z podziwem.

W pudełku był plik zdjęć nagich kobiet. Obok negatywy i rolki filmów oraz koperty z dokładnymi opisami, zawierającymi wymiary kobiet, dane kontaktowe, znajomość języków, preferencje seksualne.

– Co to jest, do jasnej cholery?

– Pornobiznes, towarzyszu.

– Jaja sobie robicie, poruczniku, prawda?

– Polskie dziewczyny są piękne, ale też i tanie, niestety – wes-tchnął porucznik. – Wygląda mi na to, że ofiara oraz podejrzany szukali w Polsce dziewczyn do filmów erotycznych, a nawet porno-graficznych, robili im zdjęcia we wrocławskich hotelach, organizo-wali też sesje tutaj, w tym pomieszczeniu, a potem ten materiał wysyłali do Niemiec.

– Niemożliwe…

– Możliwe, towarzyszu Zelmer. Znaleźliśmy kilkadziesiąt dowo-dów nadania przesyłek na adres firmy Beate Uhse.

– Beate Uhse?

– O, widzę, że towarzysz prowadzi się nienagannie, jak na wasze stanowisko przystało – roześmiał się porucznik. – Beate Uhse to właścicielka sex shopów w RFN.

– A tak, oczywiście, już kojarzę – zapewnił towarzysz Zelmer.

– Ale co to ma wspólnego z denatem?

– Beate Uhse znała osobiście Fryderyka von Brickena jeszcze z czasów wojny. Oboje służyli w Luftwaffe w stopniu kapitanów, z tą różnicą, że ona latała głównie na samolotach dostarczanych z fab-ryk na front, a on je stamtąd odbierał, sam zaś brał udział głównie w nalotach. Po wojnie mieli zakaz lotów, więc zajęli się przemysłem erotycznym. On dostarczał towar, ona go sprzedawała. W Niemczech do niedawna obowiązywały surowe zakazy dotyczące erotyki, wprowadzone jeszcze przez szefa SS Heinricha Himmlera. Więzienie groziło nawet za reklamę prezerwatyw, nie mówiąc już o produkcji filmów pornograficznych. Na wszelki wypadek von Bricken organizował ją więc poza granicami swojego kraju. Robił to cały czas aż do śmierci, bo chociaż w Niemczech prawo złagodniało, to nadal bardziej opłacało mu się wynajmować dziewczyny z NRD, Polski lub Czechosłowacji i płacić im po parę marek za sesję.

– To wszystko prawda? – Towarzysz Zelmer podszedł do doktora Szorstkiego.

– Tak, to prawda – Szorstki otarł pot z czoła. – Fryderyk mi opowiadał.

– Co opowiadał?

– No, że patriotycznym obowiązkiem niemieckich kobiet w czasie wojny było rozmnażanie się, bo Rzesza potrzebowała nowych obywateli do zaludnienia podbitych terenów, więc one w ogóle nie znały metod antykoncepcji. A kiedy po wojnie Beate Uhse zabroniono latać, to wydała liczący kilka stron kalendarzyk małżeński, bo znała tę metodę od swojej matki, która była lekarką. Okazało się, że jest na to spore zapotrzebowanie, więc zaczęła też sprzedawać prezerwatywy i pisma erotyczne, i tak zarobiła fortunę. Dziś jest jedną z najbogatszych kobiet w Europie...

– Ale ja nie o to pytałem – zniecierpliwił się towarzysz Zelmer. – Chodzi mi o tę produkcję pornograficzną w naszym mieście.

– Tak, to prawda – przyznał Szorstki, nie podnosząc wzroku utkwionego w podłogę. – Ale ja o niczym więcej nie wiem. I przecież ja nic złego nie zrobiłem. Pozwoliłem tylko na robienie zdjęć w moim laboratorium. Ja jestem tylko farmaceutą.

– Tak wygląda laboratorium farmaceutyczne? – ironicznie zapytał Zelmer, wskazując szerokie łoże i tapety w kwiatki.

– Fryderyk je ode mnie odkupił i przerobił na swoje potrzeby, ja się stąd wyprowadzam.

– Wyprowadzacie się? A dokąd?

– Do tego wieżowca, co wisi na linach, koło Kościuszki.

– Słyszałem, że tam mieszkania można kupić tylko za dewizy.

– Zelmer spojrzał porozumiewawczo na porucznika. – To wam się chyba musi nieźle powodzić?

– Odkładałem przez kilka lat – cicho powiedział doktor Szorstki. Zelmer się roześmiał:

– Ja to bym przez kilkanaście nie odłożył, chociaż uczciwie pracuję.

– Ja też nie dałbym rady – poparł go porucznik.

– Znalazłem trochę złota – przyznał po chwili wahania doktor Szorstki. – Złota jeszcze po Niemcach.

– O, nareszcie coś ciekawego. – Zatarł dłonie towarzysz Zelmer. – Chyba w końcu wychodzi na moje. To opowiedzcie nam o tym złocie, obywatelu.

– To złoto po byłych właścicielach kamienicy – zaczął wyjaśniać doktor Szorstki. – Freytag się nazywali. Jak uciekali, to albo bali się brać ze sobą, żeby ich Rosjanie nie obrabowali, albo myśleli, że i tak wrócą za miesiąc, jak front się odwróci, więc schowali kosztowności w piwnicy.

– W tej piwnicy? – Zelmer rozejrzał się z ciekawością.

Doktor Szorstki milczał.

– Czy może raczej w tym korytarzyku, co prowadzi do kościoła? – Zelmer pokazał palcem drzwi, za którymi leżało ciało Fryderyka. – Może tam je znaleźliście, szukając kielicha? A potem podzieliliście się. Wyście wzięli złoto, a Fryderyk kielich. A co potem się stało? Pokłóciliście się? O podział łupów? On chciał trochę waszego złota, tak? I żeście go za to zabili?

– Ja? W życiu bym nie potrafił zabić człowieka. – Doktor Szorstki zatrząsł się z przerażenia.

– To nie człowiek, to faszysta, hitlerowiec – machnął ręką Zelmer. – Jedną gnidę mniej.

– Współpracowałem z nim przy produkcji tych filmów – tłumaczył doktor Szorstki. – Do tego mogę się przyznać, natychmiast się przyznaję. Pomagałem mu szukać dziewczyn. Nawet w tej kamienicy mu znalazłem. Tak, przyznaję się do tego, ale przecież go nie zabiłem! Złoto znalazłem wcześniej, zanim przyjechał.

– Gdzie znaleźliście to złoto?

– W słoiku ze smalcem.

Zapadło milczenie.

– Wy sobie, kurwa, jaja ze mnie robicie – wycedził Zelmer przez zaciśnięte zęby. – Ja tu do was po ludzku, jak Polak do Polaka przeciw faszyście, a wy tu, kurwa, moją dobrocią gębę se wycieracie. Ale na komendzie chłopaki już wam pomogą. Już wam wsadzą w dupę niejeden słoik ze smalcem.

– Zaraz, chwileczkę, towarzyszu – wtrącił porucznik. – Ja na tych ziemiach jestem od końca wojny. Niemcy rzeczywiście chowali kosztowności, gdzie się dało. Nieraz słyszałem, że i w słoikach z przetworami. Może niech mówi?

– Absurd! – machnął ręką Zelmer. – Ale jasne, niech mówi. Posłuchajmy bajeczki.

– To było parę lat temu – zaczął opowiadać doktor Szorstki. – Sąsiedzi spod dwójki robili porządki w piwnicy. Mieli tam jeszcze różne rzeczy po Niemcach. Wśród nich te słoiki ze smalcem. Chcieli je wyrzucić, ale poprosiłem, żeby oddali mi je do zbadania.

– A co pan chciał badać w starym słoiku ze smalcem? – zapytał porucznik z niedowierzaniem.

– Interesowałem się specyfikami dawnych farmaceutów. W poniemieckich aptekach znajdowałem stare maści robione na bazie smalcu. Na przykład znakomite maści woskowe, *Unguentum cereum*, lub maści siarkowe, *Unguentum sulfuratum*, które zdumiewały mnie swoją jakością i trwałością, chociaż były robione na bazie smalcu, który podatny jest na jełczenie, o ile nie wzbogaci się go kwasem benzoesowym, który działa jak konserwant, co nam daje wtedy *Adeps benzoatus*...

– Daj pan spokój z tą chemią i przejdź pan do rzeczy! – zniecierpliwił się Zelmer.

– Tak jest, proszę pana – zgodził się doktor Szorstki, odzyskując jednak pewność siebie. – Chciałem więc poddać analizie taki stary tłuszcz, czysty *Adeps suillus*, na okoliczność zachowania jego podłoża lipofilowo-glicerydowego…

Towarzysz Zelmer odsłonił płaszcz, ukazując kaburę pistoletu.

– No i po odkręceniu wieczka znalazłem w środku złoto – dokończył natychmiast doktor Szorstki. – Pierścienie, łańcuchy i wisiory. Złoto i trochę brylantów.

– I co z tym zrobiliście? – zapytał porucznik.

– Sprzedałem u jubilera, mogę wskazać adres. Umyłem i sprzedałem.

– Wszystko?

– Tak jest, wszystko.

– A ten łańcuch? – porucznik pokazał łańcuch z Belloną znaleziony przy ciele Fryderyka von Brickena.

– Nie wiem, nie znam tego przedmiotu.

Porucznik milicji uważnie przyglądał się łańcuchowi, po czym podniósł go do nosa. Skrzywił się.

– I nigdy go nie widzieliście? – zapytał.

– Nigdy! – pewnie odparł doktor Szorstki.

– To dziwne. – Porucznik podał łańcuch towarzyszowi Zelmerowi. – Śmierdzi zjełczałym tłuszczem, prawda? Jakby ktoś cały czas nadal chował go w tym słoiku.

– Rzeczywiście – przyznał towarzysz Zelmer, biorąc łańcuch w dwa palce. – Wygląda jak wyjęty właśnie z tej dziwnej skrytki i oczyszczony dość pobieżnie. A to znaczy, że kilka rzeczy z tego, co tu obywatel opowiedział, nam się nie zgadza.

Porucznik wyciągnął kajdanki. Skuli doktora Szorstkiego i zaprowadzili do radiowozu. W bramie stała panna Julianna, która odprowadziła ich dziwnie obojętnym wzrokiem.

52.

Listy miłosne pana Teofila

– Gdzie chciałbyś teraz być? – zapytała Laurka. – Masz jakieś swoje wymarzone miejsce?

Przez chwilę się zastanawiałem.

– Moje wymarzone miejsce na ziemi nie ma stałych współrzędnych geograficznych, przesuwa się wraz z tobą i jest dokładnie między twoim lewym ramieniem i uchem.

Uśmiechnęła się. Staliśmy w bramie i całowaliśmy się jak zwykle przed rozstaniem na noc – mama Laurki zawsze na nas z tego powodu krzyczała, a my nieustająco mieliśmy nadzieję, że nikt nas nie zauważy. Tym razem zauważył pan Teofil. Wracał z sądu zmęczony przesłuchaniem w sprawie doktora Szorstkiego, na które został wezwany jako świadek, chociaż – co wielokrotnie powtarzał – nic nie miał do powiedzenia.

– Nie macie gdzie tego robić? – zaśmiał się na nasz widok.

Zazwyczaj całowaliśmy się w parku Południowym, ale trudno tak za każdym razem, gdy najdzie człowieka ochota, iść przez kwadrans do parku, żeby się pocałować. Wcześniej całowaliśmy się w naszej piwnicy, ładnie urządzonej pamiątkami po państwie Freytag, ale od czasu morderstwa Fryderyka nie było tam już romantycznej atmosfery. Pozostawał śmietnik. Codziennie umawialiśmy się po *Dzienniku Telewizyjnym* na wynoszenie wiader (w domu odpadki wrzucało się do wiader wyłożonych gazetami), ale ciągle tam ktoś przeszkadzał, bo w pobliżu był kiosk z piwem, a klienci nie mieli gdzie się wysikać. Natomiast w bramie całowało się całkiem miło – za drzwiami panował półmrok i było przytulnie, a poza tym, od czasu śmierci Smoka i założenia nowych zamków, nie śmierdziało moczem.

– Zostawię wam klucze, bo wyjeżdżam na dwa tygodnie odpocząć po pogrzebie brata – powiedział pan Teofil – a wy w zamian będziecie podlewać mi kwiaty, wszystko wam pokażę.

Zaprosił nas na górę i zrobił herbatę.

– Coś wam o całowaniu opowiem, taką swoją ciekawą historię.

A potem zaczął opowiadać o swoim nowym pomyśle na książkę – tym razem miało to być opowiadanie o listach miłosnych. Nie tylko jego własnych, nie tylko o tych, które wysłał i które dostał, lecz także o listach osób zupełnie mu obcych. Jego brat pracował na wrocławskiej poczcie przy ulicy Powstańców Śląskich, zaczął pracę tuż po wojnie i dopiero niedawno przeszedł na emeryturę. Przez ten czas, prawie trzydzieści pięć lat – cały stalinizm, zgrzebny socjalizm i chwilowy dobrobyt Gierka – przebierał w cudzej korespondencji, szukał listów o miłości, wyczuwając je jakimś instynktem albo zwyczajnie, jak pies na baby, znajdując je po zapachu. Być może brał do domu pliki tych najbardziej się wyróżniających, na których staranne pismo wiele obiecywało lub skromne i drobne litery starały się treść ukryć wstydliwie przed wzrokiem, a potem otwierał je nad parą z czajnika i jedne chował dla siebie, a drugie niósł z powrotem na pocztę.

– Nie wiem, po prostu nie wiem, jak on to robił, ale gdy zmarł i pojechaliśmy posprzątać jego mieszkanie przed stypą, otworzyłem szafę i wysypała się na mnie lawina listów w kopertach ze stemplami z czterech dekad – powiedział pan Teofil.

Czytał te listy godzinami, raz zatrwożony, że w ślad za bratem sięga tak głęboko w cudze tajemnice, raz wzruszony czyimś szczerym do bólu wyznaniem, ale głównie smutny, że cudzą miłość podgląda, obcym uczuciem się karmi i to nie on jest jego adresatem. Ale do listów zebranych przez brata chce właśnie w swojej powieści wrócić, poza tym dzięki nim przypomniało mu się, jak w szkole pisał chłopakom listy miłosne, niektóre nawet rymowane. Przynosili mu za to czekolady lub zaliczali za niego sprawdziany z zajęć technicznych, na przykład robiąc karmnik dla ptaków, latawiec lub drewniany piórnik. Dobrze mu szło, bo głowę miał pełną marzeń o miłości, a ciało pełne pryszczy oraz niespełnienia, co dawało mieszankę sprzyjającą natchnieniu.

Jego listy miały w sobie moc zdań pięknych, takich do zapamiętania albo przynajmniej nie do natychmiastowego zapomnienia.

– Brałem je z własnych pragnień i dzieliłem się nimi z dziewczętami, których nawet nie znałem i których urodę mogłem zaledwie przeczuwać – opowiadał pan Teofil, a Laurka słuchała oczarowana. – Oświadczyłem się niemal wszystkim dziewczynom w klasie, niestety zawsze pod nie swoim imieniem.

Podkochiwał się wtedy w płoworudej, piegowatej Kamili. Siedziała w ławce tuż przed nim, a on wpatrywał się w prześwitujący spod bluzki zarys ramiączek biustonosza kryjącego w małych miseczkach niewyobrażalne skarby. Domyślał się ich niemal na każdej lekcji i była to czynność, której oddany był bez reszty.

Raz przyszedł do niego chłopak ze starszej klasy z prośbą, żeby napisał mu list miłosny. Chłopak był od pana Teofila o dwie głowy wyższy, ćwiczył boks i podnoszenie ciężarów. Teofil bardzo chciał mieć w nim kolegę, więc napisał najpiękniej, jak umiał. Nie wiedział, kim jest jego wybranka, więc dla większego natchnienia wyobrażał sobie mocniej niż kiedykolwiek maleńkie piersi Kamili. Marzył o tym, że Kamila odwraca się na lekcji i ma rozpiętą bluzkę, a on wreszcie widzi te dwa przecudne stożki wzrostu. I całuje je, całuje, całuje bez końca. Na końcu listu z rozpędu napisał: „Marzę, by Cię w końcu pocałować. Na zawsze Twój niegodny i pryszczaty Teofil w okularach".

Dwa dni później ze zgrozą zobaczył ten list na jej ławce, okazało się, że dryblas też się zadurzył w Kamili. Co gorsza, ten wyrośnięty leń nawet tego listu nie przepisał, nie mówiąc już o przeczytaniu, tylko od razu włożył do koperty i zakleił, więc dał go jej z podpisem pryszczatego Teofila w okularach.

Teofil widział, jak ona zerka na ten list, czyta zdanie, potem chowa go do książki, po czym wyciąga i znów czyta fragment, i tak przez całą lekcję. Na przerwie nie wyszła na korytarz, tylko została w ławce, a gdy Teofil wstał, by pójść do toalety, odwróciła się i zapytała:

– Dlaczego sam mi nie dałeś tego listu, tylko wysłałeś kolegę?

Nie wiedział, co odpowiedzieć, na wszelki wypadek milczał jak grób.

– Naprawdę tak bardzo chciałbyś mnie pocałować?

Teraz milczał już jak sto grobów, jak mauzoleum, milczał jak cały cmentarz.

– Wcale nie jesteś taki pryszczaty – przekonywała słodko Kamila – i nie przeszkadzają mi twoje okulary. Przecież można je zdjąć do całowania.

Nigdy by o tym nie pomyślał. Rzeczywiście, przecież okulary można zdjąć do całowania.

Można je zdjąć także do bicia, co zrobił kilka dni później leniwy dryblas, gdy się dowiedział, że Teofil chodzi z Kamilą.

Laurka słuchała ze wzruszeniem i od czasu do czasu zerkała na mnie wymownie, dając do zrozumienia, że w pisaniu listów miłosnych są między mną a panem Teofilem znaczne różnice. Zrobiłem minę obojętną. Ja wiem, że na wzruszenie kobiet mężczyzna nie powinien odpowiadać wzruszeniem ramion, ale nie widziałem sensu w pisaniu listów do kogoś, kto mieszka za ścianą.

Potem pan Teofil pouczył nas, żebyśmy głupstw nie robili gdzieś tam w zakamarkach, co dorastająca młodzież zazwyczaj ma w zwyczaju. Po chwili zmienił zdanie i dodał, że pewnie właśnie po to wymyślono zakamarki, by robić w nich głupstwa. Wręczył nam pęk zapasowych kluczy i pokazał, jak sprawnie chodzą wszystkie zamki, a my poczuliśmy się jak młode małżeństwo, które dostaje przydział na własne mieszkanie. Toteż, gdy nazajutrz wyjechał, od razu pognaliśmy na górę, by prowadzić życie dorastającej młodzieży i robić głupstwa w każdym zakamarku i gdzie tylko się da.

Laurka przyniosła z domu rosół w słoiku, a ja pół litra wódki i sok malinowy, w związku z czym po raz pierwszy w życiu upiłem się do nieprzytomności. Śniło mi się, że spotkałem Śpiącą Królewnę, a może raczej – odnalazłem ją w łóżku lub trafiłem tam na nią, bo przecież trudno kogoś śpiącego spotkać. I była taka jak w prawdziwej bajce. Filigranowa piękność o oliwkowych oczach leżała na wznak, przykryta lekką kołdrą. Pocałowałem ją delikatnie w policzek i czekałem na to, co się za chwilę stanie. Ale nie stało się nic, Śpiąca Królewna nadal spała. Aha, pomyślałem sobie, książę z bajki pewnie lepiej całował, bo jego królewna wstała od razu. Pochyliłem się nad królewną ponownie i pocałowałem jej lekko rozchylone usta. Cichutko westchnęła. I nic. Zacząłem się niepokoić. Może to nie jest ta właściwa królewna? Może to królewna z zupełnie innej bajki, a ja ją niepotrzebnie przez sen molestuję? Pochyliłem się nad jej ustami ponownie, tym razem całując mocno, długo i namiętnie, a nawet używając języka. Bez skutku. Wpadłem w lekką panikę. Co robić? Uciec, zanim ktoś mnie tu złapie, czy próbować dalej? Może jeszcze raz, ostatni, wszak do czterech razy sztuka. Tym razem zsunąłem nieco kołdrę i przylgnąłem ustami do jej piersi. Całowałem dobry kwadrans, początkowo ostrożnie, a potem śmielej, w końcu wręcz szaleńczo, ssąc i przygryzając sutki. Kilka razy jęknęła, nie przerywając snu.

Zrzuciłem kołdrę na ziemię, zsunąłem się na brzuch Śpiącej Królewny, a potem na jej jasne łono – trudno, pomyślałem, nawet jeżeli to nie jest właściwa królewna i obmacuję zupełnie inną, to może jednak uda mi się ją obudzić, przez co jakiś dobry rycerz albo szlachetny książę będzie miał mniej fatygi, a ja dobry uczynek. Kolejny kwadrans spędziłem z głową między jej udami – pachniała przecudnie i czułem, że jest już bardzo wilgotna, ale pobudzenie to nie to samo co przebudzenie. Mimo moich wysiłków królewna wciąż spała.

Zza okien wieży dobiegły mnie dziewczęce szczebioty i śmiechy beztroskie. Zniechęcony nieskutecznym całowaniem królewny wstałem i podszedłem do okna. Trzy nagie rusałki biegały po łące, a ich piersi falowały w gęstych łanach traw. Na palcach, cicho, żeby przypadkiem nie zbudzić królewny, ruszyłem w kierunku drzwi. Złapałem za klamkę, nacisnąłem, wstrzymując oddech. Na szczęście drzwi uchyliły się bezszelestnie. Byłem już prawie na korytarzu, gdy nagle usłyszałem pełen pretensji głos.

– Dlaczego przestałeś mnie całować? – zapytała Laurka, siadając na łóżku. – Wciąż jeszcze jestem obrażona.

Potem zrobiła mi herbatę oraz awanturę, jedno i drugie podając do łóżka.

– To była nasza pierwsza wspólnie spędzona noc – jęczała – a ty zasnąłeś tuż po *Dzienniku Telewizyjnym*, dopiero teraz, nad ranem, zacząłeś się budzić. Doprawdy, wcale nie jestem pewna, czy nadal chcę z tobą chodzić.

Zacząłem Laurkę przepraszać i mówić, jaka jest piękna i że całe swoje marne życie oddałbym za to, by móc ją całować, tak jak tej nocy minionej, gdy wydawało mi się, że śnię. Wtedy zrozumiałem, że pan Teofil miał rację, mówiąc nam tyle o listach miłosnych, bo ja nie ułożyłem jeszcze listu, lecz wypowiedziałem zaledwie dwa miłosne zdania, a Laurka cała już była rozpogodzona.

Kiedy mówiłem, pochylała się nade mną, przez co czułem, że słowa są po to, by usta kochanków zbliżyć do siebie, a w końcu nasze usta były już tak blisko, że nie trzeba było słów. Zobaczyłem jej oczy tuż przy moich, były wielkie jak dwa rozszerzające się wszechświaty, poczułem dotyk jej ust, mając świadomość, że właśnie zbliża się ta chwila, w której z jej ciała nieodwracalnie zniknie zapach truskawek.

Potem krzątaliśmy się trochę po domu, wzajemnie przypominając sobie o prośbie pana Teofila, by podlewać kwiatki, ale zawsze było coś pilniejszego, jak przytulenie kolejne, pogoń dookoła stołu lub niemogący dłużej czekać pocałunek. Byliśmy zajęci tylko sobą, może nawet przesadnie lub histerycznie, cały dzień dotykaliśmy swoich ciał, uczyliśmy się ich na pamięć, gorliwie, tak jakbyśmy na jutro mieli z nich zapowiedziany sprawdzian. Ale i tak ciągle nam było mało, przypominałem sobie zarys jej piersi także wtedy, gdy nachylała się nam moim talerzem, pytając, czy chcę mieć w rosole marchewkę.

Przed wyjściem uświadomiliśmy sobie, że kwiatki pana Teofila nadal są niepodlane, chociaż głównie po to powierzył nam swoje klucze. Wiele razy z niedowierzaniem chodziliśmy z pokoju do pokoju, tam i powrotem, zaglądając nawet do zamkniętych szaf, ale nigdzie żadnego kwiatka nie mogliśmy znaleźć, i mimo wszystkich innych zdziwień tamtego dnia to było jednak najdziwniejsze.

53.

Medalion z boginią wojny

Doktor Szorstki nie był typem mordercy, nie patrzył spode łba ani się nawet nie boczył, co najwyżej czasami tylko burczał na powitanie, zamiast ładnie powiedzieć „dzień dobry", ale jak ktoś burczy, to nie znaczy od razu, że jest mordercą. Nikt w naszej kamienicy nie wierzył, że to on popełnił zbrodnię, ale milicja, prokurator i sąd byli innego zdania – trzymali go najpierw przez dwa lata w areszcie, a potem wsadzili do więzienia.

Adwokatowi trudno było udowodnić niewinność klienta, bo ciało Fryderyka zostało znalezione w piwnicy zamkniętej na klucz, który mieli tylko doktor Szorstki oraz Rozala. Towarzysz Zelmer uznał ją jednak od razu za kobietę bez motywu, porucznik milicji to potwierdził, i od tej pory wszyscy w kamienicy mówili, że jest kobietą bez motywacji. Brzmiało to dość pesymistycznie – tak jakby mówili, że nie ma przyszłości – ale przynajmniej nie poszła do więzienia. Poszedł Szorstki, bo sędzia nie uwierzył jego zapewnieniom, że swój klucz przekazał Fryderykowi. Ani w piwnicy, ani też przy ciele ofiary go nie znaleziono, z czego wynikało, że morderca musiał zamknąć drzwi od zewnątrz.

Głównym dowodem był jednak upaprany w poniemieckim smalcu łańcuch z Bellońą, doskonale pasujący do wcześniejszych opowieści doktora Szorstkiego. Można więc powiedzieć, że doktor sam się nimi pogrążył. Przyznał przy okazji, że kilka dni po odkryciu niecodziennej zawartości słoika włamał się do piwnicy moich rodziców i ukradł pozostałe, ale oprócz starego smalcu nic w nich nie było. Przywołał nawet na świadka pannę Juliannę, u której te słoiki przez kilka dni przechowywał, bojąc się rewizji w swoim mieszkaniu.

Przez dwa lata aresztu adwokat namawiał doktora Szorstkiego, żeby się jednak przyznał, a wtedy wymyślą jakieś okoliczności łagodzące i zamiast na dożywocie lub dwadzieścia pięć lat więzienia sąd skaże go na dziesięć lat, od których odejmie dwa lata aresztu, a potem jeszcze zapewne odejdą dwa lata za dobre sprawowanie, czyli do odsiedzenia zostanie sześć lat, a kto wie, może jeszcze trafi się amnestia. Doktor Szorstki uległ w końcu i smętnie kiwał głową, gdy jego adwokat oświadczył, że klient przyznaje się do morderstwa, które popełnił z powodu głębokiego uczucia, kochał bowiem od lat pannę Juliannę i nie mógł ścierpieć tego, że zabrał mu ją niemiecki imperialista, który przyjechał do Polski w celach produkcji pornografii. Zeznał też, że morderstwa dokonał podczas bójki, w afekcie spowodowanym tym, że Fryderyk chciał wykorzystać do zdjęć pannę Juliannę, tak jak poprzednio wykorzystał Wieczne Potępienie oraz Money Lizę. W tym wszystkim nie zgadzało się tylko to, że początkowo doktor Szorstki twierdził, że znaleziony przy Fryderyku łańcuch z Belloną należał do panny Julianny, a w końcu się z tego zeznania wycofał, w związku z czym wisior pozostał w śledztwie jako przedmiot niewiadomego pochodzenia.

Sąd przesłuchał wszystkie panie – Money Liza przyznała się do zdjęć ochoczo i chciała nawet zaprezentować sądowi, jak to było, Wieczne Potępienie powiedziała, że doszło do zdarzeń jednorazowych i chodziło tylko o stworzenie profesjonalnego portfolio, natomiast panna Julianna głównie się czerwieniła.

Adwokat przedstawił też sądowi pornograficzne zdjęcia zrobione przez Fryderyka i przypomniał o nazistowskiej przeszłości Beate Uhse, co na sali sądowej wywołało ogólną niechęć do kapitalizmu, a do denata w szczególności, i doktor Szorstki zamiast na dziesięć lat został skazany na siedem, a to przecież szczęśliwa liczba. Sąd zmienił przy tym klasyfikację czynu, stawiając zarzut już nie morderstwa z premedytacją, lecz pobicia ze skutkiem śmiertelnym, w dodatku pobicia w obronie własnej. Wiadomo bowiem, że jak przyjechał Niemiec do nie swojej kamienicy, to pewnie chciał napaść, zdarzało im się to przecież w przeszłości.

Jedno tylko mnie zastanawiało: niebywały spokój panny Julianny. Ojciec bardzo ją lubił, podobała mu się i chyba niepotrzebnie wdałem się z nim w rozmowę o swoich podejrzeniach.

– Nigdy nie przepadałem za tym Szorstkim – powiedział kiedyś ni stąd, ni zowąd.

– A mnie coś w tym wszystkim bardzo dziwi… – przyznałem po chwili.

– Tak?

– Te słoiki z naszej piwnicy widziałem w szafie panny Julianny.

– Kiedy? – ojciec spojrzał na mnie podejrzliwie.

– Jak chodziłem do niej na korepetycje.

– Dlaczego nic nie powiedziałeś?

– Wyszłoby na to, że grzebię komuś w szafie. A to był przypadek. Jak wychodziłem, to przyszedł do panny Julianny doktor Szorstki.

– Ciekawe… Ponoć coś ich łączyło – westchnął ojciec ze smutkiem.

– Panna Julianna wiedziała więc o znalezisku. Mogła Szorstkiego spotkać na schodach, gdy wracał z naszej piwnicy, lub sam jej wyznał, co znalazł. Może chciał się pochwalić, zaimponować albo się po prostu wygadał.

– Może, ale to i tak bez znaczenia. Szorstki powiedział, że w tych następnych słoikach niczego nie było. Chciałbym w to wierzyć, bo nie darowałbym sobie, gdyby taki majątek przeszedł nam koło nosa.

– Prawda mogła być inna.

– Czy ja wiem? Nie, nie, takie pieniądze w naszej piwnicy? Nie wierzę.

– Panna Julianna miała powód, by zabić Fryderyka.

– Zwariowałeś? Dlaczego miałaby to zrobić? – poderwał się ojciec.

– Z zazdrości. Czekała na niego tyle lat, a on przyjechał i zaczął robić te wszystkie świństwa.

– Bzdury! Wyrzuciłaby go, ale nie zabiła!

– Tylko ona wiedziała, że klejnoty były schowane w tym idiotycznym smalcu.

– I co by z tego wynikało?

– To, że przy Fryderyku znaleziono złoty łańcuch. Podrzuciła go, żeby podejrzenie o morderstwo padło na doktora Szorstkiego. Wiedziała, że milicja bez trudu odkryje źródło jego bogactwa, a on się przyzna do jego pochodzenia, bo przecież znalezienie złota w słoiku po Niemcach nie jest jeszcze przestępstwem.

– O jednym tylko zapominasz – ojciec spojrzał na mnie z tryumfem.

– O czym?

– Przecież Szorstki się przyznał!

– A ty byś się nie przyznał, jakby cię dwa lata w areszcie trzymali, a adwokat by obiecał, że tylko to może cię uratować od dożywocia?

Chwila milczenia.

– Sam nie wiem. To są sytuacje ekstremalne, człowiek nigdy nie wie, jak się w nich zachowa…

– Jest jeszcze jeden dowód.

– Jaki?

– Na tym łańcuchu był medalion z Bell*oną, boginią wojny. Panna Julianna zostawiła go tam jako znak swojej zemsty. To jej ulubiony symbol. Wiele razy go u niej widziałem.

– Ten sam medalion?

– Sęk w tym, że nie ten sam. Mniejszy.

– Trudno uwierzyć. Chociaż… – zawahał się ojciec. – Rzeczywiście, na Szorstkiego najłatwiej byłoby zrzucić podejrzenie. Poza tym współpracował z Fryderykiem, wiedział o tych wszystkich świństwach, może nawet w nich uczestniczył, więc mogła mieć do niego pretensję. Przy okazji zemściła się także i na nim. Zastanawia mnie to, że on jej jednak nie wsypał.

– Próbował przecież – mówił, że ten łańcuch z Bellą należał do niej.

– To dlaczego z tego zeznania się wycofał?

– Bo nie miał na to dowodów, a to znaczy, że tylko oni dwoje o tym łańcuchu wiedzieli.

– Ale to by znaczyło, że tamte słoiki nie były puste! On bał się o tym powiedzieć milicji, a ona ma teraz resztę klejnotów Freytaga! – ojciec najwyraźniej powoli przekonywał się do mojej teorii. – Boże, taki majątek ukradli nam sprzed nosa! Co za złodzieje! Myślisz, że pannie Juliannie coś z tego zostało? Czy może zabrał ktoś z milicji? A może się z nimi dogadała?

– A z czego ona żyje?

– Kiedyś z korepetycji, teraz… Nie wiem.

– No to już wiesz.

– Dogadała się, pewnie się dogadała – powtarzał ojciec rozżalony.

54.

Rudy Tomek zmienia bułką porządek w Europie

Początkowo spoglądaliśmy z ojcem na pannę Juliannę podejrzliwie, ale i z ciekawością, tak jakbyśmy się spodziewali, że lada moment coś ją zdradzi – jakiś gest, nierozważne słowo – lub po prostu z torebki wypadnie jej na przykład zakrwawiona chustka, o której w tamtej piwnicy zapomniała. Ale nic takiego się nie działo, mijały dni i miesiące, panna Julianna wciąż była lekko smutna i udawała niewinność tak dobrze, że można było uwierzyć. Powoli zaczynało wyglądać więc na to, że żaden sąd już się o nią nie upomni, bo sprawiedliwość ma o tym wszystkim własne zdanie. Nie byliśmy mądrzejsi ani lepsi od sprawiedliwości, przechodziliśmy więc nad czynem panny Julianny do porządku dziennego, zakładając dla spokoju naszych sumień, że w naszych domysłach mogliśmy się mylić. Czas jest łaskawy dla złych uczynków, a my nie chcieliśmy być gorsi od czasu.

Przez dwa lata od procesu doktora Szorstkiego niewiele się w naszej kamienicy zmieniło – ja zacząłem studiować dziennikarstwo, a Laurka dostała się do Państwowej Wyższej Szkoły Sztuk Plastycznych (dziś ASP). Ojciec ponownie został dyrektorem, tym razem stacji technicznej obsługi samochodów, i był nim przez półtora roku. Potem pojawiły się skargi, że jest niekompetentny, więc przesunięto go na funkcję dyrektora zakładów mięsnych. Wtedy dyrektorem często zostawało się dożywotnio, zmieniano im jedynie branże.

Stawałem się mężczyzną, dorastałem, coraz częściej zastanawiałem się nad swoim ojcem. Czy będę taki sam? Na ile w ogóle go znam, na ile wiem, jaki on jest? W gruncie rzeczy był postacią dramatyczną. Biedny polski partyzant, pełen wspomnień o brzozowych lasach, pachnących ogniskach i po słowiańsku kochliwych dziewczętach. Przypadkiem trafił do Wrocławia, gdzie poznał kobietę z uporządkowanym po niemiecku światem, oddaną i wierną, ale w uczuciach dość chłodną, chociaż czuła i ciepła śląskość niekiedy próbowała się o nią upominać. Zakosztował przy niej innego życia. Luksusowego jak paczki, które przychodziły z Niemiec. Obfitego jak dwudaniowy obiad z kompotem i deserem. W Wierzbce pod Opatowem, skąd pochodził, tego nie było. Nowy świat był sycący i mu smakował, ale ojciec nie rozumiał go. I to nie tylko dlatego, że ten świat mówił do niego po niemiecku, podstawiając mu *rote Grütze* – deser na bazie pretensji, że brak w nim nikomu nieznanego sago.

Matkę i ojca różniło wszystko. Ona była drobną, niebieskooką blondynką, wciąż ładną i zgrabną, wrażliwą, pełną gracji i delikatną. On – wielkim, krępym, czarnookim brunetem o niezdarnych ruchach i urodzie stodoły. Gdy rozmawiali, słychać było tylko jego głos – tubalny, mocny, dudniący, jakby ktoś grał na bębnach. Ona mówiła cicho, niemal szeptem, jakby z obawą, że nie jest w swoim domu i za chwilę przyjdzie gospodarz pełen pretensji, że mu spać nie dają. Jeśli się nie kłócili, mówiła głosem, który nie miał śmiałości, by zabrzmieć. Czasami, nawet gdy ojciec krzyczał, ona sobie spokojnie szeptała. Im głośniej krzyczał, tym szeptała ciszej. Ale to zazwyczaj jej zdanie liczyło się bardziej, nawet jeśli trudno je było usłyszeć. Nie wiem, jak to robiła – może po prostu wychodziła z założenia, że jak ktoś krzyczy, to nie ma nic do powiedzenia. Powtarzała to zresztą dość często: „Jak ktoś ma coś do powiedzenia, to nie krzyczy".

Ojciec mawiał, że prawdziwy mężczyzna musi spłodzić syna, zbudować własny dom, zasadzić drzewo. Był w jednej trzeciej tej drogi, a powoli zbliżał się do pięćdziesiątki. Matka nie chciała nawet myśleć o budowie domu. Tu miała dom powierzony jej wraz z tajemnicą i misją czuwania nad kielichem Lutra. Misją, przez którą wciąż nie mogła się zdecydować, by z Polski wyjechać. Matka była w naszym domu mniejszością niemiecką, która nas zdominowała.

Z czasem ojciec zaczął dostrzegać, że życie to w gruncie rzeczy zdarzenie bardzo krótkotrwałe. Lata mijały, a wokół zmieniały się tylko zasłony w oknach. Dom pełen był wciąż tych samych wspomnień, w dodatku nie jego, lecz cudzych. Gorzkniał, stawał się nieszczęśliwy. Uciekał do swoich tęsknot z młodości, takich jak imiona dziewcząt w jego partyzanckich piosenkach. Słyszałem je często. Na przykład o Małgorzatce:

Sanitariuszka Małgorzatka
To najpiękniejsza jaką znam,
Na pierwszej linii do ostatka
Promienny uśmiech niesie nam.
A gdy nadarzy ci się gratka,
Że cię postrzelą w prawy but,
To cię opatrzy Małgorzatka
Słodsza niż przydziałowy miód.

Matka podejrzewała ojca o romans z sekretarką, długonogą dwudziestopięciolatką o imieniu Iza i tak wielkim biuście, że każdy mężczyzna się za nią oglądał, chyba że był księdzem, któremu nie wypada. Przez te swoje piersi głowę nosiła tak wysoko, że nigdy nie widziała ziemi. Nie dostrzegała też zwykłych Ziemian, uśmiech miała tylko dla dyrektora. I chyba nie tylko uśmiech. Gdy ojciec był w pracy, przychodziła w spódnicach tak krótkich, że musiała wiele wysiłku wkładać w to, żeby nie było jej widać majtek. Wtedy każdy miał wrażenie, że na tym właśnie polega jej praca – na zasłanianiu majtek. Cały czas obciągała tę spódnicę, zakładała nogę na nogę i wierciła się na krześle. A gdy tylko ojciec wyjeżdżał w delegacje, przychodziła w spódnicach za kolana, tak jakby dla innych szkoda było tego widoku.

Z powodu długonogiej Izy matka coraz częściej miała zaczerwienione oczy. Chciałem ojca wtedy znienawidzić, ale nie potrafiłem. Nadal go kochałem, chociaż coraz częściej myślałem, że byłoby lepiej dla wszystkich, gdyby się wyprowadził razem z tymi swoimi partyzanckimi piosenkami o brzozach.

Matkę cieszyły już tylko wizyty Tyranii, która czasami odwiedzała nas ze swoją córeczką. Rudy Tomek pracował wtedy w PZL Hydral przy produkcji silników lotniczych i był fanem samolotów Iskra. Chciał też tak nazwać swoją córkę, ale w urzędzie stanu cywilnego się na to nie zgodzili, argumentując, że dziecko nie może nazywać się tak jak samolot. Kompromisowo dali jej więc na imię Fawila, co po łacinie znaczy właśnie iskra, zarzewie lub rozżarzony węgiel. Mama wołała na nią: Iskra, Skierka lub Iskierka, dodając, że kochane dziecko tysiąc imion ma. Zakładała nogę na nogę, kładła ją na stopie i kołysała, śpiewając:

Hoppe, hoppe, Reiter,
Wenn er fällt, dann schreit er.
Fällt er in die Hecken,
Tut er sich erschrecken.
Fällt er in den Sumpf,
Macht der Reiter plumps!

„*Hoppe, hoppe, Reiter*", czyli „chyżo, chyżo, jeźdźcu", to taka dziwna piosenka o tym, że jak dziecko upadnie na kamień, to nabije sobie guza, a jak wpadnie do bagna, to usłyszy plusk. Takie było wspólne przesłanie, wspólna rymowanka naszego dzieciństwa. Najpierw mama śpiewała ją Tyranii, potem mnie, a w końcu Iskierce. Wszyscy wychowaliśmy się na tych samych historiach, na zwrotkach o bagnie, i tylko czekałem, aż mama zacznie opowiadać wnuczce o Atlantach. Gdy w wieku czterech lat Iskierka poszła do przedszkola, wychowawczyni zapytała ją o ulubioną piosenkę, a wtedy Iskierka zaśpiewała po niemiecku.

Ojciec niemal nie dostrzegał wnuczki. Chyba w ogóle nie przepadał za dziećmi i sprawiał wrażenie, jakby w swoim życiu etap niańczenia uważał za definitywnie zakończony.

W nagrodę za objęcie nowego stanowiska dostał talon na samochód. To był produkowany od niedawna Polonez, model z silnikiem wzmocnionym do osiemdziesięciu dwóch koni, czyli torpeda. W pierwszą podróż wyruszyliśmy na Kampinoską. Po drodze ojciec zacierał ręce i mówił, że teścia Tyranii z zazdrości szlag trafi. Nie zauważył jednak dziury w jezdni, wjechał w nią i urwał zawieszenie w nowym samochodzie. We Wrocławiu wiele od czasów wojny się zmieniało, ale nie dziury w jezdniach. Dziury pozostawały niezmienne.

Nie po to jednak ojciec był dyrektorem z silnym zapleczem partyjnym, żeby brać winę na siebie, napisał więc stosowne oświadczenie, domagając się wymiany samochodu na nowy w ramach gwarancji. Po dwóch miesiącach otrzymał zapewnienie, że sprawa zostanie załatwiona pomyślnie w trybie pilnym, to znaczy siedmiu miesięcy.

Zaczęły się wakacje i głównym zmartwieniem ojca było to, że nie będzie miał czym na nie pojechać, a w kraju tymczasem zaczęły się dziać dziwne rzeczy. Pierwszego lipca 1980 roku rząd postanowił po cichu podnieść ceny żywności.

Rudy Tomek był wówczas na delegacji w Świdniku, w zakładzie produkującym śmigłowce. Rano weszli z kolegami na śniadanie do bufetu. Tomek zamówił bułkę z żółtym serem i zdębiał. Dzień wcześniej kosztowała pięć złotych, a teraz bufetowa życzyła sobie dwanaście, tłumacząc, że przez noc ceny urosły.

– Pierdolę to, nie idę do roboty – powiedział Rudy Tomek, bo miał przy sobie tylko pięć złotych i był głodny, a gdy Polak głodny, to zły.

– Pierdolimy to, też nie idziemy do roboty – zagrozili pozostali, myśląc początkowo, że to bufetowe w ich stołówce oszalały z pazerności.

Dwie godziny później, z powodu podwyżek cen w bufecie, strajkował już zakład, a po miesiącu strajki objęły całą Polskę. Na ich czele stanął Lech Wałęsa i tak powstała „Solidarność" ze swoimi dwudziestu jeden postulatami, ale Rudy Tomek do dziś twierdzi, że Wałęsa jest uzurpatorem, bo to wszystko z powodu bułki z żółtym serem.

Strajk dotarł także do zakładu ojca, który z Wieczorowego Uniwersytetu Marksizmu i Leninizmu pamiętał, że władza powinna należeć do robotników, więc dość nieostrożnie, ale z przekonaniem ich poparł, w związku z czym został natychmiast przez partię odwołany. Za karę nie dostał też obiecywanego poloneza Lux, który był przeznaczony dla lojalnych towarzyszy, lecz takiego w wersji Popular, produkowanego z myślą o zwykłych obywatelach i dlatego pozbawionego takich luksusów jak kołpaki na koła, wycieraczka tylnej szyby, radio, światła awaryjne, lampka oświetlenia wnętrza, obrotomierz oraz wskaźnik ciśnienia oleju.

Wraz z utratą posady ojciec stracił też względy długonogiej Izy, która nadal nosiła krótkie spódniczki, ale już dla nowego dyrektora. Ojciec od razu poczuł się represjonowany, więc gdy zaproponowano mu wstąpienie do NSZZ „Solidarność", zgodził się bez wahania.

To wszystko mocno nadszarpnęło jego nerwy. Przestał kupować „Trybunę Ludu", a zaczął słuchać Radia Wolna Europa i rozpoczął prywatną krucjatę przeciw systemowi. Nigdy nie potrafił ogarnąć go w makroskali, walczył więc z nim w skali mikro – koncentrował się najpierw na kolejnych odmowach w sprawie wymiany poloneza, a potem wrócił do kwestii zasadniczej i wysyłał listy o jezdniach i chodnikach. Że są dziurawe, popękane i nierówne, że grożą wypadkiem, śmiercią lub kalectwem. O dziwo, w odróżnieniu od makroekonomii i dziur w gospodarczym kosmosie, dziury w jezdni spotykały się ze zrozumieniem.

Dziura w jezdni dla każdego była tworem realnym i złem oczywistym, każdy w nią wpadł niejeden raz w życiu, w odróżnieniu od dziur w budżecie państwa, o których się tylko słyszy, ale nikt ich osobiście nie ogląda. W budżetową dziurę nikt nigdy nawet palca nie włożył, a dziura w chodniku niejedne złamała obcasy. Zaczął więc ojciec dziury z najbliższego sąsiedztwa szczegółowo opisywać i jeśli w terminie ustawowym trzydziestu dni odpowiedzi na pismo nie dostał, od razu wysyłał skargę o szczebel wyżej, co zawsze było skuteczne, i najpierw – z tego wyższego szczebla – przychodziło urzędowe podziękowanie za obywatelską postawę wraz z obietnicą, że sprawa zostanie załatwiona, potem zaś od adresata pierwotnego dostawał pełne frasunku zapewnienie o niezwłocznej reperacji w miarę dostępnych środków. Parę razy się zdarzyło, że mimo pism ojca chodniki nadal szczerzyły się szczerbatym uśmiechem, a wtedy niósł dokumentację do gazet lub do telewizji: „O, proszę zobaczyć, co ta władza człowiekowi na piśmie obiecuje, a potem nic nie robi, tak z całą gospodarką polską jest, jedna wielka dziura, której nikt nie chce załatać, chociaż obiecywali". Następnie, z wycinkiem prasowym, ruszał w niekończącą się drogę korespondencyjną, śląc skargi najpierw do urzędu miasta, potem do Komitetu Wojewódzkiego PZPR, później do Komitetu Centralnego PZPR, w końcu do Sejmu oraz Najwyższej Izby Kontroli. Z każdej instytucji otrzymywał pismo z wieloma pieczęciami i solenne zapewnienie o rychłym załataniu dziury. W istocie po pewnym czasie dziura znikała, ale w jej sąsiedztwie natychmiast powstawała nowa, zupełnie jakby dziury miały grzybnię niczym muchomory w lesie i przez nią się rozmnażały.

Jako społecznie zaangażowany obywatel został w końcu dostrzeżony przez biuro interwencji Sejmu i został jego etatowym pracownikiem. Wtedy postanowił podejść do świata systematycznie i zaczął katalogować wszystkie dziury w dzielnicy. Każda była szczegółowo opisana, z dokładną lokalizacją i wymiarami, a niektóre ze zdjęciem. Zazwyczaj każde osiedle miało swój odrębny atlas dziurawych ulic, chociaż zdarzały się i takie dziury, które pojedynczo zajmowały cały segregator. Z biegiem czasu działalność ojca wyszła poza rejon dzielnicy – z grupką pozyskanych przez gazetę działaczy katalogował całe miasto. Po roku miał zewidencjonowane wszystkie dziury w mieście. Wówczas, przy wsparciu zakładowego związku „Solidarność", który widział w nim ofiarę represji politycznych, otrzymał propozycję zostania dyrektorem wojewódzkiego zarządu dróg i mostów. Jego pierwszą decyzją było zatrudnienie długonogiej Izy, sekretarki o niewątpliwych kwalifikacjach w zasłanianiu majtek mimo niesprzyjająco krótkiej spódnicy.

55.

Mapa rektora Helwiga

Idąc w kierunku uniwersytetu, przechodziłem zawsze przez Szewską, obok antykwariatu – jeśli nie spieszyłem się na zajęcia, przystawałem przy jego witrynie, przyglądając się książkom i mapom. W sklepach już nawet nie było pustek, tylko czarna dziura zaopatrzenia PRL, podciśnienie zdolne wessać każdy towar, i tylko antykwariaty oraz handlujące antykami desy wciąż miały swoim klientom coś do zaoferowania.

To w nich wrocławianie wymieniają się pochodzeniem. Kresowiacy oddają resztki rzeczy przywiezionych zza Buga: obrazy, zastawy, obrusy. Kresowość odchodzi z pokoleniami, a młodzi pamiątek nie potrzebują – nigdy na wschodzie nie byli, a opowieści o Wilnie i Lwowie mają powyżej uszu, nie chcą pielęgnować nie swoich wspomnień. Ci, którzy wprowadzili się do mieszkań pełnych cudzych sprzętów, też sentymentów do nich nie mieli. Czego się dało używać – używali, a czego już użyć się nie dało – lądowało na śmietniku. Cudze łóżka, stoły, młynki do kawy, pojemniki na ryż albo sago. Wszystko praktycznie opisane, z nazwami i miarkami na słoikach. Nazwy te dla tych, którzy ich używają, pozostają jednak obce, i matka wciąż się dziwi, że ktoś może trzymać sól w słoiku z napisem „Mehl".

To nieprawda, że ludzie dbają tylko o lepszą przyszłość, równie często brakuje im lepszej przeszłości. Właśnie w takich desach i antykwariatach godniejszej niż własna historii szperają ci, którzy pamiątek z domu wynieść nie mogli. Dobierają to, czego im najbardziej brakuje. Jedni potrzebują zdjęć, żeby wisiały na ścianach w przedpokoju i potwierdzały to, czego nigdy nie było, drudzy szukają kodeksów i książek, żeby podkreślić prawnicze czy lekarskie tradycje rodziny.

Doktor Szorstki miał całą ścianę w certyfikatach niemieckich farmaceutów, chociaż w rodzinie nigdy nie miał żadnego Niemca. Pośrodku wisiał jego dyplom i wyglądał na zawodową konsekwencję adoptowanej rodziny. U pana Henryczka pysznił się w salonie kupiony na pchlim targu portret adoptowanego przodka, na którym mężczyzna o sumiastych wąsach wciąż ufnie patrzył w przyszłość, chociaż dla niego już jej nie było. Nawet u Rozali wisiał portret papieża Piusa X z imienną dla niej dedykacją z okazji pielgrzymki, w co o tyle trudno nam było uwierzyć, że w czasie jego pontyfikatu naszej sąsiadki nie było jeszcze na świecie. Zresztą nie ma co daleko szukać – w naszym mieszkaniu też pyszniła się przecież nie nasza wielkopańskość ujęta w złote ramy.

We Wrocławiu o szczegóły pochodzenia nie należało pytać. Każdy jest skądś, przy czym większość sprawia wrażenie, że znikąd. W desach i antykwariatach zgodnie z ideą marksistowskiego internacjonalizmu leżały obok siebie komplety zdjęć, porcelany, piór i kałamarzy, z których czerpano atrament do pisania miłosnych wyznań po niemiecku, polsku, ukraińsku. A jak kałamarz był z wyższej półki, to i po francusku.

Czasami do antykwariatu na Szewskiej zanosiłem rzeczy z piwnicy, które zazwyczaj okazywały się mało wartościowe. Tych z domu nie miałem odwagi ruszyć, chociaż niejednokrotnie wiodło mnie na pokuszenie. Po którychś z kolei przedświątecznych porządkach matka kazała mi zabrać do piwnicy kolejny karton książek. Wśród nich zauważyłem stary atlas anatomiczny *Atlas der Anatomie des Menschen mit Phantom des menschlichen Körpers*. Myśl, żeby go sprzedać, a wraz z nim wspomnienie o pierwszej kobiecie, jaką widziałem zupełnie nago, najpierw mnie zawstydziła. Ale nad wstydem szybko zwyciężyła wizja, że za kilkadziesiąt starych rycin będę mógł Laurkę przez pół roku zapraszać do kina.

Antykwariusz obejrzał atlas, sprawdził stan ilustracji i gładkość pergaminów, dotknął fantomu, ale dostrzegłem, że był umiarkowanie zainteresowany.

– *Verlag von J.F.Schreiber in Eßlingen und München 1916* – odczytał. – Ładna rzecz, ale to nie jest żaden biały kruk. Wydawnictwo też takie sobie, zbyt popularne jak dla konesera. Od pół roku mam na wystawie ich atlas ryb, bo ładnie wygląda, ale nikt nawet o niego nie zapytał.

– To nie chce pan?

– Zastanowię się, ale bardzo chętnie kupiłbym od pana to – pokazał złożoną na czworo płachtę, którą wyciągnął ze środka. Skąd pan to ma?

Mapa Karkonoszy, jedna z wielu dziwnych map, rysunków i szkiców, których w domu zawsze było pełno. Pewnie kiedyś posłużyłem się nią jako zakładką i nieopatrznie tam wcisnąłem.

– Z domu mam – odpowiedziałem lekko zaskoczony absurdalnością pytania.

– Nie każdy ma takie rzeczy w domu. Pan wie, co to jest?

Mapa jak mapa. Przyjrzałem się jej uważniej i coś mi się przypominało.

– No mapa, matka mówiła, że to stara mapa Śląska. Z Rübezahlem, który gdzieś w Karkonoszach pilnuje skarbu. To taka tamtejsza legenda.

– Rübezahl? Po naszemu Liczyrzepa. Pana mama nazywa Liczyrzepę po niemiecku?

Nie znosiłem takich pytań.

– Matka jest stąd?

– Ze Śląska Opolskiego, ale tu kończyła szkołę i tu mieszka. Co robimy z tą mapą?

– Nie jestem pewien, z którego jest roku. Oryginał pochodził z 1561. O ile mnie pamięć nie myli, przed wojną był w posiadaniu biblioteki miejskiej. Matrycę mapy zrobiono z drewna, co jakiś czas ją powielano

– niesnety, na tej sygnatury wydawcy zatarł czas. Równie dobrze może być o sto lub więcej lat młodsza niż oryginał. Poza tym ktoś bezmyślnie ją upstrzył jakimiś krzyżykami, jakby zaznaczał miejsca „tu byłem".

– Pewnie jakiś dzieciak.

– Pewnie tak. Kupując tę mapę, musiałbym mieć od pana oświadczenie o jej pochodzeniu, a jeszcze lepiej by było, gdybym dostał je też od pana matki.

– Porozmawiam z nią. A powie mi pan coś o tej mapie?

Antykwariusz gestem ręki zaprosił mnie na zaplecze. Tak poznałem ciąg dalszy śląskiej historii wysłanników Lutra, którą matka opowiedziała nam przed kilkoma laty.

Teolog i duchowny protestancki Valentin Friedland-Trozendorf słowa danego Lutrowi dotrzymał. Kielich bezpiecznie dotarł na Śląsk, a on sam, zgodnie z wolą swych mentorów z Wittenbergi, założył w Złotoryi akademię. Nie tylko kształcił w niej wyznawców nowej wiary, lecz także założył pierwszy krąg strażników kielicha. On – Valentin Friedland, urodzony w dniu świętego Walentego na dekadę przed połową millennium, w rodzinie tak biednej, że nie stać jej było na posłanie go do szkół. Ponoć sam nauczył się pisać i czytać podczas pasienia krów, składając z kory brzozy karty, na których kreślił litery atramentem zrobionym z sadzy. Gdy w końcu matce udało się oddać go do szkoły, miała powiedzieć: „Trzymaj się szkół, drogi synu", a on wolę matki wypełnił i mimo święceń kapłańskich odmawiał wszelkich kościelnych funkcji, do końca życia pozostając nauczycielem.

Stworzył słynny w Europie porządek szkolny, który równał w prawach wszystkich uczniów niezależnie od narodowości i stanu. Ufał uczniom i ich inteligencji, co stało w absolutnej opozycji do dotychczasowych szkolnych praktyk. W jego złotoryjskiej akademii kształcili się chłopcy niezależnie od pochodzenia. Rektor surowo nakazywał przestrzegania zasad stworzonych przez Lutra, domagał się od uczniów pilności i dyscypliny, przekonując, że dzięki temu każdy młodzieniec może dojść w życiu do stanowisk i zaszczytów. Akademia stała się wzorem dla wielu podobnych szkół w całych Niemczech i w najlepszym okresie miała kilkuset uczniów z całej Europy.

Tam właśnie adepci nowej religii uczyli się strzec tego, co powierzył ich rektorowi Luter. Trozendorf stworzył samouczącą się organizację szkolną. Drogą do wiedzy było uczenie innych. Starsi nauczali młodszych i pilnowali dyscypliny. Codziennie godzinę uczniowie spędzali na powtarzaniu wiedzy z dnia poprzedniego, a dwa razy do roku zdawali pisemne egzaminy. Działała też uczniowska służba przy stołach i w miejscu, gdzie po lekcjach udawali się na spoczynek. Zorganizowano ich na wzór rzymskiej republiki – mieli swoich konsulów, senatorów, cenzorów. Co miesiąc wymieniali się godnościami i każdy mógł być wybrany do każdej funkcji. Dzielili się na sześć klas, a te na kolejne podgrupy, których pilnowali starsi koledzy. Tych sześć klas zebrano w trzy kręgi tajemnicy, które później ktoś tworzący śląską legendę nazwie kręgami Pelikana, Małpy i Krokodyla. I to oni mieli w przyszłości dbać o to, by nowa religia przetrwała niezależnie od tego, jak wielką siłę skierują przeciw niej cesarze i papieże.

Trozendorf wielokrotnie wyjeżdżał do Wittenbergi, by sprowadzać z tamtejszej uczelni wykładowców dla swojej szkoły. Krążył też po Śląsku i bywał we Wrocławiu, bo śląska stolica mocno już sympatyzowała z nową wiarą. Doktrynie Lutra sprzyjało zachowanie katolickich hierarchów kościelnych, którzy byli zbyt zajęci światowym życiem, by zwracać uwagę na to, że wrocławscy mieszczanie mają do nich coraz mniej chętny stosunek.

Pierwsze protestanckie kazanie padło z ust gorącego zwolennika Lutra, doktora Jana Hessa, w kościele Marii Magdaleny. Rektor gimnazjum jej imienia był niezrównanym mistrzem słowa, wybitnym biblistą i tak świetnym negocjatorem, że udało mu się poprawić stosunki nawet z Kościołem katolickim. Choć radykalni ewangelicy mieli mu za złe łagodność w dyspucie, Hess cierpliwą perswazją doprowadził do tego, że fala ewangelickiej wiary zalała Wrocław. Kościół Marii Magdaleny stał się znaczącym ośrodkiem ewangelickiej myśli, do którego trafił wielki kartograf Martin Helwig, by stać się, gdy minął już czas Hessa, kolejnym rektorem.

Po zarazie, która zdziesiątkowała uczniów, i po straszliwym pożarze w złotoryjskiej akademii Trozendorf uznał, że cenny dar bezpieczny może być tylko w wielkim ośrodku myśli luterańskiej, a kolejnych strażników łatwej będzie wykształcić w magdaleńskim gimnazjum. I to właśnie Helwiga, jego rektora, można uważać za pierwszego prawdziwego strażnika kielicha ofiarowanego przez Lutra. To on stworzył pierwszą mapę Śląska, która oparta była na prawdziwych badaniach.

Drewniana matryca mapy składała się z czterech części. Sama mapa, bez dodatkowych elementów, ma siedemset dwadzieścia pięć na pięćset siedemdziesiąt pięć milimetrów. Zaznaczonych jest na niej ponad trzysta miejscowości, a resztę wypełniają rzeki, lasy i góry. Widać na niej Sudety oddzielające Śląsk od Czech i Moraw. Rozpoznać też można Karkonosze ze Śnieżką, Ślężę, Radunię. W omówieniu mapy, które powstało kilka lat później, Helwig wyjaśnia, że mapa ta ma służyć zrozumieniu historii starej i nowej. Ma być pomocna w ważnych podróżach i znajdowaniu dobrej drogi do właściwego miejsca. Rozsądni ludzie winni zmierzać w dobrym kierunku, wiedząc, dokąd zmierzają.

Ale tylko to wiemy na pewno. Reszta to domysły. Czy w jakiś sposób zaznaczył na niej miejsca, które mogłyby pełnić funkcję kolejnych skrytek? I dlaczego narysował u dołu postać rosochatego Rübezahla z rogami, racicami, ogonem i kosturem? I kto, ponad dwieście lat później, akurat na tej mapie stawiał krzyżyki, tak jakby chciał iść dokładnie ścieżkami jej kartografa? Nie wiadomo.

Na razie wiedziałem tylko tyle, że mapa musi wrócić na swoje miejsce i lepiej będzie, jeśli zrezygnuję z pomysłu jej sprzedaży. Przynajmniej do czasu, w którym nie dowiem się, co oznaczają te wszystkie krzyżyki.

Wychodząc z antykwariatu, zauważyłem, że jego okna wychodzą na kościół Marii Magdaleny, ten sam, którego Helwig był rektorem. Pomyślałem, że to fascynujący zbieg okoliczności, ale właśnie dzięki takim przypadkom ludzie szukają potem historii, które mogły się tutaj zdarzyć.

56.

Druga wizyta
towarzysza Zelmera

Duch dziejów, jak zwykle, siedział w naszym salonie. Siostra Immakulata i matka przycupnęły obok niego i wypruwały stare napisy ze sztandarów. Po zwycięstwie Lecha Wałęsy, który zapewne tylko przez przypadek nie wspominał o roli, jaką w rewolucji odegrała bułka Rudego Tomka, w całym kraju powstawały nowe związki zawodowe. Pani Emanuela codziennie przynosiła jakiś sztandar socjalistycznych związków branżowych, z których trzeba było usunąć dotychczasową nazwę i zastąpić ją efektownym Niezależnym Samorządnym Związkiem Zawodowym „Solidarność". Roboty było tyle, że po pewnym czasie nie haftowały już czterech pierwszych wyrazów, tylko skrót „NSZZ".

Historia zapisywała zmiany także na ulicach. Pan Henryczek nadal opiniował ich nazwy, w dodatku wciąż z ojcem, który w wyniku dziejowej zmiany reprezentował już nie komunistyczną partię, lecz nowy związek zawodowy. Tak czy owak, nadal był przedstawicielem narodu, tyle że z przeciwnej niż do tej pory strony. Siedzieli przy stole, palili papierosy i pili wódkę, przez co byli bardzo zapracowani.

Wraz z „Solidarnością" pojawiły się tęsknoty niepodległościowe, więc przy pierwszej butelce wódki zaakceptowali wniosek, by do placu Konstytucji dopisać datę 3 maja. Pan Henryczek bardzo się tym wzruszył, bo na jego oczach historia zatoczyła koło. Przypomniało mu się, że gdy w latach pięćdziesiątych otwierał zakład produkujący emaliowane tabliczki z nazwami ulic, to jedno z pierwszych zamówień związane było właśnie ze zmianą nazwy placu Konstytucji 3 Maja na plac Konstytucji, bo ustawa z 3 maja kojarzyła się katolicko i antyrosyjsko. No a teraz właśnie tak powinna się kojarzyć.

Ktoś zgłosił też wniosek, aby ulicę Najświętszej Marii Panny przemianować na ulicę Kardynała Wyszyńskiego.

– Dziwne – zafrasował się pan Henryczek. – To chyba trochę niebezpieczne tak Najświętszą Marię Pannę pozbawiać ulicy. A jest jakaś argumentacja?

– Owszem. – Ojciec sięgnął po ostemplowane podanie i przeczytał:
– „W kościele przy tej ulicy kardynał oddał w niewolę Matce Bożej cały naród polski".

– No to ja nie wiem… – zafrasował się pan Henryczek jeszcze bardziej. – Bo jak oddał w niewolę, to czy to jest źle, czy też raczej dobrze?

– Nie wiem – przyznał ojciec.

– W takim razie odłóżmy na wszelki wypadek ten wniosek na później – poradził pan Henryczek.

I odłożyli, przez co kardynał na tabliczkach z nazwami ulic pojawił się dopiero dziesięć lat później, po kolejnej społecznej rewolucji. Pozytywnie zaakceptowali natomiast projekt przemianowania placu Czerwonego na plac Solidarności, bo Czerwony każdemu kojarzył się z placem w Moskwie, na którym stały Kreml i Mauzoleum Lenina. Przy drugiej butelce wódki odważnie też przyjęli takie nazwy ulic jak Pierwszego Papieża Polaka i Odnowy 1980 Roku. Zbliżał się jednak koniec roku 1981, a wraz z nim stan wojenny, w którym cała odnowa trafiła do kosza, a plac pozostał Czerwony.

W naszej kamienicy nie było bohaterów. Nikt z nas nie demonstrował na ulicach, nie rzucał w milicję butelkami z benzyną, nie uciekał przed kulami. Przed godziną milicyjną siedzieliśmy w swoich mieszkaniach i oglądaliśmy telewizję. Początkowo godzina milicyjna zaczynała się o dziewiętnastej i wszyscy znikali w domach jak na dobranockę. Ojciec słuchał Radia Wolna Europa, zwanego przez aktywistów partyjnych zachodnim ośrodkiem dywersji propagandowej, a potem z panem Henryczkiem upijali się patriotycznie, czyli na smutno, nucąc partyzanckie pieśni. Matka, wyczuwając wzniosły nastrój, śpiewała w kuchni stare pieśni Édith Piaf i Zarah Leander.

Jedynie Rudy Tomek ratował honor rodziny – za działalność w „Solidarności" internowano go w czasie stanu wojennego na pół roku, a po wyjściu na wolność został zwolniony z pracy pod pretekstem nieusprawiedliwionej nieobecności.

Wtedy ponownie w naszym domu pojawił się towarzysz Zelmer. Tym razem przyszedł w polowym mundurze, z pistoletem u boku. Ojciec stanął w drzwiach i nie chciał go wpuścić, ale ten ominął go i wszedł do salonu.

– Może się napijemy jak za starych dobrych czasów? – zagadnął.

– Nie mam. Wódka na kartki. Zabrakło – odparł ojciec ponuro.

W sklepach znowu nic nie było. Partyjne media od ponad trzydziestu lat określały to sformułowaniem: „Przejściowe trudności w zaopatrzeniu". Wszystko już było na kartki – cukier, masło, mąka, ryż i mięso, czekolada, mydło i proszek do prania – ale o ile przydziałowe dwie kostki mydła mogły wystarczyć na miesiąc, o tyle pół litra wódki w żadnym wypadku nie wystarczało.

– A, to weźcie na zapas – zaproponował Zelmer, kładąc na stole kilka kartek żywnościowych.

– Nie trzeba, wystarczy nam to, co mamy – odmówił ojciec.

– No patrzcie, wam wystarcza, a inni żalą się, że im za mało.

– Po co pan przyszedł?

– Ale mnie zrobiliście wtedy z tym kielichem Lutra. Wyszedłem na idiotę. Tyle pracy operacyjnej, tyle starań, a nakryliśmy tylko producenta pornografii.

– Nie moja wina. Ja nie mówiłem, że on tu przyjechał po kielich.

– Ale też nie zaprzeczaliście. A obywatelka Julianna mówiła. Kiedyś nawet jakichś Niemców ze zdjęciem ten jej nazistowski kochanek przysłał, żeby rozpytywali. Potem te dziwne strzały były w waszym domu. Dużo tu rzeczy niewyjaśnionych. Za dużo jak na jedną kamienicę. Swoją drogą, ja mam nosa, a on mi mówi, że jeszcze ten kielich kiedyś znajdę.

Chwilę milczeli.

– Coś nie udał wam się zięć, towarzyszu, prawda? – odezwał się Zelmer po dłuższej chwili.

– Nie jestem waszym towarzyszem – zaperzył się ojciec.

– Słyszałem, że was wyrzucili z partii – powiedział Zelmer ze szczerym współczuciem. – Możemy to naprawić, jeśli chcecie.

– Nie, tak jest mi dobrze. A na zięcia też nie narzekam.

– Ale inni narzekają, władza się na niego skarży. Do zamieszek namawia, do wyjścia na ulicę, prowokator. A potem przez takich jak on ludzie giną i cierpi na tym dobra opinia władzy ludowej.

– Pan żartuje. Dobra opinia? Ile osób zabiliście już na ulicach?

– Nie tym tonem – warknął Zelmer. – Ja nikogo nie zabiłem.

– Na razie…

– Na razie. Ale jak trzeba będzie…

– Po co pan tu przyszedł?

– Bo chcę pomóc.

– Obejdzie się. Mówiłem, kartek nam wystarcza.

– Słyszałem, że ma pan ładną wnuczkę. No i córkę też niczego sobie. Chłopaki z ZOMO aż ręce na jej widok zacierali. Szkoda by było, jakby coś się im przytrafiło. A czasy niebezpieczne. Sam pan mówi, że na ulicach strzelają.

Ojciec zerwał się z miejsca, złapał za krzesło i uniósł je do góry.

– Ty skurwysynu jeden! Spierdalaj stąd, bo łeb ci rozwalę!

Zelmer się uśmiechnął, kładąc jednocześnie dłoń na kaburze pistoletu.

– Nie jesteście typem samobójcy, postawcie to krzesło i posłuchajcie mnie po dobroci. Ja przecież tylko ostrzegam. W imię dawnych dobrych czasów, w których z nami współpracowaliście.

– Z nikim nie współpracowałem!

– Nie? – zdziwił się Zelmer. – Ciekawe. Mam wrażenie, że to ja osobiście nadałem wam status tajnego współpracownika.

– Bzdura! Łżesz, bydlaku!

– Może i bzdura, ale jak ja powiem, że współpracowaliście, to kto wam uwierzy? Zresztą chyba mam nawet do tej pory taśmę z nagraniem, na której mówicie ciekawe rzeczy o Fryderyku von Brickenie. Nie jestem tylko pewien, czy jest dobrze strzeżona. Boję się, że ktoś złośliwy mógłby mi ją wykraść i podrzucić do ambasady RFN, żeby posłuchali, jak demaskujecie ich obywatela.

– Mam to w dupie!

– A ja słyszałem, że staraliście się o wyjazd do Niemiec… To by chyba nie pomogło?

– Stare dzieje. Żona chciała jechać, ja nie. Nigdzie się nie wybieram. Wynoś się z mojego domu!

– Kto wie, może wam się jednak kiedyś odmieni. Na przykład jak nigdzie nie będziecie mogli dostać pracy, podobnie jak wasz zięć. I jak wasza córka. Macie też syna, prawda? Studiuje? Szkoda by było, gdyby wyleciał ze studiów i został wcielony do wojska. Może by nawet musiał stanąć z bronią na ulicy przeciwko waszemu zięciowi? Strasznie te nasze polskie sprawy zrobiły się skomplikowane. Na pewno nie macie wódki?

Ojciec zacisnął pięści. Zelmer zaczął bębnić palcami po kaburze:

– Posłuchajcie mnie. Ja jestem takim samym człowiekiem jak wy. Czasami dobrym, czasami złym. Mam żonę, syna. Mam i kochankę, przyznaję. Mam swoje słabości, jak każdy. Czasami się nawet wzruszam, nawet na filmie. Ale pracę mam taką, jaką mam. Muszę w niej udawać złego, bo do niczego bym nie doszedł. Pogadajmy po dobroci i rozejdziemy się w zgodzie, a wtedy nikomu nic złego się nie stanie. Dajcie szansę.

Ojciec sięgnął do kredensu, wyciągnął opróżnioną do połowy butelkę wódki i dwie szklanki. Wziął nożyczki, z kartki żywnościowej położonej przez Zelmera wyciął kupon na wódkę, podpalił go i wrzucił do popielniczki.

– Fiu, fiu, macie gest – zaśmiał się towarzysz Zelmer. Nożyczkami wyciął z pozostałych kartek wszystkie kupony na alkohol i jeden po drugim dokładał do małego ognia w popielniczce.

– Pamiętacie Cybulskiego, jak podpalał kieliszki wódki w filmie *Popiół i diament*? To moja ulubiona scena. Tak mogłaby wyglądać w wersji z reglamentacją wódki.

– Mów, co masz do powiedzenia, człowieku, i spadaj stąd. – Ojciec odkręcił butelkę i napełniał szklanki.

– Sprawa jest prosta. – Zelmer opróżnił swoją szklankę. – Mamy stan wojenny, wszystkie granice są zamknięte. Ale nasza władza chce je otworzyć dla tych, którzy woleliby wyjechać, zamiast działać na szkodę polskiego państwa w podziemiu. Tak jak wasz zięć. Macie dużą rodzinę w RFN. Bardzo bogatą, jak na nasze warunki. Myślimy, że dobrze by było, jakbyście swojego zięcia do nich wysłali. Szkoda by było, gdyby chłopak miał się w więzieniach marnować.

– A co mi do niego? Ma chłopak swój rozum. Zrobi, co zechce.

– Każdy chłop zrobi to, co zechce jego baba. Żonaci jesteście od lat, to wiecie, jak jest.

– Chłopak chyba nawet paszportu nie ma.

– Załatwimy w tydzień. To chyba uczciwa propozycja?

– Uczciwa? Dziwnie brzmi to słowo w twoich ustach, skurwysynu – powiedział ojciec, wypijając duszkiem zawartość szklanki.

57.

O wyższości faszyzmu
nad wampiryzmem

Rudy Tomek nawet nie chciał myśleć o wyjeździe do Niemiec, ale nie bez powodu moja siostra nosiła przydomek „Tyrania". W dodatku pojawiły się okoliczności, które o wszystkim przesądziły.

– Mógł mi powiedzieć, mógł mi wcześniej powiedzieć! – Siedziała z mamą w kuchni i wycierała piąstką załzawione oczy.

– No ale jakby ci powiedział, co by to zmieniło? Usunęłabyś? Nie usunęłabyś, bo chciałaś tego dziecka – uspokajała ją mama, przytulając do piersi.

– Ale byłoby uczciwie, gdyby powiedział!

– Byłoby uczciwie. Ale jest, jak jest, niczego już nie zmienisz. Może nie pomyślał, może nie wiedział.

– Jak to nie wiedział?

– Nawet nie wiesz, o ilu rzeczach mężczyźni nie wiedzą. Czasami nawet nie wiedzą, kto jest ojcem ich dzieci.

– Oj, nie żartuj, mamo! Tomek nie wiedział, że jego ojciec choruje? I że jego pradziadka to nawet z tego powodu widłami zadźgali? Takie rzeczy się wie! O takich rzeczach przecież wszyscy mówią w rodzinie! Nie chcę, żeby za moją córką wołali, że jest wampirzycą!

– Uspokój się, kochanie, to przecież jeszcze nic pewnego. Nikt tak nie będzie mówił! Poza tym – przecież mamy już dwudziesty wiek. Widzisz, jak medycyna poszła do przodu! To na pewno da się jakoś wyleczyć.

– Mamo, to jest świństwo ze strony rodziny Tomka! Tak mieli nam za złe nasze pochodzenie, a jaki był dziadek Tomka? Pił ludzką krew!

– To bzdury, kochanie, na pewno nie pił. Może krew kaczki, cielaka, ale nie człowieka przecież!

– Ludzie mówili, że człowieka, dlatego go zabili. Widłami – rozpłakała się Tyrania.

– Ludziom różne rzeczy przychodzą do głowy, a im są głupsze, tym głośniej o nich mówią, bo najpierw sami muszą w nie uwierzyć.

Zaczęło się od tego, że Iskierka nie mogła być na słońcu. Płakała, tarła oczy, rozdrażniona nie potrafiła zasnąć. Lekarze uspokajali, mówili, że to alergia i jak drzewa przestaną pylić, to wszystko wróci do normy. Ale drzewa przestały pylić, przestały też pylić kwiaty i trawy, a Iskierka wciąż była niespokojna. Szukała miejsc zacienionych, chowała się przed słońcem w mroku bram, a w domu, gdy ciepłe promienie wpadały przez południowe okna, wchodziła pod stół. Z czasem pojawiły się niepokojące bóle brzucha, i to zazwyczaj wtedy, gdy Tomek kleił modele samolotów.

Do Polski przyjechała akurat ciotka Kerstin, która miała już specjalizację z chorób genetycznych. Zleciła Iskierce szereg badań, po których wypowiedziała dziwne słowo: „porfiria".

Rzadka choroba, tłumaczyła wstrząśniętej rodzinie, dziedziczna, śpi w człowieku niekiedy przez całe życie, a czasami budzi się pod wpływem lekarstw, zapachu kleju, farby, lakieru albo allicyny, bakteriobójczej substancji, która jest w czosnku i cebuli. Objawy choroby są różne, zazwyczaj należy do nich światłowstręt i bladość skóry. Kiedyś próbowano ją leczyć doustnym podawaniem krwi – stąd przekonanie, że Drakula był porfirykiem, i łączenie tej choroby z historiami na temat wampiryzmu. Zwłaszcza że na czosnek i cebulę porfirycy często reagują alergicznie.

Wtedy dopiero wyszła na jaw tajemnica dziadka, wtedy dopiero ojciec Tomka o niej sobie przypomniał, a może udawał, że sobie przypomina, bo przecież takie rzeczy, że w rodzinie jest klątwa albo coś równie strasznego, od czego umiera się z widłami w piersi, i to z pokolenia na pokolenie, pamięta się na zawsze. Pradziadek zginął tak samo, chłopi ze wsi zakłuli go pod wieczór, gdy wyszedł z domu zapalić fajkę. Starał się nie opuszczać chałupy przed zmrokiem. Nie mógł, bo skóra i oczy od razu mu czerwieniały od światła, podobnie jak od zapachu czosnku – testu na złe moce, przez który tamtego wieczoru nie przeszedł.

Gdy pojawiło się podejrzenie, że Iskierka ma porfirię, lekarze bezradnie rozłożyli ręce, mówiąc, że to choroba nieuleczalna. Dziecko trzeba trzymać z dala od słońca i działania chemii, stosować dietę wysokokaloryczną, bogatą w sole mineralne oraz witaminy i kupować wysokogatunkową żywność wolną od konserwantów i wpływu środków ochrony roślin. Nierealnie to brzmiało w Polsce w latach osiemdziesiątych, gdy reglamentowano już nawet mleko w proszku, zakup waty, śpiochów, pieluch i szamponu wpisywano do książeczki zdrowia dziecka, a w sklepach poza octem były tylko ekspedientki.

W domu Rudego Tomka Tyrania od początku czuła się jak ubogi krewny – wciąż miała w pamięci głęboki niesmak wywołany albumem nieszczęsnych fotografii, co moja mama fachowo określała mianem zalegania afektu. Teraz afekt przestał zalegać, a Tyrania odreagowywała, krzycząc do swojego męża:

– Być może mój dziadek był faszystą, ale przynajmniej nie był wampirem!

– Uspokój się, wariatko! – bronił się Rudy Tomek. – To tylko choroba, a ty zachowujesz się jak żywcem wyjęta ze średniowiecza!

– To dlaczego nic o niej nie mówiłeś? Pamiętasz, jakie miałeś pretensje, że nie uprzedziłam cię o pochodzeniu mamy przed wizytą twoich rodziców? A ty mnie uprzedziłeś?

– W porządku, masz rację, popełniłem błąd. Nie pomyślałem o tym. Jest remis, jeden do jednego. Jesteśmy kwita.

– Nie, mój drogi, żaden remis. To nie mecz, lecz życie. Faszyzm nie jest dziedziczny, w odróżnieniu od chorób genetycznych.

Ciotka Kerstin zasugerowała, by dziecko wyjechało na leczenie do Niemiec. Porfiria nie jest śmiertelna, ale bywa ze śmiercią w sojuszu. Tyranii nie przeraziła choroba dziecka. Chyba nawet nie zdawała sobie sprawy ze wszystkich niebezpieczeństw. Nie wiedziała jeszcze o groźbie zmian w układzie nerwowym, czyhającej depresji i wszystkich tych zewnętrznych oznakach choroby, z powodu których budziła zabobonne przerażenie – o przypadkach nadmiernego owłosienia pojawiającego się na odsłoniętych częściach ciała, o czerwieniejących zębach, o dziąsłach, których zanikanie sprawia wrażenie wzrostu siekaczy. O tym wszystkim Tyrania nie miała jeszcze pojęcia. Bolało ją, że Tomek nie uprzedził o zagrożeniu, nie powiedział, lojalnie nie ostrzegł, nie zaufał, chociaż powinien, bo prawda niczego w ich życiu by nie zmieniła.

W innych okolicznościach Rudy Tomek nie chciałby nawet słyszeć o wyjeździe. Niechęć do Niemców odziedziczył po swoim ojcu wraz z genem odpowiadającym za skłonność do porfirii. Nie tylko nie znał niemieckiego, ale w dodatku język ten fizjologicznie go brzydził, mówił, że powoduje rozstępy na podniebieniu. Wszystko jednak przemawiało za tym, żeby wyjechać. Brak pracy dla Tomka w Polsce, o co skutecznie dbała Służba Bezpieczeństwa, rosnące napięcie między Tyranią a jej teściami, ale przede wszystkim przekonanie, że za granicą uda się uchronić Iskierkę od najgorszego. Ojciec, przychodząc z ofertą towarzysza Zelmera, trafił na grunt, w którym już kiełkowała nadzieja.

To były ciężkie dni dla matki, która nadal chciała śpiewać wnuczce „*Hoppe, hoppe, Reiter*" i mieszać *rote Grütze* w małym garnuszku. Patrzyła, jak kolejne pociągi odjeżdżają do Niemiec – w latach osiemdziesiątych z Polski znów wyjechało ćwierć miliona osób, a rząd w Bonn przestał stosować dotychczasową miarę i liczbę pozostałej jeszcze ludności niemieckiej szacował z rozmachem na prawie milion.

To wtedy, na wzór określenia „volksdeutsch", powstało określenie „volkswagendeutsch". Pierwsze piętnowało w czasie wojny tych, którzy zdecydowali się na niemieckie obywatelstwo ze strachu, dla wygody lub z obawy przed odebraniem kartek żywnościowych. Drugie określało tych, którzy czterdzieści lat później dość mieli tego zatrzymania w czasie i biedy w systemie kartek żywnościowych

– marzyła im się przyszłość, w którą będzie można ruszyć volks-wagenem.

Matkę gorszyło to pospolite ruszenie pseudo-Niemców, którzy na siłę starali się udowodnić swoje pochodzenie. „Gdzie oni przez te wszystkie lata się podziewali?" – pytała, nie oczekując odpowiedzi. „W Polsce jest milion Niemców? To dlaczego miałam wrażenie, że zostałam sama?". „Do którego kościoła chodzili się modlić, skoro na coniedzielnej mszy niemieckiej zawsze widzę dziesięć tych samych osób?". „Co to za Niemcy są, skoro nie znają swojego języka?". „Co to za Niemcy, którzy mają po trzydzieści albo czterdzieści lat, a po przyjeździe do ojczyzny muszą iść do szkoły, bo nie wiedzą, czym się różni *Heimat* od *Heil Hitler?*". „To chyba tacy Niemcy, co to w swym pochodzeniu mają jedynie owczarka niemieckiego".

To były ciężkie dni dla matki, która przez całe życie mówiła, że podjęcie decyzji ostatecznej o wyjeździe do Niemiec jest tylko kwestią czasu, zwykłego kalendarza, ustalenia terminu. W jej marzeniach mieliśmy wyjechać wszyscy. Najpierw Tyrania z Rudym Tomkiem, Iskierką i matką, a potem, po sprzedaniu mieszkania i załatwieniu ostatnich formalności, ja z ojcem.

– Ja nie pojadę – powiedział wtedy ojciec.

– Ja też już nie – po dłuższej chwili zgodziła się nieoczekiwanie matka.

– Zwariowałaś, mamo? – rzuciłem się w jej kierunku, łapiąc ją za ramiona i potrząsając, jakby straciła przytomność, a przynajmniej rozum.

– Nie jadę – powtórzyła, siadając przy stole i siedzeniem tym chcąc pokazać, że na stałe się zadomowiła.

Ojciec milczał.

– Nie jadę – powtórzyła po raz kolejny, z ulgą, że decyzja, która powoli w niej dojrzewała, jest już ostatecznie podjęta i wypowiedziana po trzykroć, jak życzenie, które się na pewno spełni, a zatem nie ma już odwołania.

Ze spokojem spojrzała na wielki zegar wybijający pod ścianą przedwojenne godziny, na kolekcję swoich płyt z Marleną Dietrich, Édith Piaf i Zarah Leander, na bibliotekę po Freytagach, na ich portrety wiszące na ścianie i na nasze zdjęcia obok, które nieskromnie starały się im dorównać.

– Przecież zawsze chciałaś wyjechać. Nawet jeśli nie wyjedziesz, to ja i tak się wyprowadzę – zagroził ojciec.

– I tak odejdziesz do tej swojej Izy – powiedziała spokojnie matka. – Może nawet wcale nie chciałeś z nami jechać. Tak, myślę, że na tym polegał twój plan. Wysłać nas do Niemiec, a samemu zamieszkać tu ze swoją cycatą panną.

– Chyba ci rozum już do końca odjęło! – wrzasnął ojciec z tak wielką złością, że zdradzała ukrytą przed nami intencję. – Zawsze oszukiwałaś! Mówiłaś, że nigdzie nie trzeba jechać, bo Niemcy wrócą! Wystarczy poczekać!

– No i nadal będę czekać.

– Całe życie czekałaś nie wiadomo na co!

– Już ja tam wiem. Nie jestem teraz ani Niemką, ani Polką, jestem breslauerką albo wrocławianką. Miasta stoją w miejscu, tylko kraje przesuwają swoje granice. Nigdzie nie jadę, jestem u siebie. Państwa się zmieniają, miejsca zostają – to moje miejsce. A ty sobie idź. Pan tutaj nie stał.

Potem płakała. Płakała tak, że bałem się, że cała przez oczy wyciknie. Skuliłem się w swojej nyży i starałem się o tym nie myśleć. Do głowy przyszło mi prawo Archimedesa. Ciało zanurzone w smutku traci pozornie na wadze tyle, ile ważą łzy wyparte przez to ciało.

58.

Aureliusz, mężczyzna
od tęsknot

Nigdy nie rozumiałem, dlaczego mówi się, że miłość jest ślepa. Moja miłość miała bardzo dobry wzrok i widziała dziewczynę tak piękną, że gdy szliśmy na spacer, to wiatr gwizdał z wrażenia.

Wszyscy w naszej kamienicy Laurkę lubili. Pomocna, życzliwa, miła, zawsze z jakimś dobrym słowem na powitanie. A ten jej uśmiech! W życiu nie widziałem u nikogo innego tak czarującego uśmiechu! Nie schodził jej z ust, należał do rysów twarzy. To był taki sympatyczny uśmiech z lekkim podniesieniem kącików ust. Czasami uśmiechała się szerzej, pokazując rządek idealnie białych i równych zębów, od tego uśmiechu zaczynały śmiać się także jej oczy, błyszczały, jakby iskrzyły w nich małe ogniki. Bywało, że gdy odchylała głowę, uśmiechał się też delikatny nosek, a skóra na małym dekolcie napinała się lekko i promieniały drobne obojczyki. Godzinami mógłbym na nią patrzeć, a i tak wzrok miałem wciąż nienasycony.

Lubiłem siedzieć z nią na ławce w parku Południowym albo na skarpie nad stawem, po którym pływały łabędzie. To był obrazek jak na jakiejś akwareli, mógłbym się z niego nie ruszać.

– To mogłoby trwać w nieskończoność – powiedziałem, chowając twarz w jej włosach, które pachniały rumiankiem, a potem zacząłem całować ją za uchem, gdzie nie było już czuć truskawek.

– Znudziłoby ci się.

– To nigdy mi się nie znudzi. Mógłbym cię tak całować całą wieczność. A ty?

Wciąż chciałem potwierdzenia, wciąż było mi mało, nie wierzyłem albo wierzyłem tylko trochę, moja wiara była taka jak ta, którą niezbyt hojnie obdarzeni są wierzący niepraktykujący, byłem jak wyznawca religii, w której wciąż mało jest dowodów na istnienie boga. Chciałem, żeby całowała mnie tak jak ja ją – chciwie, zachłannie, jak człowiek głodny, nienasycony, lub z łapczywością psa, co zgoniony dopada miski z wodą i nie mogąc się oderwać, chłepcze, chlapiąc na wszystkie strony. Chciałem, by oddawała mi każdy pocałunek, ale też każde muśnięcie ust, oddech przy szyi i każde przytulenie. Od pewnego czasu miałem jednak wrażenie, że oddaje mi coraz mniej, czasami byłem wręcz pewien, że jest już najbardziej zadłużoną dziewczyną na świecie.

– Wiesz, czasami przyglądam się pannie Juliannie i mam wrażenie, że jej nie rozumiem – powiedziała Laurka, zmieniając temat z całowania na nie wiadomo jaki.

– Co masz na myśli?

– Ona w ogóle nie jest załamana śmiercią Fryderyka. W gorszym stanie była przed jego śmiercią. Coś ją dręczyło. A teraz wygląda jak człowiek, któremu kamień spadł z serca. Myślę, że była szczęśliwsza, tęskniąc za Fryderykiem, niż wtedy, gdy już do niej przyjechał. Wolała za nim tęsknić, niż z nim być.

– Nie wiem, wydaje mi się, że ona nadal tęskni. Zawsze ma takie nieobecne spojrzenie. I chyba wróciła do tego swojego dziwnego zbieractwa męskich rzeczy. Pan Henryczek mówił, że po praniu zginął mu ze strychu szlafrok, tak jak kiedyś mojemu ojcu.

– Tęsknota to piękne uczucie. Podobne do miłości, ale smutniejsze. Tęsknota to takie uczucie jak smutna miłość. Uczucie rozpamiętywania tego, co było najpiękniejsze, i zapominania tego, co było złe. Przypominania sobie rzeczy, które w ogóle się nie zdarzyły, i życia z nadzieją, że jeszcze się kiedyś powtórzą.

– Jak mogą się powtórzyć, skoro się nie zdarzyły?

– To właśnie w tęsknocie jest takie pociągające. Pewność tego, że byłeś w miejscach, co do których nawet nie jesteś pewien, czy istnieją, i wiara, że kiedyś do nich wrócisz. Spotkasz tam kogoś, z kim byłeś szczęśliwy przez chwilę tak krótką, że zauważyłeś to dopiero wtedy, gdy było za późno, a teraz oglądasz się, patrzysz za siebie i masz wrażenie, że widzisz ją na horyzoncie czasu i zaraz chwila ta będzie ci dana ponownie, a ty będziesz tym razem na nią gotów i całym ciałem się w niej rozsmakujesz.

– Skąd to wszystko wiesz?

– Tak jakoś to w sobie czuję.

– Tęsknisz za swoim ojcem?

– Nie, to nie to. Dawno się przyzwyczaiłam, że go nie ma.

– To skąd znasz taką tęsknotę? Masz dwadzieścia cztery lata, znam cię od osiemnastu. Chodzimy ze sobą chyba od dziesięciu.

– Ośmiu.

– Na jedno wychodzi. Za kim tak tęsknisz?

– Coś ci opowiem. Tak jak twoja matka odważyła się zostać we Wrocławiu, tak moja babcia bała się zostać w swoim rodzinnym Żytomierzu. Po wojnie wysiedlili ją z Ukrainy. Całe życie za nią tęskniła, bo przecież z własnej woli nie wybrała Polski jako swojego miejsca na ziemi. Babcia była tęsknotą. Taką, co gotowała ukraińskie potrawy i śpiewała ukraińskie pieśni. Wiesz, że w Polsce pozbawili ją nawet imienia? Miała na imię Agafia. Polskim odpowiednikiem jej imienia była Agata, ale w polskich dokumentach widnieje jako Halina lub Helena. Jej matka, moja praprababka, pochodziła z Mołdawii, a tam Agafia to Ahafia, Hafunia. Piękne jest to imię. Musiała zostawić cały dobytek i zacząć życie od nowa. Nie z własnej woli, ale narzuconej. Była wtedy młodą dziewczyną. Kiedy wyjechała na roboty do Niemiec, poznała swojego przyszłego męża, pradziadka Tomasza spod Częstochowy, o dwadzieścia lat starszego od niej. Moimi korzeniami prababka tłumaczy mnie z tego, że fascynują mnie starsi mężczyźni. Pradziadek mawiał, że zapałek i pieniędzy się dzieciom nie daje. On składał się z takich życiowych mądrości. Był bardzo poważny i zamknięty w sobie, nigdy nie opowiadał o swoim życiu. Jego historię znamy tylko od momentu ślubu z babcią. A miał wtedy już czterdzieści lat. Różnica wieku nie przeszkodziła jej w tym, by urodzić cztery córki i jednego syna. Babcia to typowa ukraińska dusza, szalona, roztańczona, rozśpiewana. Znakomicie gotowała. Robiła przepyszny barszcz, oczywiście ukraiński. Wrzucała do niego całą swoją tęsknotę za krajem, żale, smutki, a na końcu dodawała szczyptę złości, że tak to się potoczyło. Żadnej kobiecie w rodzinie nie udaje się dorównać jej tym barszczem. Była cudowną gospodynią. Ale jak coś ją zezłościło, to mówiła wtedy tonem nieznoszącym sprzeciwu: *„Job twoju mać"*. Gdy córki nie przychodziły na czas z zabawy, potrafiła pójść po nie i na oczach wszystkich wyciągnąć z tej zabawy siłą, po czym w domu dać im porządne lanie. Jezu, jak ona musiała cierpieć. Pozbawiono ją wszystkiego, co miała, i wymyślono scenariusz w innej rzeczywistości. Jak przejmująco musiała śpiewać po ukraińsku wiedzą tylko ci, którzy ją słyszeli. W Polsce była Heleną. Nikt nie wie, jak bardzo nie znosiła tego imienia, tego kraju, tej nowej rzeczywistości. Oczywiście, przyzwyczaiła się, ale do końca swoich dni nie czuła się Polką, nigdy nią nie była. Czuję w sobie jej mołdawsko-ukraińską krew. Ciągnie mnie bardziej za wschodnią granicę niż na słoneczne plaże ciepłych krajów. Tęsknię za różnymi miejscami, do których nie mogę wrócić. Coś w tym jest, że jesteśmy naznaczeni historią naszych przodków. Coś w tym jest. Tworzą mnie moje babcie. Z dwóch różnych światów. Od jednej mam ukraińskie szaleństwo i chłopięce roztrzepanie, od drugiej – starozakonną rozwagę, zimne lęki, niepokoje, niepewność siebie. Czasami jestem swoją szaloną babcią z Ukrainy, a czasami chłodną i zaradną babcią Żydówką z Białegostoku, która zawsze kierowała mnie na tory zasadniczej kobiecości, gdy za bardzo zbaczałam. Pamiętam swoją pierwszą komunię. Wszystkie koleżanki czują się jak księżniczki, ja płaczę, bo mam dosyć tej białej sukienki, chcę spodnie. „Nie rób mi żadnych loków, nie założę tych białych bucików Kopciuszka". Wtedy walczyła we mnie wesoła jak chłopiec babcia z Ukrainy i buntowała mnie przed kobiecością. Ale zazwyczaj przegrywała. Do dziś czujność siedzącej we mnie babci z Podlasia wymusza na mnie, bym była dobrą kucharką, miłą panią gospodynią, dziewczyną, która nie ma złych humorów i zawsze jest uśmiechnięta, ale nigdy nie byłabym wesoła, gdyby do głosu nie dochodziła we mnie babcia z Żytomierza. Każda z tych kobiet ma we mnie swój prywatny cykl. Cykl jednej kształtuje cykl drugiej, pokazuje drogi, wytycza trasy. I taka jedna, drobna kobieta jak ja musi to wszystko w sobie ułożyć.

Gdy Laurka skończyła opowiadać, poczułem nagły niepokój. Powinienem z nią rozmawiać o historii i losach narodów, ale szukałem w pamięci tych słów, które go wywołały. Znalazłem. Leżały wśród innych, bezpiecznych, niewinnych i spokojnych, wijąc się jak węże.

– Laura, powiedziałaś, że fascynują cię starsi mężczyźni.

– Bo to prawda.

– To kto cię fascynuje?

– Ach, jest u nas taki na przykład Aureliusz, wykładowca rysunku.

– Ile ma lat?

– Coś koło pięćdziesięciu.

– To prawie jak mój ojciec. I jak twój.

– Ale jest inny, zupełnie inny. Dużo z nim rozmawiam ostatnio. O mojej rodzinie, jej pochodzeniu. Jego rodzice przyjechali spod Wilna, więc mnie rozumie.

– A ja cię nie rozumiem, bo moja matka jest tutejsza?

– Nie, nie chodzi o to, że wzięliście się nie wiadomo skąd…

– Dlaczego uważasz, że wziąłem się nie wiadomo skąd? To ty jesteś nie wiadomo skąd, a ja jestem stąd!

– Oj, nie kłóć się. Chcę tylko powiedzieć, że to on otworzył mi oczy na to wszystko, co opowiedziałam ci o tęsknocie. Pięknie potrafi o niej mówić. Jakby książkę czytał.

– Tak mi się właśnie wydawało, że chwilami mówiłaś, jakbyś czytała czyjąś książkę – powiedziałem, złośliwie, ale tylko trochę, żeby jej jednak nie rozzłościć.

– Bo on jest poetą.

– Ja też napisałem wiersz.

Skłamałem. Nie lubię poetów – wszyscy niby tacy wzniośli, a żaden nie potrafi latać. Nie napisałem żadnego wiersza. Laurka nawet nie dopytywała. Chociaż powinna zapytać: jaki wiersz, o czym i czy na pewno dla niej. Ja bym się droczył i robił niejednoznaczne miny, a ona byłaby nimi zaniepokojona i złapałaby mnie za ramiona i kazała spojrzeć głęboko w oczy, a potem zapytałaby, czy aby na pewno jeszcze ją kocham, czy też może kogoś nowego poznałem, może jakąś piersiastą brunetkę, bo pewnie lubię u kobiet duże piersi, a nie takie małe jak u niej, że prawie w ogóle ich nie ma i chyba już nie urosną, może trochę w czasie ciąży, ale to też nie jest przesądzone, więc skoro tak, skoro już jej nie kocham i wolę tę okropną cycatkę z wąsami pod nosem, bo brunetkom często rosną wąsy pod nosem z nadmiaru męskiego hormonu, to ona mnie nie zatrzymuje, proszę bardzo, mogę sobie iść do tej swojej brunetki chociażby zaraz, tylko jeszcze ostatni raz pocałujmy się na pożegnanie, i wówczas zbliżyłaby do moich ust swoje wargi, spierzchnięte od wiatru i niepotrzebnych słów o obcym mężczyźnie, a ja ogłosiłbym upadłość swojej silnej woli i tak bezwolny oddałbym się w najsłodszy, najcudowniejszy na świecie jasyr, o jakim zawsze marzyłem. Ale nic takiego nie nastąpiło. Laurka wędrowała w głąb siebie, zajęta własnymi myślami. Przez chwilę była w nich znów panna Julianna, bo ni stąd, ni zowąd Laurka powiedziała:

– Wiesz, myślę, że panna Julianna tęskni już z przyzwyczajenia.

Trudno mi było wtedy pojąć jej tok myśli. Nie podobała mi się sugestia, że wziąłem się w jej życiu nie wiadomo skąd. Ja byłem w nim zawsze. Bo w przeciwnym razie – jeśli miłość przychodzi nie wiadomo skąd, to później odchodzi nie wiadomo dokąd.

Czasami człowiekowi się wydaje, że idzie ulicą marzeń, a przy jej końcu okazuje się, że to ślepa uliczka. Wiedziałem, że skoro Laurka lubi poetów, to muszę chociaż trochę być taki jak Aureliusz i powinienem natychmiast napisać wiersz, piękny wiersz o miłości, może nawet smutny i nierymowany. Nierymowany wydawał mi się bardziej postępowy, ale co próbowałem go napisać, to dopadała mnie wątpliwość, czy aby na pewno jest to już poezja, czy może wciąż jeszcze proza rozpisana na wersety dla literackiej niepoznaki. Postanowiłem napisać zatem wiersz rymowany i po paru próbach nawet mi poszło. Pod wieczór miałem już pierwszą zwrotkę:

Wiosną w spiżarni
brakuje już mąki,
kończą się fasoli
zamrożone strąki.

Druga poszła zdecydowanie szybciej.

Niedźwiedzie się budzą,
pszczoły i pająki,
powoli też wstają
rozespane łąki.

To wspaniałe uczucie – pisać wiersze. A ja niewątpliwie pisałem. Jeszcze rano mówiłem tylko prozą, a wieczorem zostałem poetą.

Na drzewach puchną
pełne życia pąki,
a spod ziemi krety...

Tu utknąłem. Z tymi kretami to chyba nie był najlepszy pomysł. Przeczytałem całość od początku.

Wiosną w spiżarni
brakuje już mąki,
kończą się fasoli
zamrożone strąki.

Niedźwiedzie się budzą,
pszczoły i pająki,
powoli też wstają
rozespane łąki.

Na drzewach puchną
pełne życia pąki,

spod ziemi krety
puszczają zaś…

Co mogą puszczać krety, w dodatku spod ziemi? Latawce?
Poczułem, że wena chwilowo mnie opuściła. No ale nic, pomyślałem, że skoro mam być poetą, to muszę wczuć się w sposób myśle-
nia poety. Zaraz północ, dwie godziny minęły, a ja jeszcze nie napisałem ani jednego całego wiersza. Jak na moim miejscu zachowałby
się poeta, taki na przykład Aureliusz?

Strasznie ten dzień się dzisiaj pospieszył, pomyślałby taki na ten
przykład Aureliusz, w przeciwieństwie do dnia nie spiesząc się wcale.
Co robi potem? Może dla odmiany coś zupełnie zwykłego? Może
potem poeta idzie do łazienki i wykonuje tam rzeczy prozaiczne.
Ale to się nazywa proza życia i nie nadaje do publikacji. Prozę życia
Aureliusz załatwia na pewno od niechcenia, trzymając ją na dystans. Po napisaniu tylu zwrotek, co ja dzisiaj, musi się na pewno
zdrzemnąć. Najlepszy jest do tego fotel bujany całkiem albo taki,
który przynajmniej trochę zmyśla. Czas leci. Jest mniej więcej pięt-
nasta, a konkretnie siedemnasta trzydzieści. Poeta Aureliusz wzdycha ciężko, bo lekkie wzdychanie nie ma w sobie żadnego przesłania.
Czuje głód, a głodny poeta to zły poeta, złych zaś się nie publikuje.
Powinien zatem zrobić sobie obiad. Jako pacyfista unika przemocy,
więc nie może bić kotletów. Zresztą nawet nie musi, bo w jego
natchnionym domu kotlety same biją się z myślami. Może też Aureliusz udać się do restauracji, gdzie napotka ludzi zwykłych, którzy
chcą zjeść tanio, smacznie i bez wynalazków typu łosoś w papilotach. Żaden zwykły człowiek nie zamówiłby ryby w papilotach. Mój
ojciec by nie zamówił, pan Henryczek by nie zamówił, ja też bym
nie zamówił. Żony mogą być w papilotach, ale nie jedzenie. Aureliusz nie jest zwykłym człowiekiem, więc lubi ryby w papilotach.
Poza tym brak mu porównania, bo pewnie nie ma żony. W domu
czeka na niego Muza, która również jest poetką, jako że nieszczęścia chodzą parami. Oboje są jeszcze przed debiutem, chociaż już
raz się całowali. Tak jak poeci nie mówią wprost, tak i wprost się nie

całują. Poeci całują się między wierszami. W odróżnieniu od normalnych ludzi uprawiają przede wszystkim grę wstępną. Gra wstępna trwa u nich najkrócej od jednego wiersza – aż do tomiku. W sporadycznych przypadkach nawet do edycji dzieł wszystkich zebranych. Jeśli trafia im się miłość, to jest to ślepa miłość od pierwszego wejrzenia.

Mogę to wszystko powiedzieć krócej. Słowem – nienawidzę Aureliusza.

Nad ranem obudziły mnie krzyki na ulicy, to grupa robotników szła szeroką ławą, skandując: „So-li-darność", milicja rzucała w nich granatami z gazem, a ja w tej niestosownej atmosferze pobiegłem do Laurki.

Była uroczo rozespana i w nocnej koszuli – kiedy ziewała, lekko unosiły się jej delikatne obojczyki, a wraz z nimi prześwitujące pod cienką materią dwa przecudne stożki wzrostu.

– Nie wychodź dziś z domu – powiedziałem.

– Dlaczego? – Przestraszona spojrzała przez okno.

– Stanowisz zagrożenie dla ruchu drogowego. Na twój widok mężczyźni będą masowo mdleli na ulicach.

Roześmiała się.

Wręczyłem jej wiersz z miną tak uroczystą, jakbym wręczał medal – ona przeczytała, raz, drugi i trzeci, i oczy zrobiły jej się wilgotne – nie wiem, czy to z powodu wiersza, czy raczej dlatego, że gaz z milicyjnych granatów wpełzł do pokoju, więc na wszelki wypadek uczyniłem już pierwszy krok, żeby czym prędzej zamknąć okno, ale złapała mnie za rękę i zaczęła całować tak, jak chciałem, by całowała wczoraj, gdy bilans jednoznacznie wskazywał, że w pocałunkach była dziewczyną mocno zadłużoną. Zrozumiałem wtedy, jak ważne dla kobiet są słowa, jak wielką moc w sobie mają, i z ulgą pomyślałem, że już się nie muszę obawiać Aureliusza.

– Tak się dla mnie namęczyłeś – roześmiała się, patrząc na kartkę z wierszem, a ja poczułem lekki niepokój, bo nie byłem pewien, czy to pochwała, czy raczej współczucie.

Laurka spieszyła się na zajęcia, miała umówioną taksówkę, która czekała już po drugiej stronie ulicy, ale z powodu nagłego przypływu uczuć nie potrafiliśmy się ze sobą rozstać. Z ostatnim pocałunkiem jest dokładnie tak jak z piciem strzemiennego, którego po raz ostatni wypija się tyle razy, że już nim samym można się upić. Najpierw pożegnały się ze mną jej wargi, a potem szyja i miejsce za uchem, w końcu pożegnał się dekolt i już miała odchodzić, gdy nagle jej usta oznajmiły, że już nie pamiętają smaku, więc zaczęliśmy się żegnać od nowa, chociaż taksówkarz trąbił zniecierpliwiony. Ostatni pocałunek ma ze wszystkich najgorzej, zostawia po sobie niespokojne miejsce, zimne i nagle opuszczone jak dom, z którego w pośpiechu ktoś się wyprowadził. Laurka zbiegła na dół, a ja za nią, wsiadła do taksówki, a ja poczułem się jak taki opuszczony dom z przeciągiem pustych okien.

Otworzyła okno samochodu i skinęła na mnie ręką. Schyliłem się.

– Coraz lepiej całujesz – powiedziała Laurka. – Dziś miałam wrażenie, że rozszerzam się jak przestrzeń w dniu stworzenia świata.

59.

Powrót Chrystusa
z sercem na dłoni

Pod domem, z okazji kolejnej rocznicy męczeńskiej śmierci Smoka, modlił się tłum pielgrzymów. Większy niż kiedykolwiek, bo była to rocznica okrągła i pojawiły się nawet pomysły, że po obaleniu komunizmu Smok zostanie patronem naszej ulicy. W domu stał natomiast Chrystus z sercem w wyciągniętej dłoni i patrzył na nas z wyrzutem. Wyglądał tak samo jak wtedy, gdy wisiał nad łóżkiem, w którym pierwszy raz byłem z Laurką.

– Ja mam chyba *déjà vu* – powiedziała matka, patrząc na obraz w pomalowanej na złoty kolor ramie.

Rzeczywiście, ponoć historia zatacza koła i wyglądało na to, że kolejne właśnie zatoczyła – udało się w końcu sprzedać dom po babci, a nowy lokator wyrzucił stare meble i niepotrzebne sprzęty, wśród których znalazło się kilka obrazów, między nimi ten w złotej ramie – i znów nie wiadomo było, co z nim zrobić, jak z obrazami w czasach Smoka. Przywieźliśmy go więc do domu, a wraz z nim trzy monidła i portrety ślubne – babci i dziadka, wuja Kurta i ciotki Kerstin oraz moich rodziców.

Monidło babci i dziadka było czarno-białe z ręcznie pokolorowanym przez fotografa bukietem kwiatów. Zdjęcie ciotki i wuja zrobiono w sepii, idealnie pasującej do koloru munduru żołnierza – wuj wystąpił w nim nie tyle z powodu niemieckiego patriotyzmu, ile raczej z konieczności, bo w dniu ślubu fotograf był chory, a trzy dni później, gdy wreszcie wyzdrowiał, wuj już wyjeżdżał na front.

Portret rodziców również był dość dziwaczny – zgodnie z zamysłem fotografa matka siedziała na krześle, a ojciec klęczał u jej boku, najwidoczniej wciąż prosząc o rękę, chociaż już było po ślubie. Jednak w wyniku złego kadrowania na portrecie pozostały tylko ich górne połowy: matka widoczna była od talii, a klęczący ojciec miał tylko część piersi i głowę, przy czym nie było już widać, że klęczy. Ze zdjęcia spoglądali małżonkowie z powieści o Guliwerze – jedno z krainy liliputów, drugie – olbrzymów, tak jakby fotograf chciał powiedzieć, że w tym domu Polacy są na straconych pozycjach.

Monidła matka wzięła do swojego pokoju i tymczasowo schowała pod łóżkiem, ale Chrystus już tam się nie mieścił. Stał więc teraz przed nami oparty o stół i trzymał w dłoni swoje wyciągnięte serce. W końcu matka wsunęła obraz za szafę w przedpokoju.

Przez jakiś czas stał tak za szafą, ale siostra Immakulata orzekła, że chociaż jest luteranką i nie uznaje kultu obrazów, to jednak tak się nie godzi i obraz należy oddać we właściwe ręce.

Matka pamiętała kłopoty, jakich nastręczyło poszukiwanie właściwych rąk dla świętych obrazów Smoka.

– Za stara jestem, żeby znowu proboszcza o schronienie dla obrazu prosić – zwróciła się do mnie. – Pójdziesz nocą i podrzucisz im obraz pod kościołem.

Nic prostszego. Późnym wieczorem poszliśmy z Laurką na spacer. Do kościoła na Sudeckiej mieliśmy pięć minut. W telewizji leciała akurat *Niewolnica Isaura*, więc ulice były puste jak po wybuchu bomby neutronowej. Postawiliśmy obraz pod bocznym wejściem i spokojnie wróciliśmy do domu. Nikt nas nie zauważył.

Zamknęliśmy się w mojej nyży, a ja znów poczułem się niczym Aureliusz lub inny Abelard – podszedłem do Laurki, opuściłem ramiączka jej sukienki i powiedziałem jak poeta totalnie romantyczny:

– Zobacz, jak pachnę, powąchaj moją szyję, tors i uda, jeśli jeszcze nie wiesz, co czuję, to za sekundę poznasz po zapachu, ale musisz być gotowa także na rozczarowania, bo jeszcze nie wiesz, czy na mojej skórze skrapla się dla ciebie moja złość za tamtego mężczyznę, czy wciąż oczarowanie z pierwszego dnia, w którym tu przyszłaś. Jeśli poczujesz woń ostrą i jakby z piekła, to od razu pomyślisz, że taki zapach może mieć tylko męska furia – wtedy weźmiesz swoją sukienkę i z nią odejdziesz. Jeśli jednak masz wrażenie, że dookoła pachnie łąką albo deszczem – takim, jaki latem pada na rozgrzany asfalt – to zamknij oczy i dotknij mnie ustami. Powolutku wysuń język, uczucia są niekiedy tak nieśmiałe, że można je wyczuć czubkiem języka.

Laurka spojrzała na mnie oczami pełnymi zdziwienia, ale i podziwu, i już chciała coś powiedzieć, gdy do drzwi zapukała matka z pytaniem, czy może przeszkodzić.

– Oj, mamo, nie pytaj, czy możesz przeszkodzić, skoro już przeszkadzasz – odpowiedziałem raczej niegrzecznie, ale Laurka natychmiast moją niegrzeczność zatuszowała, mówiąc, że ależ proszę bardzo, przecież my nic takiego nie robimy i w ogóle nic się nie stało.

– Zostawiliście go jak niemowlę pod furtą, a właśnie zaczął padać deszcz – powiedziała matka, a ja pomyślałem, że po tych wszystkich kłopotach – z ojcem, Iskierką i Tyranią – na pewno dostała pomieszania zmysłów.

– Kogo zostawiliśmy?

– Chrystusa na obrazie. A deszcz pada.

No i całkowita zmiana nastroju. Zacząłem szukać w szafie czegoś przeciwdeszczowego i znalazłem prochowiec ojca podobny do tego, jaki nosił towarzysz Zelmer, tak obszerny, że w jego fałdach mógłby się zmieścić nie tylko obraz z jednym świętym, lecz cała *Ostatnia Wieczerza*.

Laurka chwyciła za parasol i pobiegliśmy w stronę kościoła. *Niewolnica Isaura* na szczęście jeszcze trwała, ulice były puste. Obraz stał, trochę już zmoczony. Podniosłem go z ziemi i schowałem pod prochowcem. Dół był zabezpieczony, ale górny róg wystawał.

Wtedy zawyła syrena, rozbłysły światła milicyjnego radiowozu.

Nie pomogły żadne tłumaczenia, zawieźli do komisariatu. Siedliśmy na drewnianej ławce, zabezpieczony przez milicjantów dowód przestępstwa suszył się naprzeciw w kantorze oficera dyżurnego i patrzył na nas z niezmiennie wyciągniętym sercem.

Zaalarmowany informacją o kradzieży proboszcz od razu przybiegł i na widok dowodu przestępstwa stanął oniemiały.

– Nie, nie, to nie jest obraz z mojego kościoła.

– Ksiądz jest pewien? – nie dowierzał jeden z milicjantów.

– Ależ oczywiście, przecież to obraz z jakiegoś odpustu.

– To co obywatele robili z nim nocą przed drzwiami kościoła? – zwrócił się do nas milicjant.

– Chcieliśmy go zostawić księdzu. Podarować po prostu.

– Nocą? Jak księdza nie było? Dlaczego nie w dzień?

– Bo ksiądz już kiedyś go nie chciał, pytaliśmy, a nie było co z obrazem zrobić, więc chcieliśmy go ofiarować po kryjomu.

– Coś się nie zgadza. Patrol zatrzymał was, gdy chowaliście obraz pod płaszczem i oddaliliście się w przeciwną stronę niż drzwi kościoła. A na mój rozum, jak ktoś chce coś dokądś zanieść, to nie oddala się z tym czymś w przeciwnym kierunku. Czy jasno się wyrażam?

– Oczywiście, tak było, najpierw obraz nieśliśmy, tak jak pan mówi, we właściwym kierunku, pod drzwi kościoła, ale jak wróciliśmy do domu, to zaczął padać deszcz, więc musieliśmy wrócić i zmienić kierunek, żeby nie mókł.

– Nie rozumiem. Kto nie mógł?

– No, obraz.

– Znaczy, żeby nie przestał być cudowny, jak to wy powiadacie, tak?

– No tak, szkoda, żeby się miał w przedpokoju poniewierać.

– To przedtem był w przedpokoju?

– Ale tylko dwa dni.

– I tam czynił cuda?

– No… Nie wiem…

– A co mówił?

– Kto?

– No obraz, przecież o obraz pytam – wyjaśnił milicjant.

Trochę nas zaskoczył. Nie wiedzieliśmy, co odpowiedzieć.

– Dość tego kręcenia – orzekł w końcu funkcjonariusz. – Zostają państwo do wyjaśnienia na komendzie, proboszcz też.

Po czym zadzwonił do komendy wojewódzkiej i od tego momentu działy się rzeczy dziwne, zupełnie dla nas niezrozumiałe. To, co powiedział do słuchawki, brzmiało mniej więcej tak:

– Melduję, że mamy kolejny przypadek nawiedzenia. Młoda para z obrazem, który czyni cuda, zamieszany jest też proboszcz, ale się nie przyznaje.

Była druga połowa lat osiemdziesiątych i przez Polskę przetaczała się fala cudów. Zaczęło się od słynnej wówczas Oławy, gdzie emerytowany kolejarz, Kazimierz Domański, wybrał się na działkę w celu rekonwalescencji zaleconej po urazie mózgu i spokojnie podwiązywał pomidory, gdy niespodziewanie objawiła mu się Matka Boska i kazała wybudować w warzywniaku kościół (co też po kilku latach uczynił).

Na działkę Domańskiego regularnie przychodziły pielgrzymki – początkowo kilkaset osób, w końcu dziesiątki tysięcy. Objawianie się Matki Boskiej stało się u nas popularne jak nigdzie indziej na świecie. W ciągu roku objawiła się w kilkunastu miejscowościach. Na szybie, kominie, korze drzewa. Najpierw duchowni dolnośląskiej kurii, a potem Episkopatu Polski wydali ostrożne komunikaty, w których nawoływali do sceptycyzmu, co jednak nie przyniosło spodziewanego skutku. Cały kraj był tak gorąco przeciw komunistom rozmodlony, że nie było miesiąca, w którym gazety nie donosiłyby o kolejnym cudzie. Dla strzegącej świeckiego wizerunku państwa Służby Bezpieczeństwa było to skaranie boskie. Podobnie jak dla milicji, która wśród rozmodlonych pielgrzymów strzec miała porządku. Matka Boska ewidentnie wędrowała po Polsce.

Nie pomogły moje i Laurki tłumaczenia, że milicjant przewrażliwiony był na okoliczność cudów i w zeznaniach zaprotokołował, iż „zdaniem zatrzymanych obraz mógł czynić cuda", a tymczasem chodziło nam tylko o to, by na deszczu nie mókł. „Mókł", a nie „mógł".

Być może po pewnym czasie funkcjonariusze nawet uwierzyli w nasze tłumaczenia, ale nie miało to już żadnego znaczenia – historia z obrazem wymknęła się już spod kontroli i toczyła po swojemu, rozwijając niezależne od nikogo wątki.

O wszystkim z wrocławskiej prasy dowiedzieli się parafianie, dzięki czemu obraz stał się od razu przedmiotem kultu. Jedni mówili, że jest to obraz poświęcony przez papieża i podarowany podziemnej „Solidarności", inni dodawali, że w rocznicę porozumień sierpniowych widać na nim stygmaty. Z tygodnia na tydzień obrastał kolejną legendą, a wierni tak nieustępliwie domagali się jego zwrotu, że w końcu obraz został przekazany proboszczowi, który kazał go zawiesić w bocznej nawie i przy okazji zamieścić obok skarbonkę na renowację dachu.

60.

Dlaczego Laurka
maluje krasnale

W czasie stanu wojennego nastąpił zastój w haftowaniu sztandarów, bo nikt nie wiedział, jak się to wszystko potoczy i jakie napisy będą obowiązujące. Przez ponad rok pani Emanuela nie przyniosła nic do wyhaftowania, bo „Solidarność" została zdelegalizowana, wszelki ruch społeczny zawieszony, a Służba Bezpieczeństwa i milicja zwyciężały na ulicach bez potrzeby wnoszenia sztandarów.

Po zniesieniu stanu wojennego przehaftowane już raz sztandary związków zawodowych zaczęły wracać do ponownej przeróbki. Tym razem matka z siostrą Immakulatą wypruwała z nich napis „Solidarność" i dopisywała nazwę branżową, co w rezultacie wyglądało na przykład tak: „NSZZ Pracowników Przemysłu Spirytusowego, sekcja Drożdży", dając do zrozumienia, że trwa w narodzie pozytywna fermentacja.

Tyrania, śladem dziadków, wyjechała ze swoją małą rodziną do przemysłowego Zagłębia Ruhry, gdzie było już tylu Polaków, że na co dzień obywali się bez znajomości języka niemieckiego. Dostali trzypokojowe mieszkanie komunalne w miejscowości Recklinghausen, wuj Kurt zebrał wśród rodziny używane meble i po kwartale Tyrania była już urządzona na tyle, że tym razem to ona mogła nam przysyłać paczki.

Iskierka trafiła do poradni dla porfiryków i stan jej zdrowia lekko się poprawił. Tylko Rudy Tomek nie mógł się w nowym miejscu zaaklimatyzować. W ciągu roku trzy razy rzucił pracę – raz w kopalni węgla, raz w kopalni soli, a raz w hucie, w końcu przeszedł na zasiłek dla bezrobotnych i zaczął pić. Okropnie się też przy tym obżerał, bo gdy wyjeżdżali z Polski, w sklepach nadal nic nie było, a tam codziennie delikatesy otwierały się przed nim z szerokim uśmiechem. Kupował i jadł, pił, jadł i znów kupował, zupełnie jak kiedyś dziadek Helmut, który zmarł z przejedzenia – kajzerki z makiem, kiełbasę piwną, frankfurterki – na śniadanie, pieczone kurczaki i frytki z majonezem – na obiad, żółte sery z tostami i mortadelę – na kolację, a w międzyczasie orzeszki ziemnie i brazylijskie, pralinki w polewie, winogrona i banany, i wszystko to popijał piwem, a gdy go już suszyło, coca-colą. Po roku przytył pięćdziesiąt pięć kilo, był tłusty i wiecznie pijany, aż pewnego dnia, po kolejnej awanturze, Tyrania wyrzuciła go z domu i tak smutno skończył się ich wspólny pobyt w kraju dostatku. Tomek poszedł do opieki społecznej, w poczekalni poznał kobietę starszą o dziesięć lat, też lubiącą wypić, zamieszkał z nią w pudłach kartonowych nieopodal dworca i wszyscy sądzili, że już się zmarnował, gdy okazało się, iż kobieta ta była ekscentryczną pisarką, zbierającą materiał do kolejnej książki, a parę lat później typowaną do najważniejszych nagród literackich. I tak Tomek nieoczekiwanie znalazł się na najlepszych towarzyskich salonach.

Tyrania natomiast nieoczekiwanie została marszandem. Podczas wizyty w Polsce dostała w prezencie portret, na którym była Iskierka namalowana przez Laurkę. Laurka postanowiła być malarką nowoczesną, więc malowała głównie kropki. Tyranii wydawało się to bardzo bliskie, wręcz metafizyczne, bo pamiętała lakmus wiary, obraz z kropek, który do naszego domu przyniósł ksiądz podczas choroby babci.

Laurka malowała czarne kropki na białym tle, różnie rozmieszczone. Wolałbym, żeby malowała normalnie, jak dawni malarze, u których pies wygląda jak pies, człowiek jak człowiek, a dom jest do domu podobny i można nawet zobaczyć czyjąś twarz na piętrze. Ale ja się na sztuce zupełnie nie znam, więc mówiłem, tak jak wszyscy, którzy obrazy Laurki oglądali, że te jej kropki mają nadzwyczajną moc ekspresji. Zawsze, jak człowiek widzi dzieło sztuki, które nie wiadomo, co przedstawia, to powinien powiedzieć, że widzi moc ekspresji. Wszyscy tak robią. Podejrzewam, że to jest jedno wielkie oszustwo z tym malarstwem nowoczesnym, tak naprawdę nikomu się nie podoba i nikt w tym nic nie widzi, ale każdy boi się do tego przyznać, bo się obawia, że inni coś widzą. Podejrzewam, że podobnie jest z religią.

Wernisaż Laurki transmitowany był w telewizji: Laurka występowała przed kamerą i pokazując obraz, który przedstawiał czarne kółko na białym tle, bardzo przejęta mówiła, że kropka – jako znak na końcu zdania – jest jak Sąd Ostateczny i ostateczna forma wyrazu.

Poszedłem na ten wernisaż z Tyranią, żeby pokazać jej, że Polska też jest krajem nowoczesnym, a potem wróciliśmy we troje do domu, gdzie mama robiła Iskierce „Hoppe, hoppe, Reiter". Laurka wzięła blejtram i namalowała Iskierkę tak, że składała się z samych kropek. Później ktoś zobaczył ten portret u Tyranii w domu, zainteresował się malarstwem Laurki i w ten sposób moja siostra została pośrednikiem w sprzedaży dzieł sztuki.

Człowiek nigdy nie potrafi docenić tego, co ma, i zamiast się cieszyć, to marudzi, aż w końcu spotyka go zasłużona kara. Przekonałem się o tym, wybrzydzając na kropki Laurki, bo w końcu przyszedł dzień, w którym nieoczekiwanie postanowiła malować krasnale, co niebawem zaczęło kosztować mnie wiele nerwów, albowiem groźnie wzmocniło pozycję Aureliusza.

Krasnale wymyślił dowódca twierdzy Wrocław. Aureliusz prowadził wykłady na historii sztuki – poznał tam Waldemara Fydrycha, który utrzymywał, że jest majorem, i na czas ulicznych zatargów z milicją, które trwały niemal całą dekadę, ogłosił miasto twierdzą na wzór Festung Breslau, sam zaś mianował się jej przywódcą.

Niemal codziennie na murach miast pojawiały się hasła typu „Solidarność walczy" lub „Chcemy orła, a nie wrony", przy czym nie chodziło o ptaka, lecz o powołaną przez generała Jaruzelskiego Wojskową Radę Ocalenia Narodowego. Hasła te pojawiały się zazwyczaj o zmierzchu, a przed świtem na ulice wychodziły brygady służb porządkowych i zamalowywały je białą farbą.

Major, widząc walkę na murach, postanowił doprowadzić rzecz do absurdu i na zamazanych przez milicję napisach malował krasnale. Twierdził przy tym, zgodnie z obowiązującą wówczas dialektyką heglowsko-marksistowską, że początkowy napis jest tezą, jego zamalowanie to antyteza, krasnal zaś to synteza. Krasnale były skuteczniejsze niż jakiekolwiek hasło, bo ośmieszały nie tylko milicjantów, którzy przebrani za pracowników ekip malarskich biegali po mieście z wiadrami farby, lecz także cały system, który do tego doprowadzał.

Laurka dołączyła do majora wraz z Aureliuszem i niemal codziennie wychodziła na noc; dziwnie to musiało wyglądać – dwudziestoparoletnia dziewczyna w towarzystwie dorosłych mężczyzn skrada się, by malować krasnale. A potem było jeszcze gorzej. Zaczęła działać w strukturach Pomarańczowej Alternatywy, happeningowej grupy, z którą paradowała przed szpalerami uzbrojonej milicji, skandując hasła w rodzaju „Vivat witamina", i brała udział w akcjach takich jak rozdawanie papieru toaletowego.

W Polsce nadal nie można było go normalnie kupić. Wszyscy zbierali makulaturę, a potem szli do punktów skupu, gdzie za kilogram otrzymywało się rolkę. Laurka z Aureliuszem i grupą przyjaciół uzbroili się w kilkaset rolek i szli przez centrum miasta, wręczając je przechodniom. Zaraz pojawiła się milicja i zaczęła wyłapywać ich pod pretekstem zakłócania porządku publicznego, przy czym wsadzała do radiowozów wszystkich, którzy z zadowoleniem nieśli papier – i tak w komisariatach znaleźli się zarówno ci, którzy rozdawali, jak i ci, którzy dostali go w prezencie.

Potem Laurka została literą „I", co było już na tyle niebezpieczne, że wsadzono ją za to na kilka dni do aresztu. W grupie trzynastu osób stawała w centrum miasta w koszulkach, na których wymalowane były litery – na każdej koszulce jedna – tak, że razem tworzyli wywrotowy i ścigany przez prawo napis „PRECZ Z KOMUNĄ". Laurka miała na swojej koszulce literę „I" i stała sobie z nią grzecznie z boku. Ludzie uśmiechali się, klaskali, robili

pamiątkowe zdjęcia. Gdy pojawiała się milicja, Laurka błyskawicznie wpadała między litery, konkretnie między ostatnią i przed-
ostatnią, i tak powstawał nowy napis, bezpieczny z marksistowskiego punktu widzenia, a nawet przez komunistów pożądany:
„PRECZ Z KOMUNIĄ".

– Co wy tu robicie? – pytali groźnie milicjanci.

– Prezentujemy swój materialistyczny światopogląd – odpowiadała Laurka.

Raz i drugi się udało, w końcu jednak trafili na patrol, który okazał się nieco bardziej rozgarnięty, i tak, razem z pozostałymi literami, Laurkę zamknęli.

Oddaliliśmy się od siebie powoli, niezauważalnie, nawet o tym
nie wiedząc. Z pozoru wciąż byliśmy ze sobą – czasami spaliśmy
osobno w swoich nyżach, oddzieleni cienką ścianą, przez którą
wsłuchiwaliśmy się w swoje oddechy, czasami zasypialiśmy razem,
po jednej lub po drugiej stronie ściany, jednak częściej po mojej, bo
spośród obu matek mama Laurki gorszyła się bardziej. W końcu
przyszedł taki tydzień, że nie było między nami żadnego trzymania
się za ręce, przytulania ani nawet ciepłego dotyku, a po nim drugi
taki sam tydzień, zupełnie jakbyśmy nagle stali się znudzonym sobą
małżeństwem. Aż pewnej nocy obudził mnie niepokój. Nie żaden
hałas ani nawet niepokojący dźwięk, lecz właśnie bezdźwięczny lęk.

Usiadłem na łóżku, dotknąłem dłonią czoła. Było gorące i spo-
cone, jakbym dostał nagłej gorączki. Zza cienkiej ściany dobiegł
mnie szmer. Dwa przyciszone głosy.

Krótki dziewczęcy chichot.

Tubalny męski śmiech, nagle stłumiony, jakby pospiesznie
zasłonięty dłonią.

A po nim cisza, ale taka zła cisza, która coś strasznego ukrywa.

Cisza, która ma rękę na ustach, lecz usta te nie zgadzają się na
milczenie – w głąb ręki szepczą albo i w głąb ciała od razu.

Potem błądzą po nim i rozsypują bezszelestne dotknięcia warg, obce dłonie łamią zastane na udach pieczęcie, a obce usta pieczętują je od nowa na znak przejęcia w swoje posiadanie.

Później mój pokój pełen był szeptów, które sączyły się przez ścianę, nie słyszałem ani jednego, ale wyraźnie je rozumiałem, bo są między ludźmi słowa, których nie trzeba słyszeć, aby wiedzieć, o czym mówią. W końcu drzwi lekko się zatrzasnęły i szepty ucichły.

Jeszcze wczoraj mieliśmy pasować do siebie na zawsze.

– Spójrz – mówiłem jej – jestem zbudowany tak, że doskonale mieszczę się w tobie. A kiedy ogarniam cię ramieniem, staję się idealną formą na twoje rozterki. Twoja dłoń chętnie chowa się w mojej. Pod obojczykiem mam takie wygodne miejsce, na którym będziesz mogła zasnąć. I zobacz, jaki spokój moje rozbiegane myśli znajdują między twoimi piersiami. Czuję twoje palce zaciskające się wokół moich. Teraz się boisz, bo nie wiadomo, co będzie dalej. Mężczyźni zbyt często nad ranem przypominają baloniki lub mydlane bańki, pstryk – i już ich nie ma.

61.

Mapy w rozkręcanych laskach

W przedpokoju całą ścianę przy wejściu mieliśmy zabudowaną wieszakami z rzeźbionego drewna. Było ich tyle, że moglibyśmy powiesić na nich wszystkie swoje płaszcze, a i tak miejsce by jeszcze zostało. W tej zabudowie, która miała chyba z sześć metrów długości, mieścił się też system wąskich i płytkich szufladek na różne drobiazgi: klucze, łyżki do butów, pasty, szmatki, sznurowadła, a dalej – zapasowe bezpieczniki, żarówki, latarka po Freytagu; bliżej lustra zaś – spinki i opaski do włosów, grzebienie i poniemieckie pudełko z wyschniętą pomadą, której nikt nie wyrzucał, bo na wieczku był narysowany Murzynek z wyprostowanymi od tej pomady włosami, co wszystkich bardzo bawiło. Może dlatego, że te włosy miał takie proste, a może dlatego, że w tamtych czasach nie było w Polsce Murzynów.

U dołu wieszaka znajdował się rząd mosiężnych uchwytów na parasole. Matka trzymała tam laski Freytaga, może z przyzwyczajenia, a może dlatego, że były po prostu ładne – kościanymi i srebrnymi uchwytami od wejścia nadawały naszemu domowi nieco arystokratycznego charakteru. Laska najgrubsza, z szarotką na stylisku, wisiała pośrodku. Zdjąłem ją ze ściany – mimo lat wyglądała na niemal nieużywaną. Zacząłem przechadzać się po domu, uderzając w podłogę metalowym grotem. Stukała tak, że nie usłyszałem, kiedy do domu wszedł ojciec.

– Co ty wyprawiasz, chcesz narobić dziur w podłodze? – fuknął.
– Stary już jesteś, a wciąż głupi jak dziecko.

Wzdrygnąłem się zaskoczony jego niespodziewanym wejściem, a laska upadła na kamienną płytę obok kaflowego pieca. Sięgając po nią, spostrzegłem, że uchwyt jest nieco przekrzywiony. Przyjrzałem się mu z bliska – na połączeniu z drzewcem miał wyraźny mosiężny gwint. Chwyciłem, żeby odkręcić.

– Chcesz zepsuć? Matka będzie wściekła. Po coś to w ogóle zdejmował ze ściany?

– Patrz, to się odkręca – odpowiedziałem.

– I co z tego?

– Kiedyś w laskach robiono różne schowki. Melchior Wańkowicz miał w swojej szklaną ampułkę.

– Z trucizną? – zainteresował się ojciec.

– Nie – roześmiałem się. – Z koniakiem.

– Skąd wiesz?

– Pokazywał nam ją przewodnik, jak byliśmy z Laurą w warszawskim Muzeum Literatury.

– Może tam coś ukryli? – odebrał mi laskę. – Gwint trochę zardzewiał, na sucho zepsujemy na pewno – powiedział, przyglądając się gwintowi, i od razu poszedł po oliwiarkę. W tych sprawach zawsze był bez zarzutu.

Zwilżył gwint kilkoma kroplami oleju, a ten, choć nieużywany od końca wojny, puścił przy pierwszej próbie. Wolno zaczął rozkręcać laskę i po chwili uchwyt oddzielił się od drzewca. Pociągnął go delikatnie i z wnętrza wysunęła się długa metalowa tuleja. Była idealnie gładka, emaliowana na czarno, z emblematem róży wygrawerowanym na środku. Ojciec otworzył wieczko. W środku, ciasno zwinięty, tkwił jakiś papierowy rulon.

– To tylko jakiś dokument – stwierdził rozczarowany.

Chciałem go ostrzec, że zawartość może być światłoczuła i dlatego ukryto ją w czarnej tulei, ale ojciec już papier rozwinął, zerknął fachowym okiem i od razu rozpoznał.

– To odbitka lawowa na papierze ozalidowym, takim, jakim jeszcze do niedawna posługiwali się wszyscy, którzy robili plany urządzeń i konstrukcji budynków.

– I co tam widzisz? – zapytałem, bo ojciec na takich rzeczach znał się znakomicie.

– *Wasserturm für die Südvorstadt. Querschnitt. Breslau, den 17 August 1903* – przeczytał jeszcze bardziej rozczarowany. – To tylko nasza wieża ciśnień z ulicy Wiśniowej. Rzuty poprzeczne jej instalacji wodnej i elektrycznej.

– Co to może być „*Querschnitt*"?

– No właśnie „rzut poprzeczny". Wiem, bo przez wiele lat po wojnie posługiwaliśmy się niemieckimi planami. To pewnie jest kopia z miejskiego archiwum, bo ma podpisy i pieczęcie urzędu, który wydawał wtedy dokumenty budowlane. Oni mieli taką policję budowlaną i tam się pisało o zgodę na rozpoczęcie budowy. Zobacz – wpłynęło na dziennik jako trzy tysiące siedemdziesiąte czwarte podanie w 1903 roku. Niezłe tempo musieli mieć we Wrocławiu w tym czasie. A zgodę dostali już we wrześniu. To był porządek…

– Po co Freytagowi takie plany i dlaczego tak je ukrył?

– Był inżynierem. Może Niemcy się bali, że jak Rosjanie wszystko zniszczą, to później nie będzie z czego odtworzyć strategicznych budowli. „*Wasserturm für die Südvorstadt…*". Ta wieża obsługiwała całe południe miasta. Ależ to precyzyjnie narysowane, jakie szczegóły, nic, tylko brać i budować.

Ojciec w sprawach technicznych zawsze był dokładny. Włożył okulary do czytania i na wszelki wypadek wziął jeszcze lupę do ręki. Rozłożył mapę na stole i zaczął wykrzykiwać rewelacje.

– Człowiek całe życie mieszkał koło tej wieży i nic o niej nie wiedział. Wyobraź sobie, że tam jest jeszcze jeden podziemny poziom, a wieża stoi na betonowej płycie grubszej niż metr. Pod nią idą dwie wielkie rury, które spotykają się w środku wieży. Jedną woda jest pchana pod górę do zbiornika, a z drugiej, już pod ciśnieniem, woda wypływa do miasta. Od najniższego do najwyższego punktu w tym basenie jest ponad sześć metrów, a niecka ma aż siedemnaście metrów średnicy. To kolos – mówił poruszony ojciec.

Zerknąłem mu przez ramię – rzeczywiście na rysunku wszystko było dokładnie widać.

– Patrz, tu, w dolnej części, są jakieś pomieszczenia, pewnie dla techników czy strażników. A na górę wchodzi się schodami w tej cienkiej wieżyczce.

– Nie, w wieżyczce jest winda – odpowiedziałem. – Smok nam opowiadał, że tuż po wojnie to jeszcze Niemcy obsługiwali wodociągi i choć dookoła były same ruiny, wieża pozostała nienaruszona. Dlatego na Krzykach była od razu woda. Ten szef od wodociągów tu mieszkał, w którejś willi obok Sudeckiej. I bardzo go pilnowali, bo bali się, że zatruje wodę, a z drugiej strony bez niego i jego pracowników woda by nie popłynęła. Dlatego wozili go służbowym autem do pracy, a w jego gabinecie siedział przez cały dzień jakiś żołnierz z karabinem. Dokwaterowali mu do tej willi ze trzy polskie rodziny i nawet żyli w zgodzie. A on czasami zabierał ich do wieży, żeby za papierosy przejechali się windą. Smok z Rozalą też jeździli.

– W wieżyczce są schody, przynajmniej na planach, a nie winda.

– Nie wiem, nigdy nie byłem w środku, stały tam zawsze jakieś zakazy, nawet zakaz fotografowania.

– Bo jeszcze do niedawna, dopóki pompowała wodę, to był obiekt militarny. Ale od połowy lat osiemdziesiątych zastąpiły ją hydrofory i stoi pusta. Ponoć jacyś Niemcy chcą ją kupić.

– A po co Niemcom wieża ciśnień bez wody?

– Będą na hotel przerabiać. Przydałyby im się takie plany. Ale pewnie są gdzieś jeszcze inne. Jak po wojnie naprawialiśmy elektrykę w szpitalach, to wszystkie plany i schematy inżynier znalazł w archiwach. W tych sprawach to Niemcy mieli porządek.

Ojciec wrócił do oglądania schematów, a ja zająłem się metalową tuleją, w której były ukryte. Piękny przedmiot. Idealnie wykonany, no i ten grawerunek. Przypominał różę Lutra.

– Czegoś tu jednak nie rozumiem. Tego, tego nie rozumiem. – Ojciec pokazał jakiś punkt na mapie.

– A co to?

– Tu jest takie małe pomieszczenie. Dorysowane już później. Jak cela albo skrytka. Dochodzą do niego trzy fazy i zobacz, kable idą, a później wracają. Po otwarciu tych żelaznych drzwi musi dojść do zwarcia faz. A moc tu jest taka, że ktoś, kto będzie stał na tych schodach, zmieni się w kupę popiołu.

– To projektant o tym nie wiedział?

– Sęk w tym, że chyba wiedział.

– To po co to zrobił?

– Nie wiem, ale to wygląda jak elektryczna cela śmierci.

– Może to pułapka?

– Ale na kogo? Na Rosjan?

Rzuciliśmy się do innych lasek. Skoro w jednej była skrytka, to może w pozostałych też będą? Rzeczywiście. Po kolei wyciągaliśmy metalowe tuleje. Każdą zdobił emblemat wytłoczonej róży. Jedna z tulei była pusta. Pozostałe zawierały kalki z przerysowanymi fragmentami map. Naniesiono na nich jakieś kółeczka, krzyżyki, na jednej był czerwony wykrzyknik, na innej rysunek małpy, pelikana i krokodyla, zupełnie jakby ktoś znalazł w terenie zoo. Wszystkie były szczegółowo opisane – równe rzędy drobnych literek zajmowały niemal połowę każdej z map.

Tak nas zastała matka – pochylonych nad rozłożonymi kalkami, wśród fragmentów porozkręcanych lasek. Nie była zaskoczona naszym odkryciem. Poprosiła tylko, żeby potem wszystkie uchwyty były z powrotem dobrze przykręcone, i poszła do kuchni.

– Dużo masz jeszcze takich tajemnic przed nami? – zapytał z irytacją ojciec.

– To przecież żadna tajemnica. O czym tu mówić?

– Dlaczego ktoś schował w lasce plany z wieży ciśnień?

– Tego akurat nie wiem.

– A te kalki pochowane w pozostałych styliskach?

– To mapy. Mieliśmy takie gry terenowe urządzane w ramach ćwiczeń Hitlerjugend.

– Gry terenowe?

– Oj, opowiadałam już kiedyś. Szukaliśmy wtedy kielicha Lutra.

Wyprawy w góry wyruszały ze stacji Breslau Freiburger Bahnhof, czyli Dworca Świebodzkiego. W soboty, na placyku przed dworcem, drużyny organizowały zbiórki pół godziny przed odjazdem pociągu. Kiedy padało, można było się schować pod daszkiem, który przykrywał elegancką kolumnadę biegnącą wokół białego budynku. Nad głównym wejściem wisiał duży zegar, dzięki któremu już z ulicy było widać, że jest się na zbiórce o czasie. Zegara pilnowały rzeźby z herbami dwóch prowincji: Silesii i Pomeranii. W planach połączeń był Szczecin, stąd ta Pomerania na fasadzie dworca, który wówczas obsługiwał głównie trasę wiodącą górskimi przełęczami w kierunku Zgorzelca i dalej – do Drezna.

Zastępy poszukiwaczy, już w komplecie pod dowództwem drużynowych ze starszych klas, wkraczały do hali głównej i szły dalej na jeden z trzech peronów. W każdym zastępie musiał być mistrz czytania mapy i pomoc medyczna, natomiast drużynowy – co było jego wyłącznym przywilejem – niósł górską laskę, która była przedmiotem dumy jednych, a zawiści drugich.

Wyjeżdżali w sobotę po południu, by po kilku godzinach jazdy dotrzeć do którejś miejscowości na trasie linii kolejowej numer 274. Mijali kopalniane krajobrazy okolic Waldenburga, by dotrzeć do Hirschbergu, Lauban, Gottesbergu, Freiburga, a nawet Görlitz. Tam meldowali się w schronisku, gdzie krótki nocny odpoczynek poprzedzała precyzyjna odprawa drużynowego. Schronisko opuszczali najwcześniejszym świtem.

Kiedy zastęp po wielogodzinnej wędrówce docierał do kolejnego schroniska, jego członkowie rozkładali mapę na drewnianym stole, kładli na niej specjalnie przygotowaną kalkę i ostro zatemperowanym ołówkiem nanosili punkty orientacyjne terenu. Później najlepszy z młodych kartografów wytyczał trasę wędrówki i spisywano raport.

Najpierw data i alfabetycznie – kto brał udział w wyprawie. Dalej godzina, o której zastęp wyruszył z Wrocławia, i do jakiej stacji Śląskiej Kolei Górskiej dotarł. Wariantów było wiele, bo elektryczna kolej Schlesische Gebirgsbahn wybudowana przez Zarząd Królewskich Pruskich Kolei Żelaznych (KPEV) dawała ogromne możliwości. Po drodze mijali kilkadziesiąt stacji, z których można było dotrzeć do górskich schronisk.

Później należało zdać raport – z jakiego schroniska zastęp wyruszył i jaką szedł trasą, jakie były warunki, czy w marszu przeszkadzały zwalone drzewa, czy pojawił się jakiś uskok lub ziemny jar, a może nowy strumień. Dalej: ilu ludzi spotkali po drodze, czy byli wśród nich cudzoziemcy. Wszystko to precyzyjnie umieszczano na kalce. Później drużynowy kalkę zwijał w wąski rulon, odkręcał w górskiej lasce rączkę i w specjalnym otworze umieszczał raport.

Laska trafiała później do szkoły, w ręce jednego z uprawnionych nauczycieli. Przed kolejną wyprawą schowek w niej był już pusty. Raz na jakiś czas pod szkołę podjeżdżał czarny elegancki samochód i dwaj oficerowie wchodzili do gabinetu dyrektora. Dla uczniów było jasne, że przyjechali po ich raporty.

Im więcej drużyna miała znaczków ze schronisk na lasce, tym bardziej ją w szkole szanowano. Drużynowy mógł prowadzić po kilka drużyn, a kiedy kończył szkołę – laski ze wszystkimi odznakami dostawał od dyrektora w prezencie.

Znaczki ze schronisk kolekcjonował każdy z członków wyprawy, ale tylko drużynowy miał prawo nabijać je na szkolną laskę. Każdy dzieciak ze Śląska wiedział, skąd wzięła się laska w rękach młodych wędrowców i poszukiwaczy – to znak Rübezahla, tego Ducha Gór, który z laską w ręku po raz pierwszy został przedstawiony na mapie Śląska w szesnastym wieku przez wrocławskiego kartografa Martina Helwiga.

Wyprawy miały charakter praktyczny, często wypatrywano po prostu szpiegów, ale starano się dodać tym eskapadom czaru, mówiąc, że na trasie ich poszukiwań znajduje się legendarny kielich Lutra. Być może rzeczywiście był w górach ukryty, a może to tylko legenda. Z czasem niektórzy tak w nią uwierzyli, że podczas wypraw szukali głównie tego kielicha.

62.

Bójka z Aureliuszem

Nagle coś się stało z czasem. Z czasem Laurki i moim, bo o ile dotąd dla nas był, to pewnego dnia gdzieś przepadł.

– Nie mam dziś dla nas czasu, Piotrusiu – mówiła Laurka dzień po dniu, a ja wtedy czekałem na dzień następny, aby doczekać powrotu czasu, który wciąż jednak nie wracał.

– Brak mi twojej dłoni w moich rękach – szeptałem – twojego głosu w moich uszach, twoich warg na moich ustach, twojego uśmiechu w moich oczach. Czasami mam wrażenie, że wszystko wokół wariuje z tęsknoty i nawet mojej podłodze brak przez ciebie piątej klepki.

Wieczorami patrzyłem w głąb ściany sypialni i widziałem, jak Laurka szykuje się do snu – stojąc do mnie przodem, zrzuca ubranie, potem naga rozczesuje włosy i odwraca się tyłem, żebym mógł zobaczyć, jak ich falujące końcówki dotykają niemal chłopięcych bioder.

Podsłuchiwałem ciszę i ona mnie uspokajała, cisza była przyjazna i świadczyła o tym, że oprócz Laurki nikogo za ścianą nie ma. Czasami jednak zdarzało się milczenie. Cisza to milczenie między przedmiotami. Milczenie to cisza między ludźmi. Kiedy za ścianą słyszysz u swojej dziewczyny milczenie, to wiesz, że nie jest sama i zdarzyć się mogą rzeczy najgorsze.

Brałem wtedy nożyczki i wbijałem je w ścianę. Kawałek tynku odpadał i odsłaniał cegłę czerwoną jak rana. Potem przykładałem ostrze do swojego ciała. Każdy taki wieczór był blizną w moim sercu, którą przenosiłem na swój brzuch, uda, ramiona, tnąc się ostrzem rozwartych nożyczek – na tyle płytko, że goiło się bez szwów, ale na tyle głęboko, że ból z serca bezpiecznie mógł się przenieść na skórę. Lżej mi było, gdy bolało mnie na wierzchu, a nie w środku. Ten ból na skórze można było opanować, a nawet zająć się nim, zaopiekować – zdezynfekować, a potem czymś owinąć. Gdy piecze cię skóra, nie czujesz, że masz zranione serce.

Któregoś wieczoru zauważyłem ich na schodach. Biegli oboje na górę, ona pierwsza, on za nią, szczypiąc ją w pupę.

– Przestań, nie lubię tego.

– Każda lubi. Tak tylko gadacie.

Poczułem wściekłość. Pod drzwiami stała butelka na mleko, chwyciłem ją i rzuciłem się w kierunku Aureliusza. Był ode mnie wyższy o głowę, dobrze zbudowany. Wyglądał na silnego mężczyznę. Zamachnąłem się i uderzyłem z całej siły. Widziałem tylko, jak odskakuje, potem poczułem, jak podcina mi nogi, i wylądowałem na podeście schodów. Aureliusz jednym skokiem znalazł się przy mnie, usiadł mi na klatce piersiowej, przydusił. Sięgnął po butelkę, z którą się na niego rzuciłem, złapał za jej szyjkę, a dnem uderzył o ścianę. Posypało się szkło, denko odpadło, a Aureliusz przyłożył mi do twarzy resztki stłuczonej butelki. Zobaczyłem ostrą krawędź centymetr od oka.

– Ty gnoju – zasyczał – już ja cię urządzę!

– Zostaw go! – pisnęła Laurka.

– Przecież widziałaś, że rzucił się na mnie!

– Zostaw!

Wyciągnęła dłoń i wsunęła ją między moją twarz a stłuczoną butelkę. Zobaczyłem jej wykrzywione bólem usta i poczułem na twarzy ciepłe krople krwi.

– Zwariowałaś, Laura?! – wrzasnął Aureliusz, natychmiast odskakując. – Przecież mogłem ci krzywdę zrobić. Pokaż dłoń, głęboko skaleczona?

– Idź sobie stąd! Wynoś się! – krzyknęła Laurka, a ja ze zdziwieniem zauważyłem, że krzyczy nie do mnie, lecz do Aureliusza.

– O co ci chodzi? To przecież ten gnojek na mnie napadł.

– Sam jesteś gnojek! Spadaj stąd!

Zdumiony Aureliusz otrzepał się i wzruszył ramionami.

– Jak sobie chcesz – powiedział, schodząc na dół. W połowie schodów zatrzymał się. – Wiesz, Laura, ty to jednak jesteś jeszcze mocno niedojrzała.

– Spadaj!

Usiadła na schodach, wyciągnęła chusteczkę i owinęła sobie rękę.

– Przepraszam – powiedziałem, siadając obok. – Głęboko się skaleczyłaś?

– Ja się skaleczyłam? Sama? Wzięłam butelkę, rozbiłam ją i się skaleczyłam? Idiota!

– Przepraszam. To moja wina.

– Wiem, że twoja!

– Boli?

– Nic mi nie jest. To tylko naskórek.

– Dlaczego to zrobiłaś?

– Jestem zepsuta.

– Nie jesteś.

– Jestem zepsuta – powtarzała, patrząc na mnie z wyrazem twarzy pacynki, która chce, by ją naprawić. – Jestem zepsuta – powtórzyła po raz kolejny, a ja przyglądałem się jej zielonym oczom, długim falującym włosom, które mocno podbarwia na rudo. Ustom, w których dolna warga chciałaby się już do mnie uśmiechnąć, ale górna ją powstrzymuje, próbując nadać twarzy surowy wyraz.

Pomyślałem, że rzeczywiście – taka dziewczyna może się zepsuć. Trzeba by ją przechowywać w specjalnych warunkach, w delikatnej pościeli miękkiego łoża pośrodku jasnej sypialni domu z ogrodem otoczonym murem. Na tyle wysokim, by chronił ją przed wzrokiem mężczyzn, gdy stojąc rano w oknie, będzie rozczesywać włosy. Pod oknem niech rośnie wonna maciejka i róże o pąkach pękających od aromatów. W pobliżu budleja wabiąca dla niej barwne motyle. Nie wiem, jak bardzo jest zepsuta, nie widzę żadnych pęknięć ani rys. Wiem tylko, że jeśli teraz nie zatrzymam jej przy sobie, to stracę ją na zawsze.

Powiedziałem do niej, jak potrafiłem najczulej:

– Powiedz, że mnie kochasz, to krótkie zdanie, wypowiedz je jak zaklęcie, a zrobię sobie z niego tatuaż w samym środku serca.

Popatrzyła na mnie z uwagą, jej twarz złagodniała, z czoła znikły drobne zmarszczki, które jeszcze przed chwilą nadawały jej surowy wyraz, usta przestały się zaciskać, a oczy powoli zawilgotniały.

– Tak, kocham cię.

Słowa zabrzmiały ciepło i miękko, jakby wyjęła je dla mnie z aksamitnego schowka, gdzie trzyma się zdania na specjalne okazje. Potem mocno się do mnie przytuliła, a ja objąłem ją ramieniem, całowałem po włosach i miałem wrażenie, że świat stoi w miejscu, bo tak samo całowałem ją na tych schodach dziesięć lat temu, gdy nie unosił się nad nią zapach perfum Diora z Pewexu, lecz truskawek.

Rozala prawdopodobnie też miała wrażenie zatrzymanego czasu. Marudziła, człapiąc po schodach:

– A wy to już nie macie gdzie siedzieć, tylko na schodach? Wśród tego szkła? A kto tego szkła tyle tu rozsypał?

– To koty, pani Rozalko, stłukły butelkę na mleko – skłamała Laurka.

– Skaranie boskie z tymi kotami. Tyle mówię, żeby im nie wystawiać jedzenia i nie karmić, a nikt mnie nie słucha.

– Ja nie wystawiam pani Rozalko – ponownie skłamała Laurka.

– Tak, ty nie wystawiasz, akurat. Zawsze u was na progu widzę spodeczek, i u panny Julianny.

Beształa Laurkę jak małą dziewczynkę, a ta zapierała się kotów, miseczek i karmienia, ale Rozala powiedziała niemal jak Pan Jezus:

– Trzy razy się zaprzesz, a ja i tak będę wiedzieć swoje.

W takich kamienicach jak nasza, gdzie wszyscy się znają od lat, dzieci dorastają trochę jakby na niby, zawsze się je pamięta z dawnych czasów, gdy z krzykiem, bekiem lub piskiem biegały po schodach. Chociaż zbliżał się koniec lat osiemdziesiątych i Laurka wkrótce miała skończyć dwadzieścia osiem lat, dla Rozali nadal byliśmy parą nastolatków, którą na całusach przyłapała w bramie.

– Poszlibyście na świeżym powietrzu posiedzieć, a nie na tej ciemnej klatce – marudziła tak samo jak przed laty.

Ale widocznie i ją jakaś refleksja związana z czasem naszła, bo idąc już dalej po schodach, przystanęła w połowie piętra, wsparła się na miotle jak czarownica i powiedziała:

– A w zasadzie to ja nie rozumiem, dlaczego wy razem nie mieszkacie, jak jedno bez drugiego nie rusza się niemal od dziecka.

– Pani Rozalo, a skąd my mielibyśmy wziąć mieszkanie? Mam książeczkę mieszkaniową od dawna, ale w spółdzielni powiedzieli, że muszę jeszcze poczekać przynajmniej pięć lat!

– Niby po studiach jesteś, a taki głupi. Przecież mieszkacie teraz jakby ze sobą, dzieli was tylko ściana.

Po czym wyciągnęła w moim kierunku trzonek miotły, jakby miotała w ten sposób zaklęcie. Czar miotły trafił mnie bezbłędnie, bo poderwałem się ze schodów i podskoczyłem z radości.

– Laura, mam pomysł!

Spojrzała z niepokojem.

– Już się boję. – Laurka była sceptyczna.

– Zburzymy ścianę!

– I zamieszkamy w komunie? To się nasze mamy zdziwią.

– Coś ty. Mam lepszy pomysł.

Pomyślałem, że skoro z jednego mieszkania Freytagów dało się zrobić dwa, to na pewno nie będzie problemu, by zrobić z niego trzy. W końcu skoro zwykła komórka może się rozmnażać przez podział, to co dopiero mieszkanie.

63.

Zburzenie muru berlińskiego i ściany

– Chrapię już tak głośno, że nawet mnie samego to budzi – powiedział pewnego dnia ojciec i pościelił sobie na sofie w salonie, żeby nocą nie przeszkadzać mamie.

Słyszałem, jak matka mówiła mu, że lubi to jego chrapanie, przyzwyczaiła się i czuje się przy nim bezpieczna. Budzi ją natomiast cisza, a wraz z ciszą przychodzi niepokój. Przez lata chrapanie ojca stało się dla matki stanem naturalnym, dowodem na to, że śpi u jej boku mężczyzna. Tłumaczyła, że czasami dźwięk mniej zakłóca spokój niż jego brak. Wiesz, że wszystko jest pod kontrolą, gdy szczeka pies w obejściu, zaczynasz się niepokoić dopiero wtedy, gdy go zbyt długo nie słyszysz.

Pretekst z chrapaniem był kłamstwem. Ojciec nie chciał już spać w sypialni z mamą, przez kilka miesięcy nocował w salonie, w końcu przeniósł swoje rzeczy do opuszczonego pokoju Tyranii.

Matka była pogodzona z czymś, co nieuchronnie musiało nadejść. Nawet nie patrzyła już w okno, tak jak jeszcze parę lat temu, gdy oczy ciemniały jej ze smutku i szukała na horyzoncie przejaśnienia. Godziła się z losem, który po cichu zapowiadał ciąg dalszy.

W połowie roku 1989 upadł w Polsce komunizm – wybory wprowadziły do parlamentu dotychczasową opozycję, która szybko przejmowała władzę. Ludzie, którzy mieli ją oddać, wycofywali się na przygotowane pozycje, moszcząc się w spółkach powstających z prywatyzowanego majątku, należącego dotychczas do państwa. Ojciec, który miał za sobą dyrektorskie doświadczenie z czasów PZPR i spore kontakty wśród działaczy „Solidarności", stał się cennym pośrednikiem dla tych z obu stron, którzy chcieli przede wszystkim zarobić. Czasy się zmieniły, więc nie był już dyrektorem jeżdżącym polonezem do biura, w którym stała meblościanka, paprotka i palma, lecz został prezesem rady nadzorczej z pensją dwudziestokrotnie większą niż do tej pory. Codziennie służbowym mercedesem przyjeżdżał po niego kierowca, wnosił na górę gazetę i świeże bułki, po czym wiózł go do biura urządzonego już nie przez panią Zosię z działu socjalnego, lecz zawodowych projektantów wnętrz, którzy od powszechnie używanej do tej pory płyty pilśniowej preferowali skórę, mahoń i kalabryjskie marmury.

Ojciec miał nową władzę i nowe pieniądze, a jak mężczyzna ma władzę i pieniądze, to nie istnieje taka możliwość, aby nie pojawiły się przy nim piękne kobiety. Widywałem je w czekającym na niego samochodzie. Zazwyczaj młodsze od Tyranii, zupełnie jakby wierzył, że jego wiek jest średnią arytmetyczną wieku jego oraz dziewczyn, z którymi sypiał.

Nasza rodzina rozsypywała się jak opuszczone gniazdo. Najpierw – w ślad za wujem Kurtem i babcią Franziską – do Niemiec wyjechała Tyrania, a teraz na coraz dłużej znikał gdzieś ojciec i było wiadomo, że jego wyprowadzka jest tylko kwestią czasu.

Raz wyjechał na dwa tygodnie. Wrócił wesoły i opalony, a gdy wieszał na krześle swoje spodnie, z kieszeni wysypało się trochę białego piasku. Karaiby? To był styczeń 1990 roku, kilka dni wcześniej zmieniono konstytucję, a wraz z nią nazwę oraz ustrój państwa.

– Jak wyjeżdżałem, to był PRL, a jak wracam, to jest Rzeczpospolita Polska – powiedział rozbawiony.

Ojca już nie interesowały plany moje i Laurki. Gdy powiedziałem mu, że chcę z nią zamieszkać, obojętnie wzruszył ramionami – on sam w planach mieszkał już gdzie indziej. Oznajmił, że wyprowadza się do Warszawy. Pewien etap w swoim życiu uważał za zamknięty. Czasami stawał w oknie i patrzył w swoją przyszłość. Zamiast swoich partyzanckich piosenek nucił Kaczmarskiego:

Wyrwij murom zęby krat!
Zerwij kajdany, połam bat!
A mury runą, runą, runą
I pogrzebią stary świat!

Zrozumiałem, że to mama i my, jego dzieci, byliśmy tym starym światem, kajdanami i kratami w murze. Zacząłem go nienawidzić.

Zamieszanie, jakie robiliśmy z Laurką, pozwoliło natomiast nieco załagodzić smutek, w jaki z powodu ojca popadała mama. Z radością przysłuchiwała się naszym wizjom. Zaproponowałem, że zburzymy mur między naszymi nyżami i przebijemy się przez jedną ze ścian do wielkiego przedpokoju Freytagów, gdzie zrobimy kuchnię i łazienkę, zostawiając mamie wąski korytarzyk do drzwi wejściowych. Od strony mieszkania Laurki zaanektujemy natomiast były gabinet pana domu, w którym urządzimy sobie salon. Zamurujemy przy tym drzwi łączące moją nyżę z salonem moich rodziców oraz drzwi między gabinetem a salonem matki Laurki. Rysowałem wszystko na kartce, tłumacząc:

– Otrzymujemy w ten sposób samodzielne mieszkanie, którego jedyną wadą jest to, że są w nim tylko dwa okna, poza tym ma zaś same zalety.

Kilka dni później, uzbrojony w przecinak i pięciokilowy młot, wybijałem pierwszą cegłę z muru dzielącego nasze mieszkania.

– Nienawidziłam tej ściany – powiedziała matka. – Podzieliła takie piękne mieszkanie Freytaga.

Ściana dzieląca nas tak długo powoli padała. Znikała cegła po cegle, aż w końcu mogliśmy stanąć z Laurką naprzeciwko siebie – w swoich pokojach jak na swojej ziemi – i zobaczyć okna po przeciwnej stronie. Natychmiast lekki wiatr wpadł przez południowe okno naszego salonu i ożywczym powiewem śmignął na drugą stronę, do znajdującego się za plecami Laurki gabinetu, podwiewając firanki w północnych oknach.

Wynosiłem cegły, Laurka zamiatała kurz, mama poszła odpocząć i włączyła telewizor. W pewnym momencie usłyszałem jej radosny krzyk, a potem śmiech i klaskanie. Zajrzałem do pokoju, a ona piszczała z radości, zupełnie jakby cofnął się czas i znów stała się małą dziewczynką. Spojrzałem w telewizor.

Kamera pokazywała wielki mur w Berlinie, ten, który od końca wojny dzielił Niemcy na wschodnie i zachodnie. Po obu stronach muru wiwatowały tysiące ludzi. W pewnym momencie otworzono jedno z przejść granicznych i po raz pierwszy od dziesięcioleci ludzie z obu stron muru mogli swobodnie przejść na drugą stronę. Padali sobie w ramiona, krzyczeli z radości, śmiali się i płakali ze wzruszenia. W górę leciały sztuczne ognie i korki od butelek szampana. W pewnym momencie kamera pokazała, jak ktoś z młotkiem rzuca się na mur i wali z całej siły, jakby zamierzał go zburzyć.

– Boże, zupełnie jak u nas w domu. To znak z nieba – zapłakała matka, która do tej pory raczej rzadko widziała znaki z nieba.

– Rety, ale niesamowity zbieg okoliczności! – entuzjazmowała się Laurka.

Bo to istotnie był niesamowity zbieg okoliczności. Zbliżała się północ, z czwartku na piątek 9 listopada 1989 roku, gdy w naszej wrocławskiej kamienicy padł mur dzielący mieszkanie Freytaga, a chwilę potem cały świat zobaczył upadek muru berlińskiego.

Zadzwonił wuj Kurt – niezwykle rozentuzjazmowany wieszczył rychłe zjednoczenie Niemiec.

– Wszyscy Niemcy wracają do domu – powiedział do matki – a na co ty tam jeszcze czekasz?

Miał rację o tyle, że po połączeniu dwóch państw niemieckich nowa Republika Federalna Niemiec podpisała z Polską traktat, w którym ostatecznie wyrzekła się terytorialnych roszczeń. Po raz pierwszy od końca wojny matka mogła mieć pewność, że Niemcy do Wrocławia nie zamierzają już wrócić.

– Ja jestem w domu – odpowiedziała matka, chyba jednak lekko obrażona na historię.

Nie czuła się przy tym osamotniona – w Polsce legalnie zaczęły działać organizacje mniejszości narodowych i powstał komitet wyborczy Mniejszość Niemiecka, który w pierwszych wolnych wyborach do parlamentu otrzymał ponad sto trzydzieści tysięcy głosów, zdobywając siedem mandatów poselskich.

W latach dziewięćdziesiątych do narodowości niemieckiej przyznawało się w Polsce trzysta tysięcy osób, wciąż jednak wiele z nich wyjeżdżało, a sama niemieckość traciła na atrakcyjności – polskie sklepy szybko się zapełniły zagranicznymi towarami, a młodzi ludzie wyjeżdżali do pracy już nie tylko do Niemiec. I chyba nie tylko matka poczuła się na historię lekko obrażona, bo – jak mieliśmy się później przekonać – po paru latach liczba osób deklarujących narodowość niemiecką spadła o połowę, a ich poparcie w wyborach parlamentarnych regularnie malało, aż w końcu Mniejszość Niemiecka dwa razy z rzędu otrzymała tylko jeden mandat.

Pamiętam świętowanie upadku obu murów – naszego w kamienicy Freytagów oraz berlińskiego. Cieszyliśmy się, wiwatowaliśmy i piliśmy szampana razem z berlińczykami na ulicach. Wydawało nam się wtedy, że mury te sięgały nieba, dzieliły nie tylko nasze terytoria, lecz także dusze. Jednak gdy stoi mur, wtedy jest o co walczyć, a człowiek ma nadzieję i żyje marzeniami. Gdy miejsce marzeń zajmuje życie, wówczas często okazuje się, że nadzieje były przedwczesne. Nie wiem, jak z Niemcami, ale kiedy runął nasz mur, z czasem okazało się, że przez te wszystkie lata bardziej nas jednak łączył, niż dzielił.

W naszym nowym mieszkaniu pierwszą wspólną noc spędziliśmy z Laurką na materacu. To był materac z łóżka małżeńskiego Freytagów podarowany nam przez moją mamę. Całe łóżko było za duże, nie chciało się w naszej wspólnej nyży zmieścić, ale materac wszedł bez trudu. Położyliśmy go na podłodze, bardzo długo był jedynym meblem w naszej sypialni. Spaliśmy na nim i kochaliśmy się, podobnie jak wcześniej moi rodzice, a przed nimi państwo Freytag. Zastanawialiśmy się, o czym śniła na nim pani Freytag w wojennych czasach Rzeszy Niemieckiej, o czym myślała moja matka w komunistycznym PRL i o czym będzie myśleć Laurka w Polsce, która jest już tak wolna, że może robić wszystko, co tylko zechce. Kto by pomyślał – patrzyliśmy na materac z podziwem – tyle czasu i historii ludzie na nim przespali.

Naszym pierwszym własnym meblem była pralka Frania. Wlewało się do niej pięć misek wody, wrzucało pranie, włączało wirnik, spuszczało wodę wężem do miski, wlewało czystą wodę i płukało, sztuka po sztuce wkładało do wyżymaczki i kręciło korbą, a resztę robiła pralka sama – prawdziwy automat. Była jak domownik, pełnowartościowy obywatel o imieniu Frania. Na co dzień stała w sypialni, bo łazienka w naszym nowym mieszkanku miała dwa metry kwadratowe i Frania zajmowała w niej tyle miejsca, że podczas prania nie można było korzystać z sedesu. Ale to akurat jakoś specjalnie nam nie przeszkadzało, nasze matki wychowały nas dość pruderyjnie i łazienkę używaliśmy raczej indywidualnie. Gdy prała w niej Frania, to było zajęte.

Mieliśmy nasz dom i w obłokach rysowaliśmy w nim większą kuchnię, obok sypialnię i pokój dla dziecka. W naszej sypialni miało być wielkie łóżko i sprzęt muzyczny, a obok wejście do łazienki z wanną wielką jak okręt i garderoba z półkami – na dole skarpetki, nieco wyżej bielizna, potem spodnie i podkoszulki, wszystko w logicznym porządku na wypadek, gdyby któreś z nas na starość dostało alzheimera i nie pamiętało, co na jaką część ciała należy włożyć.

64.

List o seksie koszernym

Laurka wpadła do pokoju przejęta jak nigdy dotąd.

– Mój ojciec przyjeżdża z Izraela! – krzyknęła od drzwi.

– Na stałe? – zdziwiłem się.

– Przecież nie mówię, że wraca! Przyjeżdża! W odwiedziny. Chce zobaczyć wolną Polskę, a przy okazji ciebie.

– Przecież mnie już widział.

– Dawno. Chce zobaczyć, co z ciebie wyrosło i z kim dziś się zadaję.

Zaniepokoiłem się. Bo właściwie – to co ze mnie wyrosło? Skończyłem studia, od kilku miesięcy pracowałem na uniwersytecie. I tyle. Cały mój życiorys.

Mało wiedziałem wówczas o Żydach. Tyle tylko, że najpierw tępił ich Hitler, a potem Polacy, i dlatego w 1968 roku ojciec Laurki musiał wyjechać. Wiedziałem też, że są koszerni, chociaż nie do końca wiedziałem, co to znaczy.

– Laura, a czy twój ojciec jest koszerny?

– Na pewno. To znaczy – przestrzega zasad koszerności.

– A co to właściwie znaczy?

– Nie je pewnych rzeczy, pewnych rzeczy nie robi, inne robi, ale nie w te dni, co wszyscy. To tak w skrócie – powiedziała Laurka i pognała na uczelnię, bo jak zwykle była spóźniona.

Nie wiem, jak ona to robiła, ale zawsze była spóźniona. Ledwo otworzyła oczy i już była na cały dzień spóźniona. Zawsze musieliśmy się spieszyć, a i tak nigdy nie byliśmy na czas.

Wiedząc, że w naszej poniemieckiej bibliotece raczej niczego sensownego o Żydach nie znajdę, postanowiłem skorzystać z wiedzy pana Teofila. Pobiegłem na górę, po drodze mijając pannę Juliannę, która wychodziła z ciastem drożdżowym. Co tydzień piekła ciasto i szła odwiedzić doktora Szorstkiego. Cała klatka schodowa pachniała wtedy na słodko.

Panna Julianna nie wróciła ani do udzielania korepetycji, ani do dekorowania tortów. Żyła na pozór skromnie, ale w każdy piątek wsiadała do taksówki i elegancko ubrana jechała do teatru, opery lub na wernisaż. Ilekroć mijałem ją na schodach, zastanawiałem się, czy to rzeczywiście ona zabiła Fryderyka. Od czasu jego śmierci nigdy nie zeszła już do piwnicy. Jako pierwsza spośród lokatorów zamontowała sobie centralne ogrzewanie na gaz. Posiwiała przez te lata całkiem i wydawała się bielsza niż Immakulata, chociaż to siostra była spośród lokatorów najstarsza.

Wszyscy się starzeli, ale każdy w innym tempie, nierównomiernie. Czas dopadał nas niesprawiedliwie, na jednych zupełnie przymykając oko, tak jak na Wieczne Potępienie, która wciąż miała trzydzieści lat, a wiosną nawet dwadzieścia osiem, innym dawał lekkie fory i ci starzeli się dyskretnie, jak mój ojciec, który był zaledwie szpakowaty, jeszcze innych zaś łapał za gardło mocnym uściskiem, tak jak pana Henryczka, który na schodach dusił się niczym od astmy, a lekarz mówił, że to tylko upływ lat i papierosy.

Pan Henryczek rozpaczał niekiedy nad upływem czasu i mówił, że młodość to zbyt poważna sprawa dla dzieci, które nie doceniają jej we właściwym momencie, a potem jest już za późno.

– To, że jesteśmy starzy, wcale nie oznacza, że kiedyś byliśmy młodzi – powiadał sentencjonalnie.

Siostra Immakulata okropnie się roztyła, w dodatku zupełnie bez powodu, bo ani nie jadła więcej, ani się mniej nie ruszała, a jednak, gdy szła po schodach, trudno ją było ominąć. Ponoć tak już jest, że z wiekiem wiele rzeczy dzieje się bez powodu. Z tej samej przyczyny, czyli w zasadzie z jej braku, pan Teofil zaczął się kurczyć, tak jakby go od środka coś wsysało. Z roku na rok robił się mniejszy, coraz mniej było pana Teofila w panu Teofilu, i tylko czekaliśmy z niepokojem na dzień, w którym skurczy się całkiem, zniknie i go wśród nas zabraknie. Byliśmy niemal pewni, że to nastąpi, równowaga w przyrodzie musi być bowiem zachowana i skoro siostra Immakulata pęczniała, to pan Teofil musiał wysychać.

Otworzył mi drzwi w dobrej jeszcze kondycji, tyle że spodnie już nosił na szelkach, bo na pasku od razu mu się zsuwały.

– Panie Teofilu, ojciec Laurki przyjeżdża, a ja nawet nie wiem, co to jest Żyd koszerny.

– W zasadzie to każdy Żyd jest koszerny – wyjaśnił pan Teofil jak zwykle zwięźle, chociaż tym razem mało wyczerpująco. Potem powiedział, że nie ma czasu, bo w redakcji, tak jak wszędzie, zmienia się ekipa rządząca, więc musi lecieć. No i poleciał, zostawiając mi wgląd w swoje księgozbiory, a poły luźnej marynarki zafurgotały za nim jak skrzydła.

Najpierw natrafiłem na broszurę *Najwyborniejsze dowcipy o Żydach*. Zajrzałem.

„Umiera stary Żyd, przy jego łóżku czuwa żona. W pewnym momencie on mówi:

– Pamiętasz, Salci, jak w trzydziestym szóstym Niemcy spalili nam sklep w Breslau, ty byłaś przy mnie.

– Tak, Mosze, byłam.

– A pamiętasz, jak w czterdziestym pierwszym Polacy spalili nasz dom w Jedwabnem, ty byłaś przy mnie.

– Tak, Mosze, byłam.

– I teraz, jak umieram ciężko chory, ty jesteś przy mnie.

– Tak, Mosze, jestem.

– Wiesz co, Salci, ja tak sobie myślę, że ty mi jednak pecha przynosisz".

Pomyślałem, że trochę śmieszne, chociaż humor raczej czarny. Szukałem dalej. W końcu znalazłem kilka książek Isaaca Bashevisa Singera i Icchoka Lejba Pereca. Wziąłem je pod pachę i zaniosłem do domu.

Laurka wróciła późnym wieczorem.

– Skąd masz te książki?

– Pożyczyłem od pana Teofila. Zabawne, zobacz, jeden z autorów nazywa się tak jak twój ojciec.

– Wcale nie zabawne, to rodzina. Wprawdzie daleka, ale jednak.

– To dlaczego nigdy się nie pochwaliłaś?

– Bo z Żydami tak już jest, że nigdy nie wiadomo, czy nadal trzeba swoje pochodzenie trzymać w tajemnicy, czy można się nim chwalić.

Pomyślałem, że świat bywa pełen zdumiewających przypadków. Całe życie patrzyłem na eleganckie okładki antyżydowskich książek Gustava Freytaga, a dziś mam przy łóżku książkę Żyda Pereca i sypiam z córką jednego z jego krewnych.

– Laura, ja zupełnie nie wiem nic o Żydach. Jaki jest ten twój ojciec?

– Słabo go znam. Widuję go raz w roku, na święta. Wiem, że to dobry człowiek. Na szczęście nie jest ortodoksyjny.

– Co to znaczy?

– Są Żydzi tradycyjni, ortodoksyjni i postępowi. Ojciec jest raczej tradycyjny.

– A to dobrze czy źle?

– Dla ciebie o tyle dobrze, że tradycyjni nie przestrzegają obowiązku dziewictwa przed ślubem.

– A ortodoksi?

– Najbardziej ortodoksyjni kochają się przez prześcieradło.

– Jak to?

– Normalnie, mąż kładzie na żonę prześcieradło z dziurką wyciętą na wysokości narządów płciowych.

– Dlaczego?

– Bo dla ortodoksyjnych seks jest koszerny, ale nagość już nie.

– Żartujesz.

– Wcale nie. Coś ci pokażę.

Przy materacu stało kilka pudeł z naszymi rzeczami. Zaczęła grzebać w kartonie ze swoimi książkami, po chwili wyjęła kopertę.

– To list od mojego ojca. Listu nie czytaj, ale zobacz, co jest też w środku.

Do listu dołączona było kserokopia jakiegoś dokumentu. Instrukcja zachowania się w noc poślubną. Sporządzona przez Wydział dla Młodych Par Światowego Centrum Agudat Israel.

– Co to?

– Ortodoksyjna instrukcja dla uczniów wyższej szkoły talmudycznej.

– Twój ojciec ci to przysłał?

– Nie wiedział, że w szkole mamy elementy wychowania seksualnego – roześmiała się Laurka.

Zacząłem czytać. Punkt pierwszy: „W pokoju, w którym odbywać się będzie wypełnianie nakazu »bądźcie płodni i rozmnażajcie się«, powinno być ciemno. Jeśli jednak nie jest, należy zasłonić okno grubymi zasłonami, tak by światło nie przedostawało się do środka".

– Jakiego nakazu? – spytałem Laurkę.

– Religijnego. Wsadzanie pędzla jest nakazem religijnym.

– Jakiego pędzla?

– Nie marudź. Przeczytaj punkt piąty.

Przeczytałem: „Po wyjściu z toalety przed wypełnieniem nakazu Pan Młody powinien lekko uderzyć siedem razy Pannę Młodą w kolana, żeby ta przestała myśleć o czymkolwiek innym poza »religijnym nakazem« i skupiła się wyłącznie na nim, po czym należy poczekać 12 minut".

– Dlaczego dwanaście?

– Nie wiem, ktoś to widocznie obliczył. Zapytasz mojego ojca, to ci powie.

Czytałem dalej. „Panna Młoda kładzie się na plecach z rozstawionymi nogami i uniesionymi do góry biodrami. Pan Młody wchodzi pomiędzy jej nogi, tak daleko, jak tylko uda mu się to zrobić. Jego organ powinien być naturalnie twardym, a jeśli nie jest, Pan Młody nakazuje Pani Młodej wziąć go w ręce i pomóc stwardnieć, po czym Pan Młody poprosi żonę na głos, by wzięła go w rękę i poprowadziła w miejsce, które sprawdzała przez ostatnie 7 dni".

– A to akurat dość zrozumiałe. Ale dlaczego uczą tego w szkołach?

– A gdzie mają uczyć?

No właśnie. Gdzie? Dalej. „To miejsce w dole jest ciasne i ściśnięte", dlatego kobieta powinna pomóc mężczyźnie w wypełnieniu trudnego nakazu.

– Ty mi nigdy nie pomagasz.

– Bo ja jestem ateistką.

Czytałem. „Cały czas mężczyzna i kobieta powinni być przykryci, tak aby na zewnątrz nie wystawała żadna część ciała. Pan Młody wkłada stopniowo, wolno i mocno »pędzel« w »rurkę« od koniuszka po rękojeść, uważając przy tym, by nie doszło do wyślizgnięcia się".

– Koniec mi się podoba, posłuchaj: „Panna Młoda po wypełnieniu nakazu »bądźcie płodni i rozmnażajcie się« koniecznie powinna szczęśliwym głosem pochwalić Pana Młodego i pogratulować mu wypełnienia trudnego nakazu". Laurka, a właściwie dlaczego ty nigdy mnie nie chwalisz?

– Wkrótce będziesz mógł się poskarżyć mojemu ojcu.

65.

Wizyta pana Pereca

Bardzo się bałem przyjazdu pana Pereca. Cały czas miałem przed oczami fragmenty z jego listu i zastanawiałem się, na ile były przeznaczone dla mnie. A może raczej – na ile miały być podpowiedzią dla Laurki.

Myślałem, że będzie miał bokobrody, czarny kapelusz i chałat, bo takich Żydów widziałem zazwyczaj na zdjęciach. Tymczasem kilka dni później w drzwiach stanął uśmiechnięty, ogolony na łyso mężczyzna o wyglądzie Telly'ego Savalasa z serialu *Kojak*. Opalony, w ciemnych okularach, z plecakiem, bukietem kwiatów w jednej ręce, a butelką wina w drugiej.

– *Szalom alejchem.*

– *Alejchem weał bnejchem* – odpowiedziała Laurka, na co Savalas uśmiechnął się szeroko.

– *Mazeł tow* – powiedział do mnie, wyciągając rękę.

– *Mazeł tow* – odpowiedziałem, ale chyba niezbyt trafnie, bo oboje się zaśmiali, jakbym palnął jakąś gafę.

– Ojciec powiedział, że ci winszuje, prawdopodobnie chodziło mu o mnie – wyjaśniła Laurka.

– Dziękuję. Laura to skarb – przyznałem zgodnie z prawdą.

Zadowolony klepnął mnie w plecy z siłą, po której było widać, że nie bez powodu otrzymał kiedyś tytuł przodownika pracy.

Dziwnie był ubrany. Dżinsy, rozklapane trampki, rozciągnięty sweter. Laurce to się nie spodobało.

– Po tylu latach pracy nie stać cię na porządne ubranie? – spytała z wyrzutem. – Całe życie w kibucu pracowałeś?

– Na szczęście nie – uśmiechnął się, pokazując rząd olśniewająco białych zębów. W latach dziewięćdziesiątych prawie nikt w Polsce nie miał jeszcze tak białych zębów. Na biało uśmiechali się tylko ci, którzy przyjeżdżali z zagranicy.

– My, Żydzi, lubimy wygodę – wyjaśnił. – Dlatego normalny jest u nas widok ludzi chodzących po mieście w kapciach.

Otworzyłem wino, a Laurka przyniosła z kuchni przekąski.

– Pasztecik z drobiu. Koszerne. Wiem, bo sama kupowałam.

– Pana zdrowie. – Uniosłem kieliszek.

– Mów mi Dani. Wróciłem do swojego prawdziwego imienia.

Potem opowiadał o życiu codziennym w Izraelu, o swoim domu w Tel Awiwie, o gorącym słońcu rozpromieniającym ludzi na ulicach, przy których kwitną drzewa pomarańczy, a kwiaty na klombach są tak kolorowe, że kręci się w głowie. Później mówił o swoim wielkim planie otworzenia plantacji mango i zapewniał, że chociaż dziś owoce te są niemal nieznane także u nich, to za dwadzieścia lat staną się filarem izraelskiego eksportu.

– Są tak słodkie, że nie masz pojęcia. Będziecie je mieli nawet w waszych sklepach – zapewniał, a ja przytakiwałem z grzeczności, nie wiedząc, co to jest mango, i siłą rzeczy nie mając pojęcia o jego słodkości.

Potem Laurka wniosła sernik, a Dani ciężko westchnął.

– Przecież nie mogę sernika, córeczko, nie dziś. Może jutro.

– Dlaczego? Świeżutki jest, pyszny. Panna Julianna robiła.

– Kochanie, przecież jadłem paszteciki. Sernik mogę najwcześniej za sześć godzin.

– Ojej, przepraszam, tato. Nie pomyślałam…

– O czym? – zapytałem, nie rozumiejąc, co mają paszteciki do sernika panny Julianny.

– Tora mówi: „Nie będziesz gotował koźlęcia w mleku jego matki” – wyjaśnił Dani.

– Chodzi o to, żeby nie mieszać podczas posiłku mięsa z mlekiem – dodała Laurka, widząc moją wciąż niemądrą minę.

– Ale dlaczego?

– Mleko symbolizuje życie, a mięso śmierć, jednego z drugim nie wolno mieszać.

– Aha…

No a potem Dani wyciąga z plecaka drugą butelkę wina ze wzgórz Golan, jest miło i sympatycznie, bo w głowie mi już trochę szumi, ale przede wszystkim odczuwam ulgę, że ojciec Laurki nie jest ortodoksyjnym Żydem w chałacie, lecz perspektywicznym plantatorem mango, owoców tak słodkich, że nie mam pojęcia.

Dani przez cały czas był w dobrym humorze, chyba nawet rozbawiony – uwierzyłem, że już taki jest, pełen sympatii do całego świata – uspokojony uśmiechałem się do Laurki, która wydawała mi się całkowicie koszerna, skonsumowałbym ją natychmiast, oblizując palce. Dani zobaczył mój rozanielony wzrok, więc zaczął mnie złośliwie podpuszczać, pytając, co o niej sądzę.

Laurka zastygła z widelcem uniesionym w powietrzu, spoglądając na mnie z ciekawością, a ja odpowiedziałem, że jest miła i sympatyczna, bo przecież nie mogłem powiedzieć, że chętnie poszedłbym z nią teraz do łóżka. Laurka lekko się zaczerwieniła, zupełnie jakbym to jednak powiedział. Natomiast Dani był wyraźnie niezadowolony, odstawił kieliszek z winem i pogardliwie prychnął.

– No coś takiego – zaprotestował wzburzony – nigdy bym się tego po tobie nie spodziewał. Kto jak kto, ale ty mówisz, że moja córka jest miła?

Nie bardzo rozumiałem powód jego uniesienia, więc próbowałem ratować sytuację, dodając, że jest niezwykle sympatyczna, znacząco akcentując wyraz „niezwykle", jakbym mógł mu przez to nadać nadprzyrodzone znaczenie. Ale Dani nadal był niezadowolony, ba, wyraźnie mną rozczarowany, i patrząc w zielone oczy swojej córki, powiedział:

– Czy jesteś pewna swojego wyboru? Czy ten chłopak na pewno ma prawo nosić spodnie? A może…

– Tato… – błagalnym tonem przerwała Laurka.

– Rozumiem! Twój chłopak jest po prostu gburem!

Teraz ja odstawiłem kieliszek z winem, jak Dani kilkanaście sekund temu, dwa niedopite kieliszki ze smutkiem patrzyły na siebie, trudno, pomyślałem, niech się smucą, ja chyba niedobrze słyszę albo już jestem pijany.

– Nie wolno tak mówić o kobiecie! – krzyknął na mnie Dani.

– Ale przecież ja nic złego nie mówię!

Laurka się nie wtrącała, miała minę osoby, która znalazła się tu przypadkiem.

– Nie wolno mówić o tak pięknej kobiecie, że jest miła i sympatyczna, co to w ogóle za zwyczaje!

Aha, nareszcie zrozumiałem, powinienem powiedzieć, że Laura jest piękna.

– Owszem, jesteś miła i sympatyczna, Laurko, ale przede wszystkim piękna! – zdobyłem się na komplement i w nagrodę sięgnąłem ponownie po swój kieliszek.

– Ajajajajaj, co za toporny umysł – mruczał nadal niezadowolony Dani. – Ty nie mów jej, że ona jest miła, jakby nie miała włosów na głowie! Ja się ciebie pytam: czy ona nie ma włosów na głowie?

– Ależ skąd! Ma śliczne włosy, aż chciałoby się dotknąć… – wyznałem szczerze.

– To czemu jej mówisz, że jest miła, skoro chciałoby się dotknąć? I czemu mówisz, że jest sympatyczna, jakbyś chciał dać do zrozumienia, że ma krzywe nogi? Czy ona ma krzywe nogi? No powiedz mi, zanim umrę w tej chwili na zawał, czy moja córka ma krzywe nogi?

– Ależ skąd! Ma śliczne nogi…

– To co jest z nią nie tak? Co jest nie tak z moją jedyną córką?

– Chryste Panie! Nic z nią nie jest nie tak! Jest super, jest śliczna, uwielbiam każdy centymetr jej ciała!

– No to dlaczego nie mówisz o niej, że jest *kusit*? Mów o niej, że jest *kusit*! Jak pokazuję jej zdjęcia, to każdy w Izraelu mówi o niej *kusit*, a ty mówisz, że jest sympatyczna!

– W porządku, oczywiście – poprawiłem się natychmiast – Laurka jest jak najbardziej *kusit*!

– Nareszcie! – uśmiechnął się Dani zadowolony.

– Ale właściwie to co to znaczy? – spytałem Laurkę.

– Słowo „*kusit*" oznacza potocznie narząd żeński – wyjaśniła lekko skonsternowana. – Na ładną i zgrabną kobietę mężczyźni tak tam mówią. To nie jest u nich obraźliwe. Jak kobieta przychodzi do biura, to jej koledzy mogą powiedzieć jej, że jest *kusit*, a ona odbierze to jako komplement.

– *Kusit?* – nie mogę uwierzyć. – Narząd? Jaki narząd?

– No, wargi sromowe – wyjaśnia Laurka, lekko się czerwieniąc.

– Jak to wargi sromowe? Tak mówią na ładną kobietę? „Wargi sromowe"?

– No, tak, to ich potoczna nazwa… – wyjaśnia Laurka, czerwieniąc się jeszcze bardziej. – Jak byłam z wizytą u ojca, to wszyscy tak na mnie mówili.

– Mówili na ciebie: „wargi sromowe"?

– No, jaki ty beznadziejny jesteś! – nie wytrzymał już Dani. – Przecież nikt nie powie na kobietę „wargi sromowe". Jak by to brzmiało? Cipka! Mówi się: „cipka". Laura jest cipka! Tak powinieneś powiedzieć, gdybyś był dobrze wychowany!

Cipka? Co za obyczaje! Rzeczywiście, nieco odmienny naród. Ale w porządku, myślę sobie, niech no tylko spodoba mi się kiedyś jakaś kobieta, to od razu powiem do niej: „cipko", niech wie, że jestem dobrze wychowany.

W nocy dopadł mnie strach, że nad ranem Laurka zniknie, zapaliłem więc małą lampkę przy łóżku i przyglądałem się każdemu centymetrowi jej drobnego ciała. Jak mogłem najdelikatniej, by nie obudzić, dotykałem ud, pośladków, piersi, warg i połyskujących rudo włosów, a gdy w końcu przymknąłem oczy, miałem ją zamkniętą pod powiekami i przestałem się bać – uwierzyłem, że gdy pewnego dnia odejdzie, będę wiedział, jak stworzyć ją sobie od nowa.

66.

Ściany naszej kamienicy zbudowane były z tęsknot

Wczoraj był śmiech, wino i opowieści o drzewach mandarynkowych, a dziś Laurka siedzi w kucki na materacu, głowę ma zwieszoną i mówi, że bardzo mnie przeprasza, ale wyjedzie z ojcem do Izraela. Musi. Musi, bo się udusi.

Dusi się w tej Polsce, gdzie ludzie są ponurzy, marudni i wiecznie nadęci, dusi się na uczelni, gdzie liczą się tylko koneksje rodzinne i towarzyskie układy, dusi się nawet w naszym mieszkaniu z ciemną kuchnią, ciemną sypialnią i dwoma oknami w pokoju od północnej strony, gdzie nigdy nawet promienia słońca nie widać, duszą ją wyrzuty sumienia z powodu Aureliusza, dusi się ze mną, z tym moim uczuciem ulokowanym w niej od dwudziestu lat jak na książeczce oszczędnościowej, gdzie regularnie sprawdza się odsetki.

Z mojej miłości żadnych odsetek nie ma i nie będzie, wszystko stoi i nic się nie rozwija, jak sztuczne kwiaty na grobie Fryderyka co niedzielę zanoszone przez pannę Juliannę. Laurka jest tym wszystkim zmęczona – Polską, uczelnią oraz mną, dokładnie w takiej kolejności, musi odpocząć, wyjechać, odetchnąć słońcem i innym powietrzem, wtedy to wszystko od nowa przemyśli i na pewno wróci. Ojciec załatwi jej pracę, ma znajomych w Akademii Sztuki Bezalel w Jerozolimie, Bezalel to przecież imię tego rzemieślnika, któremu Mojżesz powierzył budowę Arki Przymierza, Laurka zbuduje ją dla nas ponownie, wróci z nią i tak się uratujemy.

Słucham jej i nie wierzę, to sen na pewno albo mam chore uszy, niemożliwe przecież, żeby takimi słowami Laurka do mnie mówiła, to z pewnością nie są jej słowa do mnie, niemożliwe, że chce wyjechać, niemożliwe, że przy mnie się dusi, przecież nie jestem dla niej jak zamurowane okno.

– Muszę wyjechać. Inaczej: chcę wyjechać. Ale muszę ci coś jeszcze powiedzieć, coś piekielnie złego.

Nie wiem, co może być jeszcze gorszego niż jej wyjazd do Izraela. Bierze mnie za rękę i prowadzi jak za czasów, w których byliśmy dziećmi – wychodzimy na rozgrzane słońcem podwórko i idziemy świeżo wyasfaltowaną ścieżką w kierunku piekielnie złego. Potem siadamy na naszej ławce z sercem wyrytym dawno temu. Na ławce przetrwało, ale jeszcze nie jesteśmy pewni, czy przetrwało w nas.

Gęstniejemy w powietrzu, nasze suche gardła chrypią, a rozmowa klei się do asfaltu, czuję jej zapach, pierwszy raz wyraźnie czuję, że rozmowa może mieć zapach – trochę ostry i gorzki, trochę smolisty, jak to zazwyczaj rozmowy po drodze do piekła. Laurka wyrzuca z siebie mnóstwo zdań, całkiem sporo o Aureliuszu, pozbawia się ich jak balastu, który trzymał ją na dnie i nie pozwolił wypłynąć. Wygląda to też tak, jakby każde z tych zdań potrzebne jej było jak oddech, każde z nich dostarcza nową porcję tlenu niezbędnego do ucieczki, więc mówi coraz szybciej, jakby czym prędzej chciała uciec przede mną. A ja nie rozumiem, jak to możliwe, że wszystkie są niepotrzebne, skoro je tak szybko z siebie wyrzuca – tyle zdań, niektóre nawet kunsztowne, od dużych liter, z przecinkami i wyraźną kropką, inne byle jakie i jakby od niechcenia. Na przykład takie, że Aureliusz też tam prawdopodobnie przyjedzie, ale tylko na semestr, bo będzie miał wykłady, więc zasadniczo to w ogóle nie o niego chodzi. Żadnego z tych zdań nie chcę, żadne mi się nie podoba, każde odsuwa Laurkę ode mnie, a mi potrzebne są tylko trzy słowa, że kocha mnie i zostanie. Mówię jej, żeby przestała szukać wymówek, bo co mnie obchodzi chwilowy kochanek, odesłany już na zawsze w czas miniony, w czas przeszły dokonany, już go przecież nie ma. Mówię, że nic się poza nią nie liczy, kocham ją od chwili, w której ją zobaczyłem, a nawet wcześniej, bo tuż przed tą chwilą poczułem drżenie, jakby lekko zatrzęsła się ziemia, tak, teraz to dokładnie pamiętam. Przysięgam, że w ogóle nie będę zazdrośnie rozważał tego, co się musiało zdarzyć w sypialni, nie będę myślał o jego dłoniach na jej ciele, byleby mnie kochała sercem z dnia na dzień pełniejszym.

Ale ona pełna jest rozczarowania – trochę mną, ale jeszcze bardziej sobą, bo przecież miało być jak w wierszach.

– Znamy się zbyt długo, Piotrusiu, znamy się od zawsze – mówi ze smutkiem. – Nie poznaliśmy niczego poza sobą, ty byłeś planetą, a ja twoim księżycem, i oboje wierzyliśmy, że świat na nas się kończy. Muszę zniknąć, wyjechać, trochę o tobie zapomnieć, a jak już trochę zapomnę, to na pewno wrócę.

Potem całuje mnie w policzek, tak jak wtedy, gdy byliśmy dziećmi, lekkim muśnięciem warg, i odchodzi lżejsza, bo wiadomo, że najbardziej ciążą nam te sprawy, które nie są opowiedziane. Tak już jest, że jak człowiek o nich komuś powie, to robi mu się lżej na duszy. Tak jakby nasz smutek przylepiał się do słów i wraz z nimi od nas odchodził.

Ściany naszej kamienicy zbudowane były z tęsknot. Ściany najgrubsze, oddzielające dom od ulic i podwórka, tęskniły za dawnym światem. Za turkotem wozów drewnianych, za klaksonami nielicznych limuzyn, za porannym okrzykiem sprzedawcy gazet. Za tamtym duchem czasu, który przez bramę dzisiaj nie przejdzie, chociażby nie wiadomo jak mocno wycierał buty i naciskał klamkę. Miała swoje tęsknoty moja matka, miała panna Julianna, miał pan Teofil, mieli pozostali mieszkańcy. Zrozumiałem, że teraz po prostu przyszła kolej na mnie.

W przedpokoju wisiało ponadstuletnie kryształowe lustro po Freytagach w ramie bogato rzeźbionej. Gdy Laurka się w nim przeglądała, wyglądało jak piękny obraz. Czasami zaglądałem do tego obrazu, ale zawsze wyganiała mnie z ramy, śmiejąc się, że zupełnie do siebie nie pasujemy. Myślałem, że tak się przekomarza, jak to dziewczyny, ale teraz sam już nie wiem.

Takie lustra w przedpokojach wiele się muszą napatrzeć. Nasze widziało przodków państwa Freytag – pan spoglądał na swoje odbicie, dopinając surdut i sztuczkowe spodnie, pani poprawiała woalkę. Potem lustro widziało ich dzieci, robiące głupie albo poważne miny, wśród nich młodego panicza Freytaga w prążkowanym garniturze *à la* Wielki Gatsby. Później lustro zobaczyło jego narzeczoną w modnej princesce, a w końcu ich dzieci niesfornie rozbrykane, chłopczyka w pumpach i dwie dziewczynki w koronkowych sukienkach, zawsze z parasoleczkami.

Pewnego dnia pan Freytag zaczął się pokazywać lustru w mundurze i od tego czasu wszyscy mieli poważne miny. Aż przyszedł dzień, w którym się bardzo spieszyli i nikt w lustro nie patrzył, z wyjątkiem naprędce gromadzonych w przedpokoju bagaży – bagaże widziały swoje odbicia po raz pierwszy i ostatni. Później wokół zatrzęsła się ziemia i lustro o mało nie pękło.

Po paru dniach, o zmroku, pojawił się ktoś przyczajony, szary, niewyraźny. Przemykał, czegoś szukał, myszkował. Potem przyszła młoda kobieta z chustką na głowie. Gdy zdjęła chustę, lustro ujrzało gruby warkocz. To była moja matka i wraz z nią dla lustra przyszły nowe czasy.

Nie odbijało już dumnych spojrzeń, lecz wzrok zmęczony i zastraszony. Nie było w nim już fraków, cylindrów i surdutów, lecz kaszkiety, kufajki i płaszcze przenicowane. Stare czasy przypomniały się kryształowemu lustru dopiero wtedy, gdy przyszły dzieci, a wraz z nimi niesforność, rozbrykanie oraz głupie miny, strojone jak kiedyś.

Za każdym razem, gdy patrzę w to lustro, widzę ich wszystkich po kolei.

Wierzę, że gdy lustro odbija obraz, to jakiś ultracząstkowy, mikroskopijny, atomowy, milifotonowy, śladowy ślad światła każdego obrazu pozostaje gdzieś w cienkich warstwach srebra oraz minii. I tylko kwestią precyzji odczytu jest jego przywrócenie – wyciągnięcie z wnętrza kwarców, kryształów i tlenków, w których się zachował, dzięki czemu możliwe teraz będzie ponowne przywołanie go do widm światła świata widzialnego.

Codziennie wypatrywałem w nim Laurki. Z czasem uwierzyłem, iż jedyną nadzieją na jej zobaczenie jest wiara w to, że lustro nie o wszystkim zapomniało i jest niemożliwe, by nas w nim już całkiem nie było.

Wtedy też doszedłem do wniosku, że rodzice są zupełnie nieprzydatni – matka wiele razy prosiła mnie, bym się wystrzegał burz, lodowatych wiatrów, wirów rzecznych, mrocznych uliczek i ciemnych interesów; ojciec radził mi unikać munduru, narkotyków, alkoholu, grzesznych kobiet, pijackich kompanów, a nawet pracy w nadgodzinach. Tacy niby troskliwi, opiekuńczy i przezorni, a żadne z nich nie ostrzegło mnie nigdy przed skutkami miłości.

67.

Chłopak z zespołu Rammstein

Od czasu zabójstwa Fryderyka i aresztowania doktora Szorstkiego przez lata nikt w kamienicy nie mówił o kielichu Lutra. A może mówiono, ale skrycie, po cichu i nie przy nas, nie przy siostrze Immakulacie i mojej matce, bojąc się być może, że są strażniczkami czegoś, co może innym, tak jak tym dwóm mężczyznom, przynieść nieszczęście.

Niektórzy po prostu przestali w kielich wierzyć, inni pogodzili się z tym, że są rzeczy, które pozostają w tajemnicy, bo taka jest ich natura. Dlatego zdziwiłem się, gdy pewnego dnia pan Teofil ni stąd, ni zowąd zatrzymał mnie na klatce schodowej pytaniem, czy wiem, jak wygląda kielich Lutra.

– Mniej więcej wiem. Trochę mama opowiadała, trochę siostra Immakulata. Dlaczego ich pan nie zapyta?

– Jest taka dziennikarka w mojej redakcji – Kinga ma na imię. Przygotowuje cykl tekstów o tajemnicach Dolnego Śląska. Pisała już o skarbach Grundmanna, Bursztynowej Komnacie, sztolniach w Górach Sowich, podziemiach zamku Książ. Ktoś jej wspomniał o kielichu Lutra. Głupio mi ją wysyłać do twojej mamy i zawracać głowę siostrze Immakulacie. Częściowo ze względu na ich stan zdrowia, ale też, powiedzmy sobie szczerze – obie nie lubią obcych. A zwłaszcza obcych, którzy wypytują o ich przeszłość. Porozmawiasz z nią?

– Czy ja wiem? Co ja mam jej do powiedzenia?

– Wystarczająco dużo. Poza tym spędzisz czas w miłym towarzystwie. Przyda ci się, wszyscy widzą, jak się męczysz po wyjeździe Laury.

– Już mi przeszło, panie Teofilu. W końcu to już prawie pięć lat.

– To tym bardziej spotkaj się z Kingą. Ładna dziewczyna. Chociaż nie ruda, tak jak Laura.

– Blondynka?

– Brunetka. Naprawdę ładna.

Pięć lat. Czas zaczął tykać szybko w sercu mojej matki – przez całe życie była okazem zdrowia, można by ją pokazywać jako przykład sukcesów publicznej opieki zdrowotnej, ale gdy skończyła siedemdziesiąt lat, to wszystkie choroby nagle sobie o niej przypomniały: w ciągu roku lekarze orzekli arytmię, miażdżycę oraz nadciśnienie i zanim zdążyli się z nimi uporać, matka dostała wylewu i niemal przestała słyszeć.

Siostra Immakulata przychodziła do niej codziennie, siadały obie przed telewizorem i oglądały seriale albo zamykały się w kuchni i rozmawiały po niemiecku. Od czasu wylewu w pamięci matki zacierał się język polski – powoli, ale zauważalnie, z dnia na dzień, znikało jej gdzieś po jednym albo dwu słowach, nie mogła ich sobie przypomnieć, co rusz wtrącała więc zwroty niemieckie, za każdym razem dziwiąc się, że nie pamięta: „zaraz, jak to było po polsku? *Moment mal. Wie waere es auf Polnisch?*". W końcu mówiła zdaniami, które mało kto rozumiał, bo słowa polskie i niemieckie mieszały się w nich bez logiki i gramatycznego porządku. Dziwne było to, że w tym samym porządku rozmawiała z nią siostra Immakulata, w każdym zdaniu wstawiając tyle słów niemieckich i polskich, ile wstawiała mama, w dodatku w tej samej kolejności, przez co osoby postronne mogły odnieść wrażenie, że obie kobiety mówią w dziwnym narzeczu lub posługują się szyfrem.

Po wyprowadzce ojca pan Henryczek już do nas nie przychodził. Spotykany na klatce schodowej załamywał ręce i mówił, że niemal całe jego dotychczasowe życie intelektualne poszło na marne. Większość nazw ulic, które przez tyle lat z takim oddaniem zmieniał, znów została zmieniona, bo nie miał prawa pozostać ani jeden ślad PRL-u, nie mógł się ostać wśród nazw ulic żaden komunista, działacz partyjny ani socjalistyczny przodownik pracy. Ich miejsca zajęli nowi bohaterowie: działacze antykomunistycznej opozycji, patroni prawicy, kardynałowie, biskupi, a także święci.

Pani Emanuela była w sytuacji analogicznej, prawie wszystkie jej sztandary trafiły na śmietniki albo do muzeów, gdzie pełnią funkcję eksponatów do obśmiewania i wytykania palcami. Przerobić już się nie dało, bo zmian byłoby zbyt dużo: zmieniły się nie tylko nazwy zakładów, związków, partii i organizacji, ale przede wszystkim kraju, orzeł zaś dostał koronę, a jego dziób nabrał drapieżnego wyrazu.

Tyrania przyjeżdżała do nas kilka razy w roku, za każdym razem z innym mężczyzną ku utrapieniu matki, która od razu po przyjeździe brała ją do kuchni i wyzywała od latawic. Tyrania tłumaczyła, że nie chce już związku na stałe, woli się cieszyć flirtem i romansem, a w końcu, zmęczona narzekaniami mamy, przestała do nas przyjeżdżać. Pojawiała się tylko raz w roku, tuż przed Bożym Narodzeniem, robiła nam luksusowe zakupy, po czym wracała do swoich mężczyzn. Iskierkę przez te pięć lat widziałem tylko raz, miała wtedy osiem albo dziewięć lat i bardzo się przestraszyła, gdy w polsko-niemieckim języku mama zaproponowała, że zrobi jej „*Hoppe, hoppe, Reiter*". Uciekła w kąt pokoju, a mama pobiegła za nią, gnana jakąś babciną potrzebą ukołysania.

– *Komm, meine Liebe*, zrobię ci „*Hoppe, hoppe, Reiter*" jak kiedyś, bardzo to lubiłaś.

– *Nein! Ich will nicht! Nein!* – wrzeszczała Iskierka, zanosząc się od płaczu.

– *Warum kommst du nicht?* – dziwiła się matka.

Sytuację próbowała opanować Tyrania, tłumacząc, że jej nowy chłopak jest muzykiem rockowym, który urodził się w NRD, ale po upadku muru berlińskiego przeprowadził się w głąb Niemiec i założył metalowy zespół Rammstein. Ćwiczy ostatnio utwór, w którym też jest fraza „*hoppe, hoppe, Reiter*", ale ta brzmi dla dziecka przerażająco.

– Bzdura! – orzekła matka. – „*Hoppe, hoppe, Reiter*" każdemu towarzyszyło od dziecka.

– Tak? – zirytowana Tyrania wzięła się pod boki i wyrecytowała fragment.

Ein kleiner Mensch stirbt nur zum Schein
wollte ganz alleine sein
das kleine Herz stand still für Stunden
so hat man es für tot befunden
es wird verscharrt in nassem Sand
mit einer Spieluhr in der Hand

Hoppe hoppe Reiter
und kein Engel steigt herab
mein Herz schlägt nicht mehr weiter
nur der Regen weint am Grab
hoppe hoppe Reiter
eine Melodie im Wind
mein Herz schlägt nicht mehr weiter
und aus der Erde singt das Kind

Paradoksalnie Iskierka natychmiast się uspokoiła, czując się widocznie jak w domu, chociaż każde inne dziecko powinno się właśnie rozpłakać, bo w tłumaczeniu na polski piosenka brzmiała tak:

Mały człowieczek umiera tylko z pozoru,
chciał być całkiem sam.
Małe serce milczy od kilku godzin,
więc uznano go za zmarłego.
Pogrzebany zostanie w mokrym piachu
z zegarkiem-pozytywką w dłoni.

Chyżo, chyżo, jeźdźcu,
a anioł nie zstępuje…
Moje serce nie będzie już bić więcej.

Tylko deszcz nad grobem płacze.
Chyżo, chyżo, jeźdźcu,
melodię niesie wiatr.
Moje serce nie będzie już bić więcej,
a spod ziemi dziecko śpiewa.

Po tej wizycie Iskierka w naszym domu już się nie pojawiła, prawdopodobnie nie chciała już przyjeżdżać, bojąc się babci straszącej mokrym grobem.

A ja przez te pięć lat? Początkowo dzwoniłem do Laurki codziennie. Przez pierwszy miesiąc się cieszyła, ale z czasem jej głos nabierał coraz chłodniejszej barwy, stygł, aż w końcu stał się lodowaty. Raz odebrał jakiś mężczyzna, miałem wrażenie, że to Aureliusz – od tego czasu przestałem dzwonić.

Starałem się nie tęsknić, co polegało głównie na tym, iż wmawiałem sobie, że nie tęsknię, jest mi już wszystko jedno i w zasadzie to o wszystkim zapomniałem. I wtedy cały dzień niby był w porządku, ale wystarczyło, że poszedłem na spacer do parku i widziałem pary przytulające się na ławkach, całujące za drzewami, turlające się na kocach – wtedy ogarniało mnie wrażenie, że każdy kogoś ma i wszyscy wokół są zakochani, a tylko ze mną coś jest nie tak. Spostrzegałem to na każdym kroku. Było dokładnie tak jak wtedy, gdy Laurka powiedziała mi, że trzy dni wcześniej powinna mieć już okres; wówczas dookoła widziałem same dziewczyny w ciąży, patrzyły na mnie wymownie. Teraz widziałem zakochanych, byli wszędzie – na przystankach, w autobusach, w sklepach. Chłopcy ze swoimi dziewczynami, mężczyźni u boku swych kobiet. A gdy wybierałem się do kina, gdy nieroztropnie szedłem tam sam, wtedy już wiedziałem, że najprawdopodobniej jestem jedynym samotnym mężczyzną na świecie. Kino jest dla osób samotnych okropne, można ich tam zliczyć na palcach jednej ręki. Czasami wystarczył sam kciuk i wtedy to ja nim byłem. Zazwyczaj miałem wrażenie, że tylko ja znalazłem się w kinie bez pary i wszyscy na mnie patrzą. „O, zobacz, jaki facet tam siedzi", mówiły dziewczyny do swoich chłopaków i kobiety do swoich mężczyzn, „sam, pewnie żadna dziewczyna go nie chce". „Masz rację", odpowiadali ich towarzysze, „pewnie musi być okropny i na pewno z bliska jest brzydki, w dodatku musi mieć masę ukrytych wad". A ja siedziałem sam, wbity w ten fotel, i wyliczałem wszystkie swoje wady, niektóre wcale nie tak głęboko ukryte, a nawet całkiem na wierzchu.

Podobnie z całowaniem. Jak widziałem całującą się parę, ogarniał mnie głęboki smutek, a tęsknota łapała za gardło. Wydawało mi się, że każda całująca się publicznie para ma od razu grono potencjalnych samobójców na swoim sumieniu. Mnie mieliby wtedy na pewno.

Równie trudne jak kino są dla singli wakacje. Pojechałem ze znajomymi nad jeziora. Było nas pięcioro, dwie pary i ja. Nie miałem pojęcia, ile codziennych sytuacji daje się samotnym we znaki. Chociażby takie smarowanie olejkiem do opalania. Jak człowiek jest w parze, to jedno drugiemu plecy posmaruje, a ja już na drugi dzień miałem całe czerwone. Kiedy słyszałem, że ktoś mówił, iż jest sam jak palec, ogarniała mnie złość. Co za debil wymyślił to sformułowanie o samotnym palcu? A teraz tyle osób bezmyślnie je powtarza. Jakżebym chciał wtedy zamienić samotność moją na samotność palca. Palca, który ma czterech towarzyszy i w każdej chwili mogą bębnić razem po stole. Po czym spojrzałem na swoją dłoń i uświadomiłem sobie, że samotność najwyraźniej wpisana jest w naturę, bo – istotnie – cztery palce to dwie pary, ale piąty jest samotny. Zupełnie jak na tych nieudanych wakacjach.

68.

Pranie dla panienek Freytag

Kinga zadzwoniła po południu, umówiliśmy się na wieczór. Miała miły głos. Miękki, ciepły, wesoły.

W kuchni nie było nic poza kawą, poszedłem więc do matki pożyczyć jakieś herbatniki. Wieszała pranie w łazience.

– Dlaczego nie suszysz na strychu? – spytałem przez uchylone drzwi. – Ciepło dziś, szybko wyschnie. Zaniosę ci.

– Nie trzeba, to takie osobiste rzeczy. Majtki, staniki. Stare kobiety nie lubią pokazywać swojej bielizny.

– Masz dopiero siedemdziesiąt lat. Nie jesteś stara.

– Chciałabym mieć znów siedemdziesiąt lat – roześmiała się.

Myślała, że jest starsza niż w rzeczywistości, lecz poza tym jej umysł był w dobrej formie – nie wtrącała słów po niemiecku.

– Widzę, że dobrze się czujesz.

– Tak, jak na swoje lata, to bardzo dobrze.

Ledwie to powiedziała, z łazienki dobiegł rumor.

– *Verfluchtes Donnerwetter!* – zaklęła matka. – Znowu upadłam!

Coraz częściej się przewracała. Nagle, bez widocznego powodu, osuwała się na podłogę. Kolana i łokcie miała cały czas posiniaczone jak pięcioletnia dziewczynka. W ciągu roku dwa razy skręciła nadgarstek, zwichnęła kostkę. Cierpiała na osteoporozę, bałem się, że zacznie się kruszyć.

– Musisz na siebie uważać, jesteś już jak porcelana – prosiłem, ale machała lekceważąco ręką:

– Raczej jak fajans.

Wszedłem do łazienki, podniosłem ją, zaprowadziłem do pokoju.

– Siedź, a ja skończę wieszać.

Próbowała protestować, ale już zbierałem z podłogi rozrzucone pranie. To nie była jej bielizna. To były jakieś stare, pożółkłe bluzeczki, koronki, dziewczęce sukienki.

– Mamo, co to jest?! – zawołałem, pełen najgorszych przeczuć.

– To ubranka panienek Freytag – odpowiedziała spokojnie.

– Niemożliwe! Skąd się tu wzięły? – nie mogłem uwierzyć.

– Były schowane, nie musisz wiedzieć.

– Jezu, mamo! Po co ci to?

– Śniło mi się, że one przyjadą i będą chciały wziąć na pamiątkę. Więc uprałam.

– Nie wierzę!

– A bo jesteś taki sam jak twój ojciec. Typowy Polak. Nie szanujesz cudzego. Mieszkasz w cudzym domu, a nie szanujesz.

– Mamo, na litość boską! Mamy prawie 1995 rok! Od końca wojny minęło dokładnie pół wieku. Niemcy podpisali traktat o dobrym sąsiedztwie! Nie pamiętasz? To już nie jest ich dom! To jest nasz dom! Twój! Na zawsze!

– Ja wiem, ja to wszystko wiem. To jest mój dom – mówiła do mnie powoli i łagodnie, jak do człowieka niezrównoważonego, którego trzeba uspokoić. – To jest mój dom i mogę w nim robić, co chcę. Dlatego uprałam te rzeczy, żeby były czyste, jak panienki wrócą.

– Jakie panienki, mamo? Nie wiadomo nawet, czy one żyją! A jeśli nawet, to mają po sześćdziesiąt lat! Może siedemdziesiąt! Mają córki, wnuczki!

– No widzisz, to wezmą dla swoich wnuczek. Przyda im się.

Poczułem bezsilność. Od tak dawna przyglądałem się różnym dziwactwom matki, że nie wiedziałem już, gdzie kończy się to, co tylko dziwne, a zaczyna to, co powinno mnie niepokoić. Bałem się, bałem się, że to już. Że ta granica między tym, co uważa się za normalne, a tym, co normalne na pewno nie jest, została przekroczona. Bałem się tak bardzo, że wolałem nie wiedzieć. Powiesiłem pranie, potem zrobiłem mamie herbatę, wyciągnąłem z kredensu blaszane pudełko z herbatnikami, kilka położyłem na talerzyku.

– Resztę biorę. Mam wieczorem gościa.

– Dziewczyna? – ucieszyła się. – Powinieneś sobie w końcu jakąś dziewczynę na stałe znaleźć. Coś mi się wydaje, że ty wybrzydzasz za bardzo. Zobaczysz, na stare lata sam zostaniesz i nie będzie nikogo, kto poda ci szklankę wody.

Zawsze straszyła mnie tą wodą. Odkąd Laurka wyjechała, ciągle słyszałem, że zostanę sam i nie będzie mi miał kto wody podać, jakby w Polsce nagminnie zdarzały się przypadki śmierci z powodu pragnienia. Zupełnie jakbyśmy mieszkali na jakiejś pustyni. Tak się miesza wizja troskliwych matek z rzeczywistością – pary zawierają związki, by im na stare lata miał kto szklankę wody podać, a jak umierają, to są pod kroplówką i nie chce im się pić, a wtedy mają wrażenie, że cały ten małżeński wysiłek był niepotrzebny.

I wcale nie chodzi o to, że wybrzydzałem. Niektóre grzechy są tak przereklamowane, że nie warto ich popełniać. Ale większość warto. Od czasu do czasu spotykałem się więc z jakimiś dziewczynami, ale każdej daleko było do Laurki. Za daleko.

Wróciłem do siebie i sprzątając, zacząłem się zastanawiać, jaką kobietę chciałbym znaleźć. Może blondynkę? Raczej szczupłą, drobną, z filigranowymi piersiami. No ale jakby była brunetka z okazałym biustem? Też by było miło. Może nawet bardziej, zwłaszcza podczas przytulania się. Czyli blondynka lub brunetka, biust mały lub duży. To już jest jakiś punkt wyjścia. Ale ruda też by mogła być. Tak jak Laurka. Rude mają coś w sobie. Czyli blondynka, brunetka lub ruda. To znaczy, że każda, byle nie łysa? Poza tym może być farbowana przecież. Człowiek poznaje blondynkę, umawia się na drugie spotkanie, a wtem przyjeżdża brunetka. Nie, kolor włosów nie ma w tej sytuacji znaczenia. Biust też nie ma znaczenia. Bo lubię mały, jak u Laurki, ale duży, taki jak Money Lizy, też ma swoje zalety. Mały rozczula, duży działa kojąco. Może zatem być mały lub duży. Lubię być rozczulony, lubię być ukojony. W zasadzie to najlepszy byłby średni. Raz by mnie rozczulał, raz by mnie koił. Czyli blondynka, ruda lub brunetka, z biustem małym, średnim lub dużym. To zaś znaczy, że nie ma racji moja matka, mówiąc, że jestem wybredny.

Kinga przyszła punktualnie o dwudziestej, właśnie skończyły się *Wiadomości* telewizyjne i Leszek Balcerowicz coś objaśniał, a ja się zastanawiałem, jak to będzie po zapowiadanej denominacji, gdy za przejazd autobusem do pracy nie będę płacić dwadzieścia tysięcy, lecz dwa złote. Kinga musiała być obdarzona zdolnościami telepatycznymi, bo gdy tylko otworzyłem drzwi, wyciągnęła do mnie rękę z butelką wina i powiedziała:

– Przyniosłam ostatnie w tym stuleciu wino za ćwierć miliona. Jak to brzmi! Niebawem będzie kosztowało już tylko dwadzieścia pięć złotych.

– No to oblejmy koniec świata milionerów. – Zaprosiłem ją do środka.

Pan Teofil miał rację. Była ładna. Długowłosa brunetka o czarnych oczach w oprawie gęstych brwi i długich rzęs, szczupła, lecz o wyraźnie zarysowanych biodrach i biuście, który uśmiechał się do mnie zza głębokiego dekoltu bluzki. To był niezwykle uroczy uśmiech, z tych, na które nawet ponurzy mężczyźni odpowiadają szerokim uśmiechem.

Przez godzinę plotkowaliśmy o jej redakcji, głównie o tym, czy to prawda, że wkrótce wrocławskie wydawnictwa zostaną wykupione przez Niemców, a oni przejmą nasze gazety i będą w nich reklamować swoje hipermarkety. (Wtedy sami do końca w to nie wierzyliśmy, ale po paru latach stało się tak w istocie). Potem otworzyliśmy drugą butelkę wina, a ja zacząłem jej opowiadać o kielichu.

Opowiedziałem o tym, że poszukiwało go stowarzyszenie Ahnenerbe z polecenia samego Himmlera, który należał do grona najważniejszych postaci Trzeciej Rzeszy. O tym, że kielich miał być Graalem zwycięskich wojsk. Że pod koniec wojny Himmler próbował się dogadać z aliantami przeciw Sowietom i chciał utworzyć Czwartą Rzeszę, a kielich Lutra miał być symbolem odrodzonych Niemiec. O tym, że kielich widziała siostra Immakulata i być może wie, gdzie jest ukryty. Że być może wie to także moja matka i razem z Immakulatą pilnowała go, czekając na powrót Niemców. Opowiedziałem też o myszkujących w naszej piwnicy neofaszystach i tragicznej śmierci Fryderyka. I o pannie Juliannie, która tak długo na niego czekała.

Uwiodłem ją tą opowieścią. Wiele razy słyszałem, że kobiety podatne są na piękne historie – w pamięci miałem wspomnienia pana Teofila o listach miłosnych – ale myślałem, że tylko słowa o uczuciach mogą mieć działanie magiczne, tymczasem Kinga ulegała historii, którą jej opowiedziałem, jakby słowa o kielichu Lutra były zaczarowane – słuchała, nie mogąc oderwać oczu od moich ust. Gdy skończyłem, przez jej ciało przebiegł dreszcz i zobaczyłem, że pokryte jest gęsią skórką.

– Zimno ci?

– Nie, nie wiem. Mam dreszcze. Nie sądziłam, że takie rzeczy się zdarzają…

Podeszła do mnie i przytuliła się:

– Mogę?

– Możesz.

Gdy nalewałem kolejną lampkę wina, kilka kropli upadło na jej dłoń.

– Skoro to ostatnie wino za ćwierć miliona, to nic nie powinno się zmarnować – powiedziałem, zlizując krople z jej skóry. Wzdrygnęła się jakby przestraszona. Dziwne. Jeśli mężczyzna liże kobietę, to wcale nie znaczy, że zamierza ją zjeść.

Gdy wychodziła, złapałem ją w pasie i okręciłem dookoła, a ona się śmiała, mówiąc, że jest jak na karuzeli. Całą noc nie mogłem zasnąć. Przewracałem się z boku na bok, jakby myślenie o tej dziewczynie mnie uwierało.

Zastanawiałem się, co piękne kobiety robią z tymi mężczyznami, którzy się w nich zakochują. Nabijają na szpilki jak motyle? Zakopują w ogródku? Robią przecier na zimę? Tak, ten przecier to jakaś koncepcja… Kobiety od zawsze robiły jakieś przeciery.

69.

Jeśli mężczyzna
nie kocha naprawdę

Niemal przez rok spotykam się z Kingą, w końcu niemal codziennie.

Jest ciężka burzowa noc, męcząca, robi się późno, poszedłbym do łóżka, ciemnogranatowa poszwa jest już rozłożona na całym niebie. Kinga zasłania firankę, gasi księżyc i mówi, żebym został. Waham się, bo mam ochotę zostać, mimo że wczoraj po seksie kładła się spać z maseczką na twarzy, która fosforyzowała w ciemnościach. Nigdy wcześniej nie spałem z kobietą, która fosforyzuje. Ani z taką, która ma na twarzy pokrojonego w plasterki ogórka.

W dekorowaniu twarzy artykułami spożywczymi Kinga okazała się bezkonkurencyjna. Tulimy się i całujemy, ona gasi światło, bo nie lubi przy zapalonym, ale i w ciemności nasze ciała świetnie się odnajdują. Kochamy się po omacku, potem leżymy obok siebie i wypowiadamy obowiązkowy zestaw słów na taką okazję. W końcu wstaję i idę do łazienki, żeby wziąć prysznic, a gdy z powrotem wchodzę do sypialni, ona leży posmarowana rozgotowanymi ziemniakami. Zapach jak w stołówce studenckiej. Albo rozbija jajko, oddziela białko od żółtka, miesza z czymś to białko, nakłada na twarz i tak mnie straszy pół godziny. Oddycham z ulgą, gdy to zmywa, ale okazuje się, że radość jest przedwczesna. Nazajutrz Kinga robi to samo z żółtkiem, a ja na wszelki wypadek wyrzucam do kubła pozostawione na stole skorupki. Nie chcę kochanki w skorupkach.

Ale i tak Kinga mi się podoba, chociaż może już nie tak bardzo jak w dniu naszego pierwszego wspólnego poranka, gdy płatki owsiane jadła na śniadanie, a nie nakładała je na czoło i policzki.

– To się bierze do buzi, a nie na buzię – próbowałem jej wyjaśnić, ale bezskutecznie.

Raz, jak od maseczki z awokado wyskoczyły jej dwa pryszcze, to na drugi dzień nałożyła maseczkę z cebuli.

– Przeczytałam, że to dobre na trądzik młodzieńczy – powiedziała przez łzy, bo cebula piekła ją w oczy.

– Kingo – załamałem ręce – ty masz dwadzieścia osiem lat, nie możesz mieć trądziku młodzieńczego.

– Głupi jesteś, nie znasz się – odrzekła, płacząc z powodu cebuli.

W zasadzie nie ma chyba warzywa, którego nie byłaby gotowa rozsmarować sobie na twarzy. Co gorsza, nigdy nie wiedziałem, co poza warzywami może jej się przydać.

Chcę na śniadanie zrobić sobie kromkę chleba z miodem.

– Gdzie miód? – pytam.

– Mam na twarzy – wyznała przez zaciśnięte w miodowej skorupie usta. – Kurze łapki mi się zrobiły przy oczach.

Patrzę na nią, żadnych łapek nie widzę. Boli mnie po wczorajszym piciu głowa, szukam aspiryny.

– Gdzie aspiryna? – pytam.

– Nie ma. Zrobiłam sobie maseczkę.

Uwierzyłby ktoś? Maseczka z aspiryny? To nie mogła wziąć polopiryny C, która jest o połowę tańsza, a na dodatek zawiera witaminę? Przynajmniej oszczędziłaby wówczas ostatnią cytrynę, którą chciałem wziąć do herbaty. Bo cytryna, oczywiście, też została zużyta na maseczkę. Zresztą herbaty także nie ma, bo poszła na opuchnięte od tamtej cebuli powieki.

Z przerażeniem uświadomiłem sobie, że nie jestem w stanie wymyślić produktu, którego Kinga nie położy sobie na twarzy. Chciałem sprawdzić, jak daleko może być posunięty jej obłęd. Zacząłem wypytywać o najbardziej absurdalne produkty, jakie mi przyszły do głowy. Maseczka z selera? Jest. Z marchewką odświeża skórę, a z jogurtem niweluje zmarszczki. Z fasoli? Jest. Ujędrnia skórę. No to może z buraka nie ma? A gdzieżby tam. Z buraka też jest. Odmładzająca. A z banana? Też jest! Łagodzi podrażnienia, poprawia elastyczność. Próbowałem wymyślić coś najbardziej absurdalnego, coś, czym nikt przy zdrowych zmysłach by się nie posmarował. Szpinak! Nie wierzę, żeby poza przedszkolem ktoś był gotów smarować się szpinakiem. Pudło. Kinga przyznaje, że szpinak wciera czasami we włosy. Szukam w wyobraźni czegoś bardziej niedorzecznego. Marchewka z groszkiem. Moje ulubione danie ze szkolnej stołówki. Nie ma opcji, żeby dobrowolnie nałożyć sobie marchewkę z groszkiem nie na talerz, lecz na głowę. Kinga się śmieje i mówi, że nawet gotowe, w tubce sprzedają, jako serum modelujące owal twarzy. Po czym wyciąga taką tubkę z toaletki. Sprawdziłem jeszcze kilka innych niedorzeczności takich jak serek homogenizowany, rabarbar, agrest i czarna porzeczka. Okazało się, że Kinga zna tuziny przepisów na różne maseczki! No to może koperek? Dżem? Marmolada? Szok, wszystko się nadaje na maseczki! Nawet nutella i ciasto naleśnikowe! Kinga mówi, że w redakcji wszystkie dziewczyny smarują się nutellą.

– Wprawdzie kosmetyczki zalecają czekoladę, ale nutella jest tańsza – tłumaczy.

– Boże, wojna w Bośni, ludzie głodują, a tu tyle jedzenia tylko do smarowania twarzy służy! – Irytuje mnie to i trochę brzydzi, że codziennie z jakimiś produktami spożywczymi na twarzy chodzi, ale zamiast obrzydzenia pokazuję szlachetne oburzenie i próbuję odwołać się do jej wrażliwości humanitarnej.

– A twoja poprzednia dziewczyna nie robiła sobie maseczek?

– Nie robiła. Ogórki kroiła tylko do mizerii.

I już przypomina mi się Laurka, jej delikatna skóra, gładka i pachnąca, jej twarde piersi i jędrny tyłeczek, ciepło ud i przytulna miękkość łona, i nagle tracę ochotę na kolejną noc u Kingi, patrzę na zegarek i bardzo się spieszę, bo sprawy czekają niepozałatwiane. Poza tym spostrzegam, że jeśli mężczyzna nie kocha kobiety naprawdę, to bywa małostkowy i może irytować go w niej wszystko. Nawet ziemniaki na twarzy.

– Wiesz, mama ostatnio coś nie kontaktuje, muszę sprawdzić, czy gaz przed snem zakręciła, sama rozumiesz.

Prawie północ, telewizor włączony, woda na herbatę rzeczywiście się gotuje, czajnik gwiżdże jak parowóz, ale mama nie słyszy. Siedzi w fotelu, patrzy w ekran, a tam Aleksander Kwaśniewski świętuje swoje prezydenckie zwycięstwo nad Lechem Wałęsą.

– Mamo?

Nie reaguje.

– Mamo! – krzyczę.

– Telewizor się zepsuł.

– Nie, Kwaśniewski naprawdę wygrał z Wałęsą!

– Telewizor się zepsuł.

– Mamo!

– No, nie ma głosu w telewizorze.

Podniosłem z podłogi aparat słuchowy.

– Telewizor już naprawiony.

– Rzeczywiście, a jeszcze przed chwilą był zepsuty. Kupiłeś mi może sago? Nie miałam z czego kisielu robić.

– Mamo, nie ma sago w Polsce.

– Popatrz. Tyle lat. Pięćdziesiąt lat po wojnie, a w Polsce nadal sago nie ma.

Już prawie zasypiam, gdy dzwoni Kinga i mówi, że po moim wyjściu napadły na nią smutki, a poza tym właśnie dostała owulację i z obu tych powodów jutro wieczorem bezwzględnie do mnie przyjedzie.

Dziwnie się czuję ze świadomością zapowiedzianego przez telefon seksu – Kinga jest jedynaczką i ma przyzwyczajenia dziewczynki, której się nie odmawia. Zadzwoniła i powiedziała od razu: „Słuchaj, mam owulację i bardzo niecierpliwe ciało, będziemy się jutro kochać". Brzmiało to zupełnie jak zapowiedź pociągu pospiesznego przez megafon, ani wzniośle, ani romantycznie, po prostu pociąg płciowy z Kingi Głównej wjedzie na tor przy peronie trzecim.

Przyjechała po południu, a mi od razu przypomniały się pod-
czytywane lata temu ukradkiem listy Tyranii. Wszystko się zgadzało z tym, co pisała wówczas o swojej owulacji – Kingi spojrzenie spod zmrużonych powiek, uśmiech zalotny, wargi cieplejsze
i pełniejsze niż jeszcze wczoraj, głos śpiewny jak u syren, które
kuszą Odyseusza, ruchy kotki, która o nogę się ociera, i całe ciało
mówiące do mnie: „bzykaj mnie, bzykaj".

Jeszcze w przedpokoju zacząłem zdejmować z niej ubranie, wtu-
lając twarz w cudowne piersi, ciężkie, okrągłe, z sutkami sterczącymi
jak dwa przyciski w windzie do nieba, w którym za chwilę się
znajdę. Nie doszliśmy nawet do materaca, gdy nadzy leżeliśmy już
na podłodze, ja z twarzą między jej udami, językiem delikatnie
dotykając podbrzusza, gdy nagle wzrok mój padł na jej łono i wtedy
uświadomiłem sobie, że po raz pierwszy kochamy się nie po ciemku.
Laurka miała jasne owłosienie, podobnie jak kilka spotkanych
później dziewcząt, więc również po raz pierwszy zobaczyłem coś,
co wcześniej widziałem tylko w okresie dorastania, gdy podążając
grzesznym śladem Onana, pochylałem się nad pozostawionym
przez Freytaga pismem dla naturystów *Geist und Schönheit*, w którym rząd kobiet o ciemno owłosionych łonach pozował na tle
portretu Adolfa Hitlera i wszyscy mieli podobne fryzury, z tą
różnicą, że tylko on pod nosem.

Nie wiem, czy może mężczyźnie przytrafić się większy idio-
tyzm niż tak niefortunne skojarzenie, ale patrząc na kształtne
biodra Kingi, na jej uda gotowe do przyjęcia mnie w rozkoszną
gościnę, na ciemny pasek lekko przyciętych włosków, widziałem
tamte cholerne wąsiki i twarz Adolfa Hitlera.

Wielokrotnie przestrzegał nas katecheta przed szkodliwością młod-
zieńczych czynów, których się dopuszczaliśmy w mrokach sypialni
lub za drzwiami zaryglowanych łazienek. Uczciwie mówił, że od masturbacji możemy dostać pomieszania zmysłów, a nawet zobaczyć
diabła. Gdybym wtedy wiedział, jak wielką ma rację, gdybym mógł
to przeczuć, to na pewno czasopisma Freytaga wrzuciłbym do pieca
i wtedy na brzuchu Kingi diabła z wąsikami bym nie zobaczył.

To było moje ostatnie z nią spotkanie. Jeśli mężczyzna wciąż myśli o jednej kobiecie i innej nie kocha naprawdę, to może mu w niej przeszkadzać wszystko, nawet niezamierzone podobieństwo intymnej fryzury do wąsów Hitlera.

70.

Piontek kiedyś
był Freytagiem

Zamiast tekstu o kielichu Lutra w „Słowie Polskim" ukazał się tekst o naszej kamienicy, a mówiąc ściślej – reportaż o mojej matce, która pilnuje skarbów pozostawionych przez spadkobierców Gustava Freytaga. Kinga, wiedziona domysłami, wyobraźnią, a może po prostu intuicją, napisała, że część skarbów nadal jest ukryta – może w murach mieszkań, może w piwnicach, a może w przemyślnych skrytkach pod podłogą, natomiast pozostała część stanowi codzienne wyposażenie naszego domu i od lat czeka na powrót byłych właścicieli – gdy tylko się pojawią, zostanie im zwrócona.

Kilka dni po tej publikacji pojawił się w naszym domu młody mężczyzna.

– Dzień dobry, nazywam się Zelmer i jestem pracownikiem Wojskowych Służb Informacyjnych. Chciałbym porozmawiać o tej publikacji – pokazał wycinek ze „Słowa Polskiego".

– Służb wojskowych?

– Zajmujemy się nie tylko wywiadem.

– Czy pan już u nas kiedyś nie był?

– Nie sądzę.

– A pana ojciec?

– To nie ma nic do rzeczy – skrzywił się i bez zaproszenia wszedł do środka.

Rozejrzał się po mieszkaniu.

– Więc chcecie państwo zwrócić Niemcom dobra kultury?

– Proszę?

– Wie pan, że wywożenie, a także organizacja i pomoc w wywożeniu dóbr kultury wykonanych przed datą 9 maja 1945 roku jest na mocy obowiązującego prawa zabroniona i zagrożona sankcją karną?

– Wiem.

– A mimo to uczestniczy pan w tym procederze. Chce pan, by przedwojenne dobra kultury opuściły granice naszego kraju.

– To jakieś nieporozumienie.

– Dzwoniłem do redakcji gazety, rozmawiałem z panią Kingą. Twierdzi co innego.

– Ale to tylko albumy ze zdjęciami, pamiątki, bibeloty, książki…

– Pan wybaczy, ale nie jest pan znawcą i nie wie pan, co jest dobrem narodowej kultury.

– Narodowej? Naszej narodowej czy niemieckiej narodowej? Te rzeczy należały do Niemców, a mówiąc ściślej, do rodziny niemieckiej. To ich prywatne rzeczy, prywatne rzeczy niemieckich mieszczan, a nie dobra kultury polskiej.

– Wiemy, że w pańskim domu jest na przykład rękopis *Die Ahnen* Gustava Freytaga.

– Nie wiem, czy jest. Ale chce pan powiedzieć, że ta nacjonalistyczna książka jest dobrem polskiej kultury?

– Nie panu to oceniać.

– Skąd w ogóle przypuszczenie, że jest w naszym domu?

– Pana ojciec zeznał to jakiś czas temu. Mamy to w dokumentach.

– Zeznał to pana ojcu, który pracował w SB? To niech pan o to mojego ojca pyta. Obaj siebie warci.

– Wie pan, ja tylko przyszedłem porozmawiać. Dziwne rzeczy działy się w tym domu. Morderstwo, przywłaszczenie dużej ilości złota, podpalenie człowieka…

– Podpalenie człowieka? O czym pan mówi?

– O panu Smoku.

– Smok sam się podpalił.

– A może ktoś mu w tym pomógł? Są zeznania świadka, który mówił, że zainteresowane śmiercią tamtego człowieka mogło być któreś z pana rodziców. Ciekawe. *À propos*, słyszałem, że pana matka nie najlepiej się już czuje. Chyba niekorzystne byłyby dla jej zdrowia kłopoty z prawem, jak pan sądzi?

– Sądzę, że zachowuje się pan dokładnie tak jak pana ojciec.

– Tu ma pan numer telefonu do mnie. Proszę zadzwonić, gdy poczuje pan chęć współpracy.

– Co pan ma na myśli?

– Może pojawi się ktoś, kto będzie znów czegoś szukał albo o coś pytał. Wtedy pan mi o tym powie.

– Żartuje pan?

– Mamy dobre lecznice. Wie pan, praca w służbach specjalnych bywa stresująca. Musimy mieć dobre lecznice. Nie są wprawdzie takie jak rządowe, ale niewiele im ustępują. Mówię to tak *à propos* zdrowia pana mamy.

Gdy wyszedł, pomyślałem, że przez te wszystkie lata niewiele się w kraju zmieniło, a podłość jest dziedziczna, przechodzi z pokolenia na pokolenie.

Prawdziwa sensacja przyszła kilka tygodni później wraz ze starszym szpakowatym mężczyzną, który odwiedził mnie w redakcji miesięcznika „Odra", gdzie wówczas pracowałem. Stanął w drzwiach, a mnie od razu coś tknęło. Ciemnozielone spodnie z grubego sztruksu, sztruksowa marynarka ze skórzanymi klapami, białe trzewiki z napisem „Ecco", złote okulary. Wyglądał jak ci wszyscy Niemcy, którzy wysypywali się z turystycznych autokarów w pobliżu wrocławskiego Rynku.

– Jestem Piontek, Gustaw Piontek – powiedział. – Bratanek Richarda.

– Piontek? Bratanek Richarda Piontka? – zdziwiłem się, pierwszy raz słysząc to nazwisko.

– To taka spolszczona wersja nazwiska Freytag. Ale tak jak i mój pradziad Gustaw ja jestem z Kluczborka. Tam się przed wojną żem urodził, ale potem my wyjechali.

– Pan jest wnukiem Gustava Freytaga?

– Jednym z wielu. Pradziadek miał trzy żony i trochę kochanek, wie pan, jak to jest, to był tak sławny pisarz, że hej.

– Wiem, tak jak u nas Sienkiewicz. A pan…

– Ja jestem z tej linii, która przypada na jego burzliwą starość, chociaż jeszcze nie tak burzliwą jak nieco później, gdy miał bez mała siedemdziesiąt lat i wsadził swoją żonę do szpitala dla umysłowo chorych, a sam związał się z trzydziestoletnią kobitą.

– Miły był z niego człowiek.

– Kontrowersyjny – bym rzekł. Na pewno bogaty. Otóż ja właśnie w tej sprawie.

– Muszę pana rozczarować. Nie znaleźliśmy majątku pańskiego pradziadka. Zresztą, nawet gdybyśmy znaleźli, to jaką miałbym pewność, że pan jest tym, za kogo się podaje?

– Ja przychodzę z polecenia rodziny. Rodziny mojego wuja Richarda Freytaga, w którego kamienicy pan mieszka.

– On żyje?

– Zaginął w czasie wojny i nie odnalazł się nigdy. Ale żona jego żyje, ma wprawdzie dziewięćdziesiąt dwa lata i się nie rusza, ale są też ich dzieci. Troje. I chcieliby do pana przyjechać po te pamiątki rodzinne, które im pan w gazecie obiecał. Przy okazji kazali wyrazy szacunku złożyć za pana postanowienie.

– To nie moje postanowienie, to nie ja te rzeczy trzymałem dla państwa rodziny, to moja matka. Zapraszam, oczywiście.

Opowiedziałem mu o plikach czekających zdjęć, książkach w secesyjnych okładkach, porcelanowych talerzach sygnowanych orłem Rzeszy, a nawet o takich drobiazgach jak schowane w kredensie z pistoletem (o którym nie wspomniałem) szpulki jedwabnych nici, odznaki, drewniane pudełka po papierosach Juno pełne skarbów czyjegoś dzieciństwa, o meblach z nalepionymi na wewnętrznych ściankach wizytówkami „Richard Freytag", czekającymi na transport, który ponad pół wieku temu nie zdążył przyjechać.

– Wielki szacunek proszę mamie od rodziny Freytagów i Piontków przekazać – powiedział mój gość, kłaniając się na pożegnanie.

Matka nie była zaskoczona, nie zrobiła zdziwionej miny, nie spojrzała z niedowierzaniem, nie zapytała nawet, czy dobrze słyszy, chociaż z miesiąca na miesiąc słyszała coraz gorzej i mogłaby mieć naturalny powód do zwątpienia.

– No widzisz, mówiłam, że Niemcy do Wrocławia wrócą.

– Mamo, nie Niemcy wracają, ale dzieci Freytaga po pamiątki rodzinne.

– A one są ruskie?

– Dlaczego ruskie?

– To czeskie?

– Mamo, o Freytagu mówię! Jego dzieci przyjeżdżają!

– Ja cię słyszę. Ale chyba wiem, co mówię. Freytag jest Niemiec, więc to Niemcy wracają do Wrocławia, a nie Czesi ani Rusi.

Nie wiem, jakie były ścieżki jej myśli, pewnie nie tylko z powodu wieku, lecz także dawnych tęsknot – pokrętne. Wyglądało jednak na to, że wizytę potraktuje jako straż przednią, szpicę albo awangardę, a dzieci Freytaga jako wysłanych przez naród zwiadowców, po których przyjdą inni, by się zapytać o swoje.

Matka była na takie pytanie gotowa od pierwszego dnia, w którym zamieszkała w tej kamienicy, i zabroniła wyrzucania rzeczy równie nie naszych, jak i zbędnych, takich jak przepalone żarówki Osram, które Freytag z jakiegoś powodu gromadził w kredensie. Wciąż trzymała straż nad czymś bardziej ulotnym niż poszczególne przedmioty, nad czymś pierwotnym, co nie istniałoby bez nich i w wyraźny sposób je scalało; nad wzruszeniem widocznym w zeszycikach z rymowanymi wierszykami panienek Freytag, smutkiem błękitnych akwarel malowanych ich ręką, wzniosłością pamiątek z pierwszej komunii, dumą spojrzeń płynącą z portretów, rozczuleniem zamkniętym w kopertach starych listów, nad pierwszym przechowywanym wśród nich wyznaniem miłosnym, nad mądrością i błędami skórzanych ksiąg, nad tajemnicą pierścienia i nad prawem do tęsknoty za tym wszystkim, tęsknoty, która nie musi być wieczna.

Czekając na Freytagów, matka nabierała siły. Tak jakby dusza w niej młodniała, a wraz z nią umysł i ciało. Przestała się przewracać, pamiętała o czajniku, który postawiła na gazie, zamykała za sobą drzwi łazienki.

Pewnego wieczoru zastałem ją przy telewizorze – ze wzruszeniem słuchała wiersza Wisławy Szymborskiej. Poetka otrzymała wtedy Literacką Nagrodę Nobla i któryś z aktorów recytował jej wiersz *Atlantyda*. Matka wsłuchiwała się, potakując głową, jakby każdy z tych wersów przypominał jej dzieciństwo, z którego wyniosła przekonanie, że jej ród wywodzi się w prostej linii od Atlantów. Nie wiem, skąd później wzięła treść tego wiersza, być może poprosiła pana Teofila albo siostrę Immakulatę, ale po kilku dniach, gasząc nocną lampkę w jej pokoju, zauważyłem przyklejoną nad łóżkiem kartkę zapisaną jej drżącą ręką:

Istnieli albo nie istnieli.
Na wyspie albo nie na wyspie.
Ocean albo nie ocean
połknął ich albo nie.

Czy było komu kogoś słuchać kogo?
Czy było komu walczyć z kim?
Działo się wszystko albo nic
tam albo nie tam.

Miast siedem stało.
Czy na pewno?
Stać wiecznie chciało.
Gdzie dowody?

Tu wiersz się urywał, jakby kwestia braku dowodów stała się dla matki zastanawiająca.

71.

Makijaże starszej pani, czyli pierwszy powrót Niemców

Pierwsza była pani Hilda, starsza siostra Immakulaty przywieziona przez córkę. Z jakiegoś powodu siostry nie przepadały za sobą, raz w roku wysyłały sobie tylko kartkę z życzeniami świątecznymi. Hilda po wielu latach wróciła z niemiecką emeryturą do Polski. Początkowo była trochę chimeryczna i nieufna. Wcześniej próbowała zamieszkać pod rodzimym Wrocławiem w ośrodku dla bogatych emerytów prowadzonym przez siostry zakonne. Płaciła o trzysta marek mniej niż w Niemczech, ale łazienka była ciągle zajęta, a na domiar złego urządzano pobudkę na mszę o szóstej. Zdecydowała, że zapłaci tysiąc dwieście marek za miesiąc, byleby mogła się wyspać.

Immakulata znalazła ośrodek koło Karpacza. Osobny pokój z łazienką i telewizorem. Za oknem góry, lasy, szemrzące strumienie. Pani Hilda znała okolice, pamiętała je – była tu w młodości wiele razy, głównie na obozach szkoleniowych Hitlerjugend.

Piękne miejsce. No i nie nazywało się tak okropnie i jednoznacznie jak większość ośrodków, które mają słowo „starość" w nazwie. Często „spokojną", co jest kłamstwem samym w sobie, bo starość nigdy nie jest spokojna, lecz pełna lęków i utrapienia, ciągłego niepokoju.

Hilda zamieszkała w luksusowym pensjonacie stałego pobytu z pięknym słowem „*Blumen*" nad wjazdem na gościniec. Bo kwiaty są tutaj wszędzie, w każdym pokoju, na korytarzach, w sali kominkowej, w bibliotece, w dyżurce pielęgniarki i gabinecie lekarza

– głównie tulipany, gerbery i goździki. Wprawdzie nie pachną, gdyż w trosce o zdrowie pensjonariuszy personel na wszelki wypadek usuwa z nich pręciki, ale przez to nie wywołują alergii.

Na nowym miejscu nikt pani Hildy o świcie już nie budził, a śniadanie cierpliwie czekało na stoliku. Latem po śniadaniu wybierała się do ogródka na maliny, zimą siadywała przed kominkiem i czytała *Cierpienia młodego Wertera* w oryginale. Wzruszyła się tą książką bardzo, głównie ze względu na wydanie – było takie samo jak to, które znała jeszcze z czasów czytania lektur szkolnych. Przedwojenna książka miała jeszcze niemiecki stempel sanatoryjnej biblioteki w Bad Warmbrunn, dzisiejszych Cieplicach.

– Nie wiem, o co tu chodzi, głowa już nie ta, poprzednich stron nie pamiętam – żaliła się pani Hilda swojej opiekunce. – Ale czytam, starość jest trudna i człowiek musi być w niej wytrwały.

W pensjonacie początkowo było miejsce dla sześciu osób. Zawsze był pełny. Właścicielka, pani Gerda, która okazała się dawną znajomą Immakulaty, postanowiła kupić pałacyk w Kotlinie Kłodzkiej. Nieduży, wszystkiego raptem szesnaście pokoi. Miała za co – przez dwadzieścia lat pracowała w domu starców pod Dortmundem, przez pięć była szefową hospicjum. Wzięła niewielki kredyt, za pośrednictwem Immakulaty dogadała się z Emanuelą, która od tej pory w dokumentach figurowała jako przedsiębiorca ze strony polskiej, i założyła razem z nią tak zwaną firmę z udziałem kapitału zagranicznego, spółkę w szeroko propagowanej wówczas formie *joint venture*, dzięki czemu od razu umorzono jej część kredytu, pałacyk sprzedano za symboliczną kwotę i na trzy lata zwolniono z obowiązku płacenia podatku.

Biznesplan obu kobiet opierał się na założeniu, że ludzie starzeją się wszędzie, ale po zachodniej stronie Odry żyją dłużej. Mają emerytury parokrotnie wyższe niż Polacy, a często żyją w socjalnych domach opieki. Pani Gerda pracowała w takim, gdzie trzy osoby mieszkały w jednym pokoju, a każda płaciła ponad tysiąc marek, chociaż toaleta była na korytarzu. Bogatsi przenosili się do domów z prywatną opieką, płacąc grubo ponad dwa tysiące marek miesięcznie. Otworzyła więc o połowę tańszy ośrodek po drugiej stronie granicy. Zapewniła luksusowe warunki i opiekę najlepszych specjalistów. Przyjeżdżają na konsultacje nie tylko z Wrocławia, lecz także z Krakowa, Łodzi, Warszawy. Opłaca im się, bo pani Gerda wie, że jej interes polega na tym, by swoich pensjonariuszy jak najdłużej utrzymać przy życiu.

Bogate dzieci nie mają czasu, ale miewają wyrzuty sumienia, które każą im pamiętać, że ojciec jest bez opieki, a matka przez cały dzień stoi w oknie i patrzy na ulicę. Jak trzeba, to dopłacą za opiekę nad rodzicami i za swój święty spokój. Ojciec będzie miał opiekę, a matka będzie z okna patrzyła na pelargonie. O miejsce w pałacyku pyta więc co tydzień kilka osób.

Ostatnio dzwonił pan z Monachium. Spodobało mu się, że cena za jedno miejsce znacznie przekracza średnie zarobki w Polsce, bo taki koszt selekcjonuje w sposób naturalny, a pan z Monachium nie chciał niekulturalnego towarzystwa ze społecznych nizin. Chęć przyjazdu zgłosiło też małżeństwo z Berlina. On – lotnik, ewakuowany pod koniec wojny z Wrocławia – potrzebuje dużo miejsca na swoje pamiątki; ona – uwielbia gotować, poprosiła więc o własną kuchnię. Pani Gerda obiecała jej zatem, że wkrótce ruszy budowa dodatkowego apartamentu dla dwóch osób. Przed świętami berlińczycy będą mogli wrócić na Dolny Śląsk.

Do pani Gerdy przyjeżdżali przede wszystkim Niemcy, którzy wyjechali po wojnie. Tak jak do kilkunastu, może już kilkudziesięciu innych ośrodków tego typu wybudowanych w Kotlinie Kłodzkiej. Wracają do swojego Heimatu.

Córka pani Hildy okazała się przyjaciółką jednej z córek wuja Kurta, która zadzwoniła do nas pewnego dnia i powiedziała, co uradziły z siostrami w sprawie swoich rodziców. Otóż wuj Kurt trochę już niedomaga i potrzebuje opieki, natomiast ciotka Kerstin ma początki alzheimera i nie zawsze można na nią w tej kwestii liczyć. Całą piątką postanowili, zasięgając szczegółowej opinii u pani Hildy, że dożywotnio wynajmą ciotce i wujowi dwupokojowy apartamencik w pałacyku pani Gerdy. Pani Hilda opiekę Gerdy serdecznie poleca, bo to osoba troskliwa i bardzo zaangażowana, poza tym nawet po kursie makijażu. Co niedzielę wszystkie pensjonariuszki starannie maluje, za każdym razem inaczej, a potem jadą do kościoła, piękne jak nigdy dotąd.

Kilka tygodni później wuj z ciotką jechali już do pensjonatu. Zatrzymali się po drodze w mieszkaniu mamy, oboje śnieżnobiało siwiuteńcy. Ciotka usiadła naprzeciw niej i usiłowały rozmawiać, ale coś nawaliło w aparacie słuchowym matki, więc obie głównie kiwały głowami jak dwa białe ptaki.

Wuj zafascynowany patrzył w telewizor, bo z Kluczborka zapowiadali akurat reportaż pod tytułem *Freytag sieje niezgodę*. Okazało się, że przed wojną w Kluczborku, podobnie jak we Wrocławiu, była ulica imienia Gustava Freytaga, a także szkoła, dom i fontanna – pełen niezbędnik do upamiętniania. Ostatnio Mniejszość Niemiecka zaproponowała, żeby z okazji stulecia śmierci pisarza, przypadającego na rok 1995, powiesić skromną tabliczkę na kamienicy, w której się urodził, co pozytywnie zostało już przegłosowane na sesji Rady Miejskiej.

Kamerzysta pokazywał, jak dwóch mężczyzn stoi naprzeciw siebie i wygraża sobie pięściami. Jeden jest za tym, żeby pamiątkową tablicę umieścić, bo niemieccy turyści takich znaków szukają, drugi natomiast jest temu absolutnie przeciw, tłumacząc, że Gustav Freytag nie lubił Polaków, a poza tym jak Niemcowi poświęci się jedną tablicę, to za chwilę będą chcieli zwrotu całej kamienicy, potem zagarną ulicę, a po chwili znów będzie należeć do nich całe miasto, a my przecież „nie rzucim ziemi, skąd nasz ród". Na to wyszła właścicielka kamienicy i załamując ręce, pokazała list z tajnego Korpusu Obrony Niepodległości Polski, w którym polscy patrioci grożą wysadzeniem kamienicy w powietrze.

Wuj pokręcił głową ze zdumieniem. Miłość do ojczyzny nie powinna innym robić krzywdy.

– W Polsce przy każdej żenującej awanturze słyszę o polskich patriotach, zupełnie jakby słowo „patriota" znaczyło tu tyle, co idiota.

Po czym, jak zwykle, wyciągnął prezenty, ale tym razem takie, jakby się powoli żegnał z tym światem – ja dostałem złotą dwuipółdolarówkę, pamiątkę po dziadku, słynną Quarter Eagle z 1929 roku, matka zaś po raz drugi w życiu otrzymała ten sam barometr.

Spośród wielu dziwnych przedmiotów, jakie mieliśmy w domu, ten chyba był najdziwniejszy: barometr objawienia, który przywiózł z wojny wuj Kurt. Zdaniem mojej matki zrabował go mnichom, ale zdaniem wuja – uratował go przed spaleniem w klasztorze nieopodal Lourdes. Między rabować a ratować jest tylko literka różnicy, ale na tyle istotna, że wuj długo nie mógł za nią dostać rozgrzeszenia.

Opowiadał, że latem 1944 roku jego oddział zatrzymał się w klasztorze u podnóży Pirenejów. Nocą, nie wiadomo dlaczego, wybuchł pożar – może ktoś przez okno wrzucił butelkę z naftą, a może po prostu któryś z pijanych żołnierzy rozbił o kominek szklankę koniaku z piwnicznych zapasów, tak czy owak, wuja obudziły ogień, dym i krzyki. Po kilku sekundach uciekał już z innymi gorącym korytarzem, a po drodze wrzucił do plecaka Matkę Boską ze złota – w klasztorze mogłaby się przecież zniszczyć, a w plecaku może go do końca wojny szczęśliwie poprowadzić.

Poprowadziła. I stała później latami na komodzie w domu rodzinnym wuja i mojej matki na wsi pod Opolem, a gdy zbliżało się Boże Narodzenie i przychodzili kolędnicy, złota figura zajmowała miejsce honorowe na stole w salonie i była co roku skrapiana przez księdza wodą święconą, podobnie jak pozostali domownicy.

Po wuju, który na skutek nieprzejednanej postawy spowiednika został w końcu ateistą, spływała jak zwykła woda i szkoda było jej poświęcenia, natomiast cała moc święta wnikała w figurę – tak przynajmniej zgodnie twierdziła domowa trójca bogobojnych kobiet pod postacią prababki, babki i ciotki Kerstin.

W dni uroczyste lub w dni trwożne, takie jak burza z piorunami, nagła choroba w rodzinie lub kac dziadka, Matka Boska Ukradziona stawała się obiektem kultu, natomiast w dni powszednie była funkcjonalnie barometrem. Taką jej nadano początkową rolę – szata Madonny z Lourdes przypomina bowiem płaskorzeźbę, na której po jednej stronie artysta umieścił postać czternastoletniej pasterki, Bernadetty Soubirous, doznającej łaski objawienia Matki Bożej, po przeciwnej stronie szaty zaś, odpowiednio niżej, wkomponował dziesięciocentymetrowy barometr. Trudno go jednak czytać, bo zamiast tradycyjnej tarczy ze wskazaniami pogody umieszczono na nim wizerunek katedry z otaczającymi wskazówkę słowami: „*Notre Dame de Lourdes Basilique 1858*".

Po pewnym czasie zauważono, że pogoda poprawia się wtedy, gdy wskazówka wskazuje nazwę Lourdes, a psuje wówczas, gdy opada w kierunku Notre. Gdy szła w stronę daty objawienia, wtedy zawsze wychodziło słońce. Ale do czasu.

Gdy moja matka miała wyjść za mąż, babka postanowiła złotą figurę sprzedać i część pieniędzy dać córce w posagu. Wysłała dziadka do jubilera. Po godzinie wrócił i omal nie rzucił skarbem o ziemię.

– Macie tu swoje bogactwo, do którego tak żeście się modliły! To zwykły mosiądz jest, ino pozłacany!

– No to nie mamy się czym dzielić – westchnęła ciężko babka. – Weź sobie, córko, Matkę Boską całą.

I tak Matka Boska Ukradziona zmieniła miejsce zamieszkania, a mój ojciec z przekąsem chwalił się zdumionej rodzinie, że dostał w posagu barometr. Nie był religijny i nigdy za nim nie przepadał, więc z ulgą podarował go wujowi na szczęście, gdy ten wyjeżdżał na stałe do Niemiec. Musiał mieć wuj Kurt porządne wyrzuty sumienia przez niego – może dręczyli go nocami mnisi z klasztoru pod Lourdes – skoro go przywiózł z powrotem.

72.

Opowieść wigilijna o starych gazetach i głosach

– Zrób w końcu coś z tymi bohomazami – gdera matka, wskazując sękatym palcem na obrazy zostawione przez Laurkę. – Zrób też coś z tym mieszkaniem, po co ci takie mieszkanie pełne pamiątek po tej dziewczynie, nic, tylko kurz i wspomnienia, posprzątaj albo od razu przemaluj.

Przed wizytą Freytagów robimy mały remont mieszkania – tapetowanie i malowanie. Najpierw u mnie, bo pewnie będą chcieli przenocować na swym małżeńskim materacu, potem u mamy, gdzie ich godnie podejmiemy roladą, kluskami śląskimi i modrą kapustą, a na deser dostaną *rote Grütze*, jak zawsze w Polsce – bez sago.

Przed malowaniem przygotowuję mieszkanie mamy. Wchodzę do kuchni, potem do spiżarki, rozglądam się ze zdziwieniem, przez tyle lat nic się tu nie zmieniło, te same poniemieckie kamionki do kiszenia ogórków, dawno nieużywana gęsiarka z napisem „Guten Appetit", lufcik zasłonięty blaszaną reklamą hotelu Reichshof w Kutnie – wszystko jak dawniej, tylko podłoga zaczęła skrzypieć, jakby dom wraz z matką zapadł na reumatyzm. Ze ścian w spiżarce odkleiła się tapeta, klej z mąki dawno już się wykruszył, skręcone rolki leżą na podłodze, chowając wyblakłe arabeski.

Nasz dawny sąsiad Smok, jeszcze przed wojną praktykujący malarz i tapeciarz, równał ściany ówczesnym sposobem, kładąc podkład z rozłożonych gazet – zachowały się pod tapetami wyśmienicie i teraz dookoła widzę tytuły pisane niemieckim gotykiem, głównie „Schlesische Zeitung", 1938, Breslau. Jest też „Das Reich" już z lat czterdziestych – nazwa prosta i mocna jak cios, a na wprost mnie tytuł czołówki: *Deutschland hat Zeit* i duże, czteroszpaltowe zdjęcie, na którym żołnierz Wehrmachtu wychyla się z okopu i spokojnie obserwuje mnie przez lornetkę – widać, że ma na to bardzo dużo czasu.

Ale na sąsiedniej ścianie widzę już polskie gazety, gorzej wydane, niechlujnie łamane i prawie bez zdjęć, drukowane na gorszym papierze, z mniej czytelnym drukiem, chociaż o kilka lat nowsze.

Wracam do pokoju i zdumiony pytam:

– Mamo, jak to możliwe, że w spiżarce są pod tapetami polskie i niemieckie gazety?

Patrzy na mnie i potakuje twierdząco głową.

– *Ja, ja* – mówi – tak, masz rację, *liebe Peter*, w zeszłym roku o tej porze było już pełno śniegu. Co to za święta, jak nie jest biało.

Pokazuję, żeby włączyła aparat słuchowy – bez niego matka już w ogóle nie słyszy, ale chyba jej to nie przeszkadza, bo zazwyczaj jest wyłączona. Na odbiór przechodzi głównie przed telewizorem. Powtarzam pytanie, matka chwilę się zastanawia, po czym tłumaczy, że w piwnicy były niemieckie gazety Freytaga, ale widocznie ich zabrakło i tapeciarz przyniósł z domu swoje.

– Przecież to proste – dodaje, patrząc na mnie zdziwiona, że nie wiedziałem.

Jasne, to takie proste, że na jednej ścianie w naszym mieszkaniu wiszą gazety z niemiecką wroną, zdjęciami pochodów zwycięskich wojsk Trzeciej Rzeszy i pozdrawiającego je Hitlera, a na drugiej, zupełnie jak w jakiejś międzynarodowej czytelni, pierwsze wydania gazet polskich, wiwatujących z powodu kapitulacji Niemiec. Matka ponownie wyłącza się z fonii na znak, że audiencja skończona. Wracam po skrzypiących deskach, zrywam resztę tapet, które bez trudu odchodzą od ściany i pyląc drobinami wyschniętego kleju, zmęczone latami trwania w jednej pozycji, z ulgą osuwają się na ziemię.

Siadam na podłodze wśród skręconych rolek i rozglądam się dookoła. Czarne jak wrony tytuły kraczą o zwycięstwach na kolejnych frontach, za chwilę cały świat będzie *kaputt*, a dzielne chłopaki z Luft-waffe przywiozą na niemiecką choinkę gwiazdkę z najdalszego nieba. Na zdjęciach, w przypadkowej kolejności nadanej przez tapeciarza, układa się historia: kontrofensywa w Ardenach, atak na Pearl Harbor, kapitulacja Francji, sojusz z Włochami, zajęcie Grecji, zdobycie Warszawy, nalot na Londyn, inwazja na ZSRR; chaos dziejów jak w popsutym kinematografie.

A po przeciwnej stronie pokoiku – gazety tapeciarza, o mało radosnych tytułach mimo wygranej wojny: walka z szabrowni-kami, wizyta Bieruta, proces norymberski. Żadnej radości z wyzwolenia. Czterostronicowy „Pionier", dziennik dolnośląski z datą 28 sierpnia 1945 roku. Tytuł czołówki: *Polska zdobyła te ziemie na zawsze. Obrady I-go Zjazdu Przemysłowego Ziem Odzyskanych we Wrocławiu.* Obok „Pionier" z 2 grudnia: *Niemcy dobrowolnie opusz-czają Dolny Śląsk.* Poniżej z 5 października: *Dość pobłażliwości dla kombinatorów i pasożytów. O właściwe wykorzystanie pracy Nie-mców.*

Ciekawe, podchodzę do ściany i czytam: „Polka, po objęciu sklepu niemieckiego z artykułami piśmienniczymi, pozostawia cały trud prowadzenia sklepu dawnej właścicielce – Niemce po uprzednim kilkakrotnym podniesieniu cen na towary, sama zaś zjawia się raz na kilka dni, żeby odebrać kasę. Dentysta – Polak usuwa z gabinetu dentystycznego swego poprzednika Niemca i podwyższa ceny za zabiegi dziesięciokrotnie. Po paru dniach przyjmuje tegoż Niemca jako pracownika, płaci mu dziesiątą część pobieranych opłat, sam zabiera resztę i wcale pracą się nie przejmuje, przerzucając ją całkowicie na barki Niemca".

Aż wierzyć mi się nie chce. Kilka miesięcy po wojnie polska gazeta broni Niemców.

Zupełnie jakbym o dziadku Helmucie czytał – po wojnie Polacy zabrali mu niewielką stadninę, ale za parę złotych pozwolili zawłasz-czonych koni doglądać. Początkowo musiał tylko nosić opaskę na rękawie kurtki – białą z czarną literą „N" – żeby inni z daleka widzieli, że Niemiec.

Obok gazeta z 6 września, rubryka *Odpowiedzi redakcji*: „Ob. L. Malkiewicz zapytuje, czy wszyscy Niemcy obowiązani są nosić opaski i z jakim napisem. Tak, wszyscy. Opaska musi mieć pieczęć firmy zatrudniającej. Ma to stanowić dowód rzeczowy, iż dany Niemiec pracuje, a tylko dla takich może być miejsce w Polsce".

O, taką właśnie opaskę dziadek nosił, zanim udowodnił, że jest rodowitym Ślązakiem. Potem latami narzekał, że miał swoją ziemię, swój majątek odziedziczony po śląskich pradziadkach, od wieków w rękach rodziny, a tu nawiedzony pieniacz wywołuje wojnę (dziadek często podkreślał, że w każdym kraju, w każdej chwili, także dziś, taki niedouczony idiota może wywołać wojnę), którą następnie przegrywa, a dziadek musi oddać wszystko, jakby przerżnął w ruletkę, i tak dziękując Bogu, że nie w rosyjską.

Co mamy tu jeszcze? Krótka notatka wyśmiewająca tych osadników, którzy usiłują hodować w mieszkaniach kury, apel o zwrot ukradzionego redakcji radioodbiornika, rozkładówka „Pioniera" z 26 września 1945 roku. Tytuł: *W sprawie wysiedlenia Niemców*. Czytam: „W wielu miejscowościach Dolnego Śląska Niemcy zajęli pozycję wyczekującą; nie chcą korzystać z przywileju dobrowolnego, czekając na przymusową akcję przesiedlania. Najbardziej paląca jest kwestia we Wrocławiu liczącym dziś 200 tys. Niemców. Osadnicy bowiem napływają, a nie ma ich gdzie umieścić, gdyż mieszkania i gospodarstwa są jeszcze chwilowo zajęte przez Niemców. W niektórych powiatach sytuacja ma się odwrotnie. Tam Niemców nie tylko nie trzeba na razie wysiedlać, ale nawet nie można. Zatrudnieni bowiem zostali masowo w przemyśle czy w pracy na roli – w powiecie kłodzkim (90 000 osób), wałbrzyskim (120 000), lwówkowskim (40 000) i lubańskim (52 000). Z chwilą napłynięcia osadników i robotników mówić będzie można o wysiedleniu Niemców z tamtych terenów".

Nieco wyżej pożółkłe stronice „Pioniera" wydanego kilka miesięcy później, 25 marca 1946 roku. Wielki tytuł na pierwszej stronie: *100 tysięcy Niemców opuściło granice Polski. Tempo akcji będzie wzmożone*. Czytam: „Początkowo repatriowani byli ci Niemcy, którzy w terminie wcześniejszym dobrowolnie zgłosili się do wyjazdu. Jednak dobrowolność została usunięta i Niemcy wyjeżdżają obecnie według z góry ustalonego planu. Każdy Niemiec uprawniony jest do zabrania ze sobą bagażu i żywności na 4 dni. Celem uniknięcia szabru i dewastacji mieszkań akcja pomyślana jest w ten sposób, że w miejsce wyjeżdżającej rodziny niemieckiej wchodzi automatycznie rodzina polska. O ile jednak wielu Niemców chętnie zgadza się na wyjazd, o tyle jest dużo takich, którzy pozostaliby tu na stałe. Ci, jeśli są fachowcami, wyjadą najprawdopodobniej dopiero pod koniec akcji. W każdym razie ważne przedsiębiorstwa, korzystające z pracy fachowych Niemców, nie zostaną nagle ich pozbawione".

No to się matce udało, myślę sobie. Raz jeszcze spoglądam na zaklejone gazetami ściany i już mam wychodzić, gdy nagle ogarnia mnie niepokój – początkowo jest lekki, ale po chwili tężeje. Mam wrażenie, że ktoś na mnie patrzy, obserwuje, ale to przecież niemożliwe – w pokoju nikogo nie ma, a zza lekko uchylonej blachy w oknie widać tylko czerwony komin, nawet ptak na nim nie siedzi.

Coś jest jednak nie tak, zupełnie jakbym szedł przez ciemny park i kątem oka widział wielkie cienie w krzakach.

Bywa, że przechodzi człowiek koło lustra albo szyby, zerka i idzie dalej, a dopiero po paru krokach uświadamia sobie, że przecież widział odbicie kogoś znajomego. Odwraca się, a wówczas tamten też z tego samego powodu przystaje i spogląda do tyłu. Właśnie tak się teraz czuję, jakbym zobaczył coś ważnego, a jednak to przeoczył. Ponownie przyglądam się gazetom i nagle widzę…

Twarz mojej mamy, dokładnie taka sama jak w albumach ze zdjęciami sprzed wojny – szczupła dziewczynka (poważna mina, dwa czarne warkoczyki) bierze książkę od mężczyzny w niemieckim mundurze, a obok jest jakaś informacja, ale szwabachą – nie potrafię jej odczytać. Mężczyzna w mundurze przypomina Richarda Freytaga, którego znam ze zdjęć w salonie, ale nie mam pewności, bo daszek czapki rzuca cień na oczy. Twarz matki została zakreślona kopiowym ołówkiem, a obok ktoś postawił wykrzyknik i znak zapytania. Ktoś? Smok, który tapetował to pomieszczenie, a potem pokłócił się z ojcem. Szantażował go, potem został przez ojca postrzelony. W domu mówiło się zawsze, że wujowie, podobnie jak dziadek, zostali wcieleni do Wehrmachtu siłą, jak większość mężczyzn na Śląsku. Hitlerjugend była dla młodzieży organizacją obowiązkową, ale Smok nie musiał w to wierzyć.

Idę do matki z dziesiątkiem pytań, ale już na pierwsze nie odpowiada.

– Dlaczego mama wyłącza ciągle ten aparat słuchowy? W ogóle mama nie słyszy, co się do niej mówi.

Uśmiecha się.

Słuch zaczął się jej psuć wiele lat temu, powoli, niemalże niezauważalnie. Początkowo nie słyszała końcówek wyrazów, ale je sobie dopowiadała, potem umykały jej fragmenty zdań, najpierw małe, z czasem coraz większe, starała się je zgadywać, aż w końcu głosy ludzi przycichły tak, że treści jedynie się domyślała – pytana o coś najczęściej odpowiadała zupełnie nie na temat. Nauczyła się nas w prosty sposób oszukiwać. Zapytana o cokolwiek przy obiedzie odpowiadała: „*ja, ja*, bardzo dobre, bardzo dobre, *sehr gut*", i ta odpowiedź zawsze była trafna, bez względu na to, czy pytał ją ktoś o smak dania, czy o samopoczucie albo też o to, czy po obiedzie wybiera się do kościoła. Na inne tematy odpowiadała niezmordowanie: „tak, tak, *ja, ja, natürlich*", a jak była zmęczona lub przejedzona, to kwitowała wszystko krótkim „*nein, danke*". Początkowo podejrzewaliśmy ją o niedosłuch, ale kryła się z tym tak dobrze, z taką uwagą śledziła wszystkie rozmowy, potakując głową lub wydając – zazwyczaj trafne – jęki dezaprobaty, że dopiero przez przypadek zorientowaliśmy się, że ona w ogóle już nie słyszy. Dostawała coraz lepsze, coraz nowocześniejsze aparaty słuchowe, a w końcu Tyrania sprowadziła jej jakiś najnowszy wynalazek z Japonii, hit absolutny, dzięki któremu ponoć nawet głuche pnie drzew zaczynały słyszeć.

Przez kilka dni matka z niego korzystała. Słuchała mnie, sąsiadów, spotykanych na ulicach ludzi, bohaterów telewizyjnych seriali. W końcu powiedziała tak:

– Wiesz, jak nie słyszałam, to wszystko było ciekawsze. Mogłam się domyślać, co ludzie mówią, i domyślałam się zazwyczaj rzeczy dobrych, mądrych i szlachetnych, bo takimi was wszystkich widziałam. Patrzyłam na was, wsłuchiwałam się w was i słyszałam to, co chyba chciałam słyszeć, a teraz słyszę coś zupełnie innego. Oglądałam moje ulubione seriale i w wyobraźni pisałam piękne dialogi o miłości, o przyjaźni i o wierności, a teraz słyszę wszystko i jestem bardzo rozczarowana. Powiem ci jedno: miałam o ludziach lepsze zdanie wtedy, gdy ich nie słyszałam.

Sapnęła, wyłączyła aparat i wróciła do głosów, które mówiły w niej przedtem, gdy wydawało mi się, że nic nie słyszy. Tak jak teraz.

73.

Ta historia według
pana Teofila

Zdjęcie matki w niemieckiej gazecie nie dawało mi spokoju. Następnego dnia wciąż była poza fonią, pobiegłem więc po pana Teofila. Schodził powoli, jedną ręką trzymając się schodów, a drugą opierając na moim ramieniu. Założył okulary, ale i tak wzrok nie pozwolił mu odczytać drobnego druku.

– Przynieś mi latarkę i lupę, jeśli masz.

Ja świeciłem, a on z lupą przy oku czytał:

– „Strażniczki kielicha Lutra, zastęp śląskich dziewcząt na wycieczce we Wrocławiu. Panny przy źródle im. Gustava Freytaga na Liebichshöhe miały okazję spotkać się z panem inżynierem Richardem Freytagiem, przyjacielem młodzieży i bliskim krewnym słynnego pisarza, który swoimi powieściami wzbudził ducha narodu niemieckiego".

– Gdzie to było?

– Na Wzgórzu Liebicha, dziś to Wzgórze Partyzantów.

Poprawił lupę przy oku i czytał dalej.

– „W uznaniu patriotycznych zasług dzielnych dziewcząt inżynier Freytag wręczył im rękopis pierwszego tomu sagi *Die Ahnen* z przeznaczeniem dla izby pamięci w ich szkole. To właśnie tomem *Ingo und Ingraban* rozpoczyna Wielki Ślązak opowieść o germańskiej historii Europy…".

– Ale co to ma wspólnego z tą historią o kielichu?

– Hitler i jego propaganda nie mogli znieść myśli o tym, że historia chrześcijaństwa, a zatem i niemieckiej cywilizacji, oparta jest na Chrystusie, żydowskim synu cieśli. Tak długo szukali rozwiązania, aż znaleźli niby dowody na to, że Chrystus nie był Żydem, ale wcieleniem nordyckiego „ducha", zaprzeczeniem żydostwa. Rosenberg, główny ideolog niemieckiego rasizmu, twórca teorii podziału narodów według stopnia ich nordyckości, odnalazł w pismach Lutra sporo niechętnych słów pod adresem Żydów. To wystarczyło, żeby ludzie skupieni wokół organizacji Ahnenerbe, która wśród różnych zadań miała także ideologiczne wychowanie młodzieży, zaczęli tworzyć mity o kielichu Lutra. Jego legenda była szczególnie silna na Śląsku, bo ponoć sam Luter przekazał swoim śląskim wyznawcom ten dar, by jednoczyli się wokół niego. Kielich, zanim słuch o nim zaginął, podobno był przywieziony do Wrocławia, gdzie pilnowało go trzech zaprzysiężonych wartowników, którzy przekazywali tajemnicę swoim następcom. Tych trzech strażników przyporządkowano linii Pelikana, Małpy i Krokodyla. Rolą linii Pelikana była troskliwa opieka nad adeptami, młodymi strażnikami. Kiedyś to był święty ptak, ludzie myśleli, że pelikan karmi pisklęta własnym ciałem i krwią. Trochę jak Chrystus. Stąd strażnikom spod znaku Pelikana przypadła rola szczególna – musieli znaleźć młodych strażników i dbać o ich wychowanie nawet za cenę życia. Ci z linii Małpy mieli mądrością, wiedzą, ale przede wszystkim sprytem i inteligencją zacierać pościg i gubić tropy. Małpa daje mylne sygnały, udaje, naśladuje, przedrzeźnia. Podobno ci strażnicy bywali nawet wysokimi hierarchami Watykanu, ale niejasna jest ich tam ówczesna rola. No i była linia Krokodyla – skupiała wojowników, którzy strzegli życia strażników. Byli silni, bezwzględni i niezwykle skuteczni. Podobno – tak mówi śląska legenda – w każdym pokoleniu od czasów doktora Lutra chociaż raz musiało dojść do spotkania wszystkich trzech linii, podczas którego wspólnie decydowano o tym, co dalej z kielichem. Ta tajna uroczystość była też rodzajem inicjacyjnego rytuału opartego na kąpieli w źródle wtajemniczenia.

Przypomniało mi się, że o tym samym kręgu – Pelikana, Małpy i Krokodyla – wspominał kiedyś antykwariusz, który chciał od mnie kupić znalezioną w domu mapę Helwiga.

– Czy uważa pan, że jakiś związek mogła mieć z nimi moja matka?

– Możliwe. Był przecież jakiś powód, dla którego ze wszystkich mieszkań w powojennym Wrocławiu wybrała właśnie to, które należało do oficera ze stowarzyszenia Ahnenerbe. Oficera, którego przecież znała.

– A Immakulata?

– Tak samo. Chociaż zakon, czy jak tam ich nazwiemy, to była początkowo męska rzecz. Podobno kielich był długo ukrywany w męskim gimnazjum przy kościele Marii Magdaleny. I tam ponoć spod ręki rektora Martina Helwiga wyszła mapa z zaznaczonym miejscem pierwszego ukrycia kielicha na Śląsku. Strzec miał go ponoć rogaty gryf.

– Wśród rzeczy po Freytagu znalazłem kiedyś taką mapę z gryfem.

– Mało prawdopodobne, jedyny egzemplarz był przechowywany w miejskiej bibliotece, ale zaginął w czasie wojny. Mogłeś widzieć późniejsze kopie.

– Ta, którą widziałem, była dziwna, jakby odwrócona do góry nogami. Karkonosze narysowano u góry mapy. Tak jakby na północy, a nie na południu. A gryf znajdował się w okolicy Jeleniej Góry.

– To by się akurat zgadzało, u Helwiga Karkonosze też były u góry mapy. Taką przyjął orientację – południową, a nie północną, jak dzisiaj.

– Na tej mapie było mnóstwo miejsc zaznaczonych krzyżykami. Potem podobne krzyżyki widziałem na kalkach map. Zwinięte były w ruloniki i schowane w laskach, które Freytag trzymał w przedpokoju. Matka mówiła mi, że to były ich raporty z poszukiwań. Myśli pan, że ten kielich ktoś w końcu znalazł?

– Nie mam pojęcia. Dla Niemców bezcenna już była sama jego legenda. Budowała morale młodzieży wokół tego, co narodowe i niemieckie – to po pierwsze. Po drugie zaś – dawała dobry powód do wypraw w Sudety i amatorskich poszukiwań, pozwalała zachować sprawne ciało i czujny umysł. Po trzecie – te młodzieżowe zastępy poszukiwaczy sporządzały detaliczne raporty z Sudetów z uwzględnieniem najdrobniejszych szczegółów, takich jak czynne studnie, groty, podziemne przejścia, jaskinie – dane bardzo cenne dla państwa, które szykuje wojnę. Większość z nich nie domyślała się nawet swojej roli. Myślę, że twoja mama szczerze wierzyła w poszukiwawczą misję i bardzo kochała góry. Pamiętam, jak organizowała wspaniałe wycieczki na Ślężę.

Patrzyłem na zdjęcie w niemieckiej gazecie, na moją matkę w mundurze Hitlerjugend, i przypomniało mi się, że znam to miejsce. Bywałem tam z matką wielokrotnie. Dojeżdżaliśmy tramwajem numer 9 z przystanku przy ulicy Ślężnej. W czasach mojego dzieciństwa nie było tam już źródełka, nie było też medalionu z twarzą Gustava Freytaga, którą wyraźnie widać na zdjęciu w gazecie, ale wciąż stały dwie kamienne ławeczki obok rzeźby, na której długowłosa dziewczyna wyciąga ręce do żaby nad głową kamiennego trytona. Dziewczyna ta przypomniała mi inną pannę z wodnym potworem. Na wieży ciśnień przy Wiśniowej też była podobna studnia. Nad twarzą maszkarona pełzał wodny potwór, a na nim siedziała naga dziewczyna z pucharem w dłoni.

– Tu, na naszej wieży, jest coś podobnego – powiedziałem do pana Teofila, a on się uśmiechnął.

– Masz dobre oko, chłopcze. – Wciąż mówił do mnie „chłopcze", chociaż już dawno przestałem nim być. – To jest ta sama ręka. Ten sam rzeźbiarz. A właściwie – rzeźbiarze. Ignatius Taschner, docent wrocławskiej Akademii Sztuki, i jego student Robert Bednorz. Rzeczywiście, na północnej ścianie wieży jest studnia, która miała krystalicznie czystą wodę z podziemnego ujęcia. Nad studnią jest nimfa dosiadająca trytona, a nad nią napis, który po wojnie został skuty w ramach odniemczania, ale brzmiał tak:

Such nicht zum Freund dir Bier und Wein,
Sie schaffen kurze Lust.
Willst du als Greis noch fröhlich sein,
Nimm mich an deine Brust.

Czyli:

Nie szukaj przyjaciół w piwie i winie,
Bo one dają chwilową przyjemność,
A jeśli chcesz w szczęściu doczekać starości,
Weź mnie na swoje łono.

– Ale co to może znaczyć? Brzmi jak reklama wody z wodociągów miejskich z początku zeszłego wieku.

– A może trzeba do tego podejść inaczej? Może jest w tym coś więcej niż tylko pochwała trzeźwości?

– Co na przykład?

– Nie wiem, może wieża ciśnień przetrwała na Krzykach wojnę w tak świetnym stanie, bo ktoś o nią szczególnie dbał. Bo była cenna nie tylko dlatego, że dzięki niej w kranach płynęła woda. I może nasza wieża kryje tajemnicę, którą tylko strażnicy kielicha mogą odczytać.

– Chyba ponosi pana fantazja, panie Teofilu.

– Przypory wieży są ozdobione płaskorzeźbami pelikana, małpy i krokodyla.

– Ale to przecież może być przypadek.

– Może. A może nie. Ja już mam swoje lata, a na starość człowiek infantylnieje. I całkiem prawdopodobne jest, że to właśnie dlatego widzę jakieś powiązanie między kielichem, wieżą a witrażem w drzwiach do biblioteki Freytaga w waszym mieszkaniu. Wiesz, z wiekiem człowiek odczuwa coraz większą potrzebę harmonii i chciałby, żeby ten chaos, który go otacza, zaczął się powoli łączyć w jakąś logiczną całość. W mojej powieści… To znaczy, gdybym miał napisać o tym powieść, byłaby w niej zawarta taka myśl, że twoja matka i siostra Immakulata nie wyjechały po wojnie do Niemiec, lecz zostały właśnie tu, by latami uczyć cię wszystkiego, abyś był gotów przejąć na siebie rolę strażnika. Sam musiałbyś do tego dojść, połączyć ludzi, historię, fakty, daty, miejsca. Zacząłbym od pierścienia, który twoja matka znalazła po wojnie. Byłby tropem, zawierałby napis wskazujący na witraż w bibliotece, a mówiąc ściślej – na budowlę, która na tym witrażu się znajduje.

– To zbyt fantastyczne, panie Teofilu, ale niech pan taką powieść napisze. Mama się ucieszy.

– Szczerze mówiąc, właśnie to robię.

– O, to będę bohaterem pana powieści?

– Tak.

– W takim razie coś jeszcze panu powiem. Gdy znaleźliśmy z ojcem te kalki map ukryte w laskach, to był tam też rysunek techniczny naszej wieży ciśnień.

– To ciekawe.

– Pamiętam, że ojciec nie mógł wyjść ze zdumienia, bo znalazł tam pomieszczenie, które nie miało żadnego przeznaczenia, a było tylko jakby śmiercionośną pułapką.

– Śmierć to wystarczające przeznaczenie.

– W pana powieści może to tam powinien być ukryty kielich Lutra?

– Świetny pomysł. A, jeszcze jedno – ten napis nad nimfą zinterpretowałbym w swojej powieści raczej tak:

Nie szukaj przyjaciół kielicha w Niemczech i Francji,
Wydają się prawdziwi, ale tylko przez chwilę.
Jeśli chcesz na zawsze posiąść tajemnicę kielicha,
Oprzyj się o mą pierś.

– Czy to w ogóle ma sens? – zapytałem już bardziej siebie niż pana Teofila.

– Na pewno, ale jeszcze nie wiem jaki. Dopiero to piszę.

– A powie pan, jaki będzie koniec?

– Powieść jest jak kobieta, powinna pozostawiać uczucie niedosytu – dobre historie kończą się tam, gdzie chciałbyś je zacząć.

74.

Powrót państwa Freytag

Dwa tygodnie przed świętami przyszedł do nas Gustav Piontek. Właśnie wrócił z wizyty u swojego wuja i opowiedział, jak bardzo rodzina Richarda Freytaga była poruszona tym, że mieszkanie we Wrocławiu nadal pełne jest jego rodzinnych pamiątek. Matka miała dobry dzień i była na fonii, więc ze wzruszeniem zaczęła przybliżać szczegóły, ale gdy doszła w opisie do tamborka, w którym panienka Freytag wyhaftowała na serwecie kwiatuszek, prawdopodobnie różyczkę, a pod nim swoje imię, Piontek lekko się zniecierpliwił.

– To my po prosu przyjedziemy i wtedy się zobaczy.

Przez tydzień matka pakowała rzeczy jak do przeprowadzki. Albumy ze zdjęciami, bibeloty, dyplomy, zaświadczenia, dokumenty, stare jedwabie i aksamity, pamiątki z dzieciństwa, najładniejszą porcelanę i książki – na szczęście nie wszystkie, tylko te, które wydawały jej się najcenniejsze. Spakowała też laski o odkręcanych uchwytach, ale potem z jakiegoś powodu się rozmyśliła i zawiesiła je z powrotem w przedpokoju. Portrety zostawiła na ścianie.

– Niech sami zdejmą, niech widzą, że były szanowane, a nie leżały gdzieś tam w piwnicy.

– Mamo – tłumaczyłem – oni tego wszystkiego nie wezmą, nie dadzą rady!

– To wybiorą sobie to, co im tam będzie trzeba, a po resztę przyjadą następnym razem.

Sądziliśmy, że odwiedzą nas po świętach. Zamierzaliśmy je spędzić w rodzinnym gronie – przyjechała Tyrania z Iskierką oraz wuj Kurt i ciotka Kerstin. Było jak za dawnych czasów – Tyrania spierała się z mamą o kolejność potraw na stole, a wuj opowiadał przerażające historie, w tym tę o żołnierzu biegnącym bez głowy.

Kiedy siedzieliśmy tak dookoła stołu, wspominając dawne czasy i ciesząc się swoją obecnością, rozległ się dzwonek, a ja pomyślałem, że być może ojciec przyjechał z wizytą. Pobiegłem do przedpokoju, bo chociaż miałem mu za złe więcej niż za dobre, to jednak tego dobrego i tak było sporo. Otworzyłem drzwi z rozmachem, szeroko, ale uśmiech na mojej twarzy zastygł natychmiast.

Dotąd patrzyłem na nich codziennie. Na dumnego Richarda Freytaga, właściciela całej kamienicy, potomka sławnego pisarza, w końcu dowódcę grupy Poszukiwaczy i Strażników Kielicha Lutra. Na jego piękne córki w falbaniastych sukienkach, na syna w pumpach i na dystyngowaną żonę, która zawsze miała uniesiony podbródek. Spoglądali na mnie ze ścian, przybierając dziwne pozy na wiszących w mieszkaniu portretach.

Przyjechali w pierwszy dzień świąt. Myślałem, że będą tacy jak ze zdjęć – dumni, pewni siebie, piękni, chociaż starsi. Tymczasem Otto, syn Richarda Freytaga, był na wózku inwalidzkim i świszczał rurką po tracheotomii, jakby miał w sobie przeciąg. Dwie jego siostry, zgarbione i całkiem siwe, opierały się na laskach, a trzecia chodziła o kulach. Byli starzy, ale przecież nie na tyle, żeby czas zdążył zrobić w ich ciałach takie spustoszenie. On mógł mieć siedemdziesiąt lat, one miały zaledwie po sześćdziesiąt kilka, ale wszyscy wyglądali przynajmniej dziesięć lat starzej, jakby dopadła ich jakaś wspólna choroba albo koszmarne rodzinne utrapienie – z tych utrapień, które czas mijający liczą podwójnie.

Matka, wiedziona instynktem, wyszła do przedpokoju. Załamała ręce, rozpłakała się. Oni szarzy i wymęczeni, jakby właśnie wrócili z frontu, a matka w koronkowej śnieżnobiałej bluzce i bordowej spódnicy z gęstego jedwabiu, starannie ufryzowana – tym razem to ona wyglądała przy nich jak arystokratka.

Weszli w sam środek naszych świąt, niezapowiedziani i w tym dniu nieproszeni. Ciotka z niezadowoleniem marszczyła brwi, wuj znacząco chrząkał, a Iskierka patrzyła przerażona. Tylko matka uśmiechała się z zachwytem, jakby to byli dokładnie ci Niemcy, na których całe życie czekała.

Nie chcieli rozejrzeć się po mieszkaniu, nie chcieli usiąść za stołem. Stali pod ścianą, jakby przestraszeni wizytą, zerkali na swoje kredensy, ale nie z ciekawością, lecz jakby z obawą przed tym, że kiedyś coś się w nich kryło, a dziś tego już nie ma – przeminęło, rozpadło się w pył, odeszło. Nieśmiało spoglądali na oprawione w skórę księgi, porcelanowe dzbanuszki i mosiężne kandelabry, rzucali krótkie spojrzenia i natychmiast z nimi uciekali, jakby ze wstydem nad jakimś, wydawałoby się, niepotrzebnym rozpamiętywaniem, byli w końcu u siebie, ale czuli się obco jak nigdzie dotąd, stali w miejscu i nawet nie chcieli podejść do ściany ze swoimi portretami.

Matka zaczęła opowiadać, jak to się stało, że z ich mieszkania musieliśmy zrobić trzy, a ja dodałem, że w moim jest materac, na którym pan Freytag z panią Freytag spędzali upojne noce – myślałem, że ten materac trochę ich rozbawi, ale wciąż byli bardzo poważni, a nawet smutni.

Wskazałem im zapakowane pudła i powiedziałem, że mogą brać, co tylko zechcą. Kobiety podeszły do tych pudeł nieśmiało, a mężczyzna na wózku zapytał wprost o złoto, które było ukryte w słoikach. Matka się zmartwiła i opowiedziała o Szorstkim i o wizycie Fryderyka, a mężczyzna kiwał ze zrozumieniem głową, jakby na wszystko się zgadzał. Potem podjechał w kierunku stołu, skinął na jedną z sióstr, a gdy podeszła, wziął od niej laskę i dwa razy stuknął w podłogę. Wuj zrozumiał, o co chodzi, więc podszedł i podważył jedną z desek nożem, otwierając skrytkę. Wszyscy od dawna wiedzieliśmy o jej istnieniu i o tym, że jest pusta, a teraz zobaczyliśmy to po raz kolejny i każdy z nas znów poczuł rozczarowanie, tak jakby raz opróżnione skrytki miały cudowną właściwość samoczynnego napełniania się po brzegi przed wizytami swoich prawowitych właścicieli.

Otto Freytag tylko westchnął swoją świszczącą rurką, kobiety zaś pogrzebały trochę w pudłach, popatrzyły na stare fotografie i dyplomy z dzieciństwa, zdziwiły się widokiem swoich wypranych koronek, po czym cała czwórka podziękowała za gościnność oraz za szacunek dla ich przedmiotów i jeszcze starsza ruszyła do drzwi, nie zabierając ze sobą niczego.

Matka złapała się za serce i krzyknęła, że zapomnieliśmy przecież o pierścieniu i rzeczywiście było tak w istocie – odkąd przestałem się bać, że na mnie patrzy, a matce siły nie pozwalały już na wchodzenie na stół i odkurzanie żyrandola, wisiał wśród lekko przykurzonych kryształów i nie był nikomu potrzebny. Wskoczyłem na stół i ściągnąłem pierścień, podałem go matce, a ona wyszła do przedpokoju za Freytagami, którzy gotowi już byli do wyjścia. Z ostatnią nadzieją wskazała im szereg karnie stojących lasek, a oni spojrzeli na nie obojętnie. Nie wiedzieli o niczym. Nie mieli pojęcia. Ani o mapach tam ukrytych, ani o kielichu Lutra. Matka ścisnęła więc w garści pierścień i im go nie dała, tak jakby nie zdali egzaminu z niezbędnej wiedzy o zawartości lasek.

Bardzo źle zniosła wizytę. Przez lata pilnowała tych wszystkich dziwnych przedmiotów, śladów czyjejś młodości, czyjegoś dzieciństwa – była pewna, że komuś będą jeszcze potrzebne, że ktoś będzie chciał do nich wrócić. Stała teraz bezradnie pośrodku tych pudeł z nikomu niepotrzebnymi rzeczami, pochyliła się nad jednym i wydobyła ten idiotyczny tamborek z różyczką, chwilę mu się przyglądała, po czym wzięła go ze sobą do swojego pokoju i bez słowa położyła się spać.

Nazajutrz nie chciała wstać z łóżka ani nawet włączyć aparatu słuchowego. Słuchała głosów, które mówiły w niej.

Wieczorem zawołała mnie i kazała podać sobie Matkę Boską Ukradzioną. Spojrzała na barometr i powiedziała, że nie pokazuje daty objawienia, więc w domu idzie na śmierć. Tak samo było bowiem w przypadku babci.

Barometr zepsuł się już dawno temu i jego wskazówka cały czas stała w tym samym miejscu, ale pomyślałem, że to kolejny przesąd matki. Chcąc ją uspokoić, poszedłem do starego zegarmistrza, takiego, który naprawia zegary wahadłowe.

– Naprawi pan ten barometr?

– Zdumiewający.

– Stary. Wuj po wojnie przywiózł go z Lourdes. Naprawi pan?

– Jeszcze nie zdarzył się taki, którego bym nie naprawił. Co mu dolega?

– Kiedyś po prostu wariował i jak się wskazówka wychylała, to nie wiadomo, na co. W każdym razie nie na zmianę pogody. A teraz cały czas stoi w miejscu.

– Pewnie aneroid się rozszczelnił.

Zegarmistrz zaczął obracać barometr w dłoniach. Małym śrubokrętem podważył szybkę, potem odkręcił tarczę i zajrzał do środka.

– I co? Kiedy mogę przyjść po odbiór?

– Od razu może go pan odebrać.

– Tak od ręki naprawi pan ten mechanizm?

– Nie.

– To znaczy, że co? Jednak nie da się naprawić?

– Nie.

– A co mu się stało?

– Nic.

– Jak to nic?

– Tu nie ma żadnego mechanizmu, proszę pana. Nie ma i nigdy nie było.

– To co w takim razie wskazuje ten barometr?

– Nic.

75.

Nic tak jak śmierć
nie zmienia nam życia

Dotyk matki jednak mnie dopadł. Zupełnie z innej strony, niż oczekiwałem, a gdyby nie okoliczności, mógłbym nawet powiedzieć, że dopadł mnie podstępnie i z zaskoczenia. Uciekałem od muśnięć, czułych dotknięć policzka koniuszkami jej palców, nawet od przyjacielskiego poklepywania po plecach, nie mówiąc już o matczynym przytulaniu do piersi. Miała na to ochotę zawsze, gdy wokół mnie działo się coś złego, patrzyła na mnie bezradnie, smutna, zagubiona w naszych uczuciach, które nie były z mojej strony uczciwe, bo pozwalałem, by patrzyła, jak się martwię, ale nie zgadzałem się na jej gest pocieszenia.

Przez kilka sekund miałem wątpliwości, a nawet wyrzuty sumienia. „Jezu", mówiłem sobie, „Piotrek, przecież to jest twoja matka, pozwól jej się chociaż dotknąć, sam ją dotknij, przytul, pocałuj, urodziła cię, nosiła w sobie, karmiła piersią, myła tyłek i filigranowego kutaska, a ty jej teraz nie możesz dać odrobiny ciepła?".

Gdy miała urodziny, całowałem ją tuż przed policzkiem, tak jakby fizycznie nie istniała, była duchem solenizantki pozbawionej ciała. Nigdy nie dotknąłem jej włosów. Może gdy byłem dzieckiem? Nie wiem, nie pamiętam.

Tak jak i nie wiem – dlaczego. Może za bardzo mnie kochała, może wstydziłem się jej opiekuńczej czułości, gdy byłem dorastającym chłopcem? Może bałem się, że kumple z podwórka powiedzą, że jestem maminsynkiem? Bo chyba nim byłem.

Wiedziałem, że po odejściu ojca i wyjeździe Tyranii czuje się samotnie, potrzebuje ciepła, przytulenia, dotyku. A zamiast tego dawałem jej czekoladki.

Nagle wszystko się zmieniło. Radykalnie. Po raz pierwszy zrozumiałem to tamtej nocy, dwa dni po wyjeździe Freytagów, gdy nie mogła wstać z łóżka. „Piotr", zawołała, „ja muszę do toalety". Wszedłem do jej sypialni i po raz pierwszy – nawet nie od wielu lat, może po raz pierwszy w życiu – wziąłem ją pod ramię. Kiedyś mogłem ją prowadzić tak do teatru, który bardzo lubiła, lub do filharmonii – byłaby szczęśliwa i dumna. Teraz mogłem już ją prowadzić tylko do toalety.

Słabła i bardzo się tego wstydziła. To nie jej rola, nie potrafiła się w nią wczuć. Choroby nie były jej po drodze. Córka wikingów, siostra walkirii. Wola, moc, oddanie i miłość, a nie słabość, bezsilność, wołanie o pomoc. W ciągu tamtego ostatniego tygodnia dotyk wrócił. Dotyk matki i syna. Stał się powszedni i oczywisty od dnia, w którym z łazienki zawołała: „Piotr, trzeba mi pomóc, nie mogę wciągnąć majtek". Poznałem go intensywniej, niż się spodziewałem, i chociaż bywał uciążliwy, chciałem, żeby został przy mnie – ten dotyk suchej skóry, pod którą drżały drobne kostki dłoni – ten odzyskany dotyk, nasz wspólny. Nie sądziłem jednak, że będzie trwał tak krótko.

Mylił się stary zegarmistrz, mówiąc, że barometr nic nie wskazuje, bo wyraźnie wskazywał chorobę matki. Po wyjeździe Freytagów coś w niej zaczęło gasnąć szybko jak słońce jesienią – przez dwa tygodnie leżała w domu, potem przestała jeść i musiałem odwieźć ją do szpitala. Codziennie byłem u niej, siedziałem przy łóżku. Nie miała sił, żeby się poruszyć, ale wrócił do niej polski.

– Poszłabym na spacer.

– Pada deszcz, mamo. Cały tydzień już pada.

– Będzie powódź.

– Mówią, że raczej nie.

– Na pewno będzie. Czuję to. Będzie powódź i wymyje wszystkie stare ślady.

– Jakie ślady, mamo?

– Zobaczysz.

– Będzie dobrze, mamo.

– Wiem. Pojechali już?

– Kto, mamo?

– Freytagowie.

– Już dawno, od razu. Na drugi dzień po wizycie.

– Wzięli pamiątki?

– Wzięli wszystko, wszystkie pudła, które im przygotowałaś – skłamałem.

– To ciężko mieli trochę, dali radę?

– Dali radę. Pomogłem im znieść na dół. Taksówka czekała. Taka duża, bagażowa.

– A sukieneczki panienek, które im wyprałam?

– Wzięli, bardzo się cieszyli, że takie czyste i pachnące.

– Widzisz. A śmiałeś się ze mnie.

– A bo głupi byłem, mamo.

– Widzisz, dopilnowałam.

– Dopilnowałaś, mamo.

– Ale kielicha nie znaleźli.

– Nie znaleźli.

– To był mój kielich. Każdy ma swój. Ty też.

– Tak, mamo, każdy ma swój. Ja też.

– Dobrze, że to rozumiesz, synu.

Nie wiem, na ile była świadoma wypowiadanych słów i na ile pewna tego, co chce mi powiedzieć. Po raz pierwszy naszła mnie jednak wątpliwość – pomyślałem, że być może cały czas w błędzie byli ci, którzy szukali kielicha Lutra w naszej piwnicy, murach domu i pod deskami podłóg. Może powinni go szukać w swoich sumieniach, uczynkach bądź ich zaniechaniu. Może kielich Lutra mojej matki nie był z weneckiego szkła, lecz z papieru, sukna, drewna i żelaza – z tego wszystkiego, z czego składały się rzeczy, których pilnowała. Może był jej stróżowaniem, lojalnością, uczciwością, wiarą i czekaniem.

A może to właśnie teraz się mylę i domysły te wiodą mnie na manowce.

To była nasza ostatnia rozmowa. Nadal do mamy przyjeżdżałem, ale już o tym nie wiedziała. Miała zamknięte oczy, milczała, wydawało się, że tym razem wyłączyła nie tylko fonię, lecz także wizję, i chce słuchać głosów, które w niej mówią, i oglądać obrazy, które sama sobie z pamięci wybiera. Lekarze mówili, że nie odzyska przytomności, bo była już poza świadomością, poza przestrzenią i czasem.

Ale co oni tam mogą wiedzieć.

Siadałem na brzegu łóżka i widziałem, jak marszczy czoło, jak spiera się o coś z mówiącymi w niej głosami. Uspokajałem ją, a ona na pewno słyszała:

– Złe myśli są jak czarne ptaki z trzepoczącymi na wichrze skrzydłami. Tylko mi pozwól, a wszystkie je od ciebie odpędzę.

76.

Auto da fé

Od dawna obawiałem się nieuchronnego – czegoś, co zrobię. Coś złego się stanie i nie będzie odwrotu. Kiedy byłem dzieckiem, panicznie się bałem, że wpadnę pod tramwaj – obetnie mi nogę i już nigdy nie wyjdę z domu. Potem bałem się, że umrze ojciec, a matka będzie smutna przez resztę życia. Bałem się księdza, że zna wszystkie moje grzechy i winy nie do odpuszczenia, za których karą będzie diabeł stróż. Bałem się, że nie zdam na studia i zostanę bezrobotny, będę grzebał w śmietnikach i mieszkał w rurze kanalizacyjnej. Zawsze się bałem, że kogoś zabiję. Potrącę samochodem, przejadę, spowoduję wypadek. Biegnąc do pociągu, popchnę w tłumie kogoś, kto się przewróci na tory pod ruszający pociąg. Jako dziennikarz napiszę jakiś tekst, którym ktoś się poczuje śmiertelnie zraniony i dostanie zawału lub popełni samobójstwo. Wychodząc do pracy, zapomnę zakręcić gaz i cała kamienica wybuchnie. Na rowerze wpadnę na malutkie dziecko, kruche jak bombka, co spada z choinki, i nie wiadomo, czy stłucze się, czy nie stłucze – dopóki leci, jeszcze jest nadzieja, a potem już nie ma.

Zawsze byłem ostrożny, czasami nawet tchórzliwy, zupełnie jakbym przechodził przez życie na palcach i bał się zbudzenia demonów. A teraz budziłem je z premedytacją.

Przygotowane przez mamę pudła dla Freytagów znosiłem do piaskownicy. Wysypywałem ich zawartość na stertę, jedno po drugim. Mieszały się ślady przeszłości, rosła piramida drewnianych szkatułek, albumów fotograficznych, starych pergaminów. Potem naręczami zaniosłem na dół zawartość poniemieckiej biblioteki. Wszystkie wytwornie wydane egzemplarze dzieł Freytaga wrzuciłem na samą górę. Przypomniał mi się mundur z piwnicy. Pobiegłem. I jeszcze – po drodze – drewniany wózek dla lalek, kareta, model U-Boota, sztalugi i drewniane pudełka z akwarelami panienek. Ich wyprane przez matkę sukienki. Koronki, szpulki, aksamitki. Golgota niechcianych wspomnień.

W piwnicy stała butelka z naftą. Polałem książki, rzuciłem zapałkę. Ogień strzelił wysoko. Patrzyłem, jak pęka skóra okładek i zwijają się w płomieniach stare kartki. Pojedynczo oddzielały się od grzbietów i niesione żarem leciały ku górze jak płonące ptaki. Na wysokości drugiego piętra gasły i nadpalone opadały z powrotem. Tu znów dopadał je ogień, a żar ponownie wyrzucał do góry. Ognista karuzela, piekielny rollercoaster. Patrzyłem na niknące w ogniu zdjęcia, które wysypały się z albumów. Twarze czerniały błyskawicznie, potem na ułamek sekundy czerwieniały i przychodził lekki rozbłysk, po którym płomień przechodził na drugą stronę, a czarny popiół leciał do nieba.

Z okien wychylali się przerażeni sąsiedzi. Kobiety krzyczały, mężczyźni rzucali przekleństwa. Z dala usłyszałem nadjeżdżającą straż pożarną. Wtedy przypomniałem sobie o portretach na ścianie. Tych w ozdobnych ramach, bogato rzeźbionych. Rzuciłem się pędem do domu, jakbym się bał, że postacie wyjdą z ram i zdążą przede mną uciec.

Otworzyłem stary kredens i ze schowka wyjąłem pistolet Freytaga, który przeleżał tam ponad pół wieku. Ten sam, którym ojciec chciał kiedyś zastraszyć Smoka. Wbiegłem do pokoju, wycelowałem, nacisnąłem spust. Nic, cisza. Wziąłem głęboki oddech, odbezpieczyłem broń i ponownie nacisnąłem spust. Huk, a potem brzęk szkła wypadającego z ramy na podłogę. Poczułem zapach prochu i unoszących się drobin tynku. Wycelowałem w sąsiedni portret, po raz trzeci nacisnąłem spust i momentalnie poczułem dziwny ból w okolicach żuchwy, a potem na lewym przedramieniu, jakby kula odbijała się we mnie rykoszetem, dotknęła obu łopatek jednocześnie i doleciała pod mostek, uderzając z taką siłą, że piekący ból rozlał się wokół serca, po czym wszystko łagodnie ustało.

Nieba każdy oczekuje – nawet jak w Boga wątpi, to i tak po cichu na nie liczy – ale piekło pełne jest tych, którzy się go nie spodziewali. Jeśli człowiek nie wierzy w Boga, to jeszcze nie problem – prawdziwy problem pojawia się wtedy, gdy to Pan Bóg nie wierzy w człowieka.

Otworzyłem oczy i obudziłem się jednak w niebie. To uczucie miłe, ale jednak dość zaskakujące, zwłaszcza gdy jest się ateistą.

Widziałem twarz Laurki, a nad nią aureolę. Pomyślałem, że z jakiegoś powodu została świętą, i zmartwiło mnie to, bo nie wiedziałem, że też umarła. Potem słońce za Laurką zakryła chmura, a wtedy aureola nieco przygasła i zobaczyłem, że to jej rude włosy.

– Masz szczęście, że twój ojciec cię znalazł – powiedziała.

– Mój ojciec?

– Przyjechał za tobą po pogrzebie twojej mamy. Chciał porozmawiać, bo na pogrzebie nawet do niego nie podszedłeś. Zastał cię leżącego z pistoletem na podłodze. Miałeś zawał. Swoim przyjazdem uratował ci życie. Reanimował cię. Powinieneś mu wybaczyć. Jest stary, za chwilę i jego stracisz.

– Wybaczyć? Nie wiem. Teraz cieszę się z tego, że ty tu jesteś.

– I ja się cieszę. Przyjechałam akurat wtedy, gdy wnosili cię do karetki. Przestraszyłam się. Wszędzie pełno dymu, a podwórko całe zasłane nadpalonymi książkami. Dlaczego to zrobiłeś?

– Nie pamiętam. To był impuls, szaleństwo.

Na korytarzu pełniącym funkcję szpitalnej świetlicy stał telewizor. Przez uchylone drzwi widziałem, jak kamera pokazuje naszą wieżę ciśnień przy Wiśniowej. Wielkie ciężarówki wysypywały tony piachu wprost na ulicę. Jacyś ludzie uwijali się gorączkowo, sypiąc łopatami piach do worków. Reporter podszedł do jednego z nich. Starszy, siwy mężczyzna taszczył worek, śpiewając:

Znów buty, buty, buty, tupot nóg
I ptaków oszalałych czarny wiatr.
Kobiety stają u rozstajnych dróg,
Piechocie odchodzącej patrzą w ślad.

– Jak pan ocenia akcję przeciwpowodziową?

– Worków na piach wciąż nam brakuje. Ludzie przynoszą już poszewki na poduszki.

Nie rozpoznałem głosu, nie dostrzegłem twarzy.

Potem kamera skierowała się na prezydenta miasta Bogdana Zdrojewskiego. Szedł wzdłuż wałów przeciwpowodziowych przy Odrze i palcem wskazywał miejsca, w których wał przesiąka.

– Myślisz, że będzie powódź? – zapytałem. – Zawsze mówili, że Wrocław jest bezpieczny, bo Niemcy uregulowali Odrę i zostawili sprawne urządzenia hydrotechniczne…

Spochmurniała.

– Ale nie byli przygotowani na powódź tysiąclecia. Woda już przyszła.

– Duża?

– Fala powodziowa miała siedem metrów. Zalało Kłodzko i Opole, a wczoraj pod wodą znalazło się kilka dzielnic Wrocławia. W niektórych miejscach sięga pierwszego piętra. Ludzie płyną pontonami między dachami samochodów.

– Znowu przegapiłem historyczną chwilę.

– Dla mnie jesteś bohaterem. Nie każdy dla swojej matki wywołałby pożar na podwórku i rozstrzelał dwa stare portrety.

– Nabijasz się ze mnie.

– Trochę tak. Rozmawiałam z adwokatem. Pociesza, że dostaniesz wyrok w zawieszeniu. Tylko nie opowiadaj im, proszę, o Atlantydzie i kielichu Lutra. Dorośnij, Piotruś.

– Obiecuję. Chyba zachowałem się jak nasza Odra. Za dużo tego było we mnie, przelało się. Rzece nikt się nie dziwi, gdy wylewa, a człowiek jest słabszy od rzeki.

Pocałowała mnie. Gdy wychodzi, zamykam oczy – mam ją pod powiekami i już mi nigdy nie ucieknie. Ciągle ją widzę, chociaż nie patrzę.

Wieczorem wciąż echem odbijają się w mojej głowie słowa piosenki, którą kilka godzin temu śpiewał ten stary mężczyzna sypiący piach do worków. Chciałbym, żeby dziś taki był mój ojciec. Taki jak wtedy, gdy o coś walczył, gdy gonił Smoka z pistoletem i wierzył w sprawy beznadziejne, jak to, że matka pozwoli w końcu wyrzucić mundur Freytaga lub że pojedziemy kiedyś nad morze nienaprawialną syrenką.

Znam te słowa, to *Piosenka o żołnierskich butach* Bułata Okudżawy. Jedyna z repertuaru ojca, którą matka lubiła. Chyba pamiętam ciąg dalszy. Nucę:

A gdzie kobiety nasze, powiedz, gdzie?
Gdy już nadejdzie wytęskniony dzień,
Witają w progu nas i wiodą tam,
Gdzie wszystko nasze ukradziono nam.

I nagle słyszę, jak mój głos mężnieje, nabiera mocy – staje się tubalny i donośny:

Lecz cóż po łzach, po załamaniu rąk!
Z nadzieją patrzmy w nadchodzące dni...
A pośród pól żerują stada wron,
A pośród lat echami wojna grzmi.

Milknę zaskoczony, ale pieśń trwa. To nie tylko mój głos. Ktoś śpiewa razem ze mną. Otwieram oczy. W drzwiach widzę wielką sylwetkę ojca. Mocno zgarbioną, ale silną jak kiedyś.

Kilka dni później przyjechała po mnie Laurka. Towarzyszyła jej mała, piegowata dziewczynka. Cztery latka, może pięć. Warkoczyki jak u Pippi Langstrump.

– Wzięłaś ją z filmu?

– To moja córka. Aurelia. Sama ją wychowuję.

Laurka włosy miała spięte w kok, z którego uciekło kilka niegrzecznych kosmyków i dokazywało na wietrze. Nie mogłem oderwać oczu od smukłej szyi, drobnych ramion, zarysu idealnie symetrycznych łopatek. Wpatrywałem się w miękkie zagłębienie między nimi i natychmiast zapragnąłem wtulić w nie swoją twarz. Wiedziałem, że to właśnie jest moje miejsce na ziemi.

Wydawało mi się, że urosła przez ten czas i teraz jest wyższa ode mnie o pół głowy. Gdy zamknęliśmy się już w naszym starym mieszkaniu, początkowo wszystko było za wysoko – do jej ust musiałem się wspinać na palce, a gdy podciągnęła sukienkę, okazało się, że nic z naszych ciał do siebie nie pasuje. Dopiero gdy pozbyłem się niecierpliwości, a ona butów, i stanęliśmy odwróceni do siebie plecami, trochę jak do pojedynku, a trochę jak dzieci, które w szkole porównują się wzrostem – dopiero wówczas poczułem jej łopatki na wysokości moich łopatek. Kiedy odwróciliśmy się przodem do siebie, nasze wargi znalazły się dokładnie na tej samej wysokości, podobnie jak piersi, biodra i uda, które znów stały się dopasowane i na nowo spragnione.

Mówię jej:

– Nie wiem, dlaczego ludzie mówią, że cuda się nie zdarzają, przecież ty się zdarzyłaś.

A ona pyta:

– Do czego tak właściwie jestem ci potrzebna?

Więc mówię, że takie pytanie jest jak szeroka rzeka, po której płyną dziesiątki łódek, dużych i małych, a nawet złożonych z papieru. Mówię, że jest mi potrzebna jak nurt tej rzeki i jak jej brzeg lewy oraz prawy, jak mosty nad nią nieruchomo zwieszone, jak wyspy mijane po drodze, pełne siedlisk ptaków, schronienia bezpieczne, jak drzewa w wodzie chłodzące się gałęziami w upale, od którego płonę.

– Jesteś mi potrzebna jak odbicie w lustrze, nie odbijam się w nim nawet sam przed sobą, a gdy wychodzę z domu, to nie otwierają się przede mną żadne drzwi automatyczne, bo też wiedzą, że bez ciebie mnie nie ma.

Kładzie głowę na moim ramieniu i jest mi tak dobrze jak wtedy, gdy wierzyliśmy jeszcze we wszystkie czarodziejskie moce przedmiotów ukrytych w ścianach naszego domu. Niebo posiniało ze zmęczenia, wiatr nie może się ruszyć, a upał jest taki, że jej włosy są czerwone z gorąca i mam obawę, że mogą się zapalić, ale mnie uspokaja, mówiąc, że jest dziś dla mnie rudowłosa, płomiennie wprawdzie, ale bezpiecznie.

I nagle wszystko wydaje się nam takie naturalne – skoro był pożar, to wiadomo, że musiała po nim nadejść woda. Wdarła się do miasta tą samą drogą, którą przeszła już raz, podczas wielkiej powodzi w 1904 roku – gdyby ktoś wpadł na pomysł, by przyjrzeć się poniemieckim dokumentom, wówczas można by wyciągnąć z nich wnioski i się przed nią obronić. Nikomu nie przyszło jednak do głowy, że we Wrocławiu można się uczyć z doświadczeń poprzednich pokoleń, bo przecież były niemieckie. Może powódź była karą właśnie za to wymierzoną nam przez ducha dziejów, który wciąż w tym mieście mieszka?

Ojciec miał wieczorem pociąg do Warszawy, ale chciał jeszcze przejść się po ulicach Wrocławia. Poszliśmy we dwóch, z niedowierzaniem przyglądając się miastu. Z zalanych piwnic wypływały różne przedmioty. Deski, puste bukłaki, miski, stare gazety. Przez część Świdnickiej jechaliśmy błotem pokrytym świeżo wypłukanymi z jakiejś piwnicy płachtami „Völkischer Beobachter", dziennika NSDAP. Tam, gdzie woda opadła już całkiem, mieszkańcy wynosili zawartość zalanych domów na śmieci. Widziałem, jak znikają wśród nich przedmioty takie jak te, które i my przetrzymywaliśmy latami – rzeka była bardziej pragmatyczna niż ludzie i wypłukała z piwnic ostatnie pamiątki po Niemcach. Stało się dokładnie tak, jak zapowiedziała moja matka. Powódź wymyła wszystkie stare ślady.

Szliśmy, klucząc ulicami, omijaliśmy te, którymi wciąż płynęła rzeka. Inne nadal były zalane, ale poziom wody powoli opadał.

Musieliśmy obejść Kościuszki, gdzie ludzie brodzili do pasa, ominęliśmy też Piłsudskiego, po której dwóch mężczyzn płynęło kajakiem w kierunku Świdnickiej. Jakimś cudem działała tam sygnalizacja świetlna i akurat na skrzyżowaniu zapaliło się czerwone. Mężczyźni wyhamowali kajak, niepewnie rozejrzeli się w obie strony, po czym przepłynęli skrzyżowanie na czerwonym.

Posłowie

Informacje o faktach z życia samego pisarza pochodzą z biografii „Ślązak, Prusak, nacjonalista. Gustaw Freytag" Piotra Pregiela. Nie pamiętam natomiast, czy kiedykolwiek wątpiłem w istnienie kielicha Lutra – przez wiele lat byłem przekonany, że jest gdzieś obok, całe moje dzieciństwo pełne było wyraźnych znaków. Potem ich przejrzystość i przesadna czytelność kazały mi zwątpić. Poczułem się tak, jakby kilkadziesiąt lat wcześniej ktoś zostawił je dla kogoś, kto będzie mieszkał w tym domu i weźmie udział w dalszej części tamtej gry, której reguł do końca nie poznałem.

Gdy wreszcie zwyciężyło we mnie przekonanie, że jest to mit lub legenda i kielich Lutra materialnie nie istnieje, lecz jest tylko kruchym symbolem wartości, których nie śmiałbym po kolei określać słowami, niespodziewanie znów o nim usłyszałem. Za sprawą Beaty Maciejewskiej, historyka z wykształcenia, a z zamiłowania publicystki od lat zajmującej się dziejami Dolnego Śląska, pojawił się w „Gazecie Wyborczej" cykl artykułów o kielichu Lutra.

Dowiadujemy się z niego, że jesienią 2001 roku do znanego wrocławskiego archeologa doktora Cezarego Buśki zadzwonił Christian Schwarzer, chirurg szczękowy spod Hanoweru. Powiedział, że jest wnukiem Maxa Schwarzera, majętnego technika dentystycznego, który mieszkał w Breslau przy Margaretenstrasse 6 (dzisiaj okolice ulicy Mazowieckiej). W ich domu stał cenny kielich z czerwonego szkła, który w 1543 roku Marcin Luter podarował swojemu współpracownikowi Justusowi Jonasowi. Nie był to jedyny szklany kielich Lutra. Christian Schwarzer, przez dziesięć lat badając jego losy, odkrył, iż w piętnastu miejscach na świecie znajdują się kielichy, które także przypisywane są Lutrowi.

Gdy w Festung Breslau zaczęły się bombardowania, mieszkańcy budynku znieśli swoje najcenniejsze rzeczy do piwnicy i ukryli je w specjalnie przygotowanej skrytce, którą wzmocniono stalowymi szynami. Żona Maxa Schwarzera zaniosła tam wówczas rodzinne kosztowności oraz skrzyneczkę z kielichem. Schwarzerowie z Wrocławia wyjeżdżali w pośpiechu, podobnie jak kilkaset tysięcy mieszkańców wykonujących rozkaz przymusowej ewakuacji wydany przez gauleitera Karla Hankego. Zabrali ze sobą tylko małą walizkę z dokumentami, wierząc, że za jakiś czas wrócą.

Przyjechali dopiero w 1985 roku, ale nie był to dobry czas na poszukiwania, zwłaszcza że ich kamienica popadła w ruinę. W końcu zburzono ją całkiem i wtedy wnuk Maxa Schwarzera zwrócił się do wrocławskiego archeologa.

Jego wniosek nie był ewenementem – do wojewódzkiego konserwatora zabytków wielokrotnie docierały sygnały o ukrytych skrytkach, ale żadnej z nich nie udało się odnaleźć. Cztery lata wcześniej, na prośbę niemieckiego malarza Markusa von Gosena, Muzeum Miejskie podjęło się poszukiwania piwnic, w których ukrył witraże wykonane dla kościoła Świętego Bernardyna, ale i wtedy niczego nie znaleziono.

W kwietniu 2002 roku urząd miasta Wrocławia wydał zgodę na przeprowadzenie prac archeologicznych w miejscu, w którym znajdowała się piwnica Maxa Schwarzera. Geodeci wytyczyli do poszukiwań obszar o powierzchni czterech tysięcy metrów kwadratowych. Ogrodzono go płotem i pilnowano całą dobę. Ściągnięto ciężki sprzęt do odgarnięcia gruzów. Przez kilka dni szukano piwnicy. Z Niemiec przyjechali Christian Schwarzer i jego ojciec. Przywieźli ze sobą plan, na którym była zaznaczona skrytka. Szukając jej, archeolodzy znaleźli różne drobiazgi, wśród nich srebrne sztućce, złocone kieliszki, fragmenty porcelany miśnieńskiej i emaliowaną wizytówkę z nazwiskiem jednego z przedwojennych lokatorów. W końcu dokopano się do piwnicy i wtedy okazało się, że jej strop został już naruszony przez rabusiów. Musieli być zdeterminowani i wiedzieli, że szukają czegoś cennego, bo poświęcili kilka dni, by od góry dostać się do piwnicy. Gdy po rabusiach weszli do niej archeolodzy, po kielichu zastali już tylko rozbitą skrzynkę.